新工科·普通高等教育机电类系列教材

机 械 设 计 基 础

第 3 版

主　编　王宁侠

副主编　王　涛

参　编　魏引焕　郑甲红　惠　烨
　　　　梁金生　闫　茹

主　审　尚久浩

机械工业出版社

本书是根据教育部高等学校机械基础课程教学指导分委员会批准的《机械设计基础教学基本要求》编写的。全书共分十三章，包括机械原理，机械设计的基本内容，如平面连杆、凸轮、螺旋等各种机构，带、链、齿轮、蜗杆等各种传动，以及轴承、联轴器、离合器等零部件，主要介绍它们的类型、结构原理、工作特性、受力分析及设计计算。另外，根据学科发展要求加进了现代设计理论及创新设计的有关内容，丰富了课程内容。

　　本书注重工程应用，不强调理论分析，淡化公式推导，内容简明易懂，图表数据准确、实用，各章附有一定数量的习题，除可供高等学校非机械类专业作教材外，也便于自学参考。

　　本书采用国际单位制，并采用现行国家标准。

　　由于非机械专业面广，各专业要求不同，因此，本书除反映其通用性外，还在内容取舍、例题和习题选择上，尽可能照顾各专业的要求。本书的内容是按60学时要求编写的，为便于教学，还部分地摘录了国家标准和规范。在使用时，可根据专业要求和教学时数进行取舍与调整。必要时，还可在教学中进行补充。

　　本书可作为高校非机械类工科专业"机械设计基础""机械基础"等课程的教学用书，也可供广大工程技术人员参考。

图书在版编目（CIP）数据

机械设计基础/王宁侠主编. —3 版. —北京：机械工业出版社，2024.4

新工科·普通高等教育机电类系列教材

ISBN 978-7-111-75023-9

Ⅰ.①机…　Ⅱ.①王…　Ⅲ.①机械设计-高等学校-教材　Ⅳ.①TH122

中国国家版本馆 CIP 数据核字（2024）第 046881 号

机械工业出版社（北京市百万庄大街 22 号　邮政编码 100037）
策划编辑：余　皞　　　　　　责任编辑：余　皞　王　良
责任校对：韩佳欣　刘雅娜　　封面设计：张　静
责任印制：李　昂
北京新华印刷有限公司印刷
2024 年 9 月第 3 版第 1 次印刷
184mm×260mm・17.25 印张・423 千字
标准书号：ISBN 978-7-111-75023-9
定价：58.00 元

电话服务　　　　　　　　　　网络服务
客服电话：010-88361066　　　机　工　官　网：www.cmpbook.com
　　　　　010-88379833　　　机　工　官　博：weibo.com/cmp1952
　　　　　010-68326294　　　金　书　网：www.golden-book.com
封底无防伪标均为盗版　　机工教育服务网：www.cmpedu.com

前 言

PREFACE

本书基于党的二十大报告中关于"深入实施科教兴国战略、人才强国战略、创新驱动发展战略"的要求和教育部高等学校机械基础课程教学指导分委员会批准的《机械设计基础教学基本要求》编写,在详细讲授基础理论知识的同时融入问题分析能力、创新思维以及创新能力培养内容,以促进学生活跃思维,助力培养学生严谨求实的科学精神和开拓进取的创新精神,提升学生的工程素养。

全书共分为十三章,内容涵盖机械基础知识、常用机构、主要机械传动、通用零部件等。基础知识部分包括了有关机械的基础概念,有关强度、材料和热处理的基础知识;常用机构部分主要包括连杆机构、凸轮机构、间歇运动机构、齿轮机构、轮系等,主要介绍机构的组成、工作原理、特性以及机构设计的基础理论和方法;主要机械传动部分主要包括带传动、链传动以及齿轮传动,主要介绍各种传动的工作原理、特点、应用、相关标准以及设计方法;通用零部件部分主要包括轴、螺栓、键、轴承、联轴器、齿轮、带轮、链轮等,重点是结构设计和选型计算等。另外,本书还介绍了机构的平衡与调速问题,以及现代设计理论和创新设计等相关内容。

本书在第2版的基础上主要做了以下修订工作:

1)为了适应机械学科的发展,增补了电动机的基础知识,包括传统的三相交流异步电动机和应用越来越广泛的步进电动机与伺服电动机,期望帮助学习者建立对电动机的初步认识并提供应用指导。

2)优化了部分章节的结构,修订了部分图片,调整了部分习题,提高了内容的系统性和严谨性。

3)增加了与本书配套的教学课件,同时配套了常用机构的相关动画素材,为广大教师在教学中使用提供便利。

本书编写团队在"学银在线"网建设并开设了以本书为参考教材的机械基础在线课程,可以方便学习者配合本书在线学习。

本书继承了第2版的特色,注重工程应用,不强调理论分析,淡化公式推导,内容简明易懂。本书是高校非机械类工科专业"机械设计基础""机械基础"等课程的教学用书,同时也可以作为非机械行业从业人员学习和了解机械基础知识的自学参考书。

参加本书编写工作的有:陕西科技大学王宁侠(第一章)、王涛(第二、三、十三章)、魏引焕(第十一章、附录)、闫茹(第四、五、十二章)、梁金生(第七、八章)、惠烨(第六、九、十章),编写过程中郑甲红教授给予了指导。本书由王宁侠担任主编,王涛担任副主编,陕西科技大学尚久浩教授担任主审。

由于编者水平有限,错误之处在所难免,欢迎读者批评指正。

编 者
于陕西西安

目 录

CONTENTS

第一章

Chapter

总 论

阐述"机械设计基础"课程的研究对象、内容、课程特点，探讨专业基础类课程的学习方法；针对工程常用的材料，介绍其组成、力学性能及热处理的相关知识。

第一节 "机械设计基础"课程研究的对象和内容

机器是人类在长期生产实践中创造的具有某种用途的装置，用来节省或代替人力、畜力以完成某种体力、脑力工作并提高生产率。在社会生产活动和日常生活中见到的汽车、拖拉机、洗衣机、包装机、机床等都是机器。机器是国家与社会发展的基础，实现国防现代化、制造业产业升级、农业产业升级、发展实体经济都需要依赖机器的创新发展。

机器种类繁多，就其构造、用途和性能来说是各不相同的，但它们都有一些共同的特征。

图 1-1 所示为造纸机简图。电动机 1 为整台机器的原动机，经联轴器 2 带动传动轴 3，又经无级变速器锥轮 4、5，减速器 6 等机构分别将运动传给造纸机各部分，完成预定的工艺要求——使适量浓度的浆料通过网部脱水形成纸幅，然后进入压榨部用机械的方法断续脱水；通过烘干部加热烘干并利用压光机使纸张增加光泽度和紧度，最后进入卷纸机，将纸张连续卷成一定大小的卷筒纸。这台机器的网部、压榨部、烘干部、压光机、卷纸机，是按照造纸工艺的需要而设置的，被称为工作机部分；介于电动机和工作机之间的传动装置被称为传动部分。

又如图 1-2 所示的真空螺旋挤泥机，是可塑法成型制陶过程中应用极为广泛的成型机

外骨骼机器人

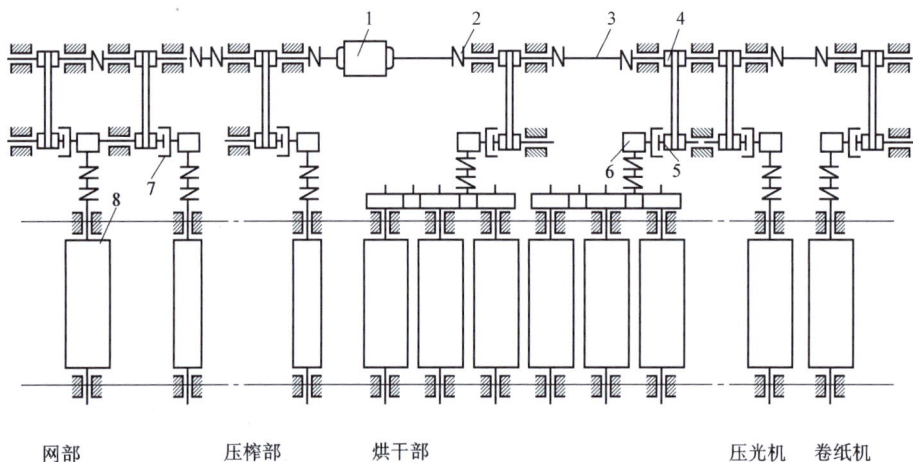

图 1-1 造纸机简图

1—电动机 2—联轴器 3—传动轴 4—无级变速器主动锥轮 5—从动锥轮 6—减速器 7—摩擦离合器 8—辊子

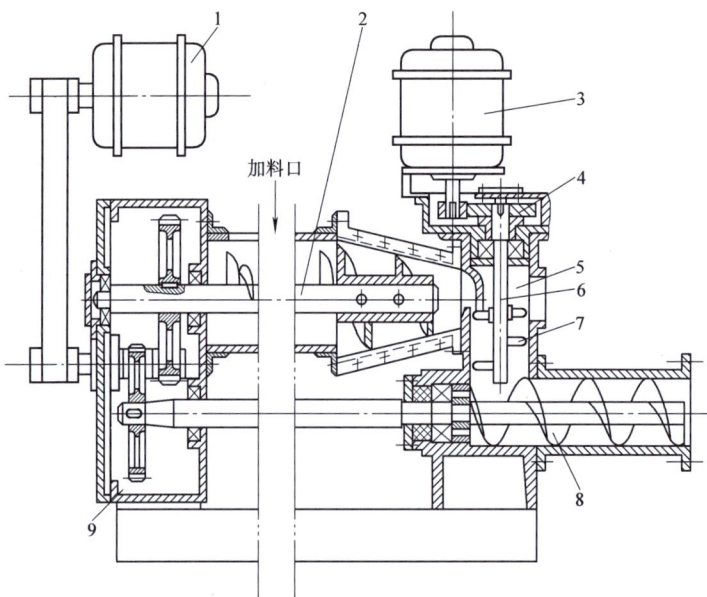

图 1-2 真空螺旋挤泥机

1、3—电动机 2—螺旋叶片轴 4—齿轮 5—真空室 6、7—切割器 8—螺旋叶片 9—减速器

器。它利用螺旋叶片对塑性泥料进行连续挤压，使其经过挤泥机机嘴的规定形状断面后，成为紧密连续的长条状泥料输出，然后将其切断，即成为成型后的产品。为了使成型后的产品更加紧密均匀，尽量减少其中所含的气孔，在挤压过程中同时进行抽吸真空的操作。在图 1-2 中，泥料从加料口送入，被螺旋叶片轴 2 的叶片推至真空室 5，切割器 6 把泥料切割成片状，封存在泥料中的空气就被真空泵不断地抽去。泥料最后由切割器 7 及螺旋叶片 8 经机头的机嘴挤压后送出。螺旋叶片轴 2 和螺旋叶片 8 由电动机 1 经过传动带及减速器 9 带动，而切割器 6、7 则由另一电动机 3 经过齿轮 4 带动。真空室由真空泵抽真空（图中未示出）。电动机 1 和 3 就是这台机器的原动机，而传动带装置、减速器 9 就是传动机构，螺旋

叶片 8、机嘴和切割器 6、7 等就是工作机部分。

由上述可知，一部完整的机器都是由三个本质不同的部分——原动机、传动机构和执行机构组成的。其组成部分之间的关系如图 1-3 所示。

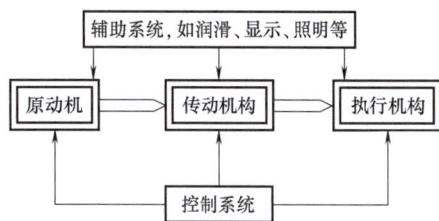

图 1-3 机器的组成

机器除上述三个基本部分外，还会根据需要增加其他部分，如控制系统和辅助系统（润滑、显示、照明……）等。

从上述两个例子还可知，机器具有以下的共同特征：

1）它们都是人为实体的组合。

2）各人为实体之间具有确定的相对运动。

3）在工作时能实现能量转换（如内燃机、电动机等）或对外做有效的机械功（如洗衣机、缝纫机，金属切削机床等），或传递物料（如带式输送机），或传递与收集信息（如光盘刻录机）。

根据以上特征，机器可以被定义为：以代替或减轻人的劳动为目的而设计的，用来转换传递能量、物料和信息的执行机械运动的装置。

在工程实际中可以遇见很多机构，如齿轮机构、凸轮机构、连杆机构等，这些机构都是用于传递与变换运动和力的可动装置。机构具有以下特征：

1）它们是人为实体的组合。

2）各人为实体之间具有确定的相对运动。

显然，机构的特征与机器的前两个特征相同，因此，仅从结构与运动的角度来看，机构与机器之间并无差别。根据其特征，机构可以被定义为：是实现预期机械运动的人为实体的组合体。

平时大家所熟悉的"机械"是机器与机构的总称。

前述"人为实体"是组成机构（机器）的各个运动的单元，被称为构件。构件可以是单一的整体，也可以是由几个零件组成的刚性结构。如图 1-4 所示的连杆，就是由连杆体 2、连杆盖 7、轴套 1、轴瓦 6、螺栓 5、螺母 4 及开口销 3 等零件组成的刚性构件。由此，构件与零件的区别在于：构件是运动的单元，零件是制造的单元。

机械中的零件按其用途可分为两类：凡各种机械中都经常使用的零件，如齿轮、螺栓、螺钉、键、弹簧等，称为通用零件；只在某些机械中使用的零件，如缝纫机中的曲轴、连杆，灌装机中的凸轮，纺织机械中的纺锭、织梭，汽轮机的叶片等，称为专用零件。

另外，还常把一组协同工作的零件所组成的独立制造或独立装配的组合体称为部件，如减速器、离合器等。

本课程主要阐述一般机械中的常用机构和一般参数的通用零件的工作原理、结构特点、基本的设计理论和计算方法。

本书前半部分着重研究机械中的常用机构，如连杆机构、凸轮机构、齿轮机构、间歇运动机构，后半部分着重研究常用的机械连接（如螺纹连接、键连接、销连接）、主要的机械传动（如齿轮传动、蜗

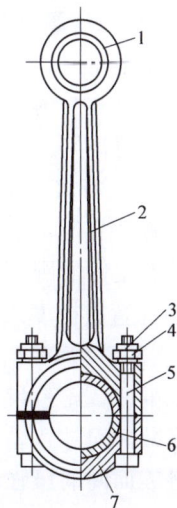

图 1-4 连杆
1—轴套 2—连杆体
3—开口销 4—螺母
5—螺栓 6—轴瓦
7—连杆盖

杆传动、螺旋传动、带传动、链传动）以及轴系零、部件（如轴、轴承、联轴器、离合器等）。同时还简明扼要地介绍了创新设计方法、与本课程有关的国家标准和规范以及某些标准零件的选用原则与方法。

为了学好本课程，首先要求学生必须掌握机械制图、工程力学、金属工艺学等先修课程有关的基础知识。通过本课程的学习，学生可获得认识、使用和维护机械设备的一些基本知识，并能初步掌握运用有关机械设计方面的手册，设计简单机械传动装置的方法，为学习有关专业机械设备课程及以后参与技术创新奠定必要的基础。

第二节　机械设计的基本要求和一般步骤

一、机械设计的基本要求

机械的种类虽然很多，但设计时所考虑的基本要求却往往是相同的。这些基本要求如下。

1. 运动和动力性能要求

根据预定的使用要求，确定机械的工作原理，通过合理选择机构类型和传动方式，实现预定的动作要求。除了满足运动要求之外，所设计的机械应具有良好的传力性能、工作平稳性以及较高的工作效率，同时具备完成工作要求所需的动力输入。

2. 工作可靠性要求

为了使机械在预定的工作期限内可靠地工作，防止因零件失效而影响正常运行，零件应满足下列要求。

（1）强度　强度是衡量零件抵抗破坏的能力，是保证零件工作能力的最基本要求。零件强度不足时，就会发生不允许的塑性变形或造成断裂破坏，轻则使机械停止工作，重则发生严重事故。为保证零件有足够的强度，零件的工作应力不得超过许用应力，这就是零件的强度计算准则。

（2）刚度　刚度是衡量零件抵抗弹性变形的能力。零件的刚度不足时，就会产生不允许的弹性变形，形成载荷集中等，影响机械的正常工作。如造纸机的辊子，机床的主轴，如果没有足够的刚度，就会导致产品质量的严重恶化。刚度计算准则要求零件工作时的弹性变形量（弯曲挠度或扭转角），不超过机械工作性能所允许的极限值（即许用变形量）。

（3）耐磨性　耐磨性是指零件抵抗磨损的能力。例如，齿轮的轮齿表面磨损量超过一定限度后，轮齿齿形有较大的改变，使齿轮转速不均匀，产生噪声和动载荷，严重时因齿根厚度减薄而导致轮齿折断。因此在磨损严重的条件下，以限制与磨损有关的参数（如零件接触表面间的压强和相对滑动速度）作为磨损计算的准则。

（4）耐热性　耐热性包括抗氧化、抗热变形和抗蠕变的能力。零件在高温（一般钢件在 400℃以上，轻合金和塑料件在 150℃以上）下工作时，将会因强度削弱而降低承载能力，同时会出现蠕变，增加塑性变形甚至发生氧化现象，从而大大影响机械的精度甚至使零件失效。另外，高温下润滑油膜容易破裂，润滑能力降低甚至完全丧失。为保证零件在高温下能正常工作，除采用耐热材料外，还可采用水冷或汽化冷却等降温措施，以达到将机械的工作温度限制在正常的运行温度，使发热与散热相平衡，即热平衡准则。

（5）振动稳定性　机械中存在着许多周期性变化的激振源，如轴上零件的偏心载荷、滚动轴承中的振动、齿轮的啮合等。如果零件本身的固有频率与激振源的频率相同或为其整数倍时，零件就会发生共振，振幅将急剧增大，能在短期内对零件或整部机械造成破坏。所以，对于高速机械及其零件应进行相应的振动计算并采取措施以防机械及其零件因共振而失效。

3. 经济性要求

经济性是用设计、制造和使用三个方面的综合指标来衡量的。设计机械时应最大限度地考虑经济性，选择或设计的机械在使用性能上应具有最大的经济效益，在满足使用要求的前提下应力求结构简单、加工容易，材料价廉且市场供应充分，维修方便和能源消耗较低等。应该指出，在机械中采用标准零件，不仅可简化设计，保证互换性，便于机械的修配，而且有利于保证零件的质量并降低其成本。

4. 劳动保护要求

在设计机械时，必须考虑操作简便省力，力求改善使用条件和减轻劳动强度，同时还应注意安全，加强劳动保护。例如，简单重复的劳动要利用机械本身的机构来完成；尽可能减少操作手柄的数量，手柄和按钮等应放置在便于操作的位置；合理规定操作时的驱动力；设置完善的安全防护及安保装置；尽量减少机械的噪声；防止有毒、有害介质的渗漏，对废水、废气、废液进行治理等。

5. 其他特殊要求

对于不同用途的机械还可能提出一些特殊要求，例如，对机床要求能长期保持其精度；移动使用的机械（如钻探机、塔式起重机等）要便于安装、拆卸和运输；医药、食品、印刷、纺织和造纸等机械要求能保持清洁，不得污染产品。

二、机械设计的一般步骤

机械设计一般可分为以下几个阶段。

1. 提出设计任务

设计任务的提出，主要是根据市场和社会的需求，一定要有明确的目标。无论是设计新的机械产品还是进行技术改造，总要达到某种技术经济目的，如提高劳动生产率，提高产品质量与使用寿命，节约原材料，降低能耗或减轻劳动强度等。设计任务中应包括设计对象的工作条件、环境、预计的生产能力、技术经济指标以及是否有特殊的技术要求等，如耐高温、耐腐蚀、尺寸及质量的限制以及是否系列化和通用化等，以作为设计的依据。

2. 调查研究、分析对比，确定设计模型与方案

在明确了设计任务的基础上，设计者需进行调查分析与研究，内容包括现有类似产品的方案、相关的法律法规、国家标准、技术发展方向、成本等，进一步拟定所设计机械的方案。这是设计中的重要阶段，应力求做到方案技术先进、实用可靠、经济、合理。

对方案进行运动尺寸综合，确定出运动尺寸，形成机构模型，并进行必要的运动分析和动力分析，检验设计结果是否满足设计任务中的运动要求，并为后续结构设计提供设计依据。

3. 结构设计

在方案确定以后，需经过必要的计算与分析来确定数学模型与计算公式，在进行校验之后，即可着手进行结构设计，绘制装配草图、装配图和部装图，最后根据装配图与结构设计绘制零件工作图。

4. 试验分析

图样设计完成后，需要编制必要的技术文件，进行产品试制，经过试车检验能否获得预期的结果，不能则需要反复进行修改，直到完善。

5. 使用与考核

产品在成批制造与投放市场后，需广泛征求用户意见，以求不断地提高和完善。

第三节　现代设计理论及方法简介

"设计"是人类征服自然改造世界的基本活动之一，是人们为满足一定的需求而进行的一种创造性实践活动。因此，"设计"从来就是和人类的生产活动紧密相连的。设计是把各种先进科学技术成果转化为生产力的一种手段和方法，是先进生产力的代表，反映了社会的生产力水平。就机械系统和结构范畴而言，它是从给定的合理的目标参数出发，通过各种方法和手段创造出一个所需的优化系统或结构的过程。所以，任何设计都是开发和创造新的系统和结构的过程。

一、现代设计方法的特点和范畴

现代设计方法是现代广义设计和分析科学方法学的简称，它是用系统的观点，考虑自然科学、社会科学、经济科学的因素，为获得高质量、廉价、有创新性的产品所使用的设计程序、规律及设计中的思维、工作方法和工具的总和。现代设计方法实际上是科学方法在设计中的应用，可归纳为下列几种。

（1）信息论方法　如信息分析法、技术预测法等。它是现代设计方法的前提。

（2）系统论方法　如系统分析法、人机工程以及面向产品生命周期中各个阶段（如设计、制造、使用、回收处理等）的设计。

（3）控制论方法　如动态分析法等。

（4）优化论方法　它是现代设计方法的目标。

（5）对应论方法　如相似设计、反求工程设计等。

（6）智能论方法　如 CAD、CAE、并行工程、虚拟设计、人工智能（主要是专家系统）等。它是现代设计方法的核心。

（7）寿命论方法　如可靠性设计、价值工程和稳健性设计等。

（8）离散论方法　如有限元和边界元方法。

（9）模糊论方法　如模糊评价和决策等。

（10）突变论方法　如创造性设计等。它是现代设计方法的基础。

（11）艺术论方法　如艺术造型等。

随着机械向高速、重载、精密和自动化等方向的发展，以及计算机的广泛应用和计算技术的日益提高，现代机械设计方法的应用使机械设计从经验的、静态的、随意性较大的设计方法中摆脱出来，缩短了设计周期、提高了设计质量，向参数化、智能化、动态化及更符合工程实践的方向发展。

二、现代设计方法简介

由于科学技术的进步，各学科的交叉渗透，现代设计方法已逐渐成为一门崭新的学科。以下简要介绍一些常见的现代设计方法。

1. 机械优化设计

机械优化设计是采用数学规划理论，借助计算机技术发展起来的一种现代设计方法。它能在受许多因素影响的设计参数中，选择一组最优的满足预定要求的参数，从而得到最优的设计方案。

机械优化设计包括建立优化设计问题的数学模型和选择恰当的优化方法与程序两个方面的内容。由于机械优化设计是应用数学方法寻求机械设计的最优方案，所以首先要根据实际的机械设计问题（如质量轻、成本低、外廓尺寸小、承载能力高、性能好等）建立相应的数学模型，即用数学形式来描述实际设计问题。在建立数学模型时需要应用专业知识确定设计的限制条件和所追求的目标，确定设计变量之间的互相关系等。机械优化设计问题的数学模型可以是解析式、试验数据或经验公式。虽然它们给出的形式不同，但都反映设计变量之间的数学关系。

优化设计数学模型建立后，必须应用优化方法进行求解，工程优化设计对数学模型的求解均用数值计算方法，其基本思想是搜索、迭代和逼近。即求解时，从某一初始点出发，利用函数在某一局部区域的性质和信息，确定每一迭代步骤的搜索方向和步长，去寻找新的迭代点，这样一步一步地重复数值计算，用改进后的新设计点替代老设计点，逐步改进目标函数，并最终逼近极值点。

我国现已开发了先进的优化程序库和常用机械零部件及机构优化设计程序库，为推广和普及优化设计创造了条件。

优化方法不仅用于产品结构的设计、工艺方案的选择，也用于运输路线的确定、商品流通量的调配、产品配方的配比等。

2. 计算机辅助设计

计算机辅助设计（CAD）是把计算机技术引入设计过程中，利用计算机完成选型、计算、绘图及其他作业的现代设计方法。CAD 技术促使机械设计发生巨大的变化，并成为现代机械设计的重要组成部分。

目前，CAD 技术向更深更广的方向发展，主要表现为以下几个方面：①基于专家系统的智能 CAD；②CAD 系统集成化，CAD 与 CAM（计算机辅助制造）的集成系统（CAD/CAM）；③动态三维造型技术；④基于并行工程，面向制造的设计技术（DFM）；⑤分布式网络 CAD 系统。

3. 可靠性设计

可靠性设计是第二次世界大战时由一只真空管的故障所引发的。当时某种军用飞机的电子装置有 60% 处于故障状态，但出故障的真空管却是完全符合出厂标准的。人们据此给出一种推断：关于真空管的制造技术，有超出以往制造技术和检查能力以外的某种特性，这种特性就是"可靠性"。后来在设计、制造和检查中考虑了可靠性，结果故障大大地减少。这样，"可靠性"设计的问题就提到了日程上来。

可靠性最早是一个抽象的定性的评价指标，缺乏定量概念，需用定量指标予以衡量。衡量零件可靠性的定量指标是可靠度。所谓零、部件或机械系统的可靠度，就是它们各自在规定的工作条件下和规定的工作时间（寿命）内，无故障地完成规定功能的能力（或概率）。一般来说零件的可靠度是时间的函数，用 $R(t)$ 表示，且 $0 \leqslant R(t) \leqslant 1$，随着时间的延长，零件的可靠度 $R(t)$ 逐渐下降，失效概率 $F(t)$ 逐渐上升。因此，按照可靠性设计观点，对于强度不能笼统地说零件是"安全的"或"不安全的"，而应说"安全的概率有多大"。应当指出，可靠性设计不是否定常规设计，而是常规设计方法的补充、发展和深化，是一种更加接近真实情况的机械现代设计方法。

4. 变型产品设计

为了满足使用者的不同要求，可在原有产品基础上进行变型产品的开发，使零件标准化、部件通用化、产品系列化。变型产品系列包括纵系列产品（其功能、原理、结构相同，而尺寸、性能参数不同）、横系列产品（在基型产品基础上扩展功能的变型产品）和跨系列产品（具有相近动力参数的不同类型产品）。纵系列产品设计也称相似系列产品设计，是在基型产品的基础上利用相似理论求各扩展型产品的尺寸和参数。基型产品一般选在系列产品的中档，为常用型号。系列产品是指具有相同功能、相同结构方案，相同或相似加工工艺，且各产品相应的尺寸参数及性能指标具有一定级差（公比）的产品。在系列产品设计中，一般有两种造型原理：几何级数的相似产品系列和几何级数的半相似产品系列。相似系列产品设计的步骤依次是基型设计、确定相似类型、确定各尺寸、参数级差（相似比），求各扩展型产品尺寸参数及确定全系列产品结构尺寸等。

5. 价值工程设计

价值工程设计的设计目标是在满足功能需求的前提下，提高产品的价值。价值是产品功能与成本的综合反映，即产品的价值（实用价值）等于产品具有的功能与实现该功能所耗费的成本之比。

在第二次世界大战后，美国开展了关于价值分析和价值工程的研究，发现顾客所需要的不是产品的本身而是其功能。把价值看作某一功能与实现此功能所需成本的比，再考虑到开发产品的目的是提高产品价值，产品设计也就成为使用最低成本向用户提供必要功能的问题。如美国通用电气公司在开发产品时注意从功能分析着手，实现必要功能，去除多余功能和过剩功能，既满足了用户需要又降低了成本。20世纪50年代后期开始，价值工程在日本、德国及其他国家也得到了广泛的应用，并已取得了良好的经济效益。

6. 系统论方法设计

从"人—机—环境"的系统观及可持续发展战略出发，现代机械设计必须全面考虑、综合平衡、妥善处理系统的各种问题，与此相应的设计方法有以下几种。

（1）基于功能原理的机械系统设计　该方法以机械系统为主，辅助考虑人、环境与机械的关系，用功能分析与综合的原理确定机械系统方案，并借助价值工程评价选优。

（2）人机工程学　在"人—机—环境"系统中，人与机的关系形成一个界面，系统是否能良好运转，与这个界面设计好坏有很大关系。人机工程学的重点是界面设计。人与机在界面上的耦合可以归纳为基于感觉器官的耦合、基于人体形态的耦合，基于力的耦合，以及人脑和作为现代机械主控设备——计算机之间的耦合。这些耦合涉及人与机各自的特征，界面设计的任务就是深刻认识这些特征，并在界面上建立双方最佳的耦合关系。

（3）造型设计 它是科学与美学、技术与艺术的结合，是以产品造型设计为主要对象的创新设计方法。产品造型设计是现代产品具有市场竞争力的要素之一。造型设计研究产品的功能、结构、形态、色彩、肌理（纹理）、装饰等内容，将造型要素（外形、色彩、肌理）按一定原则和方法组合成美的形体，使产品不仅具有实用性、经济性，而且具有良好的"人—机—环境"的协调性，给人以强烈的时代信息的美感、舒适感和安全感。

（4）绿色产品设计 可持续发展战略从环境的角度，对产品设计提出了全新的要求。绿色产品设计就是把产品视为与人类环境共存的生命体，以其广义生命周期（包括需求、设计、制造、销售、使用、报废、回收再生等阶段）为研究对象，并行地考虑生命周期内每一个阶段产品与人、环境的互相影响，拟定相应的设计策略，优选设计方案。

7. 机械学理论和方法

机械学理论和方法（包括机构学、机械动力学、摩擦学、机械结构强度学、传动机械学等）及计算机辅助分析（有限元法、模态分析、专家系统等）的不断发展，使人们对机械的方案设计、运动设计、动力设计、工作能力（强度、变形、振动、摩擦与润滑等）设计等关键技术问题能作出很好的处理，而且正在形成一系列新型的设计准则和方法。

8. 创新设计

随着社会的发展，人们的需求将有所变化，原来那些能满足需求的产品，经过一段时间后可能会变得不能满足客观需要，因此需要对产品改进设计，不断更新老产品，创造新产品，要求设计师的设计成果是前所未有的，具有新颖性和独创性。在国内外市场竞争激烈的形势下，技术创新是企业保持旺盛生命力的根本保证。在不断开发新产品的过程中，要求设计人员发挥创造性，提出新方案、探求新解法、开拓新局面。创新活动必须运用创新设计方法。创新方法的基本出发点是打破传统思维的习惯，克服思维定势和妨碍创造性设想产生的各种消极的心理状态，应用创新设计方法以帮助人们在设计和开发产品时得到创造性的解。

创新设计的特点包括独创性、实用性、突破性、多向性、连动性、突变性等；创新设计的类型包括开发设计、变异设计、反求设计等；创新设计方法有很多种，主要包括智力激励法、提问追溯法、联想类推法、反向探求法、系统分析法和组合创新法六种。详细内容可参见第十三章。

9. 设计方法学设计

设计方法学是在考虑自然科学、社会科学、经济科学等因素的前提下，研究创新产品的一般设计进程、设计规律、设计思维和设计方法，启发创新性的综合性学科。按其总结出的设计方法、步骤以及战略战术进行设计的过程称为设计方法学设计。

10. 基于实例设计

这种设计工作是根据市场信息或用户对产品功能要求的描述（包含全部约束条件）抽象出实例特征，并建立相应的筛选判据；按照这些判据从实例库中选出与设计要求最接近的实例，对比两者的差别，并调整所选实例中不能满足要求的因素，得出建议方案；经过评选及用户修正，生成最终的设计方案，同时充实或更新实例库（如不能得出最终方案则重复上述过程进行循环)。

11. 质量驱动设计

这种设计方法要求设计人员在充分获取设计对象有关信息的基础上系统地转化为产品质量特征，综合而细致地考虑从用户需求，直到产品报废的整个生命周期的质量（包括产品功能、性能、可制造性、可装配性、可靠性、可维修性、环保性、可回收性及开发难度等），进行合理的质量功能配置，并反复进行质量评价，从而获得价格合适而又质量恰到好处的产品。

12. 参数化设计

它是在综合分析产品结构形状、尺寸关联、工作状态等特征的基础上，抽象出结构拓扑关系及全部约束条件，根据参数化要求建立数学模型，通过 CAD 系统中的交互技术与尺寸驱动方法实现产品的创新或变型设计，并进行必要的校核与认定。参数化设计系统主要包括零件（机构）选型、结构参数设计、制图与二维图形显示、强度及干涉校核等。

13. 分形设计

分形设计是以美国 IBM 公司的 B. B. Mandelbrot 于 1978 年提出的"分形几何基本理论"为基础，用于更复杂的产品设计的一种方法。它使专家系统对于设计自动化技术从数值及图形处理自动化进而走向符号与逻辑处理自动化，为复杂产品的设计提供了一个新的途径。

14. 智能设计

它是利用专家系统与计算机的结合所具有的智能特征与功能来帮助或代替专家进行设计数据、信息与知识等的处理与操作，从而自动对设计对象和有关环节进行合理选择、设计、评价与决策的过程。显然，它是设计自动化的核心部分，必须在神经网络、人工智能、各型专家系统及大量库类文件的支持下运作，以完成其决策自动化的功能。

15. 虚拟产品设计

虚拟产品设计是根据设计对象的全部信息，综合运用现代化技术建立全数字化的特征信息虚拟模型及动态运作模式，进行并行设计过程的管理，通过仿真、监测、反馈与协调，以及反复评价与最终决策，获得满意的设计方案。

16. 网上设计

网上设计是基于网络技术及三维可视化技术的发展，邀请用户直接参与新产品或变型产品的设计、修正、评价与决策，使用户需求充分体现在设计过程中，以实现由传统的单向式设计转向双向式设计。此外，由于多媒体传播技术及设计自动化水平的提高，与产品相关的几个单位通过网络异地协同设计与制造，也逐渐成为网上设计的组成部分。

另外，近些年来，用于对已有或引进产品设计进行分析并再设计（复制或变型设计）的"反求（逆向）工程"，以及用于解决不同用户异类复杂要求的多品种、小批量产品设计问题的"小批量订制设计"等现代设计方法也逐渐为设计工作者所重视。

至于机械现代设计方法的详细介绍，需要时可参考有关资料或书籍。

通过上面的简单介绍可以看出，现代设计方法具有系统化、最优化、动态化和内在质量与外观质量统一等特征。当前设计领域正面临着从"传统设计"向"现代设计"的过渡，通过推广现代设计方法，开发大批构思新颖的新产品，必将提高我国机电产品的性能、质量和可靠性。

第四节 机械零件的常用材料及钢的热处理概念

一、机械零件的常用材料

材料是机械工业发展的基础，学习机械的设计、制造，必须学习工程材料的基础知识，认识用于制造机械零件的常用工程材料。机械零件的常用材料主要是钢和铸铁，其次是非铁金属及其合金。有些机械零件也采用非金属材料。

（一）钢

钢和铸铁都是由铁和碳两种元素为主所构成的材料，在工业上统称为钢铁材料。它们在化学成分上的主要区别是碳的质量分数不同。碳的质量分数 $w(C)$ 小于 2% 的铁碳合金称为钢。

钢可分为碳素钢和合金钢两大类。碳素钢的性能主要取决于碳的质量分数。当碳的质量分数小于 1% 时，随着碳的质量分数的增加，钢的强度和硬度增加，塑性和韧性降低；当碳的质量分数大于 1% 时，随着碳的质量分数的增加，钢的强度开始降低。为了保证钢有一定的塑性和韧性，一般钢的碳的质量分数均不超过 1.4%。根据碳的质量分数，钢可分为低碳钢、中碳钢和高碳钢。

低碳钢的碳的质量分数小于 0.25%，抗拉强度和屈服强度都较低，塑性、焊接性好，适用于冲压、焊接加工，常作为螺栓、螺母、垫圈和焊接构件的材料。经渗碳淬火，可获得表面硬、心部软的良好性能，用于加工齿轮、链轮和凸轮等零件。

中碳钢的碳的质量分数为 0.25%~0.6%，综合力学性能好，经调质后，兼有较高的强度和韧塑性，经表面淬火后，表面硬度高，耐磨性能好。常用作受力较大的螺栓、螺母、键、齿轮和轴的材料，应用范围最广。

高碳钢的碳的质量分数大于 0.6%，具有高强度和高弹性，但韧性较差。因此，淬火后还要高温或中温回火，以增加材料的韧性。它常用作弹簧等高强度零件的材料。

实际使用的碳钢中，除含碳元素外，都或多或少地含有一些杂质，如硅、锰、磷、硫等。硫可使钢在高温时产生脆性，磷可使钢在低温时产生脆性；硅、锰含量不多，仅作为杂质存在时，对钢的性能影响并不显著。此外，锰还可以减少硫对钢的危害，因此，钢中保持一定量的锰是有益的。

为了使钢具有某些特定的性能，需要专门加入一些元素，如铬、铝、钨、钒、钛等，这种钢则称为合金钢。由于合金钢价格较贵，往往用于制造重要的和具有特殊性能的机械零件。

钢的品种繁多，下面仅简略介绍机械零件常用的钢材。

1. 碳素结构钢[⊖]

碳素结构钢以字母"Q"和一组数字表示，其中数字表示材料的下屈服强度 R_{eL}（MPa）。必要时后面标记质量等级和脱氧方法符号，质量等级分为 A、B、C、D 四个等级。

⊖ 工业上凡是用于制造各种机械零件以及用于建筑工程结构的钢都称为结构钢。

A 级未做冲击试验，B、C、D 级需做给定条件的冲击试验，其中 C、D 级碳素结构钢为重要的焊接结构用钢。脱氧方法用 F、Z、TZ 表示，分别为沸腾钢、镇静钢以及特殊镇静钢，碳素结构钢若为镇静钢和特殊镇静钢，通常可以省略。如 Q235AF，即为下屈服强度 R_{eL} 为 235MPa、A 级沸腾碳素结构钢。

2. 优质碳素结构钢

优质碳素结构钢在力学性能和杂质控制上更有保证，力学性能优于碳素结构钢。优质碳素结构钢的牌号以碳的质量分数的万分数表示，如 35、45、60 钢分别表示平均碳的质量分数为 0.35%、0.45% 和 0.60% 的优质碳素结构钢，含锰量较高的优质碳素结构钢则在牌号中数字后面加锰的元素符号 Mn。如 45Mn、65Mn 钢分别表示平均碳的质量分数为 0.45% 和 0.65% 的含锰量较高的优质碳素结构钢。

3. 合金结构钢

在钢中加入某些合金元素就构成合金结构钢，它具有良好的力学性能和热处理性能。按合金钢中合金元素的质量分数，可分为低合金钢（每种合金元素质量分数均小于 2% 或合金元素总质量分数小于 5%）、中合金钢（某一种合金元素质量分数为 2%~5% 或合金元素总质量分数为 5%~10%）、高合金钢（某一种合金元素质量分数大于 5% 或合金元素总质量分数大于 10%）。合金结构钢的牌号采用"数字+合金元素符号+数字+…"的方法表示。如 25Cr2MoV，前面"25"表示碳的质量分数的万分数，即碳的质量分数为 0.25%；合金元素符号后的数字表示该元素平均质量分数的百分数，若平均质量分数小于 1.5%，其后则不标数字，若平均质量分数为 1.50%~2.49%、2.50%~3.49%、3.50%~4.49%、…，则依次以 2、3、4、…表示。因此上例中的铬平均质量分数为 2%，钼、钒平均质量分数均小于 1.5%。对于含有害元素硫、磷较低 [$w(S) \leq 0.02\%$、$w(P) \leq 0.03\%$] 的优质合金钢，则在钢号最后加"A"，如 60Si2CrVA；对于经电渣重熔的特级优质合金钢，则在牌号后加"E"。

4. 特殊性能钢

具有特殊物理性能和化学性能的钢称为特殊钢，它的特殊性能随所含合金元素不同而不同。例如，含锰、硅、铬硅、铬锰、铬钒的钢具有良好的耐磨性，含铬、镍的钢具有良好的耐蚀性，含钨、钼、铬钒的钢具有良好的耐热性等。特殊性能钢的牌号编法与合金结构钢相同。

5. 铸钢

不论是碳素钢还是合金钢，凡用来直接铸造零件毛坯的，均称为铸钢，用符号 ZG 表示。对于碳素铸钢，在 ZG 后加两组数字表示它的屈服强度和抗拉强度，如 ZG230-450，表示该铸钢的屈服强度为 230MPa，抗拉强度为 450MPa。对于合金铸钢，则只在合金钢牌号前面加"ZG"，如 ZG35Mn。

（二）铸铁

碳的质量分数大于 2% 的铁碳合金称为铸铁，工业上常用铸铁的碳的质量分数为 2.5%~4.0%。铸铁的抗拉强度、塑性、韧性较差，无法进行锻造和压延，但它的抗压强度较高，具有良好的铸造性、切削加工性和减摩性等，加之价格低廉、生产设备简单等特点，因此，是机械制造中用得最多的金属材料，常用于制造承受压力的基础零件或形状复杂、对机械性能要求不高的机械零件。常用的铸铁有灰铸铁、可锻铸铁和球墨铸铁三种。

（1）灰铸铁　灰铸铁中的碳主要以片状石墨形式存在，因断口呈灰色而得名。它有一定的强度和良好的切削加工性，是制造机械零件的主要铸造材料，常用于制造带轮、轻载低速大齿轮、机座和箱体等。灰铸铁的牌号由"HT"（"灰铁"两字汉语拼音的第一个字母）和一组数字组成，如HT150，数字表示抗拉强度（MPa）。

（2）可锻铸铁　可锻铸铁中的碳主要以团絮状石墨形式存在。"可锻"仅说明它比灰铸铁有较好的塑性和韧性，实际上并不能锻造，仍然只能用于铸造。可锻铸铁的强度比灰铸铁高，又比钢具有更优良的铸造性能，因此生产上用得较多，适用于制造一些截面较薄而形状较复杂、工作中受到振动而强度要求又较高的零件，如汽车、拖拉机的后桥壳、轮壳、管子接头等。可锻铸铁的牌号由"KTH""KTZ"或"KTB"及两组数字组成（其中"KT"是"可铁"二字汉语拼音的第一个字母，"H"代表黑心基体、"Z"代表珠光体基体、"B"代表白心基体）。如KTH300-6，前一组数字表示抗拉强度（MPa），后一组数字表示伸长率（%）。

（3）球墨铸铁　球墨铸铁中的碳主要以自由状态的球状石墨形式存在。石墨呈球状，对铸铁基本组织的割裂作用较片状大为减轻，从而提高了铸铁的强度，并具有较好的塑性。球墨铸铁常被用于代替铸钢和锻钢制造某些机械零件，如曲轴、连杆和凸轮轴等。球墨铸铁的牌号由"QT"（"球铁"两字汉语拼音的第一个字母）和两组数字组成，如QT600-3，前一组数字表示抗拉强度（MPa），后一组数字表示伸长率（%）。

（三）非铁金属合金

在工业上，把铁以外的金属统称为非铁（有色）金属，如铝、镁、铜、锡、铅、锌等。非铁金属通常均以其合金用于制造机械零件，极少应用纯非铁金属。非铁金属合金具有一些特殊性能，如高的导电性、导热性、耐蚀性和减摩性等，因而成为现代工业技术中不可缺少的材料。但非铁金属合金稀少，价格昂贵，只有需要满足特殊要求时才采用。

常用的非铁金属合金有以下两类。

（1）铜合金　铜和锌（有时还加入其他元素）组成的合金称为黄铜；铜和锡（有时还加入其他元素）组成的合金称为青铜；铜和铅、镍、锰、硅、铝、铍（二元或多元）组成的合金称为无锡青铜。黄铜主要用于制造弹簧、垫片、衬套及耐蚀零件等；青铜主要用于制造轴瓦、蜗轮及要求耐磨、耐蚀的零件。

（2）铝合金　根据铝合金的成分及生产工艺特点，可将铝合金分为变形铝合金和铸造铝合金两类。变形铝合金以硬铝和锻铝在机械零件中应用较广，硬铝通常以型材供应；锻铝以棒料供应，以锻造法制成毛坯；铸造铝合金主要用于制造活塞、气缸体等。

铝合金的优异特性是具有高的强重比，在同样的强度条件下，用铝合金制成的零件的质量要比钢小得多。因此，对于减小质量具有重大意义的零件（如飞机零件、内燃机活塞等），使用铝合金制造是很恰当的。

（四）非金属材料

非金属材料包括工程塑料、橡胶、皮革、陶瓷、木材和纸板等。工程塑料具有相对密度小、强度高、减摩、耐磨、绝缘、绝热、成型简单及成本低等优点，在一定条件下可用来代替金属材料，用于制造罩壳、支架和轴瓦等。橡胶的弹性好，常用作弹性元件和挠性件（胶带）等。

以上介绍的是与本课程学习相关的最基本的工程材料。近年来，我国在工程材料方面取得了瞩目的成就，诞生了一批新型工程材料，如易切削不锈钢（笔头钢）、厚度小于0.05mm 的手撕钢、高强高韧低密度钢、抗拉强度为 800MPa 的钛合金 Ti65（蛟龙号外壳材料）、强度极限为 950MPa 的高强韧钛合金 Ti62A（奋斗号载人潜水器的外壳材料）、低氧稀土钢（盾构机主轴承材料）、石墨烯、抗拉强度达到 2200MPa 的超级钢、新型陶瓷材料等，为我国的机械行业的创新发展奠定了基础。

| 蛟龙号 | 笔头创新之路 | 多元的陶瓷 |

二、材料的选择

设计机械零件时，从各种各样的材料中选择出合适的材料，是一项复杂的技术工作。在后面各有关章节中，将分别介绍所推荐的适用材料。以下仅提出选择材料时应考虑的主要问题。

（1）使用要求　首先应保证机械零件不失效，如满足强度和刚度等方面的一般使用要求，其次还应满足质量轻、绝缘（导电）、防腐蚀等特殊使用要求。

（2）制造工艺要求　铸造应考虑材料在液态时的流动性，产生缩孔或偏析的可能性等；锻造应考虑材料的延展性、热脆性和变形能力等；焊接应考虑材料的焊接性和产生裂纹的倾向等；热处理应考虑材料的淬透性及淬火变形倾向等；切削加工应考虑材料的易加工性、切削后能达到的表面粗糙度和表面性质的变化等。

（3）经济性要求　在满足使用要求的前提下，尽可能选用价格低廉和我国资源丰富及本地区市场供应充分的材料。

三、钢的热处理概念

热处理是将钢在固态下施以不同的加热、保温和冷却速度来控制和改变钢的组织结构，从而得到不同性能的工艺方法。热处理不仅可以改进钢的加工工艺性能，更重要的是它会显著提高钢的力学性能，增加机械零件的强度，延长机械的使用寿命，所以热处理在机械制造中具有重要的作用。目前机械中大多数零件都要进行热处理。

根据加热和冷却方法不同，钢的热处理可按以下分类：

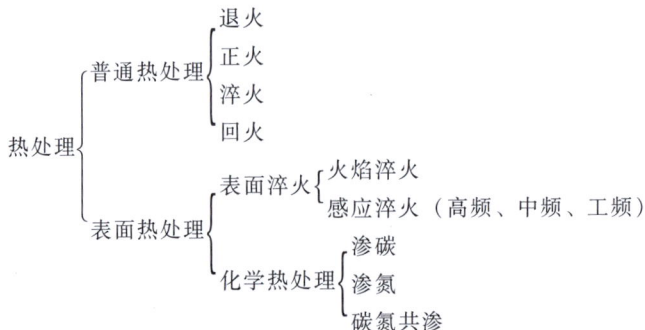

热处理
- 普通热处理
  - 退火
  - 正火
  - 淬火
  - 回火
- 表面热处理
  - 表面淬火
    - 火焰淬火
    - 感应淬火（高频、中频、工频）
  - 化学热处理
    - 渗碳
    - 渗氮
    - 碳氮共渗

1. 退火

退火是将钢加热到一定温度，保温一段时间，然后随炉冷却的热处理方法。钢的退火是一种时间较长的热处理工艺，通过退火可以消除内应力和降低硬度，以利于切削加工，提高塑性和韧性，改善组织，为进一步热处理（如淬火等）做好准备。

2. 正火

正火的方法与退火相似，所不同的是正火时钢是在空气中冷却。由于正火的冷却速度比退火快，钢的硬度和强度较高，但消除内应力不如退火彻底，所以从切削加工性方面考虑，中、低碳结构钢以正火作为预备热处理比较合适。从经济方面考虑，正火钢在炉外冷却，不占用设备，生产周期短，耗热量少，生产率高，且操作方便，故在可能条件下，应优先考虑以正火代替退火。对于普通结构的零件，正火常作为最终热处理，用以提高其力学性能。

3. 淬火与回火

淬火是将钢加热到一定温度，保温一段时间，然后在水或油中快速冷却的热处理方法。

钢件淬火后，硬度急剧增加，但存在很大的内应力和脆性。为了减小内应力和脆性，避免发生变形甚至开裂，以获得良好的力学性能，淬火后一般均需回火。

回火是将淬火钢重新加热到某一低于临界点的温度，保温一段时间，然后冷却下来的热处理方法。回火钢的硬度随加热温度的升高而降低。

根据加热温度不同，回火可分为低温回火、中温回火、高温回火三种。低温回火温度范围为 150~250℃。淬火钢经低温回火后，可以减小内应力和脆性，仍能保持淬火钢的高硬度（55~62HRC）和耐磨性，故适用于各类高碳钢的工具、模具、量具、滚动轴承和渗碳或表面淬火的零件等。中温回火温度范围为 350~450℃，回火后大致硬度范围为 35~45HRC。淬火钢经中温回火后，提高了弹性，但硬度有所降低，故适用于各种弹簧、弹簧夹头及其某些要求较高强度的零件，如刀杆、轴套等。高温回火温度范围为 500~680℃，硬度范围为 23~35HRC。钢在这种温度范围回火后，可得到强度、塑性和韧性等都较好的综合力学性能。生产上习惯把淬火后高温回火的热处理方法称为调质处理。调质处理广泛地用于各种重要的结构零件，特别是那些在交变负荷下工作的连杆、螺栓、齿轮及轴类零件等。调质不但可作为这些重要零件的最终热处理，而且常作为某些精密零件（如丝杠、量具、模具）的预备热处理。

淬火与回火是生产上应用最广泛的两种热处理工艺，这两种工艺经常是不可分割而紧密衔接的两道生产工序。

4. 表面热处理

各种在动力负荷及摩擦条件下工作的零件，如齿轮、凸轮轴、曲轴、主轴及床身导轨等，它们要求表面具有高硬度和耐磨性，而心部具有足够的塑性和韧性。为了满足这种要求，仅仅从选择材料方面来解决是十分困难的。在工业上广泛地采用表面热处理，即表面淬火和化学热处理的方法。

（1）表面淬火 表面淬火是将工件表面迅速加热到淬火温度，不等热量传至中心，立即快速冷却的热处理方法。工业生产中应用最多的有火焰淬火法和感应淬火法。

火焰淬火法，是用乙炔-氧或煤气-氧的混合气体燃烧的火焰喷射在零件表面快速加热，当达到淬火温度后立即喷水或用乳化液进行冷却的方法。淬硬层深度一般为 2~6mm。

感应淬火法，是将工件放入感应器（即导体线圈）中引入感应电流，使工件表面快速加热到淬火温度后立即喷水冷却的方法。根据所用电流的频率不同可分为高频（100～1000kHz）、中频（0.5～10kHz）和工频（50Hz）感应淬火。频率越高，电流透入深度越浅，即渗透层越薄；高频为1～2mm，中频为3～5mm，工频为10～15mm。

进行表面淬火的钢材一般为中碳结构钢或中碳合金结构钢，如40、45、40Cr、40MnB、35SiMn等。

（2）化学热处理　化学热处理是将钢件放在含有某种化学元素（如碳、氮、铝、硼、铬等）的介质中通过加热、保温和冷却的方法，使介质中的某些元素的活性原子渗入到钢件表层，改变钢件表层的化学成分和组织，从而使其表面具有与心部不同的特殊性能。渗入钢中元素不同，钢件表层性能也不同：渗碳、碳氮共渗可提高钢的耐磨性；渗氮、渗铬、渗硼可使钢件表面硬度、耐磨性、耐蚀性显著提高；渗硫可提高减摩性；渗硅可提高耐酸性；渗铝可提高耐热抗氧化性。

渗碳热处理用钢一般为低碳结构钢和低碳合金结构钢，如15、20、20Cr、20CrMnTi、20MnB等。零件渗碳的目的在于使表面获得高硬度和耐磨性，而心部仍保持一定的强度和较高的韧性，故通常渗碳后的热处理采用淬火及低温回火的工艺。

渗氮用钢通常是含有Al、Cr、Mo等合金元素的钢，如38CrMoAlA是一种典型的渗氮钢，还有35CrMo、18Cr2Ni4W也常作为渗氮钢。钢件经渗氮后，由于表面是由致密的氮化物组成的连续薄层，故不需淬火便具有高的硬度、耐磨性、耐蚀性和抗疲劳性能等。同时由于渗氮温度较低（一般为500～570℃），零件变形小，因此它被广泛用于各种高速传动的精密齿轮、高精度机床主轴及精密量具、阀门等的热处理中。

碳氮共渗由于同时渗入碳和氮原子，因此共渗层兼有渗碳层和渗氮层的性能。其中高温碳氮共渗以渗碳为主，低温碳氮共渗以渗氮为主。目前国内用得较多的是气体碳氮共渗，它主要应用于低合金钢制造的中、重负荷齿轮。

表1-1中列出了常用材料的牌号、热处理方法和力学性能。

表 1-1　常用材料的牌号、热处理方法和力学性能

牌号	热处理方法	力学性能		伸长率	硬度	
		R_m/MPa	R_{eL}/MPa	A(%)	HBW	HRC
Q235	—	440	240	26	—	—
20	正火	420	250	25	≤156（热轧）	—
	渗碳、淬火及低温回火	360～400	180～220	18	103～156	—
35	正火	540	320	20	≤187（热轧）	—
	调质	540～560	280～300	22	156～207	表面淬火 40～50
45	正火	610	360	16	162～217	表面淬火 40～50
	调质	650	360	17	217～255	—
65	正火	710	420	10	≤255（热轧）	—
	淬火及500℃回火	1000	800	9 *	—	—
65Mn	淬火及540℃回火	1000	800	8 *	>302	—
20CrMnTi	渗碳、淬火及低温回火	1079	834	10	—	56～62
35SiMn	调质	885	735	15	229～286	—

（续）

牌号	热处理方法	力学性能		伸长率	硬度	
		R_m/MPa	R_{eL}/MPa	A(%)	HBW	HRC
34Cr2Ni2Mo	调质	900	785	—	269~341	
40Cr	调质	686	490	9	241~286	表面淬火 48~55
20Cr	渗碳、淬火及回火	637	392	—	—	56~62
42CrMo	调质	1079	931	—	255~286	表面淬火 48~56
ZG340-640	正火及去应力退火	640	340	10	180~220	—
ZG310-570	正火	570	340	—	163~197	—
ZG35SiMn	正火、回火	569	343	—	163~217	表面淬火 45~53
牌号	热处理方法	力学性能		伸长率	硬度	
		R_m/MPa	σ_{bb}/MPa	A(%)	HBW	
HT150	铸态	150	330	—	163~229	
HT200	铸态	200	400	—	170~241	
HT300	铸态	300	—	—	169~255	
HT350	铸态	350	—	—	182~273	
KTH350-10	可锻化退火	350	200	10*	120~163	
QT500-7	铸态	500	320	7	170~230	
QT600-3	铸态	600	215	3	197~269	
QT700-2	铸态	700	420	2	225~305	

注：1. 伸长率表示方法有 A、$A_{11.3}$ 两种，分别表示试样的计算长度为其直径的 5 倍、10 倍时所测得的伸长率。表中带 * 号者为 $A_{11.3}$ 的数值。

2. 本表摘录的力学性能数值，仅适合一定截面尺寸的材料。

3. R_m 为抗拉强度，R_{eL} 为下屈服强度，σ_{bb} 为抗弯强度。

第五节 机械零件的强度

一、机械零件的载荷

进行强度计算所依据的，作用于零件上的外力、弯矩、转矩以及冲击能量等，统称为载荷。这些载荷在零件中引起拉、压、弯、剪等各种应力，并产生相应的变形。因此要对零件进行强度计算，首先应对其所受的载荷作出正确的分析。

1. 静载荷和变载荷

按照载荷随时间的变化关系，载荷可分为静载荷和变载荷两类。不随时间变化或变化很小的载荷称为静载荷，如构件或零件的自重，锅炉中的蒸汽压力等；随时间做周期性变化（如内燃机等往复式动力机械的曲轴所受的载荷）或非周期性变化的载荷（如物料作用在颚式破碎机动颚板和定颚板上的力）称为变载荷。对非周期性变化的载荷一般用统计规律来表征。

2. 名义载荷和计算载荷

根据机器原动机的额定功率，或按机器在稳定和理想条件下的工作阻力，用理论力学进行分析所得到的作用在零件上的载荷，称为名义载荷或公称载荷。它是机器在平稳工作条件下作用在零件上的载荷，工程中，一些承受静载荷或者近似静载荷的零件，如螺栓、键、销，采用名义载荷进行强度计算和校核。

考虑机器在工作中由于外加载荷随时间的变化和载荷在零件上分布不均匀性等影响因素，为此常引进载荷系数 K 对名义载荷给予修正。修正后的载荷称为计算载荷

$$F_{nc} = KF \tag{1-1}$$

式中，F_{nc}、F 分别为计算载荷和名义载荷；K 为载荷系数，其值一般大于或等于1。

必须指出，对于同一个零件，计算载荷要随计算方法的不同而取不同的数值。此外，它只是初步设计时所依据的一个数值，是一个取定后就不变的量。所以，它与作用在真实零件上随机地变化着的实际载荷还有区别，实际载荷与计算载荷之间的差异对强度的影响，通过安全系数考虑。

二、机械零件的应力

零件中的应力类型是进行零件强度计算的先决条件。按照应力的大小和方向是否随时间变化，应力可分为静应力和变应力。

1. 静应力

大小和方向不随时间变化或变化缓慢的应力称为静应力，如图 1-5a 所示。如锅炉中的压力、拧紧螺栓引起的应力等均是静应力。

2. 变应力

大小、方向随时间变化的应力称为变应力，如图 1-5b、c、d 所示。变应力可以由变载荷产生，也可以由静载荷产生。如受大小、方向不变的横向载荷作用下的轴，当轴转动时，横剖面上任一点的弯曲应力，就是按正弦规律变化的对称循环变应力（图 1-5b）。变应力的基本参数见表 1-2，几种典型应力的变化规律见表 1-3。

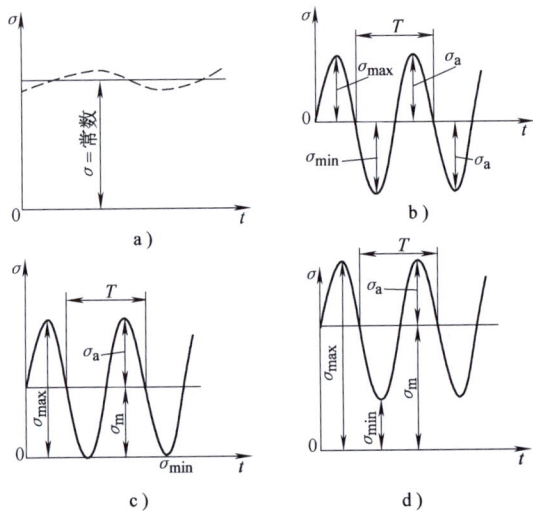

图 1-5　几种典型的稳定变应力

表 1-2　变应力的基本参数（参见图 1-5）

名　称	符　号	定　义
最大应力	σ_{max}	循环中的最大应力
最小应力	σ_{min}	循环中的最小应力
平均应力	σ_{m}	$\sigma_{m} = \dfrac{\sigma_{max} + \sigma_{min}}{2}$，相当于循环中应力不变部分
应力幅	σ_{a}	$\sigma_{a} = \dfrac{\sigma_{max} - \sigma_{min}}{2}$，相当于循环中应力变动部分
循环特性	r	$r = \dfrac{\sigma_{min}}{\sigma_{max}}$，表示变应力的不对称程度，$-1 \leqslant r \leqslant 1$

表 1-3　几种典型应力的变化规律

循环名称	循环特征	应力特点	图　例
静应力	$r=1$	$\sigma_{max}=\sigma_{min}=\sigma_m,\sigma_a=0$	图 1-5a
对称循环	$r=-1$	$\sigma_{max}=\sigma_a=-\sigma_{min},\sigma_m=0$	图 1-5b
脉动循环	$r=0$	$\sigma_m=\sigma_a=\dfrac{\sigma_{max}}{2},\sigma_{min}=0$	图 1-5c
非对称循环	$-1<r<1$	$\sigma_{max}=\sigma_m+\sigma_a,\sigma_{min}=\sigma_m-\sigma_a$	图 1-5d

对于任何一种应力循环均可看成由一个不变的平均应力 σ_m 和一个变化的应力幅 σ_a 叠加而成。

应力由一个极限值随时间变化到另一极限值，再回复到初始值时，称为一个应力循环，对应的时间称为应力循环周期 T。这种做周期性变化的应力称为循环变应力。周期、应力幅和平均应力均保持为常数的变应力称为稳定变应力，如图 1-5b、c、d 所示；如果其中之一不为常数，但均按一定规律变化的称为有规律的不稳定变应力，如图 1-6a 所示；如果变化不呈周期性，而带偶然性的称为随机变应力，如图 1-6b 所示。如汽车的钢板弹簧，作用在它上面的载荷和应力的大小，要受到载重量大小、行车速度、轮胎充气程度、路面状况及驾驶员技术水平等一系列因素的影响，即是属于承受无规律的不稳定变应力的典型零件。

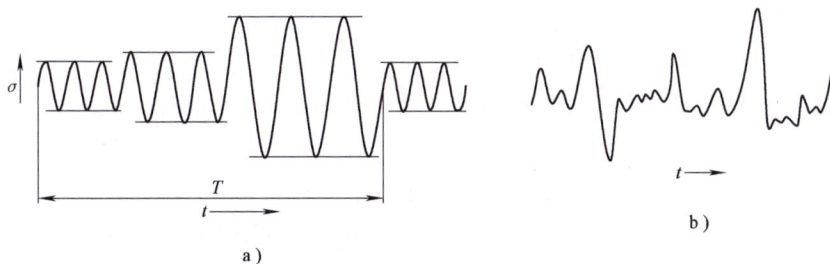

图 1-6　不稳定变应力
a）有规律的不稳定变应力　b）随机变应力（无规律）

三、静应力下机械零件的强度计算⊖

1. 静应力计算的强度准则

按照强度准则设计机械零件时，根据材料性质及应力种类而采用材料的某个力学性能极限值称为极限应力，此处将零件受拉（压）和弯曲时材料的极限应力以及接触极限应力统一用符号 σ_{lim} 表示，受扭转、剪切时材料的极限应力用 τ_{lim} 表示。计算应力允许达到的最大值称为许用应力，以符号 $[\sigma]$、$[\tau]$ 表示。极限应力与许用应力的比值称为许用安全系数，以符号 $[S]$ 表示。

判断零件强度有两种方法：一种方法是使计算应力 σ_{nc}、τ_{nc} 不超过许用应力 $[\sigma]$、$[\tau]$，即

⊖ 在整个使用寿命期间应力循环次数 N 小于 10^3 次的变应力，也近似按静强度计算。

$$\begin{cases} \sigma_{nc} \leqslant [\sigma] = \dfrac{\sigma_{lim}}{[S]} \\[3mm] \tau_{nc} \leqslant [\tau] = \dfrac{\tau_{lim}}{[S]} \end{cases} \tag{1-2}$$

另一种方法是使危险截面处的计算安全系数 S_σ、S_τ 大于或等于许用安全系数 $[S]$，即

$$\begin{cases} S_\sigma = \dfrac{\sigma_{lim}}{\sigma_{nc}} \geqslant [S] \\[3mm] S_\tau = \dfrac{\tau_{lim}}{\tau_{nc}} \geqslant [S] \end{cases} \tag{1-3}$$

对于塑性材料，在静应力作用下的主要失效形式是塑性变形，故取材料的屈服强度极限（σ_s、τ_s）作为极限应力，即 $\sigma_{lim} = \sigma_s$，$\tau_{lim} = \tau_s$。

对于脆性材料，在静应力作用下的主要失效形式是断裂，故取材料的强度极限（σ_b、τ_b）作为极限应力，即 $\sigma_{lim} = \sigma_b$，$\tau_{lim} = \tau_b$。

2. 计算应力

零件剖面上的应力为单向应力状态时，危险截面上的最大工作应力即为计算应力，可直接应用材料力学公式计算。对于复杂应力状态下工作的零件，要按照一定的强度理论来求计算应力（见后面有关章节论述）。

3. 安全系数

合理选择安全系数是强度计算中的一项重要工作，其值取得过大，则许用应力过小，将使零件结构笨重；取得过小，许用应力过大，零件可能很容易损坏而不安全。合理的选择原则是在保证安全可靠的原则下，尽可能减小安全系数。

影响安全系数的因素很多，主要有载荷确定的准确性、材料性能数据的可靠性、零件的重要性和计算方法的合理性等。实际计算中，安全系数常可用下述方法求得。

（1）查表法 在各个不同的机械制造部门，根据长期生产实践经验和试验研究，常制订有适合本部门的安全系数（或许用应力）规范，有时还附有计算说明。如无特殊原因，应严格遵循这些专门规范进行设计，但要注意这些规范所规定的使用条件。本书主要采用查表法。

（2）部分系数法 它是用一系列系数分别考虑各种因素的影响，然后取其乘积综合表示总的安全系数。例如，S_1 考虑零件的重要性，S_2 考虑材料力学性能的不均匀性，S_3 考虑计算方法的合理性等，则总的安全系数 $S = S_1 S_2 S_3$。虽然这种方法可以比较全面地考虑各种因素对零件的影响，但各个系数的具体数据往往较难确定，因此目前实际工程中应用不多。

四、变应力下机械零件的强度计算

变应力下工作的机械零件，其强度条件表达式从形式上讲和静强度时相同。计算时须根据具体应力情况决定其工作应力和零件极限应力。

大多数零件在进行疲劳强度计算时以最大应力 σ_{max} 作为工作应力。

材料在变应力作用下的破坏称为疲劳破坏。从材料力学中对疲劳破坏的形成和发展机理分析可知，材料对疲劳破坏的抗力主要受两个因素的影响：①因为疲劳破坏是逐渐积累的过

程，故材料对疲劳破坏的抗力与所受工作应力的循环次数 N 有关；②材料疲劳损伤与应力变化程度即应力循环特性 r 有关。

对于同一种材料，在相同的循环特性下，可由试验得出其极限应力随应力循环次数 N 变化的规律曲线，如图 1-7 所示，该曲线称为疲劳曲线。曲线的横坐标为循环次数 N，纵坐标为断裂时的循环应力，曲线上的某一点表示在给定的循环特性 r 的条件下，不同循环次数 N 时材料的极限应力 $\sigma_{\lim}$，以符号 σ_{rN} 表示。对于一般铁碳合金，当循环次数 N 超过某一数值 N_0 后，疲劳曲线趋于水平，N_0 称为循环基数，对应于 N_0 的 σ_{rN} 称为材料的持久极限，可简写成 σ_r。一般硬度 $\leqslant$ 350HBW 的钢材，$N_0 \approx 10^7$；对硬度 >350HBW 的钢材，$N_0 \approx 25 \times 10^7$。$N_0$ 是

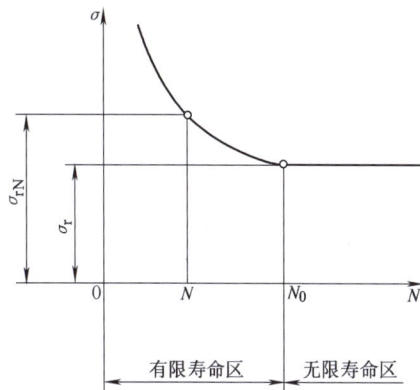

图 1-7　疲劳曲线

个转折点，当循环次数 $N \leqslant N_0$ 时，极限应力 σ_{rN} 随 N 的增加而降低，从 0 到 N_0 的范围内称为有限寿命工作区。当 $N > N_0$ 时，σ_{rN} 不再降低而始终等于持久极限 σ_r，所以当工作应力 σ 低于 σ_r 时，从理论上讲可以认为材料永远不会发生疲劳破坏，具有无限寿命。在对称循环变压力下，$r = -1$，取其持久极限 σ_{-1} 作为极限应力，在脉动循环变压力下，$r = 0$，则取其持久极限 σ_0 作为极限应力。零件工作时，循环特性 r 是在 $-1 \sim +1$ 之间的某值，而一般材料的力学性能表中往往只给出 σ_b 和 σ_s。σ_{-1} 和 σ_0 可按表 1-4 所列的近似关系求得。一般对于变应力的极限应力，在简化计算中，可近似取与之相近的 σ_{-1} 或 σ_0 作为极限应力。

表 1-4　疲劳强度与静强度的近似关系

材料	变形形式	对称循环疲劳极限	脉动循环疲劳极限
结构钢	弯曲	$\sigma_{-1} = 0.27(R_{eH} + R_m)$	$\sigma_0 = 1.33\sigma_{-1}$
	拉压	$\sigma_{-1t} = 0.23(R_{eH} + R_m)$	$\sigma_{0t} = 1.42\sigma_{-1t}$
	扭转	$\tau_{-1} = 0.156(R_{eH} + R_m)$	$\tau_0 = 1.50\sigma_{-1}$
铸铁	弯曲	$\sigma_{-1} = 0.45R_m$	$\sigma_0 = 1.33\sigma_{-1}$
	拉压	$\sigma_{-1t} = 0.40R_m$	$\sigma_{0t} = 1.42\sigma_{-1t}$
	扭转	$\tau_{-1} = 0.36R_m$	$\tau_0 = 1.35\tau_{-1}$

注：脚注 t—拉压；R_m—抗拉强度；R_{eH}—上屈服强度。

五、机械零件的接触强度概念

在高副机构（如摩擦轮、渐开线齿轮、滚动轴承等）中，理论上载荷是通过点或线接触传递的。当两接触零件受到压力后，接触处产生弹性变形，因此实际上是在一个微小面积上产生很大的应力，这种应力称为接触应力。这时零件的强度称为接触强度。

零件在接触应力的反复作用下，首先在表面或表层产生初始疲劳裂纹，然后裂纹又向表面延伸（润滑油被挤出裂纹中将产生高压，使裂纹加快扩展），最后使表层金属呈小片状剥落下来，因而在原为光滑的零件表面上出现针孔状麻点，这种现象称为疲劳点蚀。麻点增多后，就会连接成片，使零件表面丧失正确的形状，减小了接触面积，降低了承载能力，造成

运动不精确，并引起振动和噪声。有很多机械零件，疲劳点蚀是主要的失效形式。

目前，防止点蚀破坏的计算准则是校核其接触应力（赫兹应力）σ_H

$$\sigma_H \leqslant [\sigma]_H \tag{1-4}$$

以下介绍在线接触条件下的接触应力 σ_H 的计算公式。

根据弹性力学理论，当两个轴线平行的圆柱体相互接触并受压时（图 1-8），其接触面积为一狭长矩形，最大接触应力发生在接触区中线上，其值为

$$\sigma_H = \sqrt{\dfrac{F_n}{\pi L \left(\dfrac{1-\mu_1^2}{E_1} + \dfrac{1-\mu_2^2}{E_2} \right) \rho}} \tag{1-5}$$

式中，E_1、E_2 为两圆柱体材料的弹性模量（MPa）；μ_1、μ_2 为两圆柱体材料的泊松比；L 为接触线长度（mm）；ρ 为当量曲率半径，$\rho = \rho_1 \rho_2 / (\rho_2 \pm \rho_1)$，$\rho_1$、$\rho_2$ 为两圆柱体接触处的曲率半径（mm）。

$\rho = \rho_1 \rho_2 / (\rho_2 \pm \rho_1)$ 式中正号用于外接触，负号用于内接触。由图 1-8 可以看出，接触应力具有上下对等、左右对称及稍离接触区中线即迅速降低等特点。

若圆柱体和平面接触时，平面的曲率半径取 ∞；若线接触时接触体不是圆柱体，则可取接触处的曲率半径代入上式，将其看作两个圆柱体接触。

许用接触应力 $[\sigma]_H$ 的值将在后面有关章节具体介绍。对于点接触的零件，接触应力公式须另查资料。

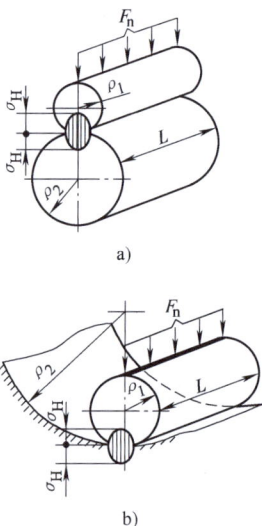

图 1-8　接触应力计算简图
a）外接触　b）内接触

第六节　常用电动机基础知识

机械装置的动力来自于电动机、气缸、液压缸等原动机的运动输出，因此，学习和认识常用原动机的特性与参数，对于理解机械装置的工作和运行特点非常重要。电动机是为机械装置提供动力的主要原动机类型，本节将对常用电动机的工作原理、特点以及基本参数进行简要介绍。

电动机根据其主要功能可以分为驱动电动机和控制电动机两大类。

一、驱动电动机

驱动电动机是以将电能转换为机械能，驱动机器运动为功能的电动机。此处仅对常用的三相交流异步电动机进行简要介绍。

1. 工作原理

三相异步电动机的定子上安装有励磁绕组，当接通交流电源时形成旋转的电磁场，通过电磁感应原理在转子上会形成驱动力矩，从而驱动转子进行旋转。

2. 工作特性

三相异步电动机的转速 n 与旋转磁场的转速 n_0（也被称为电动机的同步转速）有关，而 n_0 决定于磁场的级对数 p（也称级数）和交流电源的频率 f。我国的交流电频率 $f = 50\text{Hz}$，对于不同级数的电动机同步转速 n_0 见表 1-5。

表 1-5 电动机的磁场级数所对应的同步转速

级数 p	1	2	3	4	5	6
$n_0/(\text{r/min})$	3000	1500	1000	750	600	500

三相异步电动机的实际输出转速与电源电压、转子电阻以及电动机转矩有关。在电源频率不变，电动机转矩一定时，正常工作条件下，电动机转速随着电源电压的减小而减小。在给定电源频率和电压的情况下，电动机转速 n 与电动机转矩 T 之间的关系如图 1-9 所示。图 1-9 中 n_N 为额定转速（或满载转速），T_N 为额定转矩，与之对应的电动机输出功率为额定功率。通常，三相异步电动机工作在 ab 段上，由于 ab 段曲线比较平，所以电动机转速随电动机转矩变化不是很大。当负载转矩超过最大转矩 $T_{\max}$ 时，电动机转速将迅速减小，同时，电动机的电流会提升 $6 \sim 7$ 倍，使电动机严重过热，甚至烧坏。图 1-9 还显示，电动机可以短时超过额定功率进行运行。另外，由于存在空载损耗转矩，所以三相异步电动机的空载转速比同步转速低。

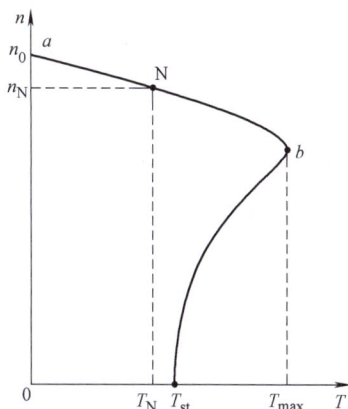

图 1-9 电动机的 T-n 曲线

图 1-9 中 T_{st} 为电动机的起动转矩。在起动的瞬时，三相异步电动机的起动电流可以达到额定电流的 $5 \sim 7$ 倍，所以三相异步电动机不适合频繁起动。为了减小起动电流，必须采用适当的起动方法，例如笼型电动机可采用直接起动或降压起动方法。30kW 以下的异步电动机一般采用直接起动。

3. 基本参数

三相异步电动机的主要参数有电压、额定功率、额定转速、额定电流、电源频率等。对于 Y 系列异步电动机，电压只有 380V 一种；额定功率和额定转速是选择电动机的关键参数，在选择电动机时，要求所选电动机的额定功率应大于并接近所需的输出功率，电动机转速则需要根据工作机的工作速度并结合传动系统的方案进行合理选择。

二、控制电动机

控制电动机是在普通旋转电动机基础上发展出的具有特殊性能的小功率电动机，此类电动机的主要任务是转换和传递控制信号。本节只讨论两种控制电动机——步进电动机和伺服电动机。

1. 步进电动机

步进电动机是通过输入电脉冲信号对其输出角位移或线位移进行控制的一种控制电动机，也被称为脉冲电动机。步进电动机工作时，由专用电源为其输入电脉冲信号，图 1-10 所示为控制脉冲与电动机角位移的关系，每输入一个脉冲，电动机转一个固定角位移。

（1）步进电动机的类型　步进电动机有多种分类方法，当按工作原理和结构分类时，可分为反应式步进电动机、永磁式步进电动机以及混合式步进电动机。其中，反应式步进电动机的结构简单、步距角小，是目前应用最广泛的一种步进电动机；永磁式步进电动机步距角较大，起动和运行频率较低，但是效率高，断电时有定位转矩；混合式步进电动机，又称为感应式步进电动机，兼具反应式步进电动机步距角小和永磁步进电动机效率高的优点，是当前最有发展前景的一类步进电动机。本节仅对目前应用最为广泛的反应式步进电动机进行介绍。

（2）反应式步进电动机的工作原理及供电方式　以图1-11所示的三相反应式步进电动机为例，该电动机的定子上有3组控制绕组：$A—A'$，$B—B'$，$C—C'$，即相数为3，6个磁极（磁极数为相数的2倍），转子上均布有4个齿（图中1、2、3、4）。工作中，电动机绕组不断改变通电、断电状态，电磁场旋转，驱动电动机转动。控制绕组每改变一次通电状态称为一拍，对应每一拍转子所转过的角度称为步距角θ。该电动机可以有四种供电方式：三相单三拍通电方式，即按A-B-C-A-…的顺序依次给控制绕组通电；三相双三拍通电方式，即按$AB \to BC \to CA \to AB \to …$的通电方式供电；三相单、双六拍通电方式，即按$A \to AB \to B \to BC \to C \to CA \to …$的通电方式进行驱动；另外，还有微步驱动，其含义是一相的电流逐级减小，同时另一相的电流逐级增大，这样的通电方式可以获得更小的步距角。步进电动机采用不同的供电方式时，可以获得不同的步距角。步距角θ与相数m、齿数z_r以及供电方式的关系可用式（1-6）描述：

$$\theta = \frac{360°}{m z_r C} \tag{1-6}$$

式中，C为状态系数，由供电方式决定，采用单三拍和双三拍通电方式，$C=1$；采用单、双六拍通电方式运行时，$C=2$。

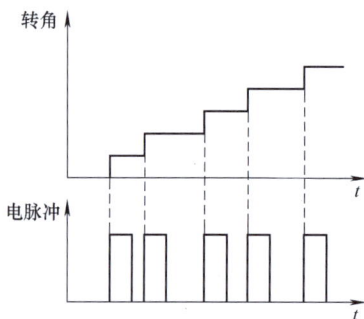

图1-10　控制脉冲与电动机角位移的关系

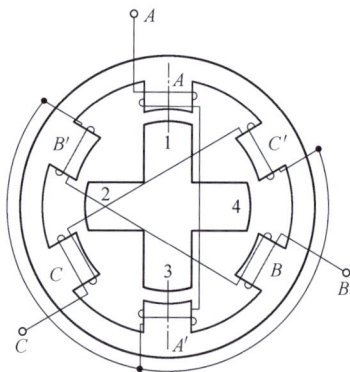

图1-11　三相反应式步进电动机的结构示意图

（3）步进电动机的特点　步进电动机具有很多优点：在负载能力范围内，步进电动机的步距角和转速不受电压波动和载荷变化的影响；通过改变脉冲频率，可以在很大范围内调节步进电动机的速度，并能快速起动、制动和反转；在不丢步的情况下，步距误差不会长期积累；有些类型的步进电动机在停止供电状态下或停机后仍有一定的自锁能力。

步进电动机的主要缺点：效率低；需要配套驱动电源（驱动器）；步进电动机负载惯性的能力通常不强，在使用时需要考虑负载转动惯量的大小；运行中可能出现共振和振荡问题。

（4）步进电动机的主要性能指标

1）最大静转矩 T_{max}。通常是指一相绕组通以额定电流时的最大转矩值，该指标代表了步进电动机的负载能力。最大静转矩与绕组电流之间为非线性增函数关系。多相通电时最大静转矩可能大于单相通电时的最大静转矩。

2）步距角 θ。输入一个脉冲信号时，转子转动的角度。两台外观尺寸相同的步进电动机，步距角小的，起动和运行频率较高，但转速和功率不一定高。

3）起动频率。不失步起动的最高脉冲频率，分为空载起动频率和负载起动频率。

4）运行频率。步进电动机起动后，控制脉冲频率连续上升而不失步的最高频率，其大小与负载转矩有关。

5）静态步距角误差。实际步距角与理论步距角之间的差值。

2. 伺服电动机

伺服电动机是一种依据指令信号可对位置、速度、加速度或转矩进行跟随控制的控制电动机。工作中，伺服电动机把电压信号（又称为控制电压）转变为转轴的角位移或角速度输出，改变控制电压可以改变伺服电动机的转速和转向。伺服电动机需要与配套的伺服驱动器一起使用（通常厂家已经配好）。

（1）分类 伺服电动机按使用的电源不同分为直流伺服电动机和交流伺服电动机两大类。本节仅就几种常见的伺服电动机的工作原理、特性以及基本参数进行介绍。

（2）直流伺服电动机

1）工作原理。直流伺服电动机的工作原理如图 1-12 所示。在两个固定的电磁铁或永磁铁之间，放置绕有线圈 abcd 的圆柱形的电枢铁心，线圈的首尾分别连在两个换向片上，换向片分别与 A、B 两个电刷接触（电刷与换向片只能一对一接触）。换向片、电枢铁心以及其上的线圈绕组组成了电动机的旋转部分，被称为电枢。当电刷接通直流电源 U 时，线圈 abcd 内产生电枢电流 I_a，在磁场作用下，线圈 ab 段和 cd 段所受的安培力 F 形成电磁转矩 T_e，从而驱动电动机转动。当改变电动机电枢电压 U 或磁场的磁通时，可以调节电动机的角位移、角速度、角加速度及转矩。

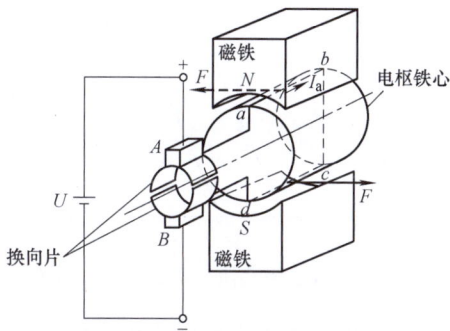

图 1-12 直流伺服电动机的工作原理图

2）控制方式。直流伺服电动机的控制方式有电枢控制和磁场控制两种。

电枢控制，是通过调整电枢电压 U 来控制电动机转速的控制方式。直流伺服电动机普遍采用电枢控制方式。电枢控制所用电源包括晶闸管可控整流电源和电力晶体管（PWM）控制电源两种。前者用于大、中容量的可控直流电源，后者则用于小容量的控制电源。

磁场控制，是通过调整产生电磁场的线圈两端所施加的电压 U_f（励磁电压）来改变磁通大小，从而调节电动机转速的控制方式。此种方式只在小功率电动机中有所应用。

3）特性。直流伺服电动机的特性包括静态特性和动态特性。

直流伺服电动机的静态特性包括力学特性和调节特性。

力学特性是指在电源电压 U 不变，气隙每极磁通 Φ 不变时，电动机的转速 n 与电磁转

矩 T_e 之间的关系。直流伺服电动机的力学特性如图 1-13 所示。图 1-13 中（0, n_0）点为理想空载点，由于空载状态也会因空载损耗而产生电磁转矩，所以理想空载转速 n_0 要高于实际空载转速；（T_k, 0）为堵转点，堵转是电动机在转速为 0r/min 时仍然输出转矩的一种情况，T_k 为电动机堵转时能够产生的最大电磁力矩，反映了直流伺服电动机的负载能力。另外，当改变电枢电压时，力学特性会发生变化，但是其斜率 k 不变。

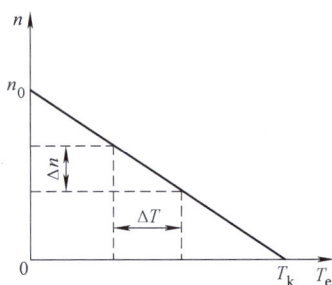

图 1-13　直流伺服电动机的力学特性

调节特性是指在负载转矩 T_L 恒定时，电动机转速 n 随控制电压 U_a（根据控制方式不同，可以是电枢电压或励磁电压）变化的关系。直流伺服电动机的调节特性如图 1-14 所示，为一组平行线。负载转矩一定时，控制电压需大于相对应的始动电压，电动机才能开始转动并达到某一转速。

应注意的是，直流伺服电动机的实际特性曲线并非是直线，而是一组接近直线的曲线。

直流伺服电动机的动态特性是电动机在动态过程中，电流、转矩以及转速等随时间变化的关系。其中，转速特性是最重要的动态特性，它是指在空载、额定励磁条件下，电动机控制电压为 0V 时突然施加一个阶跃电压，电动机转速随时间的变化关系。以电枢控制为例，转速特性曲线如图 1-15 所示。图 1-15 中 τ_m 称为机电时间常数，它是电动机转速上升到 $0.632n_0$ 所用时间，反映了伺服电动机的快速响应能力。

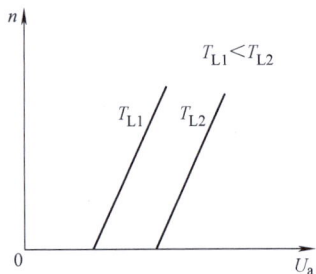

图 1-14　直流伺服电动机的调节特性

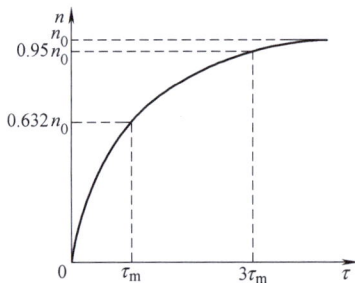

图 1-15　直流伺服电动机的转速特性曲线

（3）两相交流异步伺服电动机

1）工作原理。两相交流异步伺服电动机的结构和工作原理与三相异步电动机相似，电动机由定子和转子组成，不同之处是定子上的绕组分为励磁绕组和控制绕组，其中，控制绕组上的控制电压 U_c 的大小和相位可调，从而实现对电动机的控制。

2）控制方式。两相交流异步伺服电动机的控制方法有幅值控制、相位控制、幅值-相位控制（又称电容控制）三种。幅值控制是通过调整控制电压 U_c 的大小来控制电动机；相位控制则是通过调整控制电压 U_c 的相位实现控制电动机；幅值-相位控制时，控制电压的大小和励磁绕组与控制绕组的电压之间的相位差都是调节对象。因为幅值-相位控制在设备上和成本上存在优势，可以产生较大的输出功率，所以是最常见的一种控制方式。

3）特性。两相交流异步伺服电动机电磁转矩随着电动机转速的增加而减小，但是三种控制方式下二者关系都是非线性的，相对而言，相位控制时的特性比幅值控制时的特性差，因此相位控制较少采用；在电磁转矩不变的情况下，电动机转速与控制电压的幅值以及相位差的正弦函数值的关系也不是线性的，为了获得线性的调节特性，伺服电动机应工作在较小的相对转速范围内；无论采用何种控制方式，当电动机堵转和理想空载时，其输出功率均为0，一般电动机的最大输出功率出现在理想空载转速的0.55倍附近。

4）主要性能参数及其额定值

① 额定励磁绕组电压。励磁绕组电压允许变动范围一般为额定值的±5%。电压过高电动机容易烧坏，电压过低则会降低堵转转矩、输出功率以及灵敏度。

② 额定控制电压。额定控制电压是最大控制电压。

③ 额定频率。目前控制电动机常用的频率分为低频和中频，低频的频率为50Hz或60Hz，中频的频率为400Hz或500Hz。电源的频率与电动机必须匹配。

④ 空载转速。励磁绕组和控制绕组都施加额定电压，电动机空载时的转速。空载转速低于同步转速。

⑤ 堵转转矩和堵转电流。定子绕组上施加额定电压，电动机转速为0r/min时输出的最大转矩称为堵转转矩，此时励磁绕组和控制绕组中的电流分别为堵转励磁电流和堵转控制电流。堵转电流通常是电动机绕组中的最大电流。

⑥ 额定输出功率、额定转速、额定转矩。额定输出功率所对应的转速为额定转速（大约是空载转速的一半），对应的输出转矩为额定转矩，对应的电动机的状态为额定状态，电动机可以在此状态下长期工作。

⑦ 空载始动电压。在励磁电压为额定值且空载情况下，转子在任意位置开始连续转动所需的最小控制电压。此电压越小，伺服电动机的灵敏度越高。

⑧ 机电时间常数 τ_m。其值越小则电动机响应速度越高。

习　题

1-1　机器、机构与机械有什么不同？

1-2　零件与构件有什么区别？

1-3　机器主要由哪几部分组成？各部分的作用是什么？

1-4　选择机械零件的材料时，应考虑哪些原则？

1-5　试指出下列牌号的含义：Q235、45、65Mn、40Cr、ZG310-570、HT200、KT350-10和QT600-3。

1-6　常用的热处理方法有哪几种？各有什么特点？

1-7　什么是应力的循环特性？几种典型变应力的循环特性 r 各等于多少？

1-8　机械零件的疲劳破坏与哪些因素有关？

1-9　机械零件的疲劳点蚀是怎样产生的？它带来的危害是什么？

第二章

Chapter

平面机构的运动简图及其自由度

学习构件、运动副、机构等名词术语及表达方式，掌握平面机构自由度计算以及在计算过程中的注意事项，并判定机构运动是否确定。了解机构组成的一般规律，学习绘制机构运动简图。

如前所述，机构是由若干个构件组成的，但是，若干构件的组合并不一定能够成为机构。因此研究构件的组合在什么条件下才能成为机构，这对于分析现有的机构或设计新机构都是非常重要的。此外，由于实际机械的外形和结构都很复杂，为了便于分析和研究，在工程设计中需要用简单的线条和符号来绘制机构运动简图。这些内容都将在本章中介绍。

所有构件都在同一平面或平行平面内运动的机构称为平面机构，否则称为空间机构。由于平面机构在工程中得到广泛应用，所以本章只讨论平面机构。

第一节　运动副及其分类

一个构件若不与其他任何构件相连接，则称为自由构件。任一做平面运动的自由构件有 3 个可能的独立运动。如图 2-1a 所示，在 Oxy 直角坐标系中，构件 S 可随其上一点 A 沿着 x、y 轴移动，同时可以绕着该点在 xOy 平面内转动。同理，一个做空间运动的自由构件具有 6 个可能的独立运动，如图 2-1b 所示。构件的这种可能出现的独立运动被称为构件的自由度。显然，一个做平面运动的自由构件有 3 个自由度，一个做空间运动的自由构件有 6 个自由度。

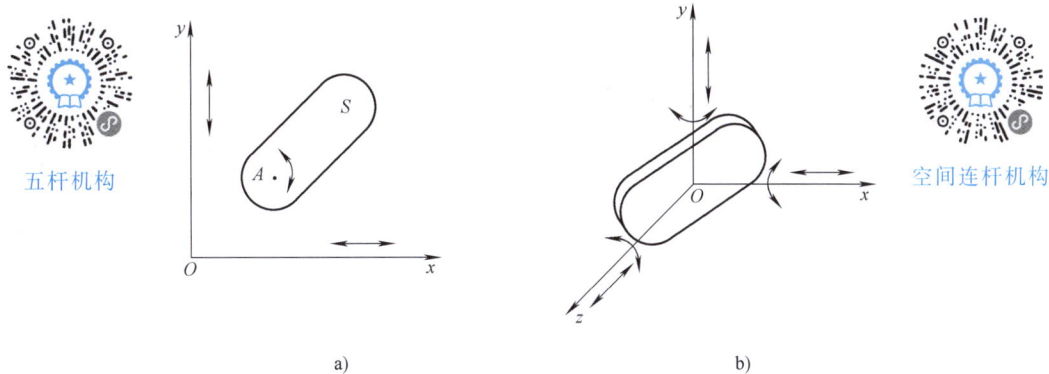

五杆机构

空间连杆机构

a)　　　　　　　　　　b)

图 2-1　构件的自由度

一、运动副

为了使构件组成具有确定运动的机构，构件之间需要用某种方式连接起来。这种连接不能是刚性的，而应保证被连接的构件之间能发生一定的相对运动。将由两个构件直接接触并能保留一定相对运动的可动连接称为运动副。运动副是两构件接触后的产物，分开即消失。构件组成运动副后，它们的独立运动会受到限制，自由度便会随之减少，运动副对构件的独立运动所加的限制称为约束。运动副每引入一个约束，构件便失去一个自由度。

二、运动副的分类

1. 按接触方式分

根据组成运动副的两构件的接触方式，运动副分为低副和高副两种。两构件通过面接触形成的运动副称为低副。图 2-2 中构件 1、2 以圆柱面接触构成的转动副以及图 2-3 中构件 1、2 以棱柱面接触构成的移动副都属于典型的低副。

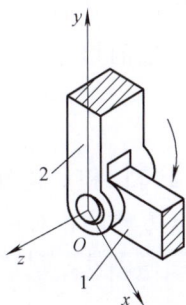

转动副

移动副

图 2-2　转动副　　　　　　　　　　图 2-3　移动副

两构件通过点或线接触组成的运动副称为高副。图 2-4 所示为典型的高副。图 2-4a 所示为凸轮高副，图 2-4b 所示为齿轮高副。

2. 按相对运动范围分

根据组成运动副的两个构件的相对运动的范围，运动副可分为平面运动副与空间运动副。

若通过运动副将两构件连接后，构件之间只能做平面相对运动，则该运动副为平面运动副，图 2-2 中的转动副、图 2-3 中的移动副、图 2-4a 中的平面凸轮机构中的凸轮副以及圆柱齿轮机构中的齿轮副都属于平面运动副。

若被运动副连接的两个构件可做空间相对运动，则该运动副属于空间运动副。图2-5所示的螺旋副，两构件之间可以做相对螺旋运动；图2-6所示的球面副，构件1可相对构件2绕 x、y、z 轴做转动，它们都属于空间运动副。

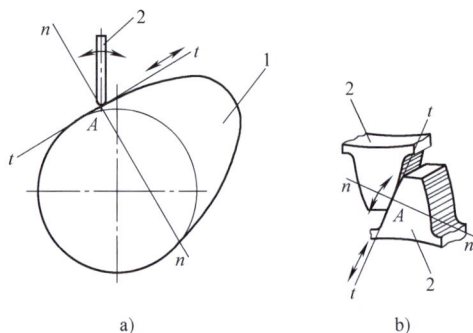

螺旋机构

图 2-4　高副
a）凸轮高副　b）齿轮高副

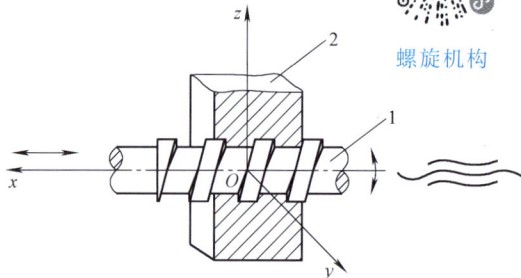

图 2-5　螺旋副及其简图符号
1—螺杆　2—螺母

另外，运动副还可以根据引入的约束数、相对运动形式、工作原理等进行分类，若需要了解这些分类方法，可阅读本书后参考文献中所列的相关文献。

三、平面机构中的运动副

1. 平面低副

平面低副只有转动副和移动副两种。其中，转动副也称为铰链。若构成转动副的一个构件是固定的，则称为固定铰链；两构件都是可动构件时，称为活动铰链。图2-2所示的转动副中，两构件之间只能绕 z 轴做相对转动，而沿着 x、y 轴的相对移动被限制了。图2-3中的移动副，两构件可以沿 x 轴做相对移动，而沿着 y 轴的相对移动以及在 xOy 面内的相对转动被限制了。可见，一个平面低副引入两个约束。

图 2-6　球面副及其简图符号

2. 平面高副

图2-4a所示的平面凸轮机构中的凸轮高副是典型的平面高副，构件2可以相对构件1绕 A 点转动，也可以沿着切线 t—t 的方向进行相对移动，沿着公法线 n—n 方向的相对移动被限制了，故引入了一个约束。引入一个约束是平面高副的共性。除了凸轮高副外，圆柱齿轮机构中的齿轮高副也是常见的平面高副。

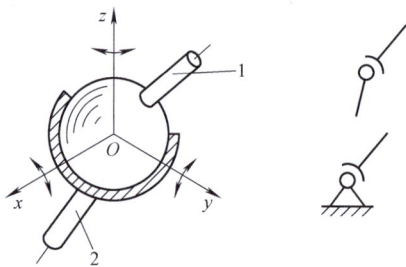

第二节　平面机构的组成及其运动简图

一、机构中构件的分类

组成机构的构件按其运动性质可分为三类。

（1）固定件（机架）　固定件是支承活动构件的构件。所谓固定，是相对而言，如果机械安装在地基上，其机架相对地面则是固定的；如果机械安装在运动的物体（如车、船、飞机）上，其机架相对于运动的物体则是固定的，而相对于地面是运动的。在研究机构中活动构件的运动时，通常以固定件作为参考坐标系。

（2）原动件　在机构中，按给定运动规律相对机架运动的构件，称为原动件，一般机构中原动件数为1，但也有多于1的。

（3）从动件　在机构中，随原动件相对机架运动的其余活动构件，称为从动件。

二、机构运动简图

为了便于分析、研究现有机械的工作原理和运动特性，以及在表达新设计机构的设计结果时，需要用图形的方式表达机构。因为机构各部分的运动，仅取决于该机构中原动件的运动规律、各运动副的类型以及运动尺寸（各运动副之间的相对位置尺寸），而与构件的具体结构和运动副的具体结构无关，所以在绘制机构的图形时，排除掉与运动无关的因素，而用一定的符号来表达构件和运动副（表2-1），并根据运动尺寸，按比例绘制，这样绘制的图形称为机构运动简图，如图 2-7b 和图 2-8b 所示。

表 2-1　常用机构运动简图符号（参考 GB/T 4460—2013）

名称	符号	名称		符号
机架	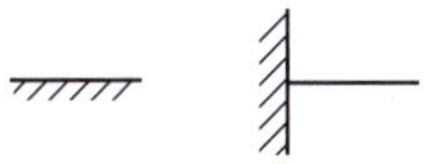	两构件组成移动副		
两构件组成转动副	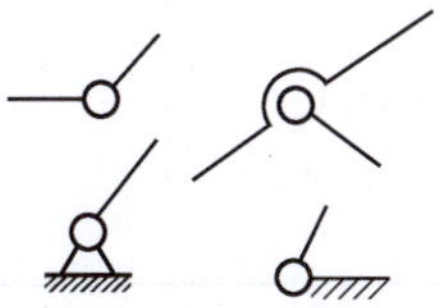	电动机	一般符号	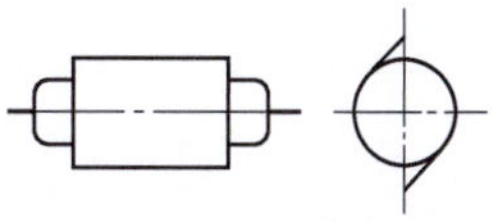
			装在支架上的电动机	
一个构件与三个构件组成转动副	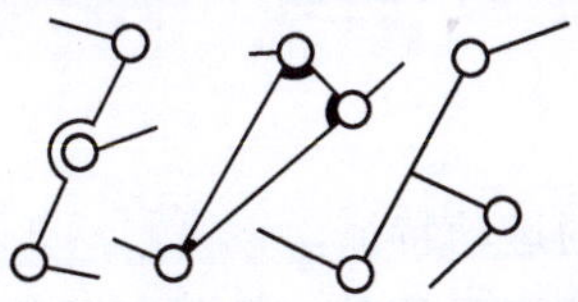	蜗轮蜗杆机构（圆柱蜗杆）		

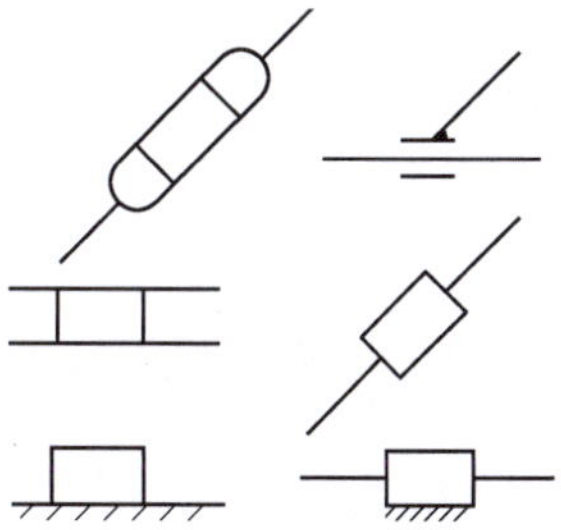

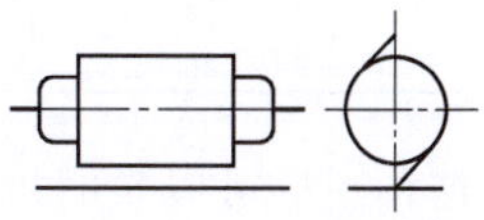

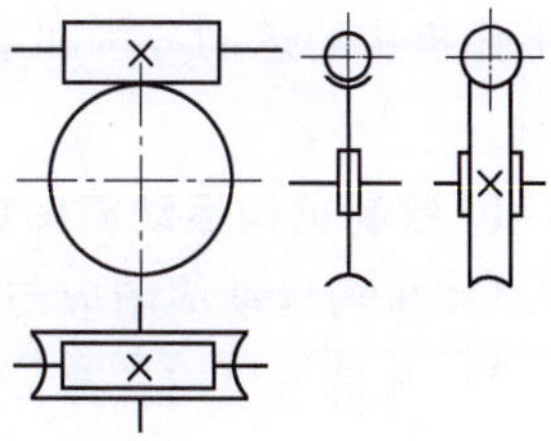

（续）

名称	符号	名称	符号
螺旋副	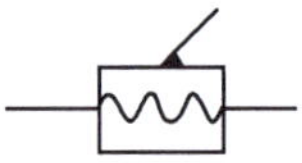	凸轮机构	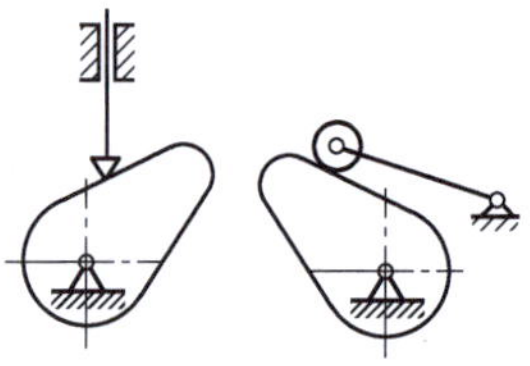
带传动一般符号	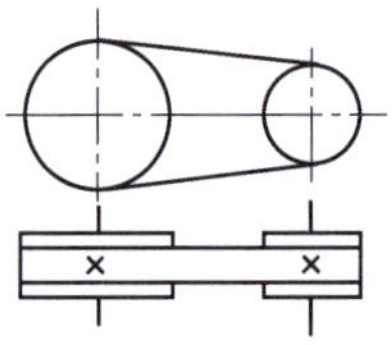	棘轮机构（外啮合）	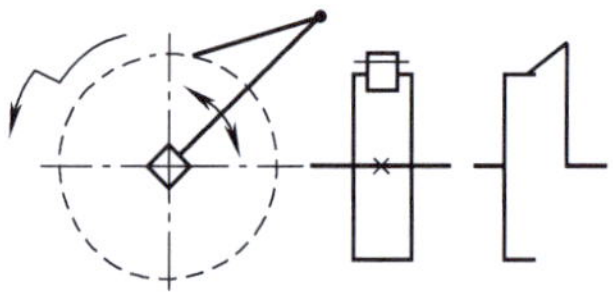
链传动一般符号	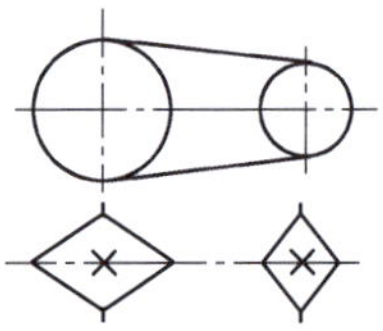	槽轮机构一般符号	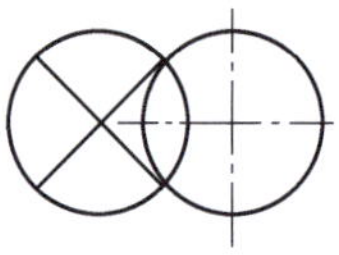
外啮合圆柱齿轮机构	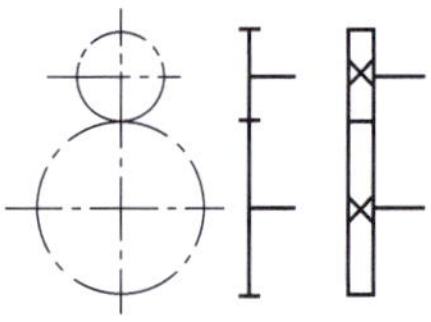	锥齿轮传动	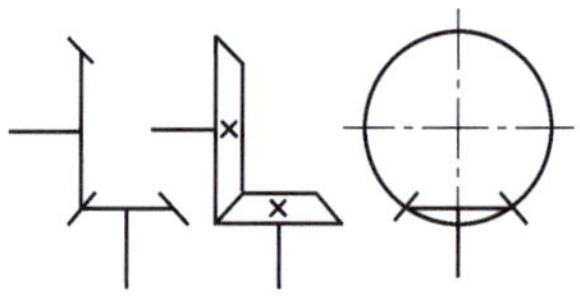
内啮合圆柱齿轮机构	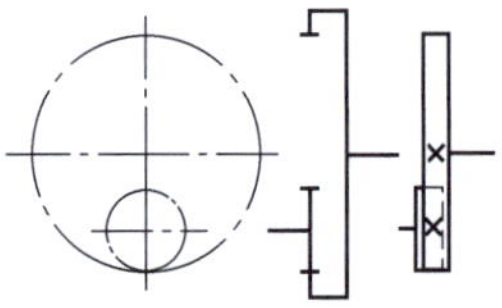	联轴器一般符号	
齿轮齿条机构	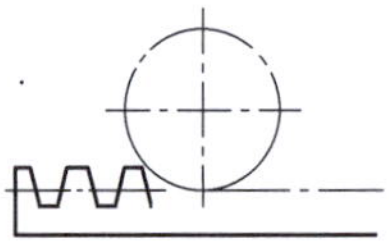	离合器一般符号	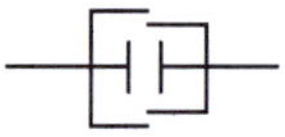

这种图形可以表明机构的运动特征和结构组成（构件数及运动副的数目和类型）情况，根据它可以对机构进行运动分析和动力分析。若只是用来表明机构的运动原理和组成情况，而不作机构的运动分析和动力分析，则不必严格按比例绘制，通常将这样的简图称为机构示意图。

1. 绘制机构运动简图应遵循的原则

1）机构运动简图应与实际机械有完全相同的运动特征。

2）凡是与机构各部分运动有关的要素都应该表示清楚，凡是与机构运动无关的因素都应该略去。

在机构中，如原动件的运动规律、构件的数目、运动副的类型和数目以及与机构运动有关的尺寸等都是与机构运动有关的要素；而构件的外形、剖面形状和尺寸、组成构件的零件数目及零件间的固连方式以及各运动副的具体结构（如转动副是滑动轴承还是滚动轴承）等都是与机构运动无关的因素。但对于组成高副的两构件，一般需将接触部分构件的外形准确地画出。

2. 绘制机构运动简图的方法和步骤

（1）弄清机构的组成情况 按运动传递的顺序观察机构各部分的运动情况，找出原动件、从动件、机架，从而确定构件的数目、运动副的数目和类型。

（2）测定与机构运动有关的尺寸 测出各转动副之间的中心距，即各构件长度尺寸；轴线固定的转动副及移动副导路中心线的位置尺寸；高副的轮廓形状等。

（3）正确选择投影平面 为了能够清楚地表明各个构件之间的相对运动关系，通常选择与机构运动平面相平行的平面作为绘图时的投影平面（必要时可补充辅助视图）。

（4）选定比例尺，按规定符号画出运动简图 选择合适的比例尺，机构运动简图的比例尺如下：

$$\mu_1 = \frac{实际尺寸}{图中尺寸} \quad （单位为 mm/mm 或 m/mm）$$

按 GB/T 4460—2013 规定的符号（表 2-1），将机构向所选投影平面上投影，并画出机构运动简图。

3. 机构运动简图绘制举例

例 2-1 试绘制图 2-7a 所示内燃机的机构运动简图。

解 图 2-7a 所示的内燃机中小齿轮与曲轴固连，为一个构件，标记为构件 1；凸轮轴与

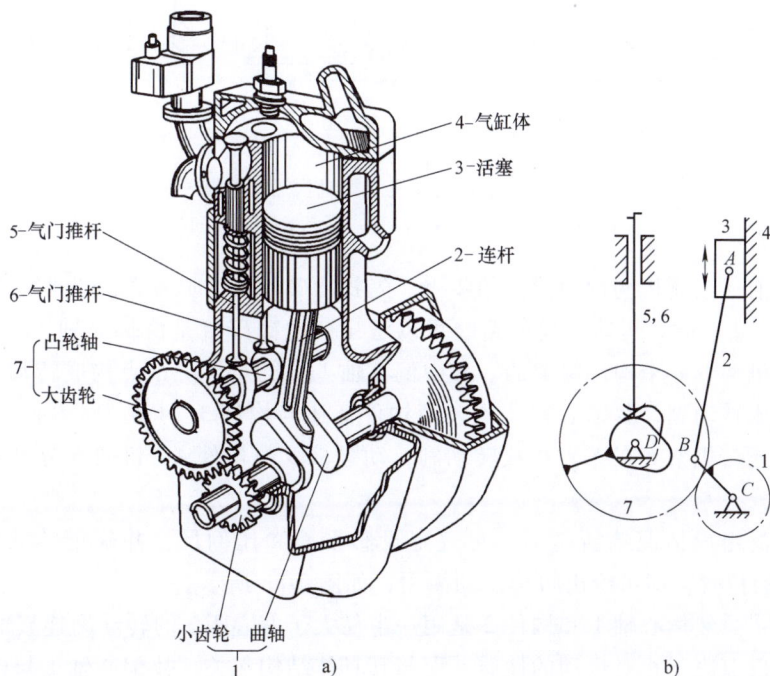

图 2-7 内燃机及其机构运动简图

大齿轮固连，也为一个构件，标记为构件7。内燃机是由活塞3、连杆2、曲轴1和气缸体4组成的曲柄滑块机构；小齿轮1、大齿轮7及气缸体4组成的齿轮机构；凸轮轴7与气门推杆5、6以及气缸体4组成的两个凸轮机构共同组成的。气缸体4是固定件（机架）；活塞3是原动件；其余构件都是从动件。各构件之间的可动连接方式为：活塞3和连杆2、连杆2和曲轴1、曲轴（小齿轮）1和气缸体4、大齿轮7和气缸体4之间均组成转动副；活塞3和气缸体4、气门推杆5和气缸体4、气门推杆6和气缸体4之间均构成移动副；小齿轮1和大齿轮7构成齿轮高副、凸轮轴7与两个气门推杆5、6构成凸轮高副。

选择图2-7a所示各构件运动的平面为投影平面，并按选定的比例尺 μ_1（单位为 m/mm）和测得的尺寸，在图上先定出轴线固定的两个转动副（即曲轴和凸轮轴的回转中心）及两个移动副导路中心线的位置；然后使机构处于某一合适位置，再按各齿轮的节圆半径，凸轮轮廓形状及各构件的长度尺寸，用规定符号绘出图2-7b所示的机构运动简图。

例 2-2　试绘制图2-8a所示颚式破碎机的机构运动简图。

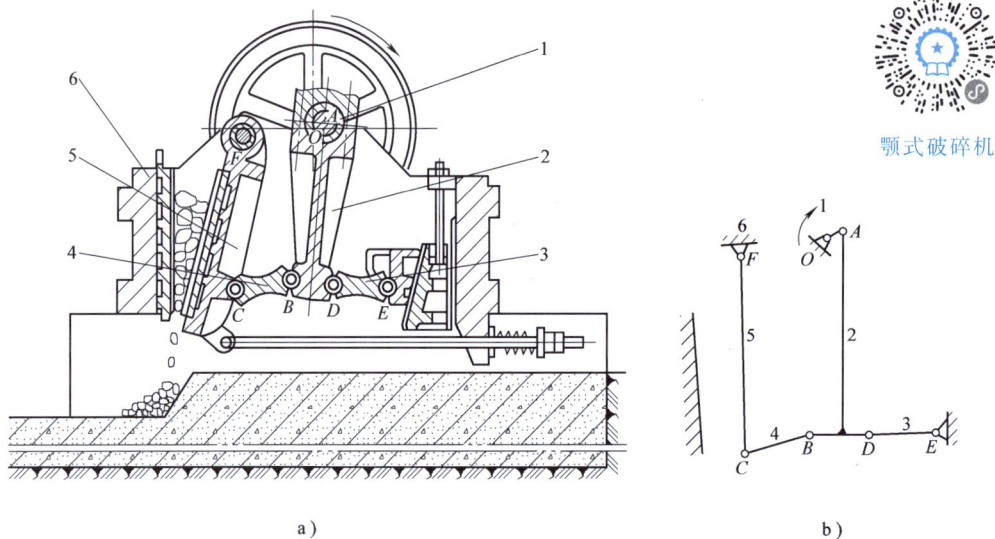

颚式破碎机

图 2-8　颚式破碎机及其机构运动简图
1—偏心轴　2、3、4—构件　5—动颚板　6—机架

解　根据前述绘制机构运动简图的步骤，先找出破碎机的原动部分为偏心轴1，工作部分为动颚板5。然后循着运动传递的路线可以看出，此破碎机是由偏心轴1、构件2、3、4及动颚板5和机架6六个构件组成的。其中偏心轴1和机架6在 O 点构成转动副；偏心轴1和构件2也构成转动副，其轴心在 A 点。而构件2还与构件3、4在 D、B 两点分别构成转动副；构件3还与机架6在 E 点构成转动副；动颚板5与构件4、机架6分别在 C、F 两点构成转动副。

将破碎机的组成情况搞清楚后，再选定投影平面和比例尺，并确定转动副 O、A、B、C、D、E、F 的位置，即可绘出机构运动简图，如图2-8b所示。

需要指出：虽然偏心轴1和构件2是用一半径大于偏心距 e 的转动副连接的，但因运动副的规定符号仅取决于相对运动的性质，而与其具体结构无关，故偏心轴1与构件2之间构成的转动副与其他六个转动副的画法相同，都用大小相同的小圆来表示。

第三节　平面机构的自由度及机构具有确定运动的条件

一、平面机构的自由度

任一做平面运动的自由构件具有三个自由度。当两个构件组成运动副之后，它们之间的相对运动受到限制，相应的自由度数随之减少。运动副类型不同，引入的约束也不同，保留的自由度也不同。如转动副（图 2-2）约束了沿 x 和 y 轴方向移动的两个自由度，只保留了一个在 xOy 平面内转动的自由度；移动副（图 2-3）约束了沿一轴（x 或 y 轴）线方向移动和在 xOy 平面内转动的自由度，只保留沿另一轴（y 或 x 轴）线方向移动的自由度；高副（图 2-4）则只约束了一个沿接触处公法线 $n—n$ 方向移动的自由度，保留了绕接触处转动的自由度和沿接触处公切线方向移动的自由度。所以在平面机构中，每个低副引入两个约束，使构件失去两个自由度；每个高副引入一个约束，使构件失去一个自由度。

因为任何一个平面机构中必然有一个相对的固定件（机架），由上可知，它受到三个约束，自由度等于零。设某平面机构除机架外，共有 n 个活动构件，这 n 个活动构件在未用运动副连接之前，共有 $3n$ 个自由度。当把这些活动构件及机架用 P_L 个低副、P_H 个高副连接后，便引入（$2P_L+P_H$）个约束。如将机构中所有活动构件具有的总自由度数减去所有运动副引入的约束总数，则可得到机构的自由度数。故平面机构自由度的计算公式应为

$$F = 3n - 2P_L - P_H \qquad (2-1)$$

机构的自由度就是机构中所有活动构件相对机架所能具有的独立运动的数目。

例 2-3　试计算图 2-7 所示内燃机机构的自由度。

解　图 2-7 所示的内燃机，曲轴与小齿轮固连、大齿轮与凸轮轴固连，故分别只能看成是一个构件。气门推杆 5 与 6 在简图中位置重叠，实际为两个构件。所以此机构共有 6 个活动构件，即 $n=6$；组成四个转动副和三个移动副，即低副数 $P_L=7$；存在两个凸轮高副和一个齿轮高副，即高副数 $P_H=3$。代入式（2-1）可得机构的自由度为

$$F = 3n-2P_L-P_H = 3×6-2×7-3 = 1$$

即此机构只有一个自由度。

例 2-4　试计算图 2-8 所示颚式破碎机机构的自由度。

解　在颚式破碎机机构中，共有五个活动构件（即构件 1、2、3、4 及 5），七个低副（即转动副 O、A、B、C、D、E 及 F），而没有高副，故根据式（2-1），其自由度数为

$$F = 3n - 2P_L - P_H = 3 × 5 - 2 × 7 = 1$$

即此机构只有一个自由度。

二、机构具有确定运动的条件

在机构中，通常把与机架相连，并且做简单运动（如相对机架转动或移动）的构件作为原动件，所以，每一个原动件相对机架只具有一个独立运动。因此，整个机构相对机架所具有的独立运动的数目，即机构的自由度数目，也就是机构所应当具有的原动件数目。如果机构的原动件数与机构的自由度数不等，则会导致机构中薄弱部分损坏，或使机构中构件运

动不确定。下面举例说明。

图 2-9 所示为铰链四杆机构，其中 $n=3$，$P_L=4$，$P_H=0$，由式（2-1）得，$F=1$。说明该机构所有活动构件相对机架只能有一个独立运动，也就是该机构应当具有一个原动件。设与机架相连的构件 1 为原动件，并以 φ_1 表示其独立转动的参数。由图 2-9 可见，在满足运动连续性的条件下，每给定一个 φ_1 值，所有从动件（构件 2 和 3）就有一个相应的确定位置。这说明当该机构具有一个原动件时，机构中各构件的运动是确定的。

但是，如果指定两个原动件，如构件 3 也是原动件，则当两个原动件按各自的运动规律运动时，则可能使机构卡住不动，也可能使机构于薄弱处损坏。所以在自由度等于 1 的机构中设两个原动件是不允许的。

图 2-10 所示为铰链五杆机构，其中 $n=4$，$P_L=5$，$P_H=0$，由式（2-1）得，$F=2$，说明该机构应当有两个原动件。设构件 1 和 4 为原动件，并以角 φ_1 和 φ_4 分别表示构件 1 和 4 独立运动的参数。由图 2-10 可见，每给定一组 φ_1、φ_4 值，从动件 2 和 3 便有相应的确定位置。这说明该机构应当有两个原动件，机构中各构件的运动才是确定的。

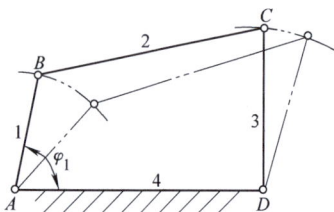

图 2-9　铰链四杆机构

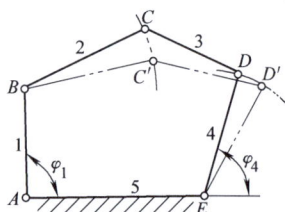

图 2-10　铰链五杆机构

五杆机构

但是，如果只设一个原动件，如只有构件 1 为原动件，则由于 φ_1 是给定的，而 φ_4 未给定，由图 2-10 可见，构件 2、3、4 既可处于实线 $BCDE$ 所示位置，又可处于虚线 $BC'D'E$ 所示位置，或其他任一位置。这表明，只设一个原动件，机构中各构件的运动将不确定。必须设两个原动件，机构中各构件的运动才是确定的。

图 2-11 所示为静定桁架，各构件之间不能产生相对运动，由式（2-1）得，$F=0$。如果算得的自由度为负值，则称为超静定桁架。

综合上述可知：

1）机构自由度必须大于零，并且与原动件数相等时，机构中各构件才有确定运动。

图 2-11　静定桁架

2）当机构的自由度数少于原动件数时，机构不动或薄弱处损坏；当机构自由度数大于原动件数时，机构中各从动构件的运动不确定。

所以，机构具有确定运动的条件是机构的自由度大于零，且自由度与原动件数相等。

在分析或设计机械时，绘出机构运动简图后，可按式（2-1）计算其自由度，并根据上述条件检验运动简图的正确性。

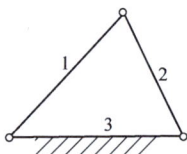

三、计算平面机构自由度时的注意事项

在应用式（2-1）计算平面机构自由度时，必须注意下述几种情况。

1. 复合铰链

两个以上的构件在同一轴线上用转动副连接就形成了复合铰链。图 2-12a 所示为三个构件组成的复合铰链。由其侧视图（图 2-12b）可见，这三个构件在同一轴线上共组成两个转动副 A_1 和 A_2。同理，如有 m 个构件，在同一轴线上以复合铰链相连，其所构成的转动副数应为 $(m-1)$ 个，采用复合铰链可以简化结构，降低加工成本。在计算机构自由度时，应注意机构中是否存在复合铰链，以免漏算转动副的数目，使自由度计算出现错误结果。

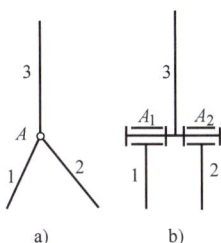

图 2-12　复合铰链

例 2-5　计算图 2-13 所示压床机构的自由度。

解　该机构中共有五个活动构件，即 $n=5$。因构件 2、3、4 在 C 处组成复合铰链，故 C 处应有两个转动副。总共有 6 个转动副，一个移动副，故 $P_L=7$，没有高副，$P_H=0$。由式（2-1）得

$$F = 3n - 2P_L - P_H = 3 \times 5 - 2 \times 7 - 0 = 1$$

即该机构具有一个自由度。若构件 1 是原动件，则此机构具有确定的运动。

2. 局部自由度

机构中出现的与输出构件运动无关的自由度，称为局部自由度（或冗余自由度）。在计算机构自由度时，应将局部自由度除去不计。

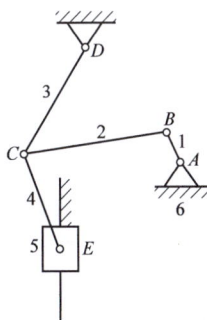

例 2-6　图 2-14a 所示为滚子从动件盘形凸轮机构，试计算该机构的自由度。

连杆机构应用—冲压机构

图 2-13　压床机构

解　为减小高副处的摩擦、磨损。在从动杆 2 与凸轮 1 之间安装了滚子 3。这样，在该机构中 $n=3$，$P_L=3$，$P_H=1$，由式（2-1）得

$$F = 3n - 2P_L - P_H = 3 \times 3 - 2 \times 3 - 1 \times 1 = 2$$

自由度等于 2，说明该机构相对机架可以有两个独立运动，即原动件凸轮 1 的独立转动和滚子 3 绕其自身轴线的独立转动。设想，将滚子 3 与从动杆 2 焊成一体，如图 2-14b 所示，则当凸轮仍做独立转动时，从动杆 2 的运动不变。因此，在该机构中，滚子 3 绕其自身轴线的转动便是与输出构件运动无关的一个局部自由度，计算机构自由度时，应将其除去不计。这时应按 $n=2$，$P_L=2$，$P_H=1$ 计算，由式（2-1）得

$$F = 3 \times 2 - 2 \times 2 - 1 \times 1 = 1$$

即图 2-14a 所示的凸轮机构自由度实际等于 1。

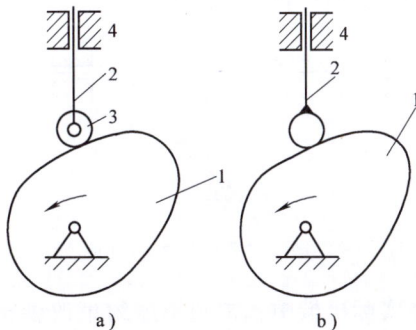

图 2-14　凸轮机构

凸轮机构

3. 虚约束

在机构中，有些运动副对机构的运动所起的约束作用是重复的，这种不起独立限制作用的约束，称为虚约束或消极约束。在计算机构自由度时应将虚约束除去不计。

如图 2-15a 所示的平行四边形机构，其自由度 $F=1$。连杆 2 做平移运动，其上任一点的轨迹形状相同，均为圆心是直线 AD 上的对应点而半径等于 AB 的圆。例如，图示 BC 上任意点 M 的轨迹是以 N 点为圆心，MN 为半径的圆（$MN /\!/ AB$）。如果在 M、N 处各设一个转动

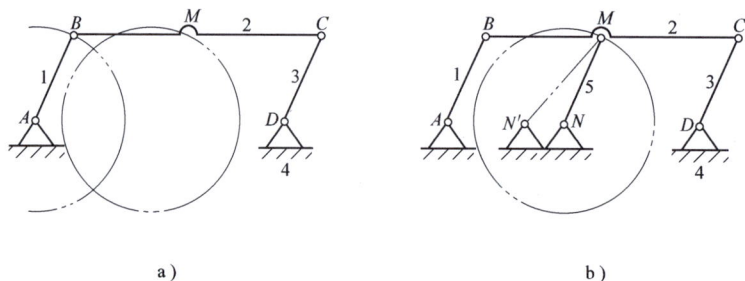

图 2-15　平行四边形机构

副，且其间用一个构件相连（图 2-15b），这并不会给连杆 2 的运动增加新的限制，但按式（2-1）计算，则因活动构件数 $n=4$，低副数 $P_L=6$，高副数 $P_H=0$，而得

$$F=3n-2P_L-P_H=3\times4-2\times6-0=0$$

似乎说明该机构无法运动，这是不符合事实的。其原因是增加了一个构件引入了三个自由度，但增加了两个转动副会引入四个约束，合并计算，形式上似乎多了一个约束。但事实上，新增的构件 MN 无非使连杆 2 上的点 M 必须在以 N 为圆心、MN 为半径的圆周上运动，而原来的机构（图 2-15a）本来就对点 M 的运动有这样的限制，所以是虚约束。计算机构自由度时应将它除去不计，该机构（图 2-15b）的自由度仍等于 1。

除上述因两构件在连接处的轨迹重合，会出现虚约束外，当两构件在多处组成移动副且导路方向平行或重合时；或两构件在多处组成转动副且都在同一轴线上时；或机构中出现对运动无影响的对称部分时，都会出现虚约束。

例如，图 2-16 所示的机构，构件 3 与机架 4 在两处组成移动副，且移动方向一致，其中一个移动副应视为虚约束。又如图 2-17 所示齿轮与机架组成两个转动副，其中一个应视为虚约束。再如图 2-18 所示机构，由 1 经 2′或 2″传至 3 的运动与 1 经 2 传至 3 的运动相重复，其中两路应视为虚约束。

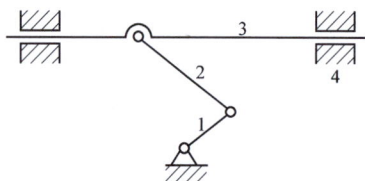

图 2-16　含有虚约束的机构

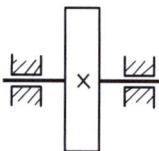

图 2-17　齿轮与机架组成的虚约束

在实际机械中，常利用虚约束改善构件的受力情况，或增大机构的刚度。但是由于虚约束都是在一些特定几何条件下出现的，当这些条件不能满足时，虚约束就会变成实际有效的约束，影响机构的运动。图 2-15b 中，构件 MN 与构件 AB 和 CD 的长度不等时，则机构将不能运动。又如图 2-17 中的齿轮，当其两端轴承不同心时，则会影响齿轮的转动。因此，为了便于制造、安装，在机械中应尽量减少虚约束。当机械中有虚约束时，应注意提高机械加工和装配的精度，以保证机械可以运动。

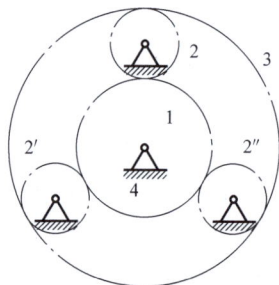

图 2-18　对称结构引入的虚约束

习　　题

2-1　什么是运动副？几种平面运动副之间有什么区别？

2-2　绘制机构运动简图的原则是什么？机构中哪些是与运动有关的要素？

2-3　机构具有确定运动的条件是什么？如果不满足这个条件会出现什么情况？

2-4　试说明机构自由度的意义。

2-5　试说明什么是复合铰链、局部自由度及虚约束。

2-6　试绘出图 2-19 所示的平面机构的运动简图，并计算其自由度。

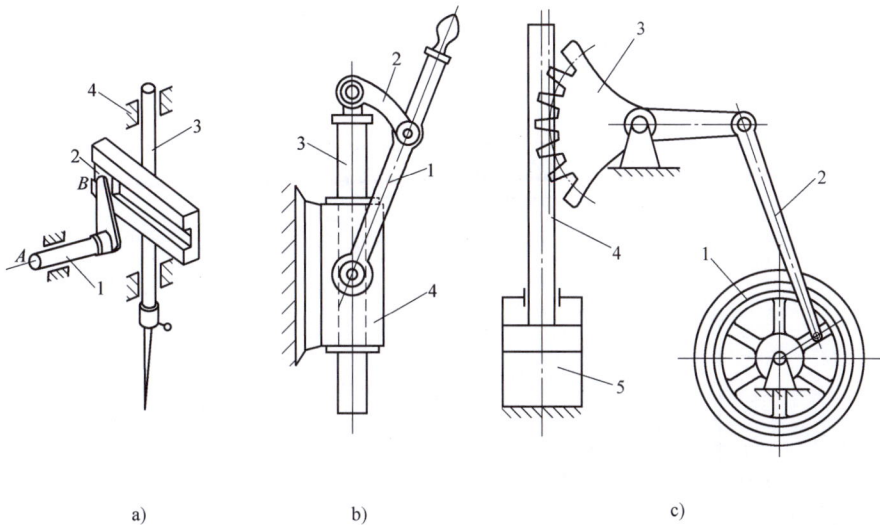

图 2-19　题 2-6 图

a）缝纫机针杆机构　b）唧筒机构　c）活塞泵机构

2-7　试计算图 2-20 所示的平面机构的自由度，并说明其中是否存在虚约束、复合铰链和局部自由度。

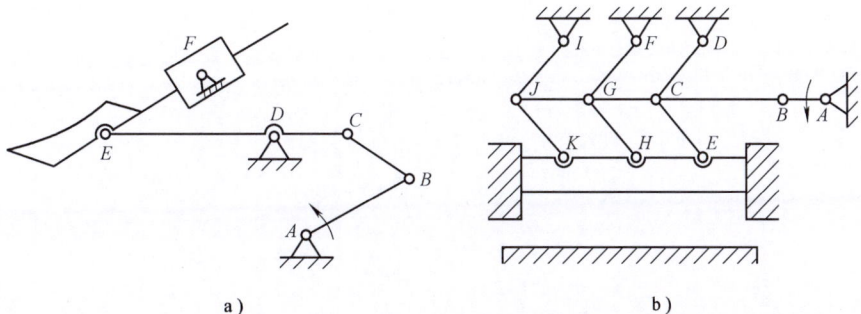

图 2-20　题 2-7 图

a）推土机的推土机构　b）压力机工作机构

c)

d)

e)

f)

g)

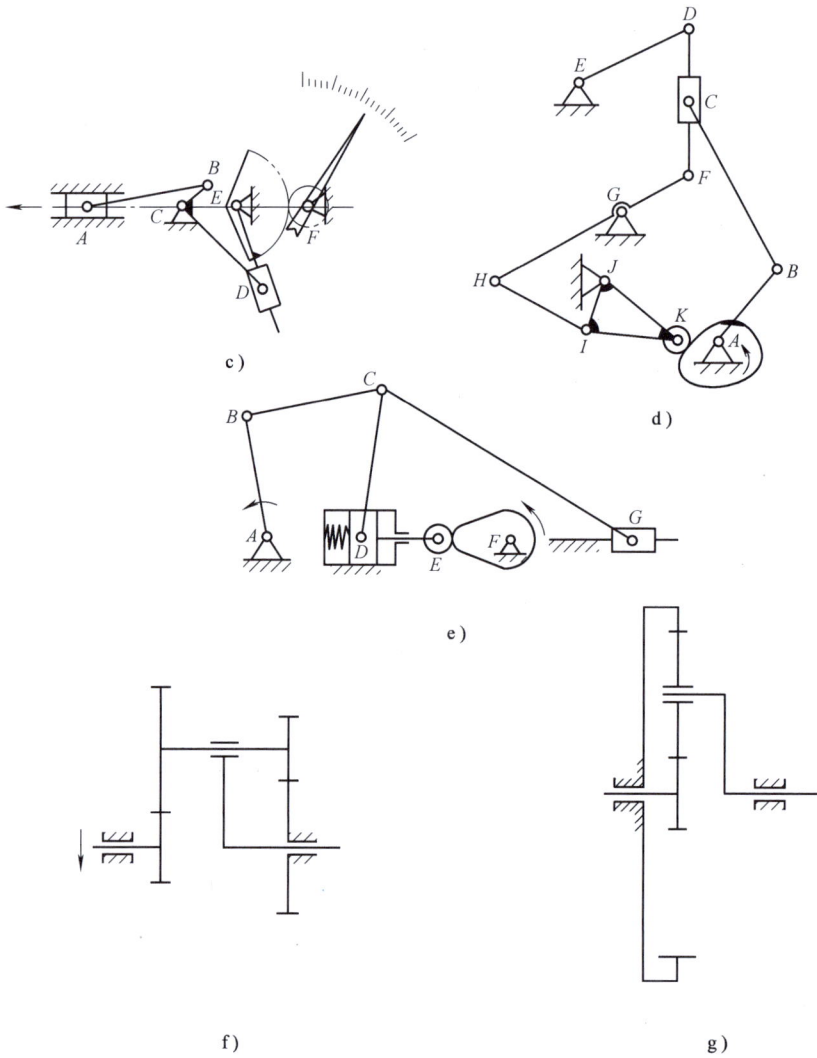

图 2-20　题 2-7 图（续）

c）测量仪表机构　d）电锯机构　e）筛料机的筛料机构　f）轮系　g）轮系

第三章

Chapter

平面连杆机构

以铰链四杆机构为主，介绍平面四杆机构的常用种类、四杆机构的演化以及在工程实践中的应用，使学生对平面四杆机构的运动和传力特性，如曲柄存在的条件、急回特性等，有明确的概念；介绍平面四杆机构常用的设计方法。

平面连杆机构是由若干个构件通过低副连接而成的平面机构。它是一种常用机构，在各类机械、仪器仪表中，尤其是在许多轻工机械（缝纫机、印刷机、制鞋机和各种包装机及食品机械）中得到广泛的应用。

连杆机构由于各构件间均用低副连接，故而运动副中压强小、摩擦轻、便于润滑，低副易加工并可获得较高的加工精度。这种机构的不足之处是当构件较多时，因各种构件尺寸误差及运动副中间隙而产生的积累误差较大，影响运动精度，并且设计计算也较烦琐。

我们的征途——探月工程

在平面连杆机构中，应用最多的是平面四杆机构，尤其是铰链四杆机构，同时它也是构成平面四杆及多杆机构的基础，所以本章着重讨论平面铰链四杆机构的基本类型、性质、演化，并对平面四杆机构常用设计方法和连杆机构在机械中的应用作适当的介绍。

第一节　铰链四杆机构的基本类型及性质

当平面四杆机构中的运动副均为转动副时，称为铰链四杆机构。如图3-1所示，该机构中固定不动的构件4称为机架，与机架相连接的构件1和3称为连架杆，不与机架相连的构件 2 称为连杆。

连杆一般做平面复杂运动。在两个连架杆中能做整周回转的构件称为曲柄，若只能绕其回转轴线做往复摆动的构件称为摇杆。铰链四杆机构根据两连架杆运动形式不同可分为三种基本形式：曲柄摇杆机构、双曲柄机构和双摇杆机构。

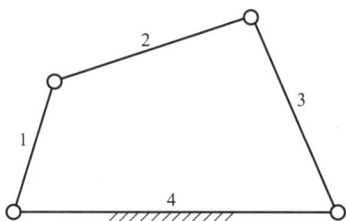

吸水拖把

图 3-1　铰链四杆机构

一、曲柄摇杆机构

铰链四杆机构中的两个连架杆，若一个是曲柄，另一个是摇杆时，称为曲柄摇杆机构。这种机构应用很广泛。图 3-2a、b 所示是玻璃厂用来粉碎原料的颚式破碎机及其运动简图。图中构件 1 为机架，构件 2 为曲柄，构件 3 为连杆，被称为动颚板，构件 4 为摇杆，定颚板 5 与机架 1 固连。待粉碎的原料放在动颚板 3、定颚板 5 之间，当曲柄 2 回转时，在动颚板与定颚板间的原料就被粉碎。

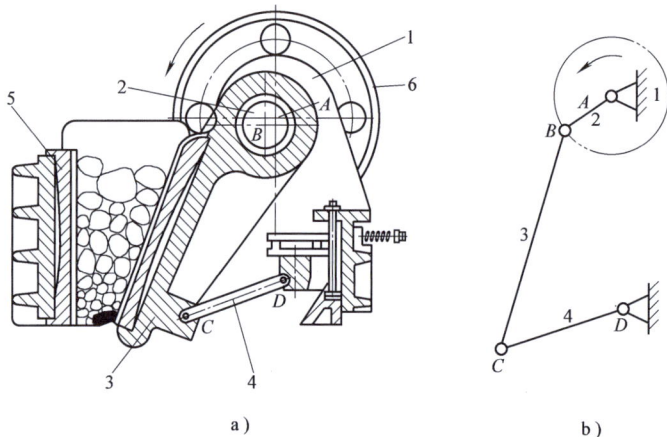

颚式破碎机

铰链四杆机构—曲柄摇杆机构

图 3-2　颚式破碎机及其运动简图

曲柄摇杆机构有以下主要特性：

1. 急回运动特性

图 3-3 所示曲柄摇杆机构中，设曲柄 AB 为主动件，摇杆 CD 为从动件。曲柄回转一周的过程中，有两次与连杆 BC 共线（即 B_1AC_1 和 AB_2C_2 位置），这时摇杆的位置 C_1D 与 C_2D 称为极限位置，$\angle C_1DC_2$ 称为摇杆的摆角，用 ψ 表示，而在两个极限位置时连杆所夹的角称为极位夹角，用 θ 表示。当曲柄以等角速度自 AB_1 位置顺时针转过 $(180°+\theta)$ 到 AB_2 位置时，摇杆相应地从 C_1D 位置摆动到 C_2D 位置，设所经过的时间为 t_1，C 点平均速度为 v_1。曲柄再转过角 $(180°-\theta)$ 时，摇杆又从 C_2D 位置摆回到 C_1D 位置，设所经历的时间为 t_2，C 点平均速度为 v_2。由于曲柄等速回转，虽然摇杆往复摆角相同，但因角 $(180°+\theta)$ 大于 $(180°-\theta)$，所以摇杆往复

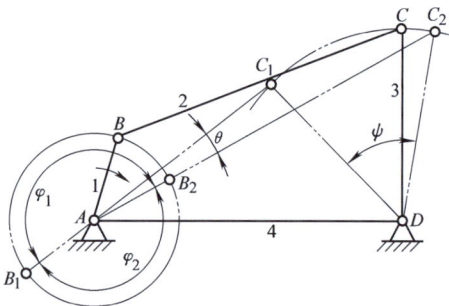

图 3-3　曲柄摇杆机构的急回特性

摆动所需的时间不同，t_1 一定大于 t_2，即摇杆上 C 点往复摆动的平均速度 v_1 与 v_2 不相等，v_2 一定大于 v_1，摇杆自右向左摆回时平均速度要大一些，这种运动特性称为急回运动特性。

急回运动特性通常用行程速度变化系数 K 表示，它是摇杆快行程的平均速度 v_2 与慢行程的平均速度 v_1 之比值。即

$$K = \frac{v_2}{v_1} = \frac{\widehat{C_2C_1}/t_2}{\widehat{C_1C_2}/t_1} = \frac{t_1}{t_2} = \frac{180° + \theta}{180° - \theta} \tag{3-1}$$

或者

$$\theta = 180° \times \frac{K - 1}{K + 1} \tag{3-2}$$

由式（3-1）可看出，机构有无急回运动取决于极位夹角 θ。当 $\theta = 0$ 时，此时 $K = 1$ 无急回运动；θ 角越大，K 越大，急回运动越明显。平面连杆机构的行程速度变化系数 K 的取值范围为 $1 \leqslant K < \infty$，一般常用取值为 $1 \leqslant K \leqslant 2$。

2. 传力特性

在平面连杆机构中，运动由主动件通过中间传动构件传给从动件。其传力的好坏可用压力角来衡量。在图 3-4 中，设曲柄为主动件，摇杆为从动件，当忽略各杆的质量和运动副中的摩擦时，连杆是一个二力杆，这时主动件曲柄通过连杆作用在从动摇杆上的力 F 将沿着 BC 方向。力 F 方向与受力点速度方向之间所夹的锐角 α 称为压力角。若将力 F 分解成垂直于摇杆 CD 的分力 F_t 和沿摇杆的分力 F_n 时，显然，分力 $F_t = F\cos\alpha$ 是推动摇杆转动的有效分力，分力 $F_n = F\sin\alpha$ 只能增加铰链的约束反力。并且 α 越大，F_t 越小，F_n

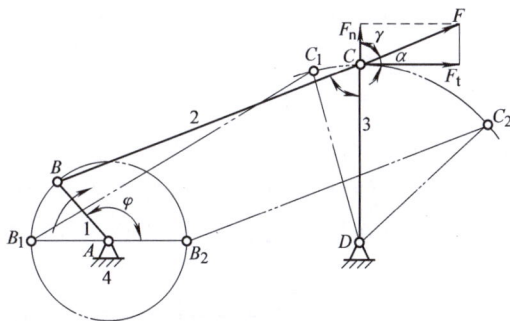

图 3-4 曲柄摇杆机构的传力特性

越大，这样对传动是不利的。压力角的余角称为传动角，因 $\gamma = 90° - \alpha$，故角 γ 越大对传动越有利。机构运动中，角 γ（角 α）是不断变化的，为了保证机构正常运转，设计时通常应使最小传动角 $\gamma_{min} \geqslant 30° \sim 40°$，对于传递大功率的连杆机构（如压力机），则应使 $\gamma_{min} \geqslant 50°$。为了确定最小传动角 γ_{min} 出现的位置，可由图 3-4 中 $\triangle ABD$ 及 $\triangle BCD$ 两个三角形边长关系确定，即

$$BD^2 = l_1^2 + l_4^2 - 2l_1l_4\cos\varphi$$
$$BD^2 = l_2^2 + l_3^2 - 2l_2l_3\cos\angle BCD$$

解上两式可得

$$\cos\angle BCD = \frac{l_2^2 + l_3^2 - l_1^2 - l_4^2 + 2l_1l_4\cos\varphi}{2l_2l_3} \tag{3-3}$$

当 $\varphi = 0°$ 和 $180°$ 时，$\cos\varphi = 1$ 和 -1，此时，$\angle BCD$ 分别为最小和最大值。由于传动角 $\gamma \leqslant 90°$，当 $\angle BCD \leqslant 90°$ 时 $\gamma = \angle BCD$，$\angle BCD$ 越小则 γ 越小；当 $\angle BCD > 90°$ 时，$\gamma = 180° - \angle BCD$，$\angle BCD$ 越大则 γ 越小。由此可知，曲柄摇杆机构的最小传动角出现在 $\angle BCD$ 最小或最大的位置处，即图 3-4 所示曲柄与机架两次共线的位置 AB_1 或 AB_2 处，具体位置可以通

过计算或作图进行确定。

3. 死点特性

图 3-5 所示为缝纫机踏板驱动机构的运动简图。该机构为曲柄摇杆机构，摇杆 CD（踏板）为原动件，曲柄 AB 为从动件。当曲柄 AB 转至与连杆 BC 共线的位置时（见图 3-5），连杆给曲柄的力与受力点 B 的速度垂直，即压力角为 90°或传动角为 0°，此时踏板通过连杆作用给曲柄的力所产生的驱动力矩为零，若此时机构静止，则踏板无法驱动机构运动。出现以上现象的机构位置称为死点位置。需要说明的是，并非只

缝纫机踏板机构

图 3-5　缝纫机踏板驱动机构的运动简图

有曲柄摇杆机构会出现死点位置，如双摇杆机构、曲柄滑块机构等连杆机构，当以做往复运动的构件为原动件时，也会出现死点位置。连杆机构具有死点位置的特性称为死点特性。死点位置通常对传动是不利的，可以采用构件自身的惯性或加装飞轮等措施使机构在工作中顺利通过死点位置。

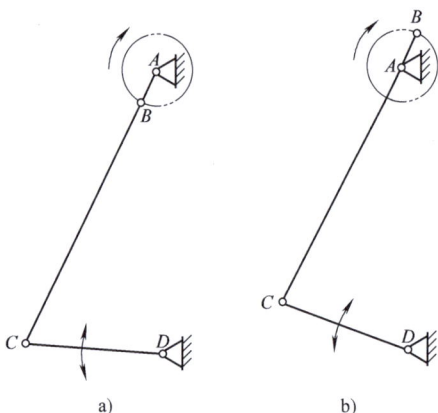

工程实际中也有利用机构死点位置满足一些特殊要求的。图 3-6 所示的夹具机构就是利用机构的死点特性将工件有效可靠地夹紧。当工件被夹紧后，铰链中心 B、C、D 处于一条直线上，工件经杆 2、杆 3 传给杆 4 的力，正好通过杆 4 的铰链中心 D，故此力不能使杆 4 转动，机构处在死点位置，这时无论工件对机构的反作用力有多大都不能使工件自行松开。

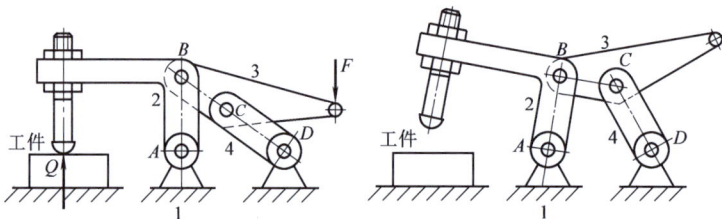

图 3-6　夹具机构

二、双曲柄机构

铰链四杆机构中的两连架杆均为曲柄时，称为双曲柄机构。图 3-7 所示为双曲柄机构运动简图，当曲柄 1 等速回转一周时，另一曲柄 3 变角速度回转一周。图 3-8 是用于玻璃厂筛选原料的惯性筛机构简图，它利用曲柄做不均匀回转，使筛面对原料产生较大的惯性力达到筛分的目的。

当双曲柄机构中组成四边形的两对边构件的长度分别相等且平行时，称为

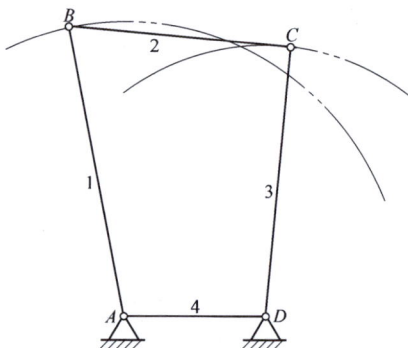

铰链四杆机构—双曲柄机构

图 3-7　双曲柄机构运动简图

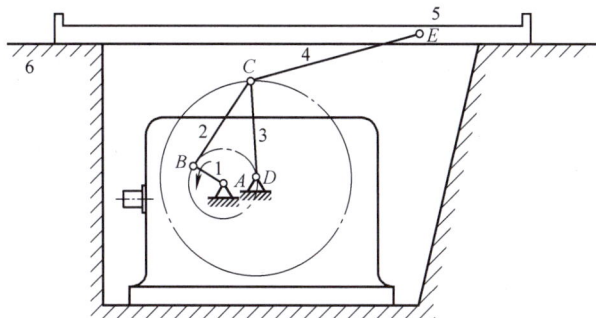

图 3-8　惯性筛机构简图

正平行四边形机构，如图 3-9 所示。这种机构的运动特性是，两曲柄以相同的角速度沿相同的方向回转，这时连杆做平动。如图 3-10 所示，机车车轮联动机构利用其第一特性，而图 3-11 所示万能绘图仪则利用其第二特性。

当双曲柄机构中对边的长度相等但不平行时，称为反平行四边形机构，如图 3-12 所示。这时一个曲柄做等速回转，另一个曲柄将做反向变速运动。图 3-13 所示的车门启闭机构是其应用实例。

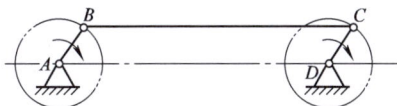

图 3-9　正平行四边形机构

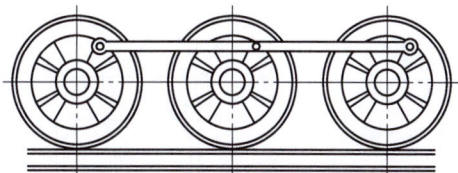

图 3-10　机车车轮联动机构

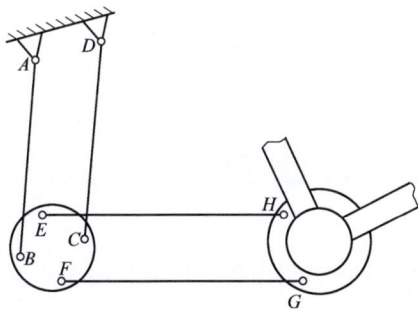

图 3-11　万能绘图仪

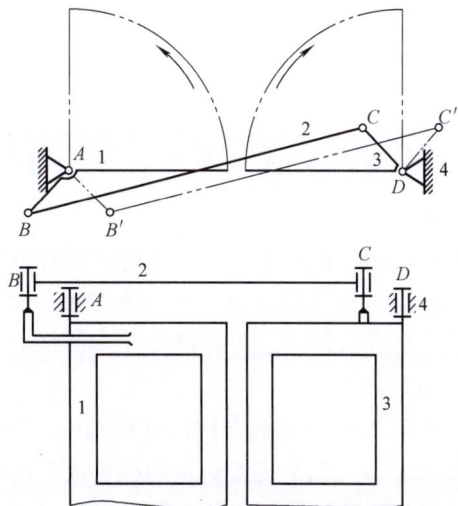

图 3-12　反平行四边形机构

图 3-13　车门启闭机构

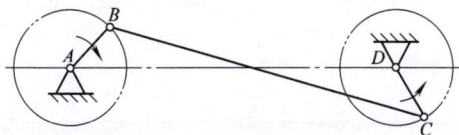

当正平行四边形机构两个曲柄与机架共线时，机构会出现运动不确定现象，正平行四边形机构可能会变成反平行四边形机构。为了防止这种不利的转化，实际中常利用从动曲柄本身的惯性或附加飞轮的方法加以解决。

汽车车门机构

三、双摇杆机构

若铰链四杆机构中两连架杆均为摇杆时，称为双摇杆机构，如图 3-14 所示。这种机构的应用实例之一是港口装卸货物时用的鹤式起重机，如图 3-15 所示。当摇杆 AD 摆动时，另一摇杆 BC 随之摆动，使得悬挂在 E 点上的货物能沿水平近似直线移动。若两摇杆长度相等则称为等腰梯形机构，此机构的特点是两摇杆的摆角不

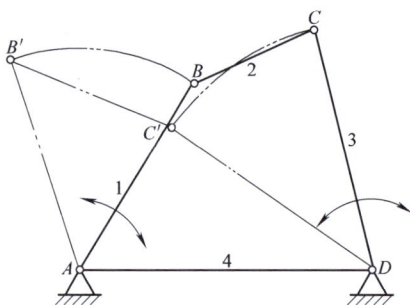

图 3-14　双摇杆机构

铰链四杆
机构—双
摇杆机构

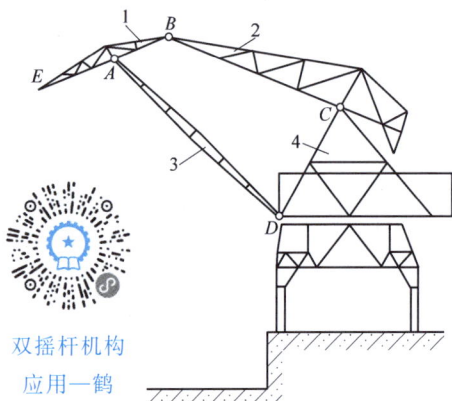

相等，在汽车及拖拉机中，常用这种机构操纵前轮的转向，如图 3-16 所示。

双摇杆机构
应用—鹤
式起重机

图 3-15　鹤式起重机

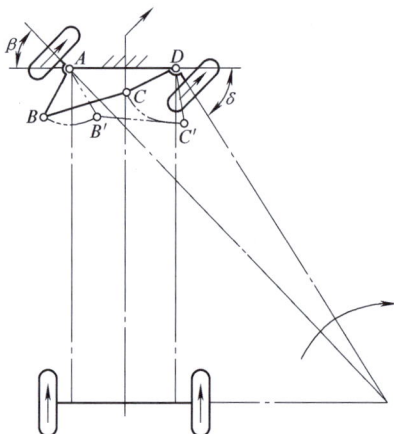

图 3-16　前轮操纵机构

第二节　铰链四杆机构具有曲柄的条件

铰链四杆机构是否具有能做整周回转运动的曲柄取决于机构中各杆件的长度关系。当明确了此关系后，可以进一步判断铰链四杆机构的类型。为此，首先讨论铰链四杆机构存在曲柄时各杆件的长度之间的关系。

在图 3-17 所示的铰链四杆机构中，设各杆长度分别为 l_1、l_2、l_3、l_4。现在讨论构件 1 成为曲柄的条件。

显然，在构件 1 绕 A 点转动时，只要能够顺利通过 B_1 位置（BD 最大位置）和 B_2 位置（BD 最小位置），构件 1 就可以成为曲柄。要保证构件 1 顺利通过 B_1 和 B_2 位置，只要在这两个位置上，BD、构件 2 和构件 3 能组成三角形（极限情况是 B、C、D 共线）。根据以上分析可得以下条件：

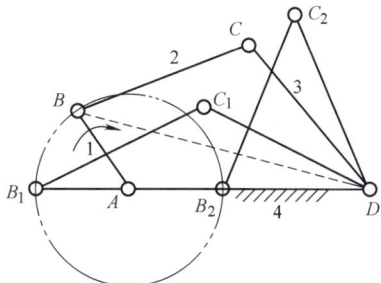

图 3-17　铰链四杆机构

$$\begin{cases} \overline{BD}_{max} \leq l_2 + l_3 \\ l_2 \leq l_3 + \overline{BD}_{min} \\ l_3 \leq l_2 + \overline{BD}_{min} \end{cases}$$

其中：　$\overline{BD}_{max} = l_1 + l_4$

$$\overline{BD}_{min} = \begin{cases} l_4 - l_1 & l_4 \geq l_1 \\ l_1 - l_4 & l_1 > l_4 \end{cases}$$

根据以上分析可以推导出构件 1 成为曲柄的条件为

$$\begin{cases} \text{当} l_4 \geq l_1 \begin{cases} \text{构件 1 为最短杆} \\ l_1 + l_{max} \leq \text{其余两杆件长度之和} \end{cases} \\ \text{当} l_1 > l_4 \begin{cases} \text{构件 4 为最短杆} \\ l_4 + l_{max} \leq \text{其余两杆件长度之和} \end{cases} \end{cases}$$

综合以上分析结论，可以得到铰链四杆机构存在曲柄的条件是：

1）以最短杆或最短杆的邻杆作为机架。

2）最短杆长度与最长杆长度之和应小于或等于其余两杆长度之和。

其中条件 2）是铰链四杆机构存在曲柄的必要条件，被称为杆长条件。

根据铰链四杆机构存在曲柄的条件，还可以得到以下两点结论：

1）若铰链四杆机构满足杆长条件，则当以最短杆为连架杆时，机构为曲柄摇杆机构；当以最短杆为机架时，机构为双曲柄机构；当以最短杆为连杆时，机构为双摇杆机构。

2）若铰链四杆机构不满足杆长条件，则不论以哪个构件为机架，都不能获得曲柄，机构只能为双摇杆机构。

第三节　铰链四杆机构的演化

通过改变铰链四杆机构中各杆的长度，或改变回转副尺寸，或选取不同杆件作为机架等途径，可得到铰链四杆机构的各种演化方式。较为常用的演化机构有曲柄滑块机构、偏心轮机构、导杆机构等。

一、铰链四杆机构的演化方式

1. 改变构件长度

通过改变铰链四杆机构中某构件的长度，不但可以演化成其他不同的基本形式，如果将某杆长度增至无穷大时，还可得到具有滑块的机构。如图 3-18a 所示的曲柄摇杆机构，当曲柄 1 回转时，摇杆 3 上 C 点沿圆弧往复摆动。如果将摇杆 3 长度增至无穷大，摇杆 3 上 C 点将做直线运动，摇杆 3 与机架 4 组成的转动副也将演化成移动副。这时，曲柄摇杆机构便演化成曲柄滑块机构，如图 3-18b、c 所示。当曲柄 1 长度也增至无穷大时，曲柄 1 上的 B 点也做直线运动，这时曲柄滑块机构便演化成双滑块机构，如图 3-18d 所示。

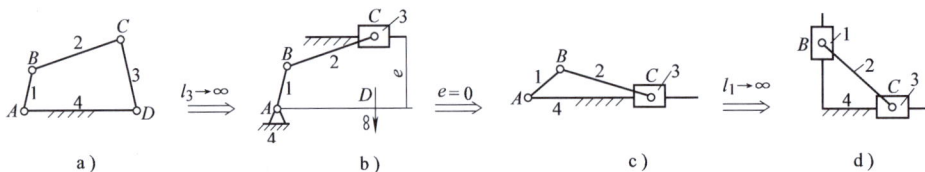

图 3-18 改变构件长度的演化方式

a) 曲柄摇杆机构 b) 偏置曲柄滑块机构 c) 对心曲柄滑块机构 d) 双滑块机构

偏置曲柄
滑块机构

对心曲柄
滑块机构

2. 改变销轴半径

通过将某铰链的销轴半径增大至超过构成此铰链的一个构件的长度时，该构件演化成偏心轮，具有偏心轮的机构称为偏心轮机构。例如，在图 3-19a 所示的曲柄摇杆机构中，将转动副 B 的销轴半径增大至超过曲柄 AB 的长度时，便得到图 3-19b 所示的偏心轮摇杆机构。这时，偏心轮就如同曲柄，偏心轮的回转中心 A 至偏心轮的几何中心 B 间的距离 e 为曲柄长度。若再将转动副 D 的销轴半径增大至大于摇杆 CD 的长度时，便得到图 3-19c 所示的偏心轮机构。通过改变销轴半径，还可以得到图 3-19d 所示的机构。

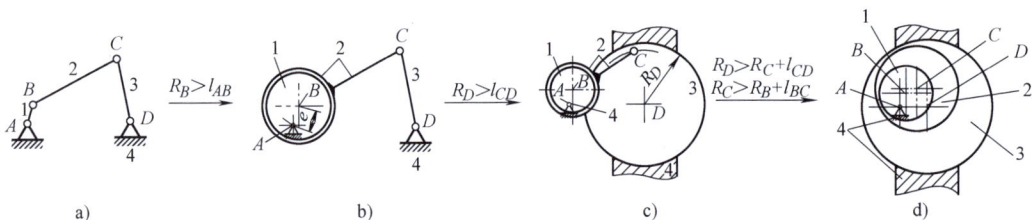

图 3-19 改变销轴半径的演化方式

3. 改变机架

通过选取不同的构件作为机架，可以演化出不同类型的机构。图 3-20a 所示的曲柄摇杆机构，通过改变机架，可以演化为双曲柄机构和双摇杆机构。

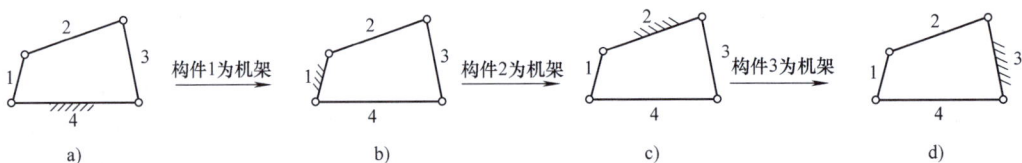

图 3-20 铰链四杆机构改变机架的演化方式

a)、c) 曲柄摇杆机构 b) 双曲柄机构 d) 双摇杆机构

4. 复合演化

如果将上述三种演化方式综合运用，便可得到各种不同形式的演化机构。如图 3-21 所示，导杆机构、定块机构、摇块机构、正切机构、正弦机构等都是以不同方式复合演化而成的。

二、常用演化机构

1. 曲柄滑块机构

曲柄滑块机构是曲柄摇杆机构最常见的演化形式。其偏心距 $e \neq 0$ 时，曲柄滑块机构称为偏置曲柄滑块机构，其行程速度变化系数 $K>1$，如图 3-18b 所示。当偏心距 $e=0$ 时，曲柄滑块机构称为对心曲柄滑块机构，其行程速度变化系数 $K=1$，如图 3-18c 所示。曲柄滑块机构常用作回转运动与往复直线运动的转换，如内燃机就是通过活塞的往复直线运动驱动主轴转动。

2. 导杆机构

图 3-21 中所示的导杆机构，杆 4 称为导杆，滑块 3 相对导杆 4 滑动并随导杆一起绕 A 点转动，一般取杆 2 为原动件。当 $l_1 \leqslant l_2$ 时，杆 2 和杆 4 均可做整周转动，称为回转导杆机构；当 $l_1 > l_2$ 时，杆 4 只能做往复摆动，称为摆动导杆机构，如图 3-22 所示。

从图 3-22 可知，摆动导杆机构的极位夹角 θ 等于导杆的摆角 ψ，故摆动导杆机构具有急回特性，又因为滑块对导杆作用力 F 的方向始终垂直于导杆，即导杆机构压力角 α 始终等于 0°，所以这种机构的传力性能最好。

导杆机构常用作回转式液压泵、牛头刨床等工作机构。

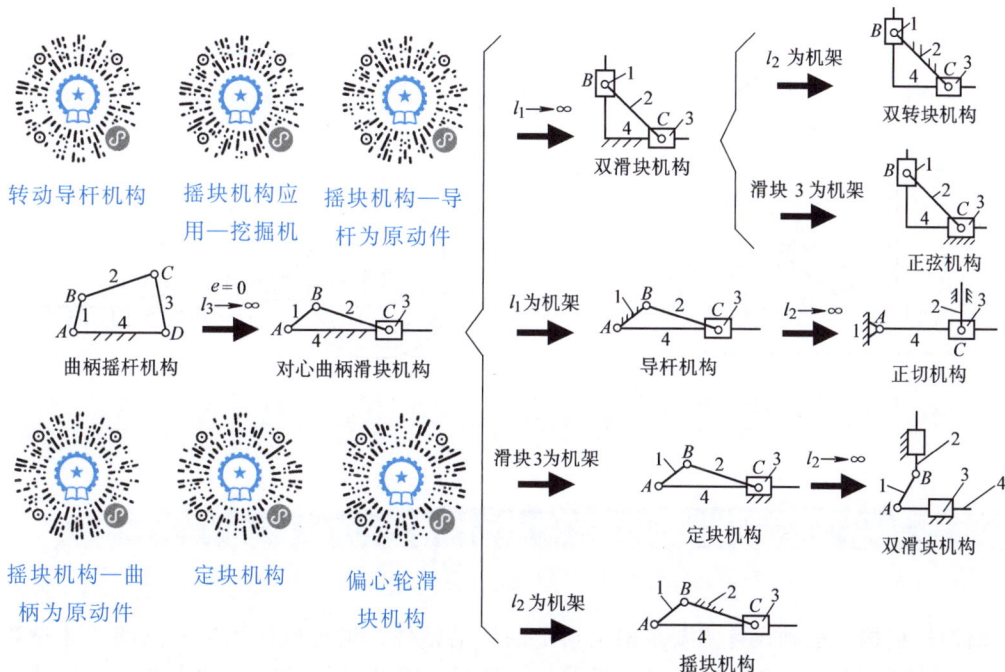

图 3-21　复合演化方式

3. 定块机构

图 3-21 中所示的定块机构，或称移动导杆机构，滑块 3 为固定件，导杆 4 在定块 3 中做往复移动。图 3-23 所示的手动唧筒机构是其应用实例。这种机构常用于抽水机和抽油泵中。

4. 曲柄摇块机构

图 3-21 中所示的曲柄摇块机构，简称摇块机构。这种机构广泛用于各种摆动式原动机和工作机中，图 3-24 所示货车车厢自动翻转卸料机构即是应用实例。

5. 偏心轮机构

图 3-25 所示为偏心轮滑块机构，这种偏心轮机构中的偏心轮轴有较高的强度和刚度，

而且当轴颈位于轴的中部时，还便于安装整体式连杆，使结构简化。压力机及糖果包装机中可以见到这种机构的应用。

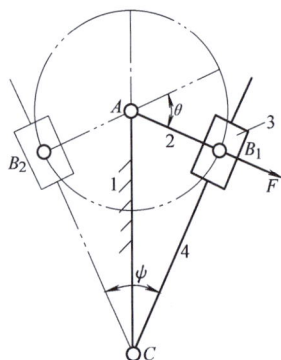

图 3-22　摆动导杆机构

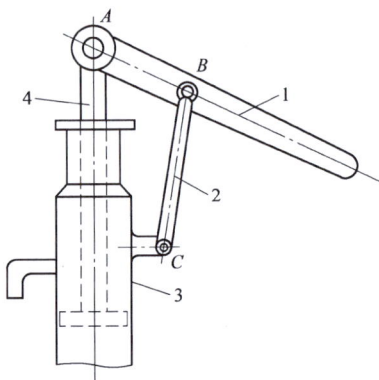

摆动导杆机构

图 3-23　手动唧筒机构

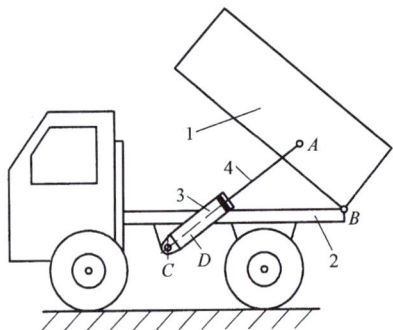

图 3-24　货车车厢自动翻转卸料机构

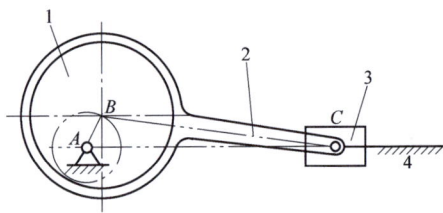

图 3-25　偏心轮滑块机构

第四节　平面四杆机构的运动设计

平面四杆机构的运动设计主要是根据给定的运动条件，确定机构运动简图的尺寸参数。这些参数包括转动副间中心距、移动副导路的位置尺寸及描绘连杆曲线的点的位置尺寸等。为了使设计的机构合理、可靠，有时还要考虑几何条件和动力条件（最小传动角 γ_{min}）等。

生产实践中的要求是多种多样的，给定的条件也各不相同，因此，平面连杆机构的设计也是多种多样的，常遇到的是下面两类问题。

1）按照给定从动件的位置设计四杆机构，称为位置设计。

2）按照给定点的轨迹设计四杆机构，称为轨迹设计。

第一类问题中还包括按给定从动件运动规律设计四杆机构问题。例如，设计具有急回运动特性的四杆机构时，必须保证从动件能够实现预期的行程速度变化系数 K。

设计机构的方法有图解法、解析法、实验法和图谱法等。图解法直观容易，手工设计误差较大。解析法计算较繁杂，使用计算机绘图或编程计算，可大大提高图解法精度和解析法速度。究竟采用哪一种方法，要根据所给定的条件和机构的实际工作要求而定。本节主要介绍图解法并简要介绍解析法。

一、图解法设计平面四杆机构

1. 按连杆预定的两个或三个位置设计

如图 3-26 所示，若已知连杆的三个位置分别为 B_1C_1、B_2C_2、B_3C_3，要求设计一铰链四杆机构。这时设计的主要问题是如何确定铰链 A 和 D 的位置，由于连杆上的铰链中心 B、C 两点分别沿某一圆弧运动，因此连接 B_1B_2、B_2B_3 和 C_1C_2、C_2C_3，并作 B_1B_2、B_2B_3 和 C_1C_2、C_2C_3 的垂直平分线，它们各自的交点 A 和 D，即为所求的固定铰链中心。连接 AB_1C_1D 即是满足工作要求的铰链四杆机构，并且是唯一的一组解。当给定连杆的两个预定位置时，因为固定铰链 A 和 D 的位置可在 B_1B_2、C_1C_2 的垂直平分线上任选，因此有无穷多个解。实际设计时还需附加其他条件（如固定铰链安装范围、许用压力角等）才能获得确定的解。图 3-27 所示为陶瓷厂使用的加热炉炉门开闭机构，要求炉门关闭时占据垂直位置，开起后靠炉膛的一面（热面）朝下呈水平位置，已知炉门上两铰链 B、C 的位置，这就是按连杆两个位置的设计问题。

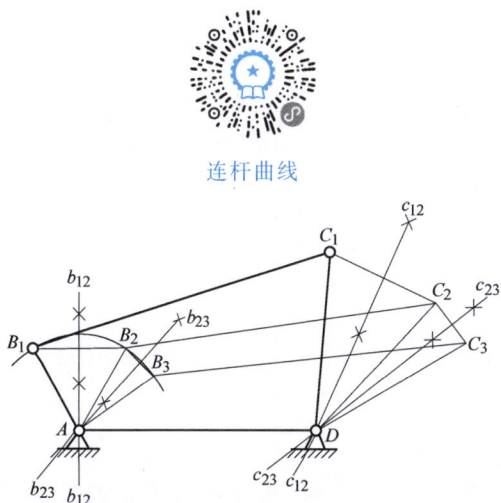

连杆曲线

图 3-26　按连杆预定的三个位置设计

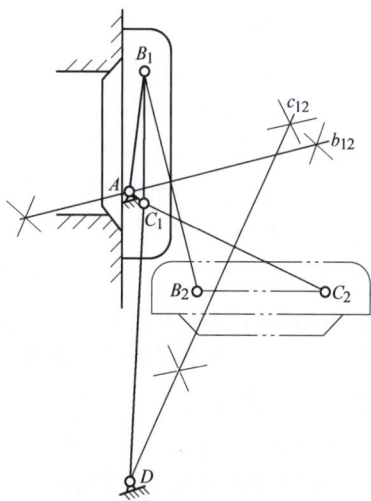

图 3-27　炉门开闭机构

2. 按两连架杆预定对应位置设计

如图 3-28a 所示，若已知杆 AB、AD 的长度及连架杆三组对应位置，设计此铰链四杆机构。设计问题的实质是求出连杆 BC 的尺寸及摇杆与连杆铰链点 C 的位置。通常采用反转法来解决，即假想把整个机构绕摇杆 CD 的轴心 D 按与摇杆摆动方向相反的方向加以转动，依次转过角度（$\varphi_1-\varphi_2$）、（$\varphi_1-\varphi_3$），如图 3-28b 所示，这样做显然并不影响各杆间的相对运动，但这时杆 AB 变成连杆，杆 CD 变成机架，这样就把问题转化成按连杆预定位置设计问题了。

具体作法如下：为了找出杆 AB 相对于杆 CD 运动时所占据的各个位置，在图 3-28b 中，以 E_1D 为底边，依次作四边形 $E_1DA_2'B_2' \cong E_2DAB_2$、$E_1DA_3'B_3' \cong E_3DAB_3$。这等同于将机构绕 D 点依次反转（$\varphi_1-\varphi_2$）、（$\varphi_1-\varphi_3$）角，从而求得杆 AB 相对于杆 CD 运动时所占据的三个位置 AB_1、$A_2'B_2'$、$A_3'B_3'$。然后分别作 B_1B_2'、$B_2'B_3'$ 的垂直平分线，这两条平分线的交点即是

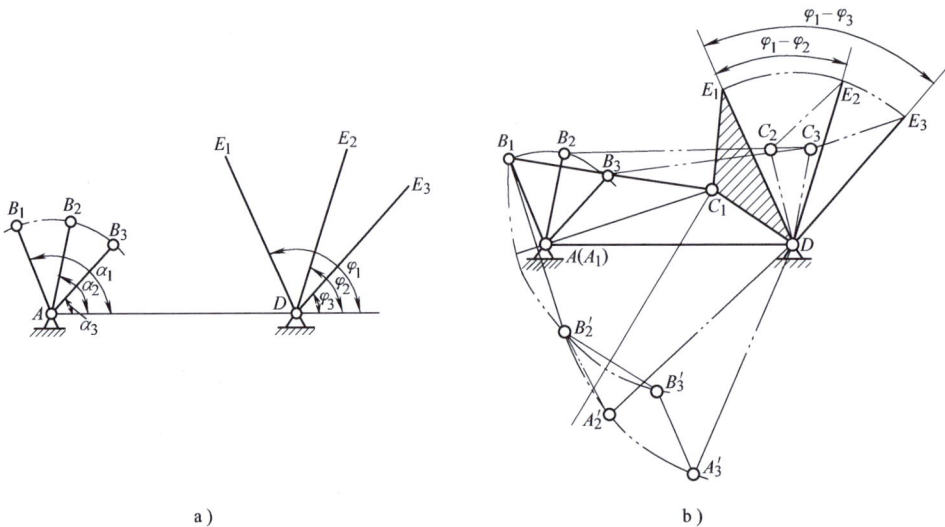

a) b)

图 3-28　按两连架杆预定对应位置设计

所求的铰链 C 的位置。

3. 按行程速度变化系数 K 设计四杆机构

设计具有急回特性的四杆机构时，一般是按工作要求先给出 K 值，然后由机构在极限位置处的几何尺寸关系，结合其他辅助条件，最后确定出机构简图的尺寸参数。

（1）曲柄摇杆机构（图 3-29）　设计时应已知摇杆长度、摆角及行程速度变化系数 K 值。

设计实质是求出曲柄的固定铰链中心 A 的位置，进而可求得其他各杆的尺寸，其设计步骤如下：

1）按 $\theta = 180°(K-1)/(K+1)$ 求出 θ。

2）选定适当比例尺 μ_1，取转动副 D 的位置，并按摇杆 CD 之长度与摆角两个位置 C_1D、C_2D。

3）连接 C_1C_2，并作 $\angle C_1C_2P = 90°-\theta$，$\angle C_2C_1P =$

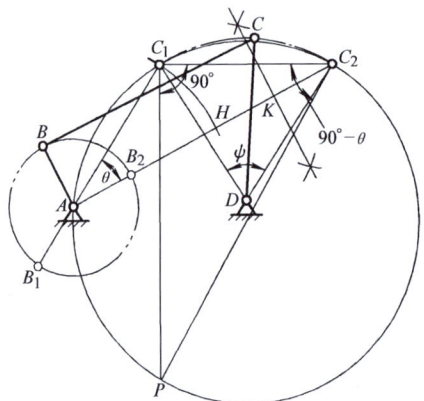

图 3-29　按行程速度变化系数
K 设计曲柄摇杆机构

$90°$，得到交点 P。作直角 $\triangle C_1C_2P$ 的外接圆，因此，圆上任一点 A 至 C_1 和 C_2 点的连线间夹角 $\angle C_1AC_2$ 都等于圆周角 $\angle C_1PC_2$，且 $\angle C_1AC_2 = \theta$，这表明在圆周上可以找出无穷多个可实现给定的行程速度变化系数 K 的曲柄回转中心 A。A 点位置不同，机构传动角大小也不同，为了获得良好的传动性能，可按照最小传动角或其他辅助条件（如曲柄或连杆尺寸等）来确定点 A 的位置。

A 点确定之后，摇杆处于极限位置时，依曲柄与连杆的共线关系得

$$\begin{cases} AC_1 = l_2 - l_1 \\ AC_2 = l_2 + l_1 \end{cases}$$

联立作图求解便可求出曲柄的长度 $l_1 = KC_2$，连杆的长度 $l_2 = B_2C_2$。

（2）偏置曲柄滑块机构　对于偏置曲柄滑块机构，一般已知滑块的行程 H，偏距 e 及

行程速度变化系数 K，这时完全可参照曲柄摇杆机构的设计方法进行设计。如图 3-30 所示。

（3）摆动导杆机构 由图 3-31 可知，导杆机构的极位夹角与导杆摆角相等。若机架 AD 长度已知，曲柄的长度可由以下步骤求出：

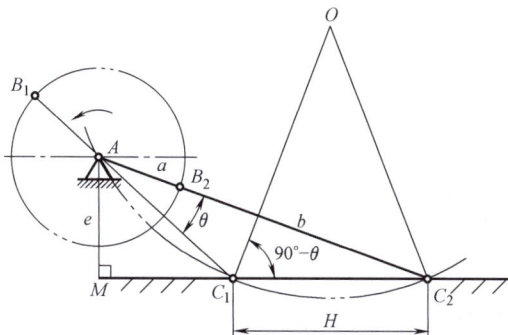

图 3-30 按 K 值设计曲柄滑块机构

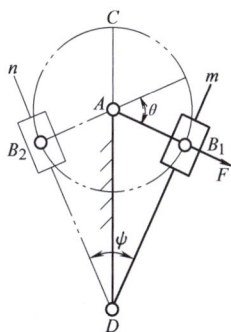

图 3-31 摆动导杆机构设计

1）由已知 K 值求出 θ，且 $\theta=\psi$。

2）任选一点作为固定铰链中心，作出导杆两个极限位置 Dm、Dn，使其夹角 $\angle mDn=\psi$。

3）作摆角的角平分线 DC，并在 DC 线上按 μ_l 截取长 AD 等于机架长度即得曲柄转动中心 A。

4）过点 A 作极限位置的垂线 AB_1、AB_2，则 AB_1（或 AB_2）即为曲柄长度。

二、用解析法设计四杆机构

对于精度要求较高的四杆机构，需用解析法进行设计。由于计算较繁杂，必须借助计算机求解。有时为了获得综合性更好的四杆机构，还运用优化理论进行设计。

1. 按给定的许用传动角设计四杆机构

传递大功率的四杆机构，如压力机中的四杆机构，经常要求机构的最小传动角 $\gamma_{\min}$ 不能太小，即要求根据 $\gamma_{\min} \geqslant [\gamma]$（许用传动角）这一条件进行设计。

图 3-32 中，设 l_1、l_2、l_3、l_4 分别表示各杆长度，则当机构在任意位置时，可得下列关系：

$$\begin{cases} BD^2=l_1^2+l_4^2-2l_1l_4\cos\varphi \\ BD^2=l_2^2+l_3^2-2l_2l_3\cos\angle BCD \end{cases} \quad (3-4)$$

图 3-32 按给定的许用传动角设计四杆机构

由此可得

$$\cos\angle BCD=\frac{l_2^2+l_3^2-l_1^2-l_4^2+2l_1l_4\cos\varphi}{2l_2l_3} \quad (3-5)$$

由式（3-5）可知，$\angle BCD$ 随着机构位置变化而变化。因为 $\cos\varphi$ 的值在 -1 至 $+1$ 之间变化，所以，当 $\varphi=180°$ 时，$\cos\varphi=-1$，则

$$\cos\angle BCD=\frac{l_2^2+l_3^2-l_1^2-l_4^2-2l_1l_4}{2l_2l_3}$$

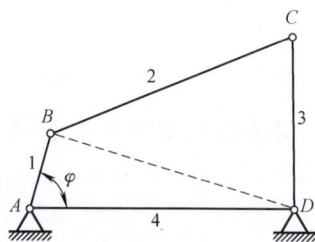

此时，$\cos\angle BCD$ 值最小，$\angle BCD$ 最大。

当 $\varphi=0°$ 时，$\cos\varphi=+1$，则

$$\cos\angle BCD = \frac{l_2^2+l_3^2-l_1^2-l_4^2+2l_1l_4}{2l_2l_3}$$

此时，$\cos\angle BCD$ 值最大，$\angle BCD$ 最小。

由此可得出 $\angle BCD$ 的两个极限值为：

$$\angle BCD_{\max} = \arccos\left(\frac{l_2^2+l_3^2-l_1^2-l_4^2-2l_1l_4}{2l_2l_3}\right) \tag{3-6}$$

$$\angle BCD_{\min} = \arccos\left(\frac{l_2^2+l_3^2-l_1^2-l_4^2+2l_1l_4}{2l_2l_3}\right) \tag{3-7}$$

式（3-6）、式（3-7）中共有 6 个参数，即 l_1、l_2、l_3、l_4、$\angle BCD_{\max}$、$\angle BCD_{\min}$，若使式（3-6）、式（3-7）两式可解，必须先给定 4 个参数，通常可根据传动角 γ 与 $\angle BCD$ 的关系以及许用传动角 $[\gamma]$，确定 $\angle BCD_{\max}$ 和 $\angle BCD_{\min}$，并给出 l_1、l_4，然后代入式（3-6）、式（3-7），求解连杆 2 的长度 l_2 和摇杆 3 的长度 l_3。

2. 按给定两连架杆的对应位置设计四杆机构

若已知主动连架杆 AB 与从动连架杆 CD 的三组对应关系（图 3-33），以 l_1、l_2、l_3、l_4 表示各杆长度，以 $m=l_2/l_1$，$n=l_3/l_1$，$p=l_4/l_1$ 表示各杆相对于 l_1 的相对长度，当机构处于任意位置时，取各杆长度在坐标轴上的投影可得

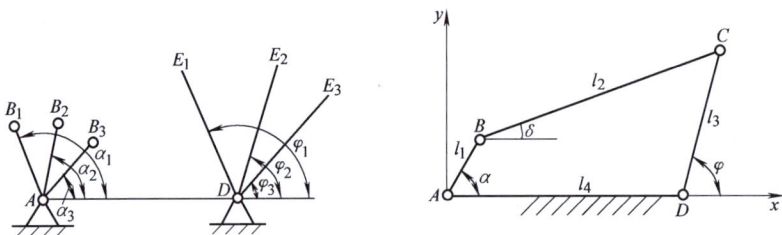

图 3-33 按给定两连架杆的对应位置设计四杆机构

$$l_1\cos\alpha+l_2\cos\delta = l_3\cos\varphi+l_4 \tag{3-8}$$

$$l_1\sin\alpha+l_2\sin\delta = l_3\sin\varphi \tag{3-9}$$

取各杆长度的相对值并移项得

$$m\cos\delta = p+n\cos\varphi-\cos\alpha \tag{3-10}$$

$$m\sin\delta = n\sin\varphi-\sin\alpha \tag{3-11}$$

将式（3-10）、式（3-11）平方相加得

$$m^2 = p^2+n^2+1+2pn\cos\varphi-2p\cos\alpha-2n\cos(\varphi-\alpha)$$

或者写成

$$\cos\alpha = n\cos\varphi-\frac{n}{p}\cos(\varphi-\alpha)+\frac{p^2+n^2+1-m^2}{2p} \tag{3-12}$$

令

$$q_0 = n;\quad q_1 = -\frac{n}{p};\quad q_2 = \frac{p^2+n^2+1-m^2}{2p} \tag{3-13}$$

则式（3-12）可写成

$$\cos\alpha = q_0\cos\varphi + q_1\cos(\varphi-\alpha) + q_2 \tag{3-14}$$

式（3-14）即为以机构尺寸参数表示两连架杆 AB、CD 运动关系的方程式。若将三组对应转角 α_1、φ_1；α_2、φ_2；α_3、φ_3 分别代入式（3-14）中可得 3 个方程，即

$$\begin{cases} \cos\alpha_1 = q_0\cos\varphi_1 + q_1\cos(\varphi_1 - \alpha_1) + q_2 \\ \cos\alpha_2 = q_0\cos\varphi_2 + q_1\cos(\varphi_2 - \alpha_2) + q_2 \\ \cos\alpha_3 = q_0\cos\varphi_3 + q_1\cos(\varphi_3 - \alpha_3) + q_2 \end{cases} \tag{3-15}$$

求解式（3-15）可得到 q_0、q_1 及 q_2 三个未知量，然后代入式（3-13）便可求出各杆相对长度 m、n、p，再根据实际需要确定出杆 AB 的长度 l_1，其余各杆实际长度 l_2、l_3、l_4 便可求出。

三、连杆机构设计中应注意的问题

无论按照上述哪种设计方法所得到的连杆机构，都只能是机构的运动简图尺寸。从机构的运动简图到确定连杆机构的各杆最终实际尺寸和形状，一般称为结构设计阶段。在结构设计时要考虑杆的受力情况、制造安装方面有无特殊要求等因素，对运动简图作必要的修正。结构设计中应注意以下主要问题。

1. 防止轨迹干涉

当由机构的轮廓尺寸确定箱体结构时，必须注意到是否会发生轨迹干涉现象。要防止机构运动中运动构件与箱体机架或其他杆件相碰撞，一般可检查运动构件的若干个极限位置处的情况。例如，图 3-34 所示为一种印刷机的出书机构，它是平面四杆机构，工作时摇杆 CD 要达到 C_1D、C_2D 两极限位置，但在摇杆 CD 的摆角范

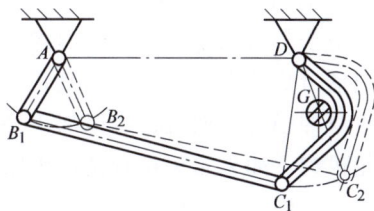

图 3-34 印刷机的出书机构

围内有一链轮轴 G，为了避免摇杆与链轮轴间的运动干涉，摇杆 CD 的结构外形必须做成图 3-34 所示的弯杆状。

2. 杆的行程及位置调节问题

在连杆机构中，经常要求从动件的起始位置和行程大小，能够根据实际工作需要在一定范围内进行调节。调节行程大小的方法有多种，应用最普遍的是改变杆长的方法。图 3-35 所示为用螺旋调节曲柄销的位置以改变实际曲柄长度，而图 3-36 所示为利用偏心轴调节曲柄长度的方法，图中偏心轴可绕曲柄轴心 A 转动，当转动偏心轴到图 3-36a 所示位置时，实际曲柄长度为最小值

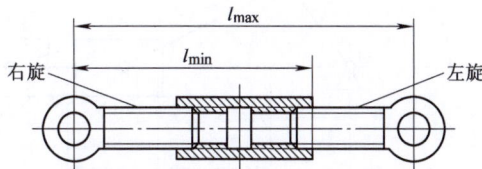

图 3-35 螺旋调节改变曲柄长度

$$r_{\min} = b + a - e \tag{3-16}$$

当转动偏心轴到图 3-36b 所示位置时，实际曲柄长度为最大值

$$r_{\max} = b + a + e \tag{3-17}$$

其调节范围为

$$r_{\max} - r_{\min} = 2e \tag{3-18}$$

式中，b 为曲柄盘几何中心 D 至偏心轴几何中心 E 的距离；a 为曲柄销 B 到曲柄盘几何中心 D 的距离；e 为偏心轴的偏心距。由于 e 值不大，故这种方法一般用在调节量不大的微调场合中。调节行程的起始位置时，可将连杆长度做成可调的，如图 3-37 所示。这时滑块的行程大小保持不变，而行程的起始与终止位置发生了变化。

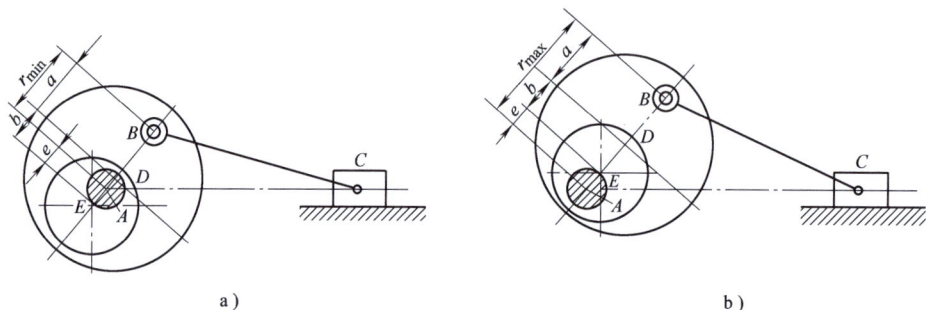

图 3-36　利用偏心轴调节曲柄长度的方法

当连杆机构中从动件的行程大小与行程起始位置均需调节时，可将上述两种方法组合起来使用，即将曲柄和摇杆的长度均做成可调的。

3. 杆件外形结构的变化

由于受力及制造安装等因素的影响，机构中有些杆的外形结构需要改变。例如，想要利用曲柄滑块的微小位移（行程仅为几厘米或几毫米），必须把曲柄做得很短，这不仅影响曲柄本身的强度，而且也难以加工装配，此时就应将曲柄做成偏心轮，成为图 3-38 所示的偏心轮机构。如果希望得到结构更紧凑的曲柄滑块机构时，可进一步将图 3-18 中的滑块 C 的尺寸增大到大于连杆长度，这时机构演化成一种如图 3-38 所示的小冲程钟摆式偏心盘滑块机构。这种机构的特点是结构很紧凑，上下两个方向均可承受较大的压力，故常用作压力机机构。

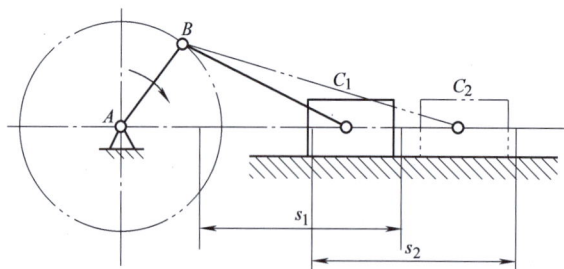

图 3-37　行程起始位置调节

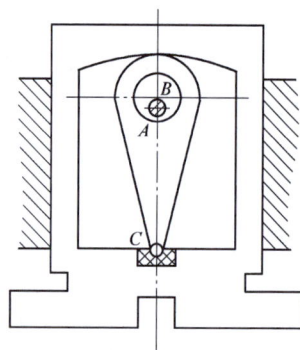

图 3-38　钟摆式偏心盘滑块机构

第五节　连杆机构的应用

在常用机械中，广泛地采用着各种连杆机构。这是由于许多机构要求从动件能够实现比较复杂的工艺动作，或者比较复杂的运动轨迹。例如，在各种缝纫机、印刷机及各种形式的包装机中，其执行构件的运动一般都较为复杂多样。而采用连杆机构时，如果类型选择合理，就可以很好地实现所要求的工艺动作或特定的轨迹。

现举出一些四杆机构及多杆机构在常用机械中应用较为典型的实例。

一、平面四杆机构的应用实例

1. 缝纫机针杆机构及挑线机构

图 3-39a 所示为针杆机构，图 3-39b 所示为挑线机构。

针杆机构是一对心曲柄滑块机构，机针固定在针杆 3 上，曲柄 1 由缝纫机的上轴驱动，通过连杆 2 使针杆 3 上下往复移动完成缝纫工艺。

挑线机构是由曲柄摇杆机构组成，当曲柄回转时，在连杆上的 M 点（挑线杆的孔）完成一特定轨迹，从而使缝纫线沿特定的轨迹运动，进而保证缝纫线中的张力变化符合工艺要求。

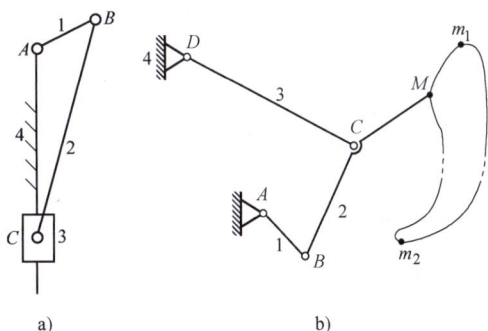

图 3-39　针杆机构及挑线机构

2. 皮革机械中的底革打光机构

图 3-40 所示为底革打光机构，它也是曲柄摇杆机构的应用实例。主动件 1 是飞轮，也是曲柄，通过连杆 2 带动摇杆 3 做往复摆动，使摇杆 3 上的铜制打光棍往复滚滑运动，从而将革面压实并通过打光棍运动将革面滚出一定光泽。

3. 玻璃陶瓷粉料筛选机构

如图 3-41 所示，1 为曲柄，2 为连杆（筛框），3 为摇杆。当曲柄回转时，筛面做平面复合运动，在与曲柄转动副连接处，筛面沿垂直方向有较大的位移，使粉料得到较大的筛动力，完成粉料筛选工作。

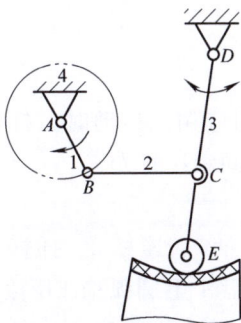

图 3-40　底革打光机构

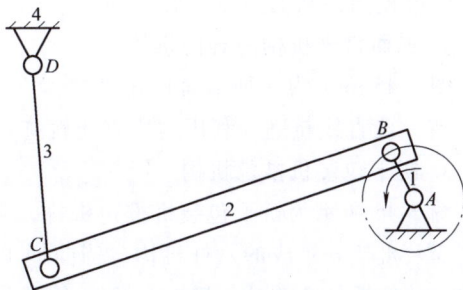

图 3-41　玻璃陶瓷粉料筛选机构

4. 铅笔间歇输送机构

图 3-42 所示为铅笔间歇输送机构，轮 1、3 相当于两个曲柄，2 为活动分割板，与曲柄在 B、C 处铰接，4 为固定分割板，因此组成双曲柄机构。当曲柄回转一周时，便将固定在分割板 2 上的铅笔向前移动一个间距，完成间歇任务。

5. 牙膏小盒包装机构

图 3-43 所示为牙膏小盒包装机构中的摇块导杆机构，它可以使槽轮 4 做间歇转动，以完成牙膏包装任务，当曲柄 1 带动导杆 2 运动时，固接在杆 2 上的拨块 3 进入槽轮 4 相应的槽中，拨动槽轮 4 使其转位，完成牙膏装盒任务。图中实线表示拨块 3 将要进入槽轮 4 之槽内的位置，此时槽轮开始转位。虚线表示拨块 3 将要离开槽轮 4 的位置，槽轮即将停止转动。与此同时在导杆 2 的另一端圆弧压在摇杆 6 的圆弧上，使制动带 5 产生制动作用。

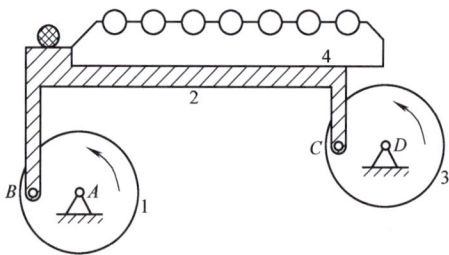

图 3-42　铅笔间歇输送机构

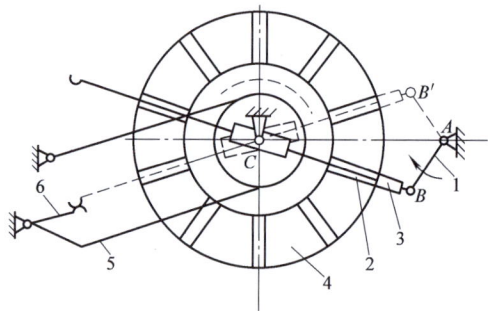

图 3-43　牙膏小盒包装机构

二、平面多杆机构的应用实例

平面多杆机构可以认为是在平面四杆机构的基础上添加一些杆件而形成的。由于机构中的杆件增多，使结构与设计变得复杂一些，然而多杆机构具有一些四杆机构难以实现的特殊功能，因此，被广泛应用于各种机械中。下面仅介绍几种特殊的六杆机构。

1. 鞋底压平机构

图 3-44 所示为鞋底压平机构。它是由构件 1、2、3、6 组成的曲柄摇杆机构与由构件 3、4、5、6 组成的导杆机构组合而成。当曲柄 1 转动时，该机构可将鞋底压向右方的鞋模内，从而完成鞋底压平工序。

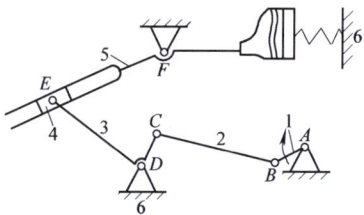

图 3-44　鞋底压平机构

2. 革面打光机构的导向机构

图 3-45 所示为一种革面打光机构，它是平面六杆机构的应用，运动时，打光棍的中心点 E 有一段直线轨迹，利用这段直线轨迹，使打光棍与革面间滚压打光。

3. 饼干包装机推包机构

图 3-46 所示为饼干包装机推包机构，它是由转盘 1（曲柄）、连杆 2、摇杆 3、滑块 4、推杆 5 及机架 6 组成的六杆机构。当曲柄 1 回转时，通过转盘 1 上圆弧槽 EE′ 段带动连杆 2 运动，并使摇杆 3 摆动，装在杆 3 上的滑块 4 带动推杆 5 做低速往复移动，实现推包工作任务。

4. 塑料成型机锁模机构

图 3-47 所示为塑料成型机锁模机构，它由两套对称布置的六杆机构组成。活塞杆 1 由液压驱动，通过连杆 2 和 2′、摇杆 3 和 3′、连杆 4 和 4′ 将运动传至动模 5，完成开合模工作，此机构在完成合模时，C、D、E 三点接近直线，从而利用死点特性实现了增力效果。

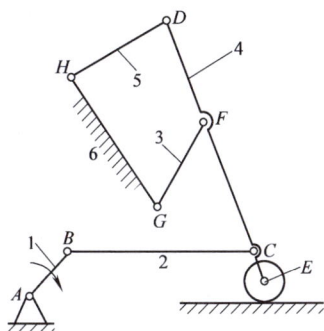

图 3-45 革面打光机构

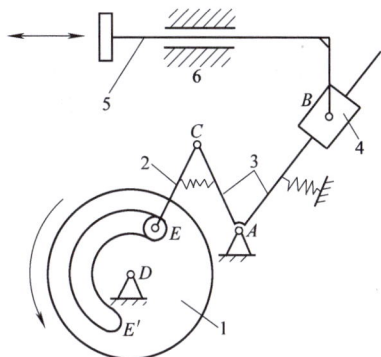

图 3-46 饼干包装机推包机构

5. 手动冲压机构

图 3-48 所示为手动冲压机构。摇杆 1 为主动构件，根据杠杆原理可知，作用在摇杆 1 上的力 F 经过摇杆 1 和 3 可获得两次放大，从而增大了压杆 5 向下冲压时的作用力。

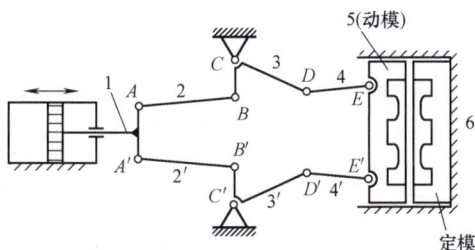

图 3-47 塑料成型机锁模机构

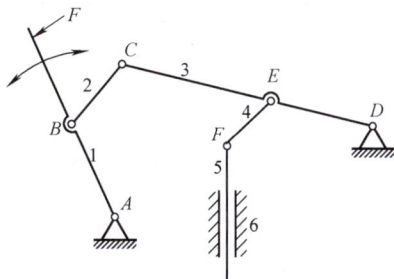

图 3-48 手动冲压机构

习　题

3-1　平面四杆机构有哪些基本类型？其各种演化形式是通过何种途径从铰链四杆机构演化而来的？

3-2　何为摇杆或滑块的行程速度变化系数？极位夹角的含义是什么？其值大小说明什么问题？

3-3　连杆机构的压力角和传动角如何确定？这两个角之间有什么关系？其值大小对机构传力性能有什么影响？

3-4　曲柄摇杆机构中最小传动角发生在机构什么位置处？

3-5　在图 3-49 所示的铰链四杆机构中，已知各杆长度：$d = 40$mm，$b = 60$mm，$c = 50$mm，AD 为机架。

1）若此机构为曲柄摇杆机构，且 AB 为最短杆，求连架杆 a 所允许的最大值。

2）若此机构为双曲柄机构，求连架杆 a 的最小值。

3）若此机构为双摇杆机构，求连架杆 a 的数值。

3-6　设计缝纫机中的曲柄摇杆机构，工作中要求踏板 CD 在水平位置上下摆动 15°，如图 3-50 所示，CD 杆长 $l_{CD} = 175$mm，AD 杆长 $l_{AD} = 350$mm，试用图解法求解曲柄 AB 及连杆 BC 的长度 l_{AB}、l_{BC} 值。

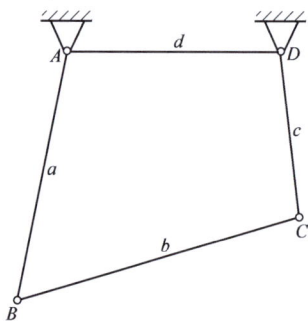

图 3-49　题 3-5 图　　　　　　　　图 3-50　题 3-6 图

3-7　试画出图 3-51 所示的各机构的压力角及传动角，标箭头的构件作为主动件。

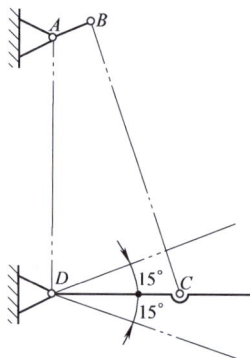

a)

b)

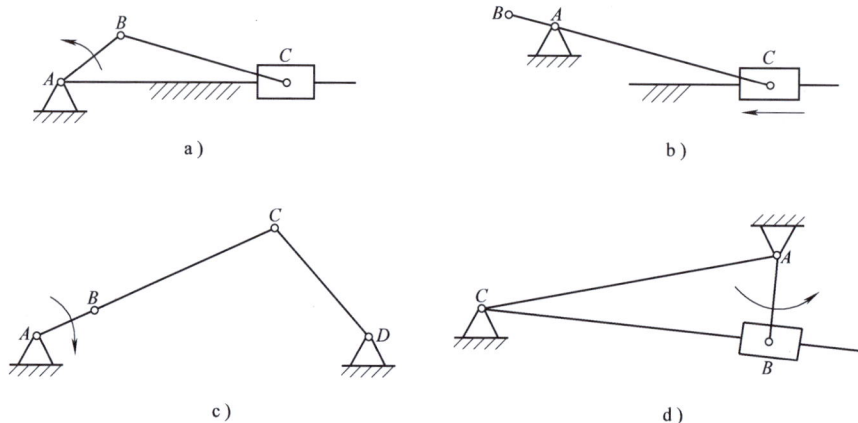

c)　　　　　　　　　　　d)

图 3-51　题 3-7 图

3-8　设计一四杆机构，已知摇杆 CD 之行程速度变化系数 K = 1.5，机架 AD 之长度 $l_{AD} = 100$mm，摇杆 CD 之长度 $l_{CD} = 75$mm，摇杆的一个极限位置与机架间的夹角 $\psi = 45°$（图 3-52），试求曲柄 AB 与连杆 BC 之长度 l_{AB}、l_{BC} 值。

3-9　设计颚式破碎机的曲柄摇杆机构（图 3-53），已知动颚板的行程速度变化系数 K = 1.3，动颚板长度 $l_{CD} = 300$mm，其摆角 $\psi = 35°$，机架长度 $l_{AD} = 260$mm。试设计确定曲柄长度 l_{AB}，连杆长度 l_{BC}，并验算最小传动角 γ_{min}。

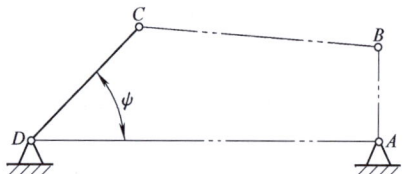

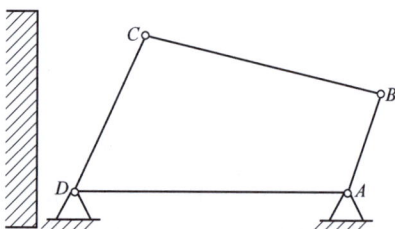

图 3-52　题 3-8 图　　　　　　　　图 3-53　题 3-9 图

3-10　设计一砂箱翻转机构，已知托杆上活动铰链的中心距为 200mm，托台两位置如图 3-54 所示，固定铰链在轴线 Y—Y 上，其相互位置尺寸依比例如图所示。

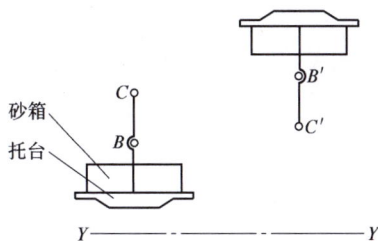

图 3-54　题 3-10 图

3-11　如图 3-55 所示的四杆机构中，已知两连架杆的两组对应位置为：$\alpha_1 = 60°$，$\varphi_1 = 45°$；$\alpha_2 = 120°$，$\varphi_2 = 90°$；$l_{AB} = 100\text{mm}$，$l_{AD} = 300\text{mm}$。试用解析法求各杆长度，并说明机构类型。

3-12　如图 3-56 所示的曲柄滑块机构中，其偏心距 $e = 8\text{mm}$，曲柄长度 $l_{AB} = 20\text{mm}$，连杆长度 $l_{BC} = 60\text{mm}$。求：1）用图解法求滑块的行程 H；2）画出滑块主动时，机构的死点位置。

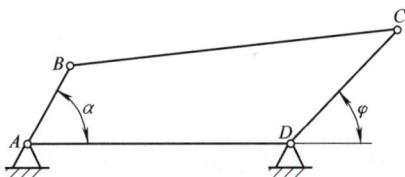

图 3-55　题 3-11 图

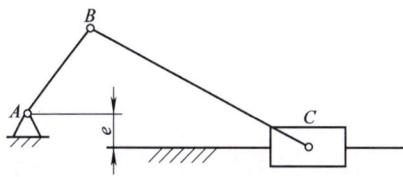

图 3-56　题 3-12 图

第四章

Chapter

凸轮机构及间歇运动机构

介绍凸轮机构的名词术语、类型和应用，学习几种从动件的常用运动规律，掌握反转法的基本原理，并应用反转法设计凸轮轮廓线，合理选择凸轮机构的基本尺寸和参数。

简要介绍几种常用的间歇运动机构及在工程实践中的应用。

在设计机械时，当原动件做等速运动而希望从动件做任意规律或间歇运动时，采用凸轮机构最为简单。凸轮机构由具有一定轮廓曲线的主动凸轮、从动件及机架组成，如图 4-1 所示。当主动凸轮等速回转时，则从动件被凸轮轮廓推动做有规律的往复运动。凸轮机构在自动机械和自动控制装置中得到广泛应用。

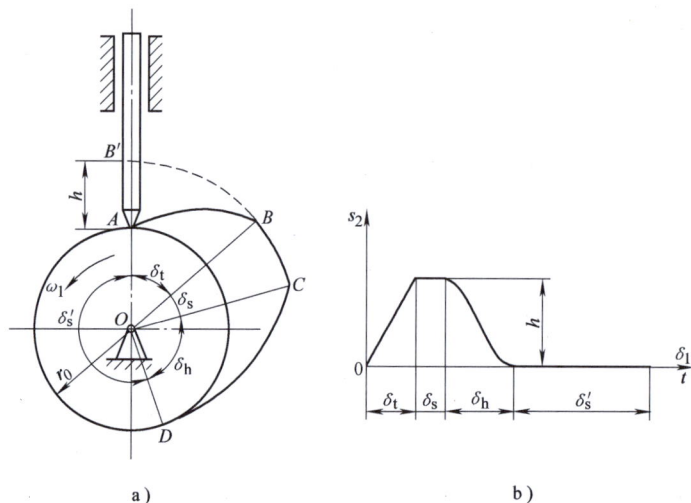

凸轮机构

a)

b)

图 4-1　凸轮机构

第一节　凸轮机构的类型

凸轮机构根据凸轮和从动件的不同形状和形式，可按下述方法分类。

一、按凸轮的形状分类

（1）盘形凸轮　它是凸轮的基本形式。这种凸轮是一个绕固定轴转动并具有变化半径的盘形零件，如图 4-1a 所示。

（2）移动凸轮　当盘形凸轮的回转半径无穷大时，凸轮相对机架做直线运动，这种凸轮称为移动凸轮，如图 4-2 所示。

（3）圆柱凸轮　将移动凸轮卷成圆柱体即成为圆柱凸轮，如图 4-3 所示。

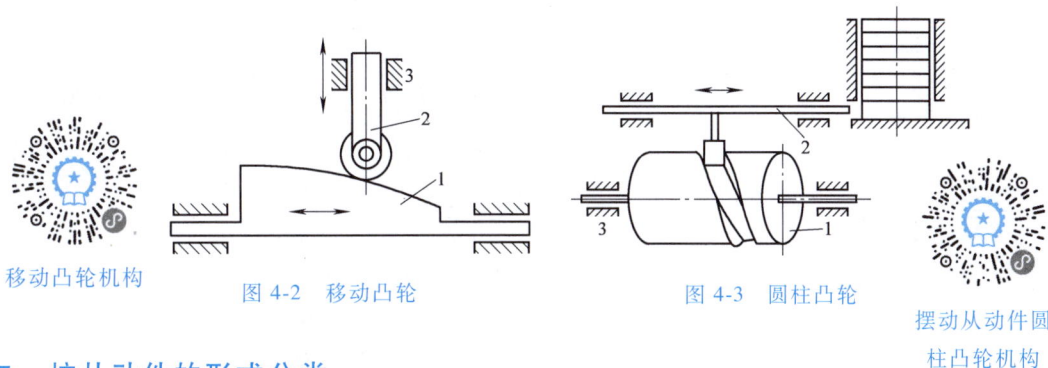

移动凸轮机构

图 4-2　移动凸轮

图 4-3　圆柱凸轮

摆动从动件圆柱凸轮机构

二、按从动件的形式分类

（1）尖顶从动件　如图 4-4a、b 所示，尖顶能与复杂的凸轮轮廓保持接触，因而能实现任意预期的运动规律，但为点接触，磨损快，所以只宜用于受力不大的低速凸轮机构中。

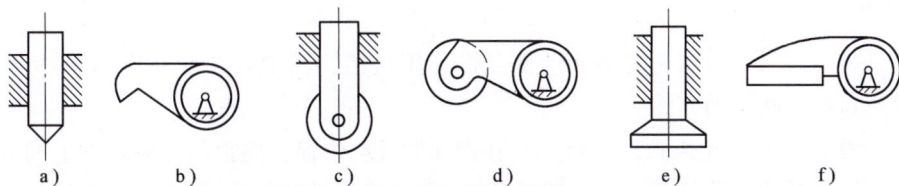

a)　　　b)　　　c)　　　d)　　　e)　　　f)

图 4-4　从动件的形式

（2）滚子从动件　如图 4-4c、d 所示，为了克服尖顶从动件的缺点，在从动件的尖顶处装一个滚子，即成为滚子从动件。滚子与凸轮是线接触（可采用滚动轴承），因而耐磨损，可以承受较大载荷，是从动件中常见的一种形式。

（3）平底从动件　这种从动件与凸轮轮廓接触的端部为一平面，显然它不能与凹陷的凸轮轮廓接触。这种从动件的优点是：当不计摩擦时，从动件与凸轮之间的作用力始终与平底相垂直，接触面间易于形成油膜，传动效率较高，磨损少。它常用于高速凸轮机构中，如图 4-4e、f 所示。

以上三种从动件都可以相对机架做往复直线移动或做往复摆动。

三、按使从动件与凸轮保持接触的方式分类

（1）力封闭凸轮机构　此类机构利用从动件的重力或施加在从动件上的弹簧力来实现从动件与凸轮保持接触。图4-5所示为一种靠弹簧力来保持从动件与凸轮接触的力封闭凸轮机构。

（2）几何封闭凸轮机构　此类机构利用凸轮或从动件特殊几何结构来实现从动件与凸轮保持接触。图4-6所示为槽凸轮机构，该机构将从动件的滚子嵌入凸轮上的轮槽之中，从而实现几何封闭。除了槽凸轮机构外，等宽凸轮机构、等径凸轮机构、共轭凸轮机构也属于几何封闭凸轮机构。

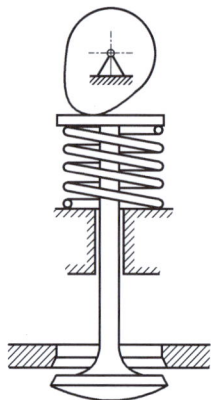

平底直动从
动件盘形
凸轮机构

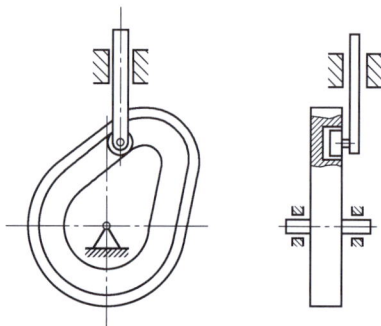

等宽凸轮

等径凸轮

图 4-5　力封闭凸轮机构　　　　图 4-6　几何封闭凸轮机构

第二节　从动件的常用运动规律

一、基本概念

（1）基圆　图4-1所示为尖顶从动件盘形凸轮机构，其中以凸轮轮廓的最小向径 r_0 为半径所绘的圆称为凸轮的基圆。

（2）推程、回程、远休止、近休止　在图4-1所示位置，尖顶与凸轮轮廓上的 A 点相接触，为从动件上升的起始位置。当凸轮以角速度 ω_1 等速逆时针方向回转 δ_t 角度时，从动件尖顶被凸轮轮廓推动，以一定的运动规律上升，达到最远位置 B'，这个过程称为推程，δ_t 称为推程运动角，从动件上升的距离 h 称为从动件的行程。当凸轮继续转过 δ_s 角度时，由于以 O 点为圆心的圆弧 $\overset{\frown}{BC}$ 与尖顶相作用，从动件在最远位置停留不动，δ_s 称为远休止角。当凸轮再转过 δ_h 角度时，从动件以一定的运动规律回到最低位置，这个过程称为回程，δ_h 称为回程运动角。当凸轮再转过 δ_s' 角度时，从动件在起始位置 A 停留不动，δ_s' 称为近休止角。当凸轮再继续等速转动时，从动件重复上述运动规律。

由以上分析不难看出，从动件的运动规律取决于凸轮的轮廓曲线。推程和回程都可以是工作行程，其运动规律由机械工作要求决定。如果用纵坐标代表从动件的位移 s_2，横坐标代

表凸轮转角 δ_1（或时间 t），则可画出从动件位移与凸轮转角之间的关系曲线，如图 4-1b 所示，它简称为从动件的位移线图。

凸轮机构的设计一般先根据工作要求，选择从动件的运动规律，再根据选定的从动件运动规律设计凸轮轮廓曲线。所以学习凸轮机构，必须对从动件的运动规律进行必要的学习。下面介绍几种常用的从动件运动规律。

二、从动件运动规律

1. 等速运动规律

当凸轮以等角速度 ω_1 回转时，若从动件上升或下降的速度为一常数，这种运动规律称为等速运动规律。

若以从动件的位移 s_2，速度 v_2 及加速度 a_2 为纵坐标，以凸轮转角 δ_1（或时间 t）为横坐标，分别作出 s_2-t、v_2-t 及 a_2-t 的线图，如图 4-7 所示。由于速度 v_0 为常数，所以从动件的速度线图（图 4-7b）为平行于横轴的直线。其位移线图（图 4-7a），由于 $s_2 = v_0 t$，它是一条斜直线。当速度为常数时，加速度为零（图 4-7c），惯性力也等于零，但从动件在开始与终止运动的瞬时，由于速度突然变化，理论上瞬时加速度趋于无穷大，将产生无穷大的惯性力，因而引起极大的冲击，这种冲击称为刚性冲击。因此这种运动规律只宜用于低速及从动件质量较小的凸轮机构。

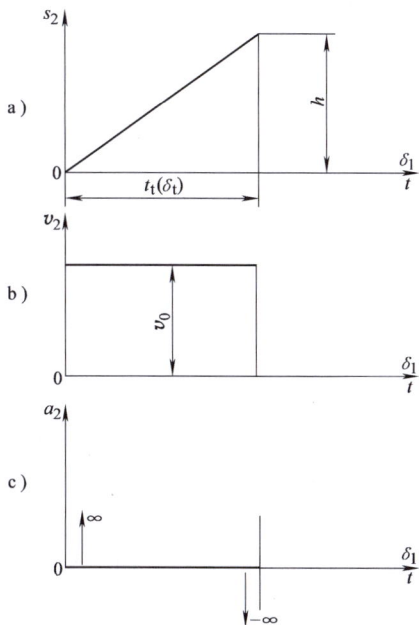

图 4-7 等速运动规律

2. 等加速等减速运动规律

这种运动规律为从动件在前半行程做等加速运动，后半行程做等减速运动，如图 4-8 所示。由于加速度为常数 a_0，故加速度线图为两段平行于横轴的直线（图 4-8c），这种运动规律的特点是：在 0、m、e 各点处的加速度为突然的有限值的变化，惯性力产生有限的突变，从而造成冲击，因这种冲击相对刚性冲击较小，因此被称为柔性冲击。从动件的运动速度为 $v_2 = a_0 t$，因此速度线图为两条斜直线（图 4-8b）。由物理学知，其位移为 $s_2 = \frac{1}{2} a_0 t^2$，故位移线图由两段抛物线组成（图 4-8a），当时间为 1、2、3、4、…时，其对应位移之比为 1∶4∶9∶16…，因此等加速部分的位移线图可如下画出：根据所选的比例尺，在 s-t 坐标系中的横坐标轴和纵坐标轴上，将 $\delta_1/2$ 和 $h/2$ 对应分成相同的若干等分（图中为 4 等分），得分点 1、2、3、4 和 1′、2′、3′、4′。再将点 0 分别与 1′、2′、3′、4′各点相连，得连线 01′、02′、03′、04′，这些连线分别与由点 1、2、3、4 所作的纵坐标轴的平行线交于点 1″、2″、3″、4″，再将点 0、1″、2″、3″、4″连成光滑曲线，即得等加速段的位移曲线。同理，等减速段的位移曲线，也可用同样的方法但按相反的次序画出。

3. 余弦加速度运动规律（简谐运动规律）

质点在圆周上做匀速运动时，它在这个圆的直径上的投影所构成的运动称为简谐运动。简谐运动规律位移线图的作法如下：把从动件的行程 h 作为直径画半圆，将此半圆分成若干等分（图 4-9a），得 1″、2″、3″、…点。再把凸轮运动角 δ_t 也分成相应等分，并作垂线 11′、22′、33′、…，然后将圆周等分点投影到相应的垂线上得 1′、2′、3′、…点。用光滑曲线连接这些点，即得到从动件的位移线图，其方程式为

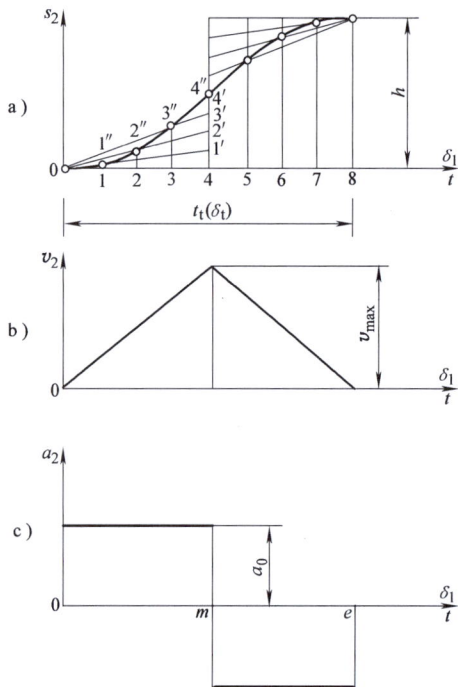

图 4-8 等加速等减速运动规律

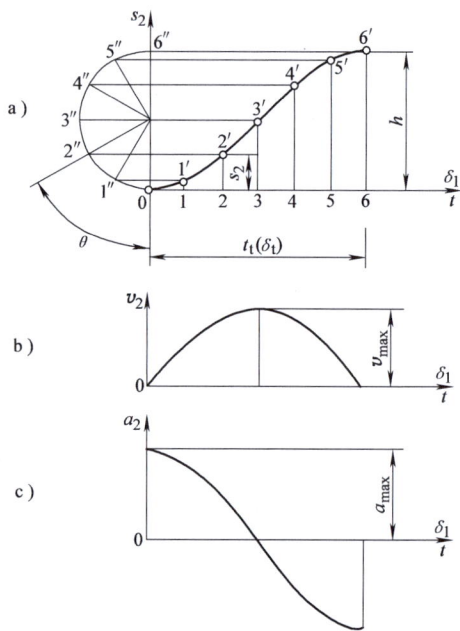

图 4-9 简谐运动规律

$$s_2 = \frac{h}{2}(1 - \cos\theta) \tag{4-1}$$

式中，θ 与凸轮的转角 δ_1 成正比，当 $\theta = \pi$ 时，$\delta_1 = \delta_t$，即 $\theta = \dfrac{\pi}{\delta_t}\delta_1$

所以

$$s_2 = \frac{h}{2}\left(1 - \cos\frac{\pi}{\delta_t}\delta_1\right) \tag{4-2}$$

从动件的运动速度和加速度方程为将从动件的位移方程进行一次和二次求导得到

$$v_2 = \frac{h\pi\omega}{2\delta_t}\sin\frac{\pi}{\delta_t}\delta_1 \tag{4-3}$$

$$a_2 = \frac{\omega^2 h}{2}\left(\frac{\pi}{\delta_t}\right)^2\cos\frac{\pi}{\delta_t}\delta_1 \tag{4-4}$$

由式（4-3）和式（4-4）可作出速度和加速度线图（图 4-9b、c）。由此可见，从动件按简谐运动规律运动时，其加速度是按余弦曲线变化的，故此种运动规律又称为余弦加速度运动规律。由图 4-7c 可见，在行程的始点和终点加速度也产生有限值的变化，故也有柔性冲击，但减少了冲击次数。

4. 正弦加速度运动规律（摆线运动规律）

为了改善凸轮机构的动力性质，避免冲击和减少磨损，从动件的加速度可以采用按正弦

曲线变化的运动规律。其推程的位移、速度和加速度的方程式为

$$s_2 = h\left[\frac{\delta_1}{\delta_t} - \frac{1}{2\pi}\sin\left(\frac{2\pi\delta_1}{\delta_t}\right)\right] \tag{4-5}$$

$$v_2 = \frac{h\omega}{\delta_t}\left[1 - \cos\left(\frac{2\pi\delta_1}{\delta_t}\right)\right] \tag{4-6}$$

$$a_2 = \frac{2\pi h}{\delta_t^2}\omega^2\sin\left(\frac{2\pi\delta_1}{\delta_t}\right) \tag{4-7}$$

根据上式可作出从动件的运动线图，如图 4-10 所示。由加速度线图可知，从动件的加速度按正弦运动规律连续变化，不但没有刚性冲击，也没有柔性冲击。

这种运动规律的位移线图的画法如图 4-10 所示，以半径 $R = h/(2\pi)$ 的圆，沿纵坐标滚动一周，其长度 $2\pi R$ 刚好等于从动推杆的行程 h，此圆上一点 A 的轨迹是正摆线。将摆线分成若干等分（图中为 6 等分），各分点在纵坐标轴上的投影线与横坐标轴上对应分点垂线的交点所连成的光滑曲线，即为正弦加速度运动规律的位移线图（图 4-10a）。

除了上述的基本运动规律之外，还有很多其他类型的运动规律，其各有优缺点。当单一运动规律不能满足工作要求时，还可将几种运动规律组合使用，以改善从动件运动和动力特性。如图 4-11 所示，等速运动规律在其行程两端各加上一段正弦加速度运动规律作为过渡曲线，既保留了等速曲线最大速度小的优点，又克服了它两端存在刚性冲击的缺点。

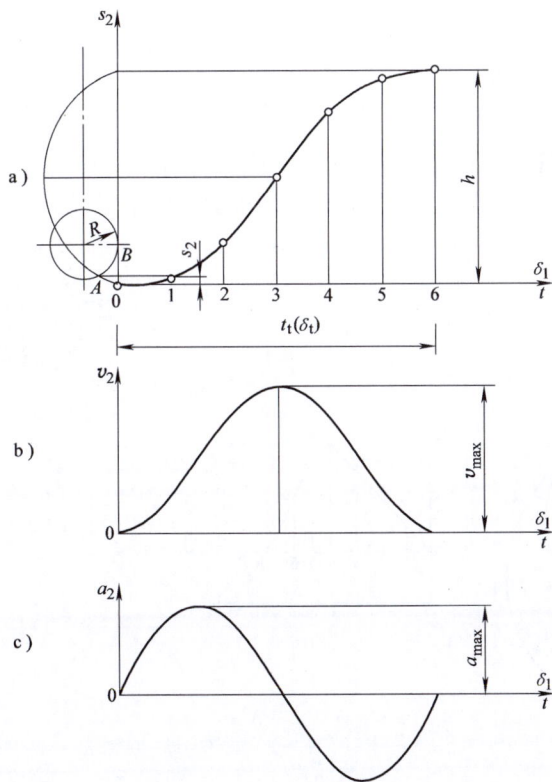

图 4-10 正弦加速度运动规律

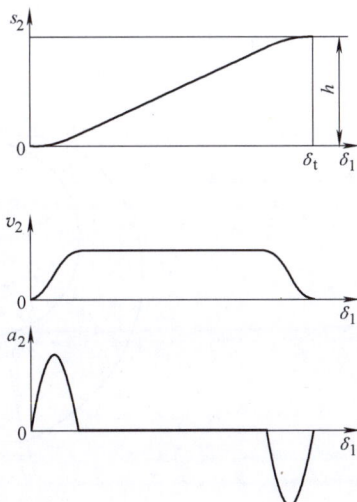

图 4-11 组合运动规律

三、从动件运动规律的选择

在选择从动件的运动规律时，除满足机械工作要求外，还应考虑凸轮机构的动力特性和加工难易等因素。对于速度较低的凸轮机构，当从动件只用来完成某一行程，没有明确的运动规律要求时，选择运动规律优先考虑凸轮廓线易于加工。对于速度较高的凸轮机构，选择运动规律除了考虑避免出现冲击外，还应注意各种运动规律的最大速度 v_{max}、最大加速度 a_{max} 等特征值的影响。因为最大速度将决定从动件的最大动量，当动量较大时，在从动件起动和停止时都会产生较大的冲击；最大加速度将决定从动件的最大惯性力，由其引起的动压力，对零件的强度与运动副的磨损都有较大的影响，故在选择从动件的运动规律时必须综合地加以考虑。

第三节　按给定运动规律设计盘形凸轮轮廓

根据机械工作要求选择从动件运动规律之后，按照结构所允许的空间初步确定凸轮的基圆半径 r_0，然后即可设计凸轮轮廓。凸轮轮廓曲线可以用解析法求得，也可用作图法绘制。对于一般精度要求的凸轮轮廓曲线，常采用作图法绘制。

下面介绍用作图法绘制盘形凸轮轮廓的方法。

一、移动从动件盘形凸轮轮廓的绘制

1. 对心尖顶移动从动件盘形凸轮机构（图4-12）

绘制凸轮轮廓时，应给定从动件位移线图（图4-12b）及凸轮的基圆半径 r_0。凸轮以等角速度 ω_1 回转，要求绘制此凸轮的轮廓曲线。

当凸轮机构工作时，凸轮若以等角速度 ω_1 顺时针方向转动，从动件则沿导路依凸轮轮

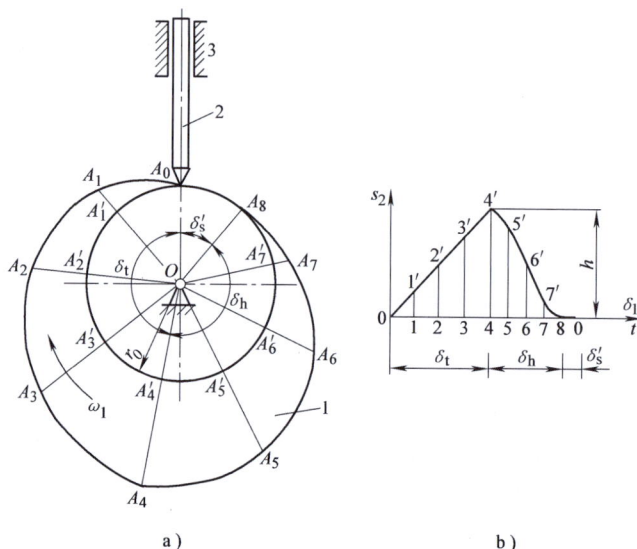

尖顶直动从动件盘形凸轮机构轮廓设计

a)　　　　　b)

图4-12　对心尖顶移动从动件盘形凸轮轮廓曲线的绘制

廓曲线做一定运动规律的往复运动，绘制凸轮轮廓时却需要凸轮与图样相对静止，为此绘制凸轮轮廓时采用"反转法"。即根据相对运动原理，如果给整个凸轮机构加上绕凸轮轴心 O 点转动的公共角速度 $(-\omega_1)$，机构中各构件间的相对运动不变。这样，凸轮相对固定不动，而从动件一方面随机架和导路以角速度 $(-\omega_1)$ 绕 O 点转动，另一方面又在导路中按一定运动规律往复移动。由于从动件的尖顶始终与凸轮轮廓相接触，所以反转后尖顶的运动轨迹就是凸轮轮廓。

根据"反转法"原理，设计步骤如下：

1）按一定的比例尺绘出从动件的位移线图，并在横坐标上将 δ_t、δ_h 分成若干等分，由各分点作垂线，得各分点处从动件的相应位移量 1-1′、2-2′、3-3′、…。

2）按一定比例尺以 r_0 为半径作基圆。此基圆与导路的交点 A_0 便是从动件尖顶的起始位置。

3）自 OA_0 沿 $(-\omega_1)$ 的方向取角度 δ_t、δ_h、δ_s'，并将它们各分成与位移线图相应的等分，得与基圆相交的 A_1'、A_2'、A_3'、…各点，连接 OA_1'、OA_2'、OA_3'、…，它们便是反转后从动件导路的各个位置。在位移线图上量取各位移量，使 $A_1A_1' = 11'$、$A_2A_2' = 22'$、$A_3A_3' = 33'$、…，所得的 A_1、A_2、A_3、…各点便是反转后从动件尖顶的一系列位置，即对应凸轮轮廓上各点的位置。

4）将 A_0、A_1、A_2、A_3、…连成圆滑的曲线，便是所要求的凸轮轮廓曲线。

为了减少磨损而采用滚子从动件时，应把滚子中心看作尖顶从动件的尖顶，按照上述方法求出一条轮廓曲线 β_0，再以 β_0 上各点为圆心，以滚子半径 r_k 为半径，画出一系列小圆（图 4-13），最后作这些小圆的内包络线 β，它便是滚子从动件凸轮的实际轮廓，而 β_0 称为该凸轮的理论轮廓。

2. 尖顶偏置移动从动件盘形凸轮机构（图 4-14）

从动件导路中心线 y-y 和凸轮回转中心 O 点之间偏置一个距离 e，e 称为偏距。绘制此凸轮轮廓时应给定从动件位移线图（图 4-14b）、凸轮基圆半径 r_0、偏距 $e = l_{OA_1}$。凸轮以等角速度 ω_1 回转，要求绘出此凸轮的轮廓曲线。

滚子直动从动件盘形凸轮机构

图 4-13 滚子从动件盘形凸轮轮廓曲线的绘制

根据"反转法"原理，设计步骤如下：

1）选取一定的比例尺，按给定的运动规律作出从动件的位移线图，在横坐标轴上将 δ_t、δ_h 各分成若干等分，得点 1、2、3、…，并由各点作横轴的垂线，交位移曲线于 1′、2′、3′、…，得各点处的从动件位移量 1-1′、2-2′、3-3′、…。

2）以同样的比例尺用 r_0 为半径作凸轮的基圆，用 $e = l_{OA_1}$ 为半径作偏距圆，画出从动件导路中心线 y-y，与偏距圆相切于 A_1 点，且与基圆相交于 $C_1(B_1)$ 点，B_1 点为从动件尖顶的起始位置。

3）以 OA_1 为起始位置，沿 $(-\omega_1)$ 方向按逆时针量取 δ_t、δ_s、δ_h、δ_s'，并将其分别分成与位移线图中相对应的若干等分，依次交偏距圆于 A_1、A_2、A_3、A_4、…点，过这些点作偏距圆的切线，分别交基圆于 C_1、C_2、C_3、C_4、…点。A_1C_1、A_2C_2、A_3C_3、A_4C_4、…即为反转后从动件的导路中心线依次占据的位置。

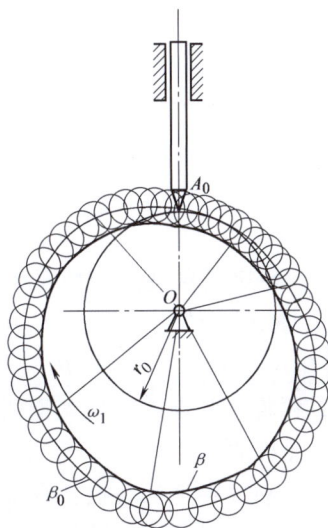

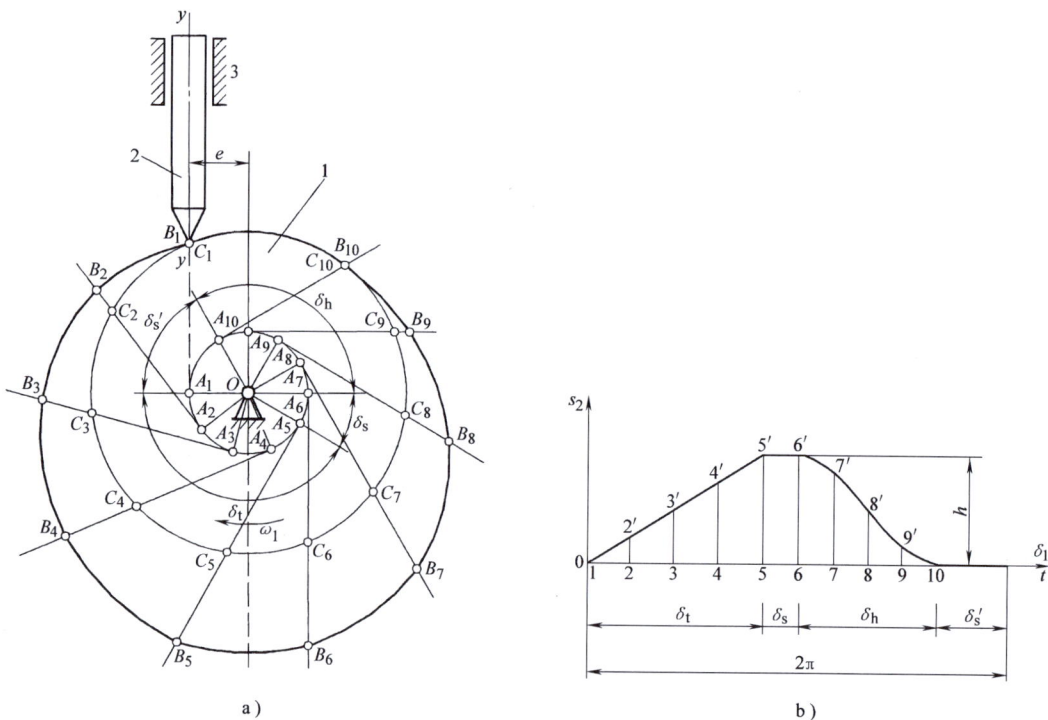

a)

b)

图 4-14　尖顶偏置移动从动件盘形凸轮轮廓曲线的绘制

4）沿以上各切线自基圆开始量取各位置从动件的位移量，即取 $C_1B_1 = 0$、$C_2B_2 = 22'$、$C_3B_3 = 33'$、$C_4B_4 = 44'$、$\cdots$，得 B_1、B_2、B_3、B_4、$\cdots$各点，再将这些点连成一光滑曲线，即为所求的凸轮轮廓曲线。

为了改善从动件尖顶的磨损，常采用滚子从动件。将滚子中心看成从动件的尖顶，其运动规律不变，按上述方法绘出凸轮的理论轮廓曲线 β_0，再以 β_0 上各点为圆心，以滚子半径 r_k 为半径作一系列小圆，最后再作这些小圆的内包络线 β，即为滚子从动件凸轮的实际轮廓曲线，如图 4-15 所示。

二、摆动从动件盘形凸轮轮廓的绘制

尖顶摆动从动件盘形凸轮机构如图 4-16 所示。当凸轮以等角速度 ω_1 转动时，从动件以一定的运动规律往复摆动。用"反转法"原理绘制凸轮轮廓时，即绕 O 点给整个凸轮机构以角速度（$-\omega_1$）。结果，凸轮不动而摆动从动件

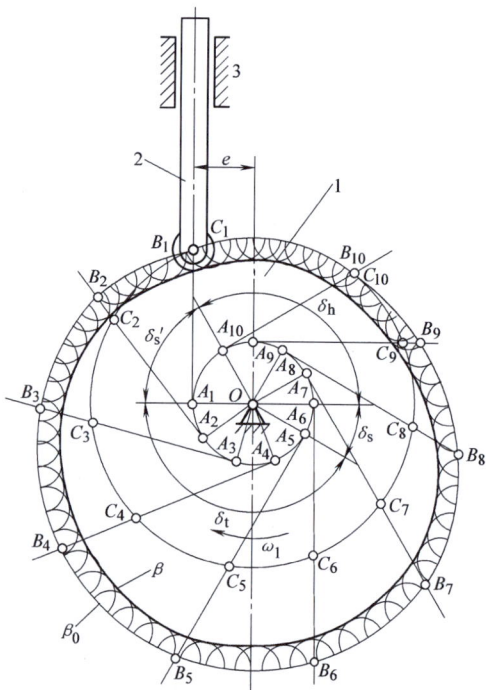

图 4-15　滚子偏置移动从动件盘形凸轮轮廓曲线的绘制

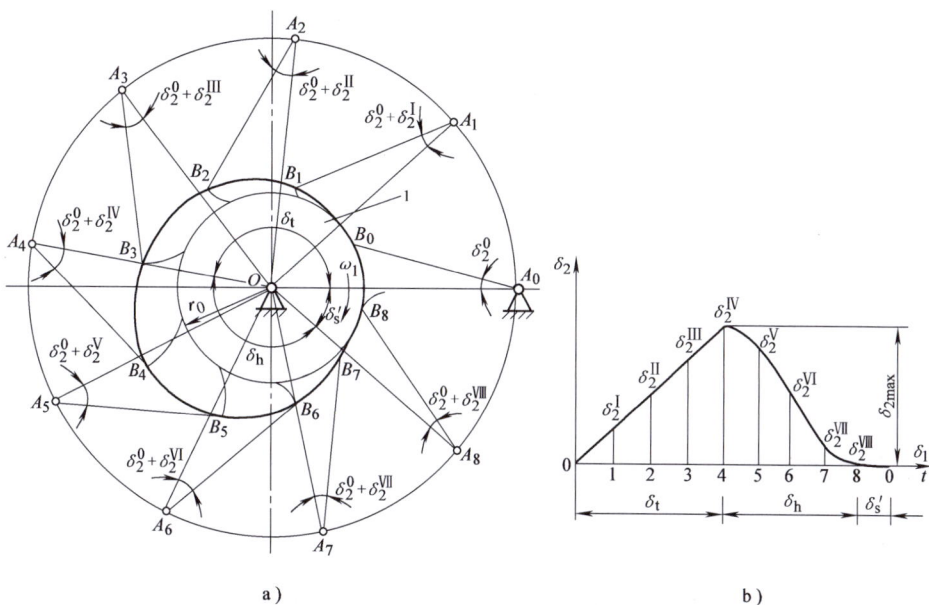

图 4-16　尖顶摆动从动件盘形凸轮机构轮廓曲线的绘制

在随机架以等角速度（$-\omega_1$）绕 O 点转动的同时，又绕 A_0 点摆动。这时摆动从动件尖顶的轨迹就是凸轮的轮廓，如图 4-16 所示。

绘制尖顶摆动从动件凸轮轮廓时，应给出从动件的角位移线图（图 4-16b）、凸轮与摆动从动件的中心距 l_{OA}、摆动从动件的长度 l_{AB}、凸轮的基圆半径 r_0，凸轮以等角速度 ω_1 回转，要求绘出此凸轮的轮廓曲线。

根据"反转法"原理，设计步骤如下：

1）以一定的比例尺绘出摆动从动件的角位移线图，并分别将 δ_t、δ_h 分为若干等分，由各分点作横坐标轴的垂线，得 δ_2^{I}、δ_2^{II}、δ_2^{III}、…各点，即为各点处的相应摆角，如图 4-16b 所示。

2）以同样的比例尺，根据给出的中心距 l_{OA}，定出 O 点及 A_0 点的位置。以 O 为圆心，以 r_0 为半径作基圆。再以 A_0 为圆心以 l_{AB} 为半径作圆弧交基圆于 B_0 点，该点即为从动件尖顶的起始位置。δ_2^0 称为从动件的初位角。

3）以 O 点为中心及 OA_0 为半径画圆，并沿（$-\omega_1$）的方向取角度 δ_t、δ_h、δ_s'，再将 δ_t、δ_h 各分为与角位移线图（图 4-16b）相对应的若干等分，得径向线 OA_1、OA_2、OA_3、…，这些径向线即为机架 OA_0 在反转过程中所占据的各个位置，如图 4-16a 所示。

4）由图 4-16b 求出各位置从动件的摆角 δ_2，据此画出摆动从动件相对于机架的一系列位置 A_1B_1、A_2B_2、A_3B_3、…，即 $\angle OA_1B_1 = \delta_2^0 + \delta_2^{I}$，$\angle OA_2B_2 = \delta_2^0 + \delta_2^{II}$，$\angle OA_3B_3 = \delta_2^0 + \delta_2^{III}$，…。

5）以 A_1、A_2、A_3、…为中心及 l_{AB} 为半径画弧截 A_1B_1 于 B_1 点、A_2B_2 于 B_2 点、A_3B_3 于 B_3 点、…。最后将点 B_0、B_1、B_2、B_3、…连成光滑曲线，便得到尖顶摆动从动件盘形凸轮的轮廓，如图 4-16a 所示。

如前所述，若为了减少磨损，采用滚子从动件，那么上述的凸轮轮廓即为理论轮廓曲线，只要在理论轮廓上选一系列的点作为滚子中心，以滚子半径 r_k 为半径作一系列小圆，再作这些小圆的内包络线，便可求出相应的凸轮实际轮廓曲线。

用作图法绘制凸轮轮廓曲线，其精度能满足一般机械的工作要求，而且比较简便。当精度有更高要求（如高速凸轮和凸轮靠模）时，就需要用解析法逐点计算。

第四节　设计凸轮机构应注意的问题

设计凸轮机构时，不仅要保证从动件实现预定的运动规律，还要求传动时受力良好，结构紧凑，因此，在设计凸轮轮廓时应注意下面几个问题。

一、滚子半径的选择

凸轮轮廓与滚子之间是滚动摩擦，可以减少摩擦与磨损，因此滚子从动件在凸轮机构的设计中应用最为广泛。从减小凸轮与从动件滚子之间的接触应力来看，滚子半径越大则接触应力越小，故滚子半径越大越好。但是，必须注意，滚子半径增大后对凸轮实际轮廓曲线有很大影响。如图 4-17 所示，凸轮理论轮廓外凸部分或内凹部分的最小曲率半径用 ρ_{min} 表示、滚子半径用 r_k 表示、相应位置的实际轮廓的曲率半径用 r_p 表示，当理论轮廓曲线 β_0 为内凹曲线时（图 4-17a），实际轮廓曲线 β 的曲率半径 r_p 为理论轮廓曲线的曲率半径 ρ_{min} 与滚子半径 r_k 之和，即 $r_p = \rho_{min} + r_k$。故 r_k 的大小可不受凸轮理论轮廓曲线曲率半径 ρ_{min} 限制。

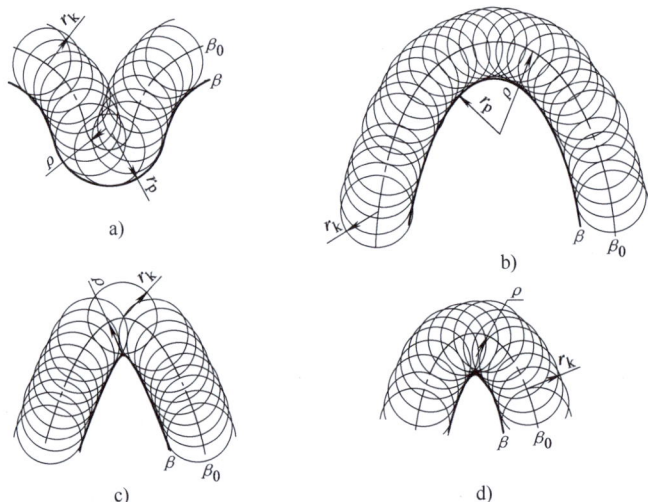

图 4-17　滚子半径对凸轮实际轮廓曲线的影响

当理论轮廓曲线为外凸时，则 $r_p = \rho_{min} - r_k$。此时

若 $r_k < \rho_{min}$，如图 4-17b 所示，则 $r_p > 0$，则实际轮廓为一平滑曲线。

若 $r_k = \rho_{min}$，如图 4-17c 所示，则 $r_p = 0$，在凸轮实际轮廓曲线上产生了尖点，这种尖点极易磨损，磨损后就会改变原定的运动规律。

若 $r_k > \rho_{min}$，如图 4-17d 所示，则 $r_p < 0$，实际轮廓曲线发生相交，相交部分的轮廓曲线在实际加工时将被切去，使这一部分的运动规律无法实现。

为了使凸轮轮廓在任何位置既不变尖更不相交，滚子半径 r_k 必须小于理论轮廓外凸部分的最小曲率半径 ρ_{min}（理论轮廓的内凹部分对滚子半径的选择没有影响）。滚子半径一般可取 $r_k \leq 0.8\rho_{min}$。为防止凸轮过快磨损，可使实际轮廓曲线上的最小曲率半径 $r_{pmin} > 1 \sim 5mm$。此外，从凸轮机构的结构考虑，根据经验，常取滚子半径 $r_k \leq 0.4r_0$（r_0 为基圆半径）。如果 ρ_{min} 过小，按上述条件选择的滚子半径 r_k 太小而不能满足安装和强度要求时，就应当把凸轮基圆半径 r_0 加大，重新设计凸轮轮廓曲线。

二、压力角的校核

凸轮机构也和连杆机构一样，在从动件与凸轮轮廓接触处，从动件的运动方向和它受力方向之间所夹的锐角称为压力角，用 α 表示。图 4-18 所示为尖顶移动从动件盘形凸轮机构的受力分析。当不考虑摩擦时，凸轮给予从动件的力 F_n 是沿法线 n-n 方向的，从动件运动方向与力 F_n 方向之间的夹角 α 即为压力角。力 F_n 可分解为沿从动件运动方向的有用分力 F_y 和使从动件压紧导路的有害分力 F_x，且

$$F_x = F_y \tan\alpha$$

当驱动从动件运动的有用分力 F_y 一定时，压力角 α 越大，则有害分力 F_x 越大，机构的效率越低。当压力角 α 增大到一定程度，以致使 F_x 所引起的摩擦阻力 F_f 大于有用分力 F_y 时，那么，无论凸轮加给从动件的作用力多大，从动件都不能运动，这种现象称为自锁。由以上分析可以看出，为了保证凸轮机构能正常工作并具有一定的传动效率，必须对压力角加以限制。凸轮轮廓曲线上各点的压力角是变化的，在设计时就应使最大压力角不超过许用值，即 $\alpha_{max} \leq [\alpha]$。通常对于移动从动件的凸轮机构，其推程的许用压力角 $[\alpha] = 30°$；对于摆动从动件的凸轮机构，其推程的许用压力角 $[\alpha] = 45°$。在回程时，从动件仅在弹簧、重力等作用下返回，此时，凸轮轮廓与从动件受力的关系不大，因此对于移动和摆动从动件凸轮机构，回程的许用压力角可取 $[\alpha] = 70° \sim 80°$。

在设计凸轮机构时，通常是根据结构需要先初步选定基圆半径 r_0，然后绘制凸轮轮廓曲线。在绘制出凸轮轮廓曲线之后，必须对轮廓推程各处的压力角进行校核，验算其最大压力角是否在许用值范围之内。检验的方法是在凸轮理论轮廓曲线比较陡的地方取若干点，作出过这些点的法线和从动件 B 点的运动方向线，求出它们之间所夹的锐角即压力角；也可直接用量角器来检验。若

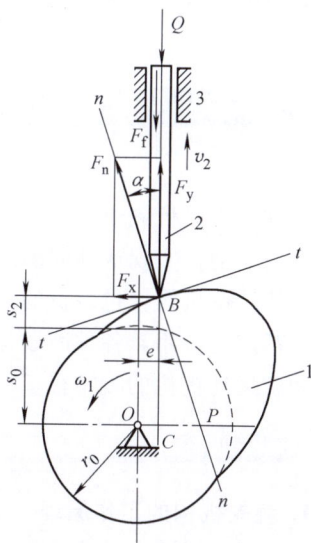

图 4-18 凸轮机构的受力分析

量得其中某点压力角超过许用值，则应修改设计。通常可以用加大凸轮基圆半径 r_0 的方法，使最大压力角 α_{max} 减小。

对于摆动从动件盘形凸轮的轮廓曲线，也逐点将摆动从动件看成是一瞬时的移动从动件，参照上述方法进行绘制和检验，如图 4-19 所示。

三、基圆半径对凸轮机构的影响

在设计凸轮机构时，凸轮的基圆半径 r_0 取得越小，所设计的凸轮机构就越紧凑。但是，基圆半径过小会引起压力角增大，导致凸轮机构的工作情况变坏。图 4-18 中，P 点为从动件与凸轮的相对速度瞬心，即从动件与凸轮在 P 点处的速度相等，即

$$v_2 = v_{P2} = v_{P1} = \omega_1 \overline{OP}$$

所以

$$\overline{OP} = \frac{v_2}{\omega_1} = \frac{\mathrm{d}s_2}{\mathrm{d}\delta}$$

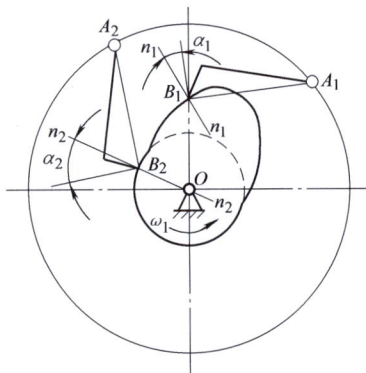

图 4-19　摆动从动件盘形凸轮轮廓曲线上压力角的检验

根据 △BCP 中边长与角的关系可得：

$$\tan\alpha = \frac{\overline{CP}}{\overline{BC}} = \frac{\overline{OP} - e}{s_0 + s_2} = \frac{(\mathrm{d}s_2/\mathrm{d}\delta) - e}{\sqrt{r_0^2 - e^2} + s_2} \tag{4-8}$$

由式（4-8）可知，当从动件偏置方向、偏距 e 和从动件运动规律选定后，基圆半径 r_0 越小，压力角 α 越大。当偏距 $e = 0$ 时，$r_0 = \dfrac{\mathrm{d}s_2/\mathrm{d}\delta}{\tan\alpha} - s_2$。基圆半径 r_0 过小，则压力角 α 将超过许用值而使凸轮机构效率太低或发生自锁。因此，在实际设计中，只能在保证凸轮轮廓曲线的最大压力角 $\alpha_{\max}$ 不超过许用值的前提下考虑缩小凸轮的尺寸。

第五节　间歇运动机构

在许多生产机械中，常需要某些机构的原动件在做连续运动时，从动件产生周期性的时动时停的运动，实现这种间歇运动的机构称为间歇运动机构。自动机床的进给机构、送料机构和刀架转位机构，包装机的送进机构，以及轻工食品、印刷、纺织等部门的许多自动化机械中，都广泛应用着各种间歇运动机构。

间歇运动机构的类型很多，本节只简单介绍最常用的几种间歇运动机构。

一、棘轮机构

1. 棘轮机构的工作原理

如图 4-20 所示，棘轮机构主要由棘轮 2、驱动棘爪 3、制动棘爪 5 和机架组成。棘轮 2 固连在机构的传动轴 4 上，在棘轮外缘上均布有棘齿（也可均布于内缘或端面），原动杆 1 空套在传动轴 4 上，驱动棘爪 3 铰接于原动杆 1 上并随原动杆 1 摆动，制动棘爪 5 铰接于机架上。当原动杆 1 逆时针方向摆动时，与其相连的驱动棘爪 3 便借助弹簧或自重插入棘轮 2 的齿槽内，使棘轮随着转过一个角度。当原动杆 1 顺时针方向摆动时，在制动棘爪 5 的制动下，驱动棘爪 3 在棘轮的齿背上滑过，棘轮静止不动。所以当原动杆 1 做连续的往复摆动时，棘轮就做单向的间歇运动。

若改变原动杆 1 的结构形状，可得到如图 4-21 所示的双动式棘轮机构。当原动杆 1 往复摆动时，图 4-21a、b 两种形式的棘爪 3 都能使棘轮 2 沿同一方向间歇转动。

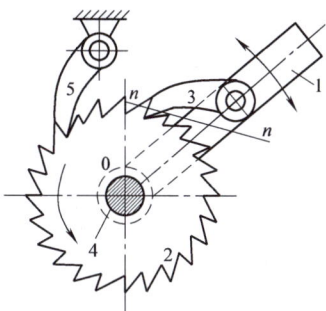

图 4-20　棘轮机构

1—原动杆　2—棘轮　3—驱动棘爪

4—传动轴　5—制动棘爪

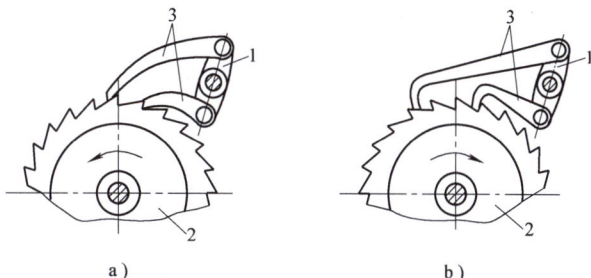

a)　　　　　　　　　　　　b)

图 4-21　双动式棘轮机构

1—原动杆　2—棘轮　3—棘爪

当棘轮轮齿制成方形时，就成为可变向棘轮机构，如图 4-22 所示。其特点是棘爪 1 在实线位置摆动时，棘轮 2 将沿逆时针方向做间歇运动；当棘爪 1 翻到虚线位置摆动时，棘轮 2 将沿顺时针方向做间歇运动。图 4-23 所示为另一种可变向棘轮机构。当棘爪 1 在图示位置摆动时，棘轮 2 将沿逆时针方向做间歇运动。若将棘爪提起并绕本身轴线转 180° 后再插入棘轮齿中，棘爪摆动时，则可实现棘轮沿顺时针方向的间歇运动。若将棘爪提起并绕本身轴线转 90° 后放下，则棘爪被架在壳体顶部的平台上，使棘轮与棘爪脱开，当棘爪往复摆动时，棘轮静止不动。这种棘轮机构常应用在牛头刨床工作台的进给装置上。

上述棘轮机构，棘轮的转角都是相邻两齿所夹中心角的倍数，也就是说，棘轮的转角是有级性改变的。如果要实现无级性改变，就需要采用无棘齿棘轮机构，如图 4-24 所示。这种机构的棘轮 2 是通过棘爪 1 与棘轮 2 之间的摩擦力来传递运动的，故又称为摩擦式棘轮机构。这种机构在传动过程中很少发生噪声，但棘轮与棘爪的接触表面间容易发生滑动。为了增加摩擦力，一般将棘轮做成槽形。

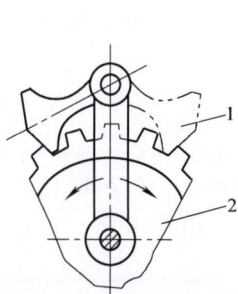

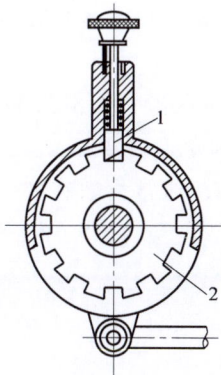

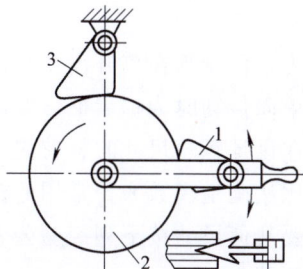

图 4-22　可变向（双向）　　　图 4-23　可变向（双向）　　　图 4-24　无棘齿棘

棘轮机构（一）　　　　　　棘轮机构（二）　　　　　　　轮机构

1—棘爪　2—棘轮　　　　　1—棘爪　2—棘轮　　　　1—棘爪　2—棘轮　3—制动棘爪

当棘轮的直径为无穷大时，就成为棘条机构。它可以获得间歇的直线运动，常用于千斤顶中。

棘轮机构常与连杆机构、液压（气压）装置或电磁装置等一起应用。由这些机构或装置给摇杆以连续的或周期性的往复运动来驱动棘爪，而使棘轮实现间歇运动。

实现单向转动的棘轮机构，由于它只能产生单向间歇运动，故也常作为停止器或制动器应用于提升或牵引机械中。

上述棘轮机构结构简单，但在棘轮每次开始和终止运动时都将与棘爪发生冲击，故不宜用在高速机械中，也不宜直接用在具有较大质量的轴上。

2. 棘轮机构的运动设计

如图 4-25 所示，为了使棘爪受力最小，应使棘轮齿顶 A 和棘爪的转动中心 O_2 的连线垂直于棘轮半径 O_1A，即 $\angle O_1AO_2 = 90°$。轮齿对棘爪作用力有沿法线方向的正压力 F_n 和沿齿面方向的摩擦力 F_f。F_n 可分解为圆周力 F_t（通过棘爪的转动中心 O_2）和径向力 F_r。径向力 F_r 是使棘爪落到齿根的力，而摩擦力 F_f 是阻止棘爪落下的力。为了保证棘爪顺利落下而不致脱开，这就要求棘轮轮齿工作面相对棘轮半径朝齿体内偏倾一角度 φ，φ 称为棘齿的偏斜角，即接触点的法线 n—n 必须位于 O_2 与 O_1 之间。偏斜角 φ 的大小可用下式求得

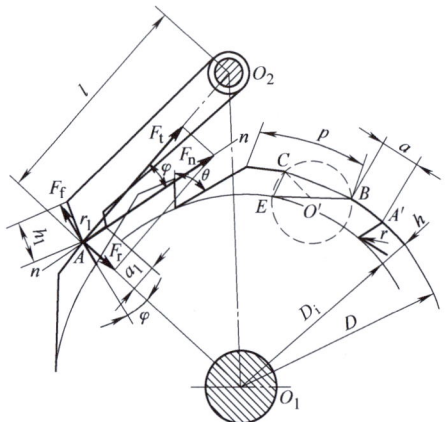

$$F_r l > F_f l\cos\varphi \tag{4-9}$$

因为

$$F_f = fF_n ; \quad F_r = F_n\sin\varphi$$

所以

$$F_n\frac{\sin\varphi}{\cos\varphi} > F_n f \tag{4-10}$$

$$\tan\varphi > \tan\rho$$

故

$$\varphi > \rho \tag{4-11}$$

图 4-25　棘轮机构的运动设计

式中，ρ 为齿与爪之间的摩擦角，$\rho = \arctan f$。当摩擦系数 $f = 0.2$ 时，$\rho \approx 11°30'$，故通常取偏斜角 $\varphi = 15° \sim 20°$。

为了使棘爪在离开齿槽后，能顺利地在齿背上滑过和便于制造，棘轮齿常采用直线齿形，单向传动时为锯齿形，双向传动时为矩形。

在设计棘轮尺寸时，首先确定齿数 z，通常齿数在 8～30 范围内选择。再根据强度条件或类比法确定模数 m，常用的模数有 1、2、3、4、5、6、8、10、12、14、16 等。棘轮棘爪的主要几何尺寸按下列经验公式计算

顶圆直径　　　$D = mz$

齿高　　　　　$h = 0.75m$

齿顶厚　　　　$a = m$

齿槽夹角　　　$\theta = 60°$ 或 $55°$（根据铣刀角度决定）

根圆直径　　　$D_i = D - 2h$

齿距 $\qquad p = \dfrac{\pi D}{z} = \pi m$

棘爪长度 $\qquad L = 2\pi m$

其他结构尺寸可参考《机械零件设计手册》。

由以上公式计算出棘轮的主要尺寸后，可按下述方法绘制出棘轮齿形。如图 4-25 所示，根据 D 和 D_i 先画出齿顶圆和齿根圆，并按齿数与齿距等分顶圆，得 A'、C 等点。自 A' 点作弦 $A'B = a = m$；再由 B 到第二等分点 C 作弦 BC；然后自 B、C 点分别作角度 $\angle O'BC = \angle O'CB = 90° - \theta$，得 O' 点；再以 O' 点为圆心，$O'B$ 为半径画圆交齿根圆于 E 点，连 CE 得轮齿工作面，连 BE 得全部齿形。

二、槽轮机构

1. 槽轮机构的工作原理

槽轮机构又称为马尔他或马氏机构，如图 4-26 所示。它是由具有径向槽的槽轮 2、带有圆柱销 A 的拨盘 1 和机架组成。拨盘 1 做等速转动时，驱动槽轮 2 做时转时停的间歇运动。

拨盘 1 等速转动，当其上的圆柱销 A 尚未进入槽轮 2 的径向槽时，由于槽轮 2 的内凹锁止弧 β 被拨盘 1 的外凸圆弧 α 卡住，故槽轮 2 静止不动。图 4-26 所示位置是当圆柱销 A 开始进入槽轮 2 的径向槽的情况。这时锁止弧被松开，因此槽轮 2 受圆柱销 A 驱动沿逆时针转动。当圆柱销 A 开始脱出槽轮 2 的径向槽时，槽轮 2 的另一内凹锁止弧又被拨盘 1 的外凸圆弧卡住，致使槽轮 2 又静止不动，直到圆柱销 A 再进入槽轮 2 的另一径向槽时，两者又重复上述的运动循环。为了防止槽轮在工作过程中位置发生偏移，除上述锁止弧外也可采用其他专门的定位装置。

槽轮机构的结构简单，机械效率较高，并能平稳地改变部件的角速度，因此在自动机床的转位机构、电影放映机卷片机构以及包装、食品、轻工机械的步进机构等自动机械中得到广泛的应用。

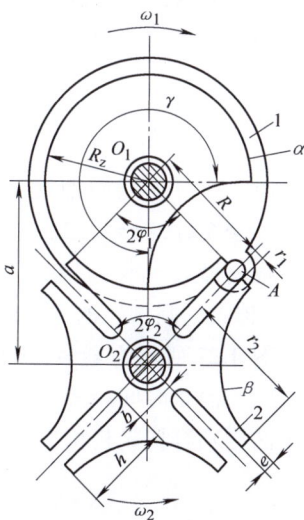

图 4-26 槽轮机构

1—拨盘 2—槽轮

2. 槽轮机构的主要参数

槽轮机构的主要参数是槽轮的槽数 z、拨盘的圆柱销数 n 和运动特性系数 τ。

如图 4-26 所示，为了使槽轮 2 在开始和终止转动时的瞬时角速度为零以避免刚性冲击，圆柱销在开始进入或脱出径向槽的瞬时，径向槽的中心线应切于圆柱销中心 A 运动的圆周。即 $O_2 A$ 应与 $O_1 A$ 垂直。设 z 为均匀分布的径向槽数，则槽轮 2 转过 $2\varphi_2 = 2\pi/z$ 弧度时，拨盘 1 的转角 $2\varphi_1$ 将为

$$2\varphi_1 = \pi - 2\varphi_2 = \pi - \frac{2\pi}{z} \tag{4-12}$$

在一个运动循环内，槽轮 2 的运动时间 t_m 与拨盘 1 的运动时间 t 之比称为槽轮机构的运动特性系数，用 τ 表示。当拨盘 1 等速转动时，这两个时间之比可用转角之比来表示。对于

只有一个圆柱销的槽轮机构，t_m 和 t 分别对应于拨盘 1 转过的角度为 $2\varphi_1$ 和 2π。因此其运动特性系数 τ 为

$$\tau = \frac{t_m}{t} = \frac{2\varphi_1}{2\pi} = \frac{\pi - \frac{2\pi}{z}}{2\pi} = \frac{1}{2} - \frac{1}{z} = \frac{z-2}{2z} \tag{4-13}$$

要保证槽轮运动，运动特性系数必须大于零。由上式可知，运动特性系数大于零时，径向槽数 z 应等于或大于 3，但槽数 $z=3$ 的槽轮机构，由于槽轮的角速度变化很大，圆柱销进入或脱出径向槽的瞬时，槽轮的角加速度也很大，将引起较大的冲击和振动，所以很少应用。由式（4-13）可知，当拨盘上只装一个圆柱销时，这种槽轮机构的运动特性系数 τ 总是小于 0.5，即槽轮的运动时间总小于静止时间。

如果拨盘 1 上装有数个圆柱销，则可以得到 $\tau > 0.5$ 的槽轮机构。设均匀分布的圆柱销数为 n，则在一个运动循环中槽轮 2 的运动时间为只有一个圆柱销时的 n 倍，即

$$\tau = \frac{n(z-2)}{2z} \tag{4-14}$$

要实现槽轮的间歇运动，则必须使运动特性系数 $\tau < 1$（$\tau = 1$ 表示槽轮 2 与拨盘 1 都做连续运动，不能实现间歇运动）。故由上式得

$$n < \frac{2z}{z-2} \tag{4-15}$$

由上式可得径向槽数 z 与圆柱销数 n 的关系为：$z=3$ 时，$n=1\sim5$；$z=4$ 或 5 时，$n=1\sim3$；$z \geqslant 6$ 时，$n=1\sim2$。

径向槽数 $z > 9$ 的槽轮机构比较少见，因为当 $z > 9$ 时，τ 变化不大，并且当中心距确定后，z 越大，则槽轮的尺寸越大，使转动时的惯性力增大，故常取 $z=4\sim8$。

图 4-27 所示为 $z=4$，$n=2$ 的外啮合槽轮机构，它的运动特性系数 $\tau=0.5$，即槽轮的运动时间与静止时间相等。如果要求槽轮机构的拨盘与槽轮的转动方向相同，可采用如图 4-28 所示的内啮合槽轮机构。

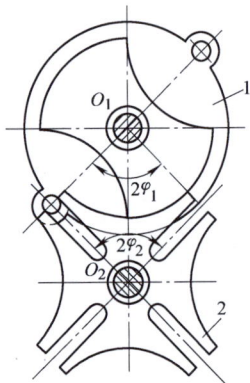

图 4-27　外啮合槽轮机构
1—拨盘　2—槽轮

外槽轮机构

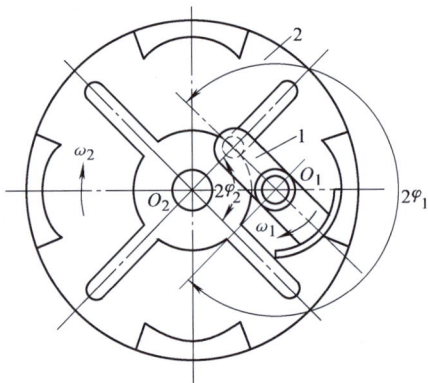

图 4-28　内啮合槽轮机构
1—拨盘　2—槽轮

当给出槽轮的径向槽数 z，并由结构确定中心距 a 和圆柱销半径 r_1 之后，外啮合的单圆柱销槽轮机构的主要尺寸，结合图 4-26 所示，就可用下列公式计算

圆柱销回转半径 $\qquad R = a\sin\dfrac{\pi}{z}$

圆柱销半径 $\qquad r_1 \approx \dfrac{1}{6}R$

槽顶高 $\qquad r_2 = a\cos\dfrac{\pi}{z}$

槽底高 $\qquad b = a - (R + r_1)$

槽深 $\qquad h = r_2 - b$

锁止弧半径 $\qquad R_z < K_z - r_1$

锁止弧张开角 $\qquad \gamma = \dfrac{2\pi}{n} - 2\varphi_1 = 2\pi\left(\dfrac{1}{n} + \dfrac{1}{z} - \dfrac{1}{2}\right)$

槽顶侧壁厚 $\qquad e > 3 \sim 5\mathrm{mm}$

三、不完全齿轮机构

图 4-29、图 4-30 所示为不完全齿轮机构，其主动轮 1 为只有一个或几个齿的不完全齿轮，从动轮 2 可以是普通的完整齿轮，也可以是由正常齿和带锁止弧的厚齿彼此相间组成。当主动轮 1 的有齿部分与从动轮 2 相接触时便可驱动从动轮 2 转动。当主动轮 1 的无齿部分作用时，从动轮 2 停止不动，因而当主动轮 1 连续转动时，从动轮 2 便获得时转时停的间歇运动。

不难看出，每当主动轮 1 连续转过一周时，图 4-29a、b 及图 4-30 所示机构中的从动轮 2 则分别间歇地转过 1/8、1/4 和 1 周。为了防止从动轮 2 在停歇期间游动，两轮缘上各装有锁止弧。

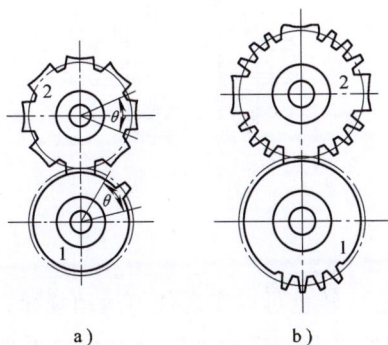

a)　　　　b)

图 4-29　不完全齿轮机构
1—主动轮　2—从动轮

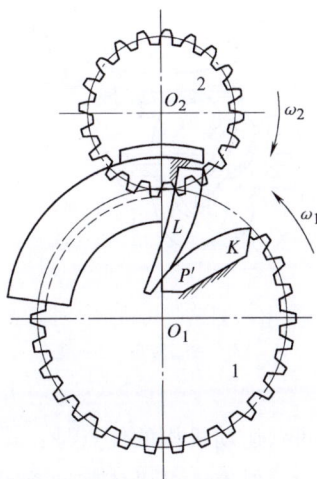

图 4-30　具有瞬心线附加杆的
不完全齿轮机构
1—主动轮　2—从动轮

79

当主动轮匀速转动时，这种机构的从动轮在啮合传动期间也是保持匀速转动的。但是当从动轮由停歇而突然达到某转速时，以及由某一转速而突然停止时，由于速度的突然变化，此时理论上的加速度值为无穷大，其产生的惯性力将引起刚性冲击。因此对转速较高的不完全齿轮机构，可在两轮的端面分别装上瞬心线附加杆 L 和 K，如图 4-30 所示。当主动轮 1 的首齿与从动轮 2 的啮合线啮合之前，瞬心线附加杆 L 与 K 先行接触，使从动轮的角速度由零逐渐增加到某一数值，附加杆就脱离接触。当主动轮 1 的末齿在啮合线上脱离啮合时，又借助另一对附加杆（图 4-30 中未画出）使从动轮的角速度逐渐降至零。这样，在整个运动周期内就可保持速度变化平稳，以减小冲击。由于进入啮合时的冲击比脱离啮合时严重，所以，有时只在进入啮合处装置瞬心线附加杆。

四、凸轮间歇运动机构

如图 4-31 所示，圆柱凸轮间歇运动机构是由凸轮 1、转盘 2 及机架组成的。转盘 2 的端面上均布有若干滚子 3。当主动凸轮转过曲线槽所对应的角度 β 时，凸轮曲线槽推动滚子 3 使从动转盘 2 转过相邻两滚子所夹的中心角 $2\pi/z$，其中 z 为滚子数，凸轮继续转过其余角度 $(2\pi-\beta)$ 时，转盘 2 静止不动。这样当凸轮连续或周期性转动时，就可得到转盘的间歇转动，用以传递两交错轴间的分度运动。

凸轮间歇运动机构一般有两种形式。除图 4-31 所示的圆柱凸轮间歇运动机构外，另一种是图 4-32 所示的蜗杆凸轮间歇运动机构。凸轮上有一条凸脊犹如蜗杆，滚子均匀分布在转盘的圆柱面上，犹如蜗轮的齿。这种凸轮机构可以通过调整凸轮与转盘的中心距来消除滚子与凸轮凸脊接触的间隙或补偿磨损。

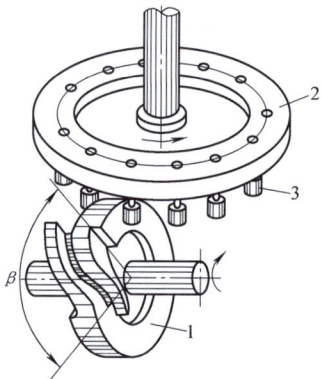

图 4-31 圆柱凸轮间歇运动机构
1—凸轮 2—转盘 3—滚子

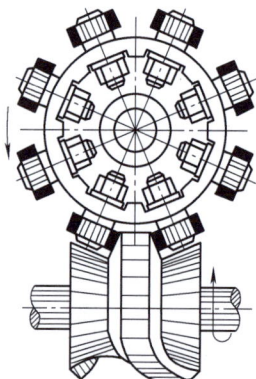

图 4-32 蜗杆凸轮间歇运动机构

凸轮间歇运动机构的优点是：运转可靠，传动平稳，转盘可以实现任何运动规律，以适应高速转动的要求；可以依靠改变凸轮曲线槽所对应的 β 角，来改变转动与停歇时间的比值；在转盘停歇时，一般只需依靠凸轮棱边进行定位，不再需要附加定位装置。但这种机构的凸轮加工精度要求较高。

第六节　凸轮机构及间歇运动机构的应用

为了提高生产率或满足某些产品的工艺要求，机器在加工、换位、分度、进给、供料、计数、检测等工艺过程中，常采用凸轮机构及间歇运动机构。例如，轻工机械中的火柴包装机、拉链嵌齿机的步进机构以及矽钢片冲槽机等都采用了上述机构。

图 4-33 所示为捣碎机的凸轮机构。当凸轮 1 顺时针方向转动时，凸轮轮廓迫使从动件平底脱离接触时，从动件 2 在重力作用下，突然下落，凭借下落时的冲击力，捣碎欲破碎的物料。凸轮回转一周的过程中，从动件向下冲击两次。

图 4-34 所示为绕线机中的凸轮机构。当绕线轴快速回转时，通过齿轮带动凸轮 1 慢慢转动，并借助凸轮轮廓与从动件 2 的尖顶的作用，驱动从动件 2 往复摆动，使从动件上叉形口中的纱线均匀地缠绕在线轴 3 上。

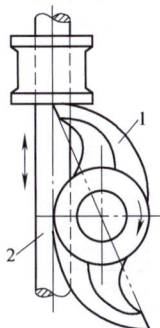

图 4-33　捣碎机的凸轮机构

1—凸轮　2—从动件

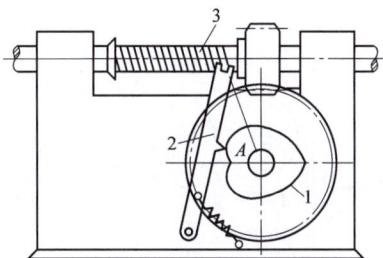

图 4-34　绕线机中的凸轮机构

1—凸轮　2—从动件　3—线轴

图 4-35 所示为送料器的凸轮机构。使凸轮 1 与冲杆 2（从动件）同步运动，凸轮 1 驱使冲杆 2 以一定的规律水平运动，从而带动机械手装卸工件。

图 4-36 所示为运用移动凸轮机构车削手柄。图中凸轮 1 作为靠模被固定在床身上，滚轮在弹簧力的作用下与凸轮轮廓紧密接触。当托板 3 纵向移动时，凸轮的轮廓曲线促使滚子从动件 2 带动刀架进退，因而可切出工件的复杂外形。

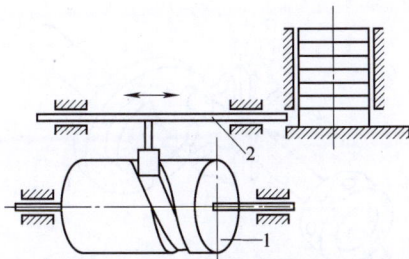

图 4-35　送料器的凸轮机构

1—凸轮　2—冲杆

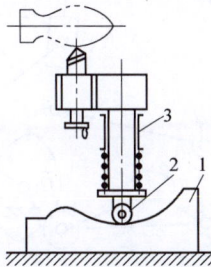

图 4-36　运用移动凸轮机构车削手柄

1—凸轮　2—从动件　3—托板

图 4-37 所示为缝纫机的挑线凸轮机构。当圆柱凸轮转动时,凸轮轮廓(凹槽)侧面迫使置于槽中的滚子 3 连同从动件的挑线爪 2 绕 O 点往复摆动,从而实现挑线的要求。缝纫机每缝一针要求挑线杆与摆梭动作协调。挑线杆由最高位置向下做等速摆动,将线送给机针,由机针送到摆梭尖,同时抛出线环,此时挑线杆静止。当摆梭钩住线环转动,使线环扩大并绕上梭芯套时,挑线杆再下摆,在线环滑过梭芯套时,挑线杆处于最低位置,然后迅速上摆将线收紧,缝完一针。

图 4-38 所示为缝纫机的送布机构。1 为主动六圆弧凸轮,它与主动轴固连,$ONBCDO_2$ 为针距机构,改变 BC 构件的摆角 α 可使送布牙 2 的行程发生变化,也就可以调节缝纫机的针距。调节适当之后,使 BC 构件固定不动。

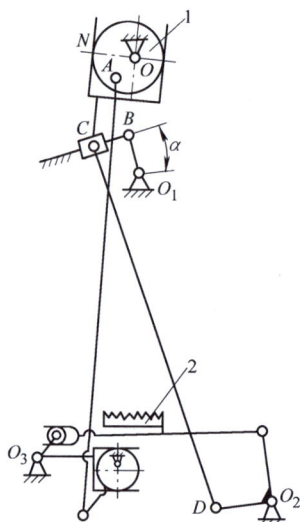

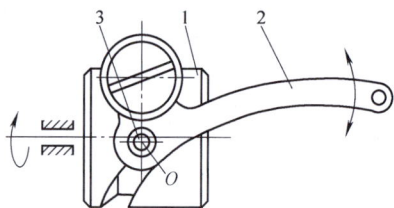

图 4-37 缝纫机的挑线凸轮机构

1—凸轮 2—挑线爪 3—滚子

图 4-38 缝纫机的送布机构

1—凸轮 2—送布牙

图 4-39 所示为锯木机凸轮机构。凸轮 1 与曲柄固结于主动轴上,当主动轴等速回转时,曲柄推动连杆使滑块(锯片 2)做往复运动,同时由凸轮轮廓推动杆组 $ABCDEF$,使锯片实现进给运动。

图 4-40 所示为转塔车床的刀架转位机构。为了能按照零件的加工工艺要求自动改变所

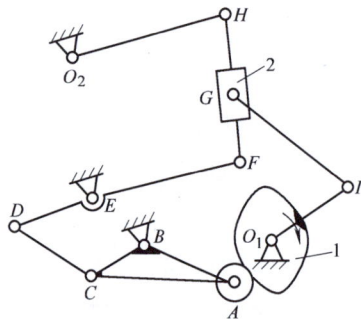

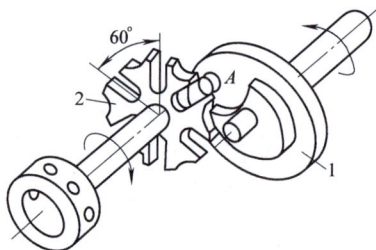

图 4-39 锯木机凸轮机构

1—凸轮 2—锯片

图 4-40 转塔车床的刀架转位机构

1—拨盘 2—槽轮

需要的刀具，采用了槽轮机构。由于刀架（与槽轮固连）上装有六种刀具，故槽轮 2 上开有六个径向槽，拨盘 1 上装有一个圆柱销 A。每当拨盘 1 转动一周，圆柱销 A 进入槽轮径向槽一次，驱动槽轮 2 转过 $60°$，刀架也随着转过 $60°$，从而将下一工序的刀具转换到工作位置。

图 4-41 所示为电影放映机中的槽轮机构。为了适应人眼的视觉暂留现象，要求胶片做间歇移动。槽轮 2 上有四个径向槽，当拨盘 1 每转一周，圆柱销 A 将拨动槽轮转过 1/4 周，胶片移过一幅画面并作一定时间的停留。

图 4-42 所示为牛头刨床工作台的横向进给棘轮机构。当曲柄摇杆机构的曲柄 2 做等速转动时，通过连杆 3 使摇杆 4 做往复摆动。由于棘轮轴 6 的另一端是一进给丝杠，故棘轮 5 带动棘轮轴 6 做间歇转动时，固连于工作台 7 上与丝杠配合的螺母将做横向间歇运动，从而使装夹在工作台上的工件作横向间歇进给运动。

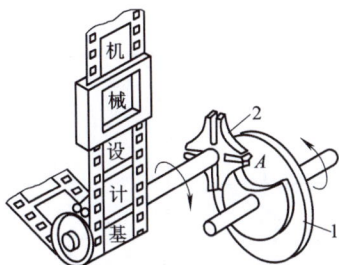

图 4-41 电影放映机中的槽轮机构
1—拨盘 2—槽轮

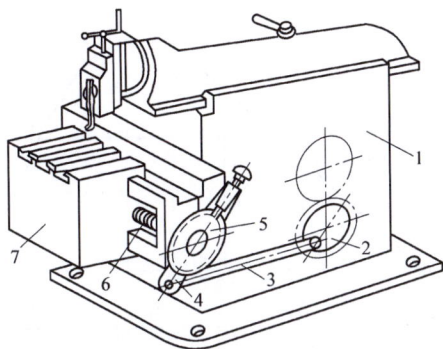

牛头刨床机构

图 4-42 牛头刨床工作台的横向进给棘轮机构
1—床身 2—曲柄 3—连杆 4—摇杆
5—棘轮 6—棘轮轴 7—工作台

图 4-43 所示为玻璃器皿轧机传动示意图。由电动机 2、减速器 3、椭圆齿轮副 4、锥齿轮副 5 与驱动槽轮机构的拨盘，使槽轮 1 与工作台 8 一起做间歇运动，工作台停留时由料斗注入压模玻璃液，到下一工位冲头以压力 Q 压入模具，使器皿成形。

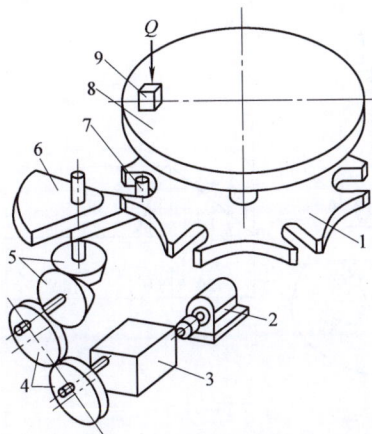

图 4-43 玻璃器皿轧机传动示意图
1—槽轮 2—电动机 3—减速器 4—椭圆齿轮副 5—锥齿轮副 6—锁紧弧析
7—拨销 8—工作台 9—玻璃器皿模

为了改善槽轮机构的运动特性，减少冲击，在槽轮机构的前级加上椭圆齿轮传动。由于椭圆齿轮的瞬时传动比是变化的，当主动轮以等角速度 ω_1 回转时，从动轮的角速度 $\omega_2 = \omega_1 r_1 / r_2$。若偏心率一定，在 r_1 较小而 r_2 较大时，则可使 ω_2 有最小值，此时槽轮机构的主动拨盘的圆柱销进入轮槽驱动槽轮转动，就可以降低槽轮机构的加速度，改善其运动特性，减少冲击，使机构运动平稳。

习　　题

4-1　试设计一对心直动尖顶从动件盘形凸轮机构。已知凸轮沿逆时针方向作等角速度回转，从动件行程 $h = 32\text{mm}$，凸轮基圆半径 $r_0 = 40\text{mm}$，从动件位移 s_2 对凸轮转角 δ_1 的变化曲线如图 4-44 所示。

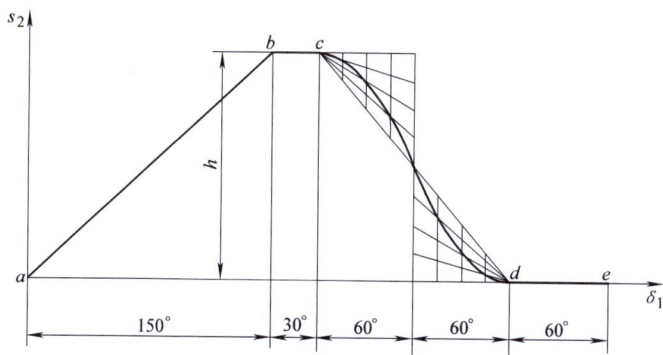

图 4-44　题 4-1 图

4-2　如图 4-45 所示，在带动刀架的偏置直动滚子从动件盘形凸轮机构中，已知凸轮基圆半径 $r_0 = 40\text{mm}$，偏距 $e = 8\text{mm}$，滚子半径 $r_k = 10\text{mm}$。从动件的运动规律如下：当凸轮回转 $120°$ 时，刀架以等速运动向上移动 30mm（切削行程），当凸轮再转 $60°$ 时，刀架以等加速等减速运动向下移动 30mm（退刀行程）。当凸轮再转过其余 $180°$ 时，刀架静止不动。试绘制此凸轮的轮廓。

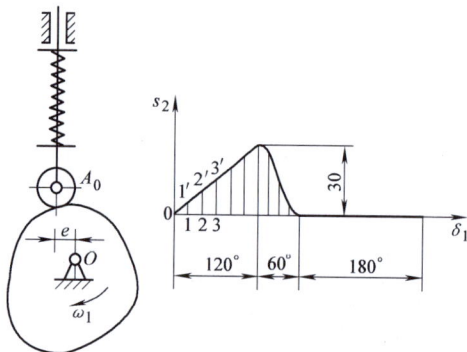

图 4-45　题 4-2 图

4-3　设计一摆动平底从动件盘形凸轮机构。已知凸轮顺时针回转，回转中心 O 与从动件回转中心 A 的距离 $l_{AO} = 50\text{mm}$，凸轮的基圆半径 $r_0 = 12\text{mm}$，从动件摆角 δ_2 对凸轮转角 δ_1

的变化曲线如图 4-46 所示。试绘出此凸轮的轮廓曲线，并决定从动件最低限应有长度。

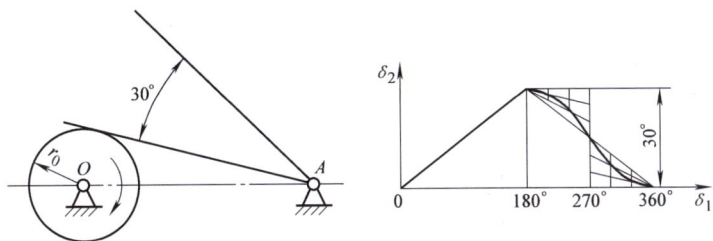

图 4-46　题 4-3 图

4-4　图 4-47 所示为尖顶从动件盘形凸轮机构，凸轮轮廓线 AB 段为直线，BC 段为圆心在 O_1 点的圆弧，CD 段为直线，AD 段为圆心在 O 点的圆弧。试在图中：

1）画出凸轮的基圆，标出基圆半径 r_0。

2）标出图示位置从动件的位移 s 及压力角 α。

3）标出从动件的行程 h，推程运动角 δ_t，回程运动角 δ_h，远休止角 δ_s，近休止角 δ'_s。

4-5　已知一棘轮机构中，棘轮模数 m=12mm，齿数 z=12，试决定机构的几何尺寸并画出棘轮的齿形。

4-6　如图 4-48 所示的槽轮机构，已知中心距 a=500mm，圆柱销的半径 r_1=25mm，槽轮的槽数 z=4，试决定机构的尺寸。又若拨盘的转速 n_1=60r/min，求槽轮的运动时间 t_m 和静止时间 t_s。

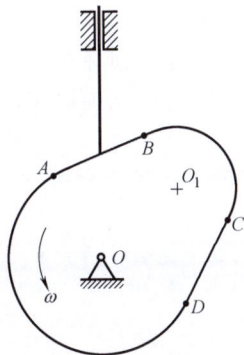

图 4-47　题 4-4 图

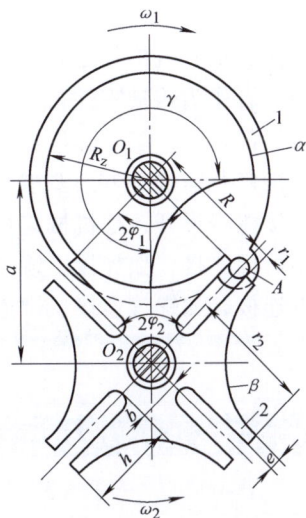

图 4-48　题 4-6 图

4-7　为什么凸轮的基圆半径取决于许用压力角？

4-8　在滚子从动件凸轮机构中，如何确定滚子半径？

4-9　什么是槽轮机构的运动特性系数 τ，为什么 τ 必须大于零而小于 1？

第五章

Chapter

螺纹连接及螺旋机构

螺纹连接和螺旋机构都是利用螺纹零件工作的。本章主要介绍了螺纹的主要参数、螺纹连接的基本类型、强度计算以及连接设计时的注意事项；简要介绍了螺旋传动的运动形式和工程应用。

螺纹连接和螺旋机构都是利用螺纹零件工作的。前者起紧固作用，要求保证连接强度及紧密性；而后者作为传动零件，要求保证传动精度、效率和磨损寿命等。

任何机器都是由许多零部件按工作要求用各种不同的连接方法组合而成。根据使用、制造、安装、维修及运输等方面要求，零件之间采用了各种不同的连接。

根据连接能否拆开，把机械连接分为两大类。当拆开时必须至少损坏连接中一个零件的连接称为不可拆连接，如焊接、铆接、胶接等。需要时可多次装拆而无须损坏任何零件的连接称为可拆连接，如螺纹连接、键连接、销连接、楔连接等。

第一节　螺纹的形成、主要参数及常用类型

一、螺纹的形成

如图 5-1 所示，将一底边长 ab 等于 πd_1 的直角 $\triangle abc$ 绕在一直径为 d_1 的圆柱体上，并使底边 ab 绕在圆柱体的底边上，则斜边 ac 在圆柱体上便形成一条螺旋线 am_1c_1。取一平面图形，使它的一边靠在圆柱体的母线上并沿螺旋线移动，移动时始终保持该平面图形位于圆柱体的轴截面内，即可得到相应的螺纹。根据平面图形的形状，螺纹可分为三角形螺纹、矩

形螺纹、梯形螺纹和锯齿形螺纹等。

在圆柱表面上形成的螺纹称为外螺纹；在圆柱孔内壁上形成的螺纹称为内螺纹。

按螺旋线的绕行方向，螺纹可分为左旋和右旋两种。最常用的是右旋螺纹。按螺旋线的数目，螺纹又可分为单线螺纹（图 5-2a）、双线螺纹（图 5-2b）、三线螺纹（图 5-2c）和多线螺纹。为了便于制造，很少采用四线以上的螺纹。

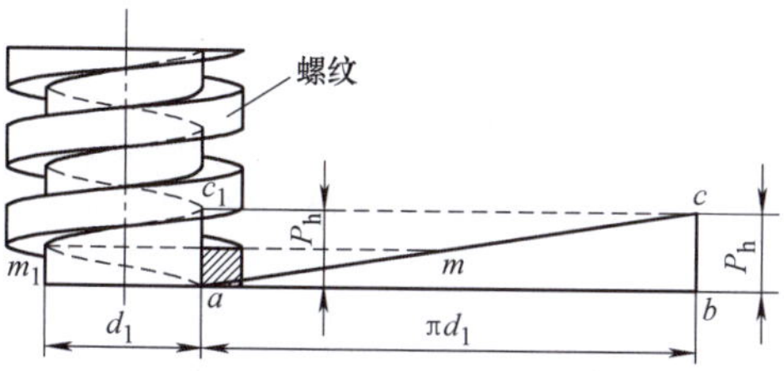

图 5-1　螺纹的形成

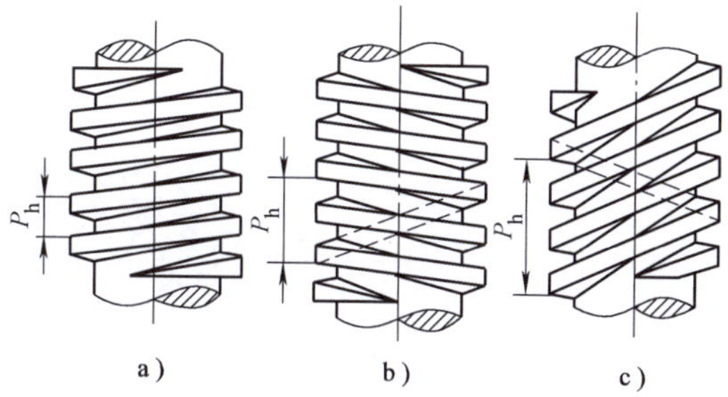

图 5-2　不同旋向和线数的螺纹

a）单线右旋螺纹　b）双线左旋螺纹　c）三线右旋螺纹

单线螺纹通常用于连接，也用于传动；双线、三线、四线螺纹多用于传动。

二、螺纹的主要参数

如图 5-3 所示，螺纹的主要参数有：

（1）大径 d　与外螺纹牙顶相切的假想圆柱体的直径，并确定为螺纹的公称直径。

（2）小径 d_1　与外螺纹牙底相切的假想圆柱体的直径。

（3）中径 d_2　在轴向断面内，母线通过牙型上沟槽和凸起宽度相等的假想圆柱体的直径。

（4）螺距 P　相邻两螺纹牙在中径线上对应两点间的轴向距离。

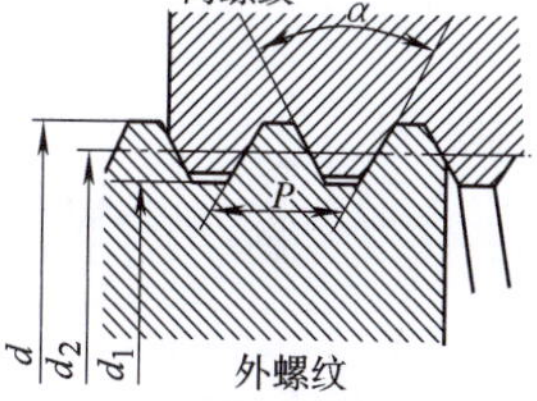

图 5-3　螺纹的主要参数

（5）导程 P_h　同一条螺旋线上的相邻两螺纹牙在中径线上对应两点间的轴向距离，即一个点沿着中径圆柱上的螺旋线转一周所对应的轴向移动距离。若螺纹的线数为 n，则

$$P_h = nP$$

（6）螺纹升角 λ　螺旋线的切线与垂直于螺纹轴线的平面的夹角。螺纹升角在螺纹的不同直径上并不相等，通常用中径处的螺纹升角表示，即

$$\tan\lambda = \frac{P_h}{\pi d_2} \tag{5-1}$$

（7）牙型角 α　螺纹轴向截面内螺纹牙两侧边的夹角。螺纹牙型的侧边与螺纹轴线的垂直平面的夹角称为牙侧角，对称牙型的牙侧角 $\beta = \alpha/2$。

表 5-1 列出了常用螺纹类型、牙型、特点和应用。前两种螺纹主要用于连接，后三种螺纹主要用于传动，除矩形螺纹外，都已标准化。

表 5-1 常用螺纹

类型	牙型图	特点和应用
普通螺纹	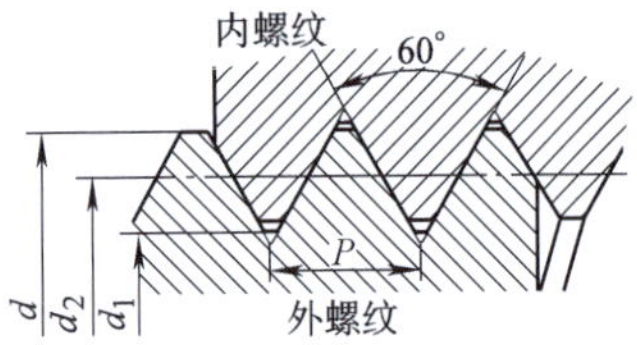	牙型角 $\alpha = 60°$。牙根较厚,牙根强度较高。当量摩擦系数较大,主要用于连接。同一公称直径按螺距 P 的大小分粗牙和细牙。一般情况下用粗牙;薄壁零件或受动载荷的连接常用细牙
管螺纹	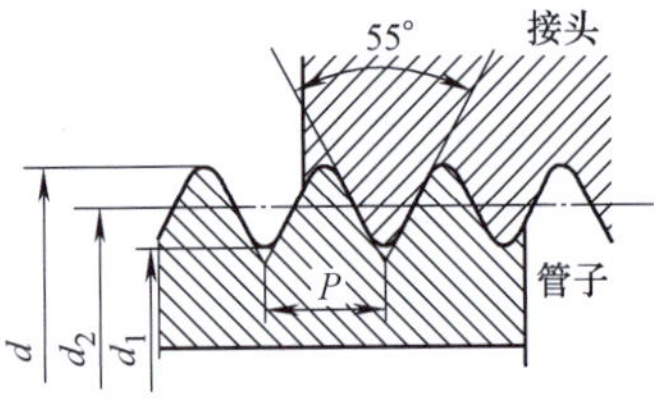	此类螺纹用于管路连接中。管螺纹包括 55°非密封管螺纹、55°密封管螺纹、60°密封管螺纹、米制密封螺纹、80°非密封管螺纹。非密封管螺纹为圆柱螺纹,密封管螺纹包括圆柱螺纹和圆锥螺纹,其中,圆锥螺纹的锥度为 $1:16$。不同类型的管螺纹牙型有差异,主要应用场合也有区别,可通过查看《机械设计手册》或其他专业文献进行详细了解
矩形螺纹	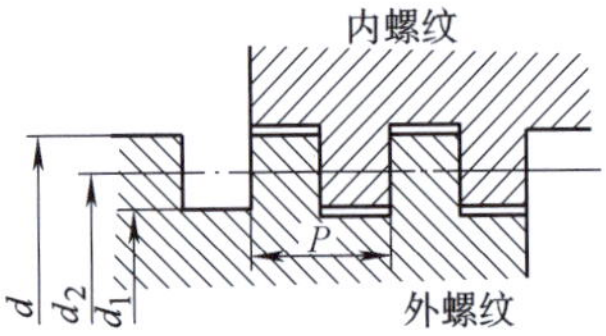	螺纹牙的截面通常为正方形,牙厚为螺距的一半,尚未标准化,牙根强度较低,难于精确加工,磨损后间隙难以补偿,对中精度低。当量摩擦系数最小,效率较其他螺纹高,故用于传动
梯形螺纹	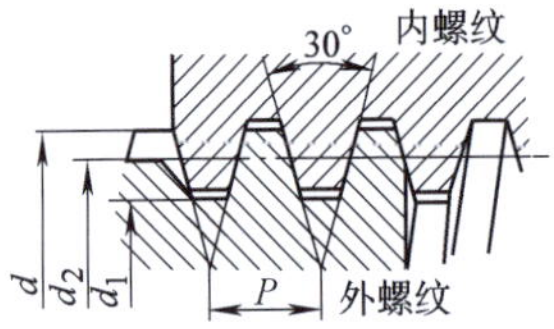	牙型角 $\alpha = 30°$。效率比矩形螺纹低,但可避免矩形螺纹的缺点,广泛用于各种传动,常用于传动螺旋、丝杠等
锯齿形螺纹	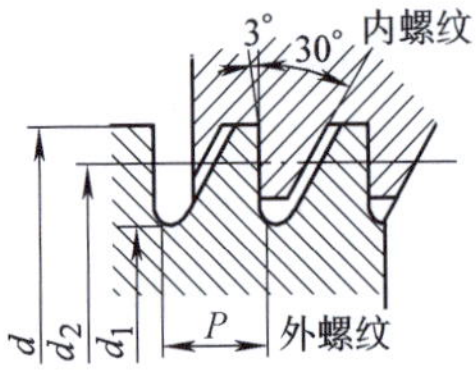	工作面的牙侧角为 3°,非工作面的牙侧角为 30°,兼有矩形螺纹效率高和梯形螺纹牙根强度高的优点,但只能用于单向受力的传动

第二节 螺纹连接和螺纹连接件

一、螺纹连接的基本类型

螺纹连接是利用螺纹紧固件和被连接件构成的可拆连接。根据螺纹紧固件的不同,螺纹连接有以下几种:

1. 螺栓连接(图 5-4a、b)

螺栓连接是利用一端有头另一端制有螺纹的螺栓穿过被连接件的孔,拧上螺母,将被连接件连成一体。螺母与被连接件之间常放置垫圈。这种连接不需加工螺纹孔，装拆方便，广泛用于被连接件不太厚，并能从被连接件两边进行装配的场合。通常采用图 5-4a 的结构形式。当需要借助螺栓杆承受横向载荷或精确固定两个被连接件的相对位置时，则采用图 5-4b 的结构，这称为铰制孔用螺栓连接。此时，孔与螺栓多采用基孔制过渡配合。

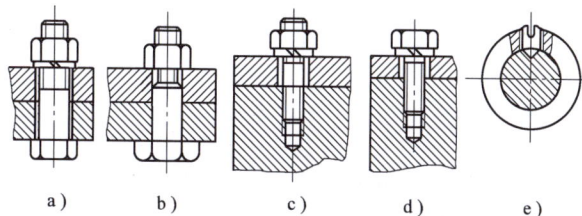

图 5-4　螺纹连接的基本类型

2. 双头螺柱连接（图 5-4c）

双头螺柱没有钉头，两端都制有螺纹。连接时螺柱的一端旋紧在一个被连接件的螺纹孔中，而另一端穿过另一被连接件的通孔，旋上螺母，从而将被连接件连成一体。这种连接适用于被连接件之一太厚不宜制成通孔，材料又比较软，且需经常装拆或结构上受限制不宜采用螺栓连接的场合。

3. 螺钉连接（图 5-4d）

不用螺母，而是直接将螺钉拧入被连接件的螺纹孔内，从而实现连接。适用于被连接件之一较厚且不经常装拆的场合。

4. 紧定螺钉连接（图 5-4e）

利用紧定螺钉旋入一零件，并以其末端顶紧或进入另一被连接件的表面或凹坑中，来固定零件之间的相对位置，可传递不大的力和转矩，多用于轴与轴上零件的连接。

二、螺纹连接件的主要类型

螺纹连接件的类型很多，在机械制造中常见的螺纹连接件有螺栓、双头螺柱、螺钉、螺母、垫圈等。这类零件的结构形式和尺寸都已标准化，设计时根据有关标准选用。

第三节　螺栓连接的强度计算

螺栓连接的计算，通常是先根据连接的装配情况、外载荷的大小和方向以及是否需要在外载荷作用下补充拧紧等来确定螺栓的受力，然后再按强度条件确定螺栓危险截面的尺寸。螺栓的其他尺寸以及螺母、垫圈的尺寸均可随之由标准选定。

一、松螺栓连接

松螺栓连接在装配时，不必把螺母拧紧，螺栓只在承受工作载荷时才受到力的作用，如图 5-5 所示。其强度条件为

$$\sigma = \frac{Q}{A} \leq [\sigma]$$

式中，A 为危险截面面积，通常设危险截面为圆形，其直径为螺纹小径 d_1，则 $A = \pi d_1^2 / 4$。

因此可得

$$d_1 \geqslant \sqrt{\frac{4Q}{\pi [\sigma]}} \qquad (5\text{-}2)$$

式中，$[\sigma]$ 为螺栓的许用拉应力，见表5-2。

二、紧螺栓连接

紧螺栓连接在装配时必须拧紧，所以在承受工作载荷之前，螺栓就受有一定的预紧力 Q_0。这种连接应用广泛，可按螺栓所受外载荷的不同分为下列两种情况。

1. 受横向载荷的紧螺栓连接（图5-6）

外载荷 F 与螺栓轴线垂直，螺杆与孔之间有间隙。拧紧螺母后所产生的预紧力 Q_0 把被连接零件压紧，而外载荷就靠接触面间的摩擦力来传递。因此在施加外载荷前后螺栓所受拉力不变，均等于预紧力 Q_0。为防止被连接件之间发生相对滑动，结合面之间的最大摩擦力必须大于外载荷 F，即要满足如下条件

$$nfQ_0 = SF$$
$$Q_0 = SF/nf \qquad (5\text{-}3)$$

式中，f 为结合面之间的摩擦系数，对于钢或铸铁表面可取 $f = 0.15 \sim 0.2$；n 为结合面数，图5-6 中 $n = 1$；S 为防滑安全系数，通常取 $S = 1.2$。

拧紧螺母时，螺栓既受拉伸，又因旋合螺纹处的力矩作用而受扭转，故危险截面上既有拉应力，又有扭转切应力。根据第四强度理论，对于普通螺栓，其螺纹部分的强度条件可简化为

$$\sigma_c = 4 \times 1.3 Q_0 / (\pi d_1^2) \leqslant [\sigma] \qquad (5\text{-}4)$$

式中，σ_c 为螺栓的当量拉应力；$[\sigma]$ 为螺栓的许用拉应力，见表5-2。

由式（5-4）可知，扭转切应力对强度的影响在数学式上表现为将轴向载荷增大30%。

采用铰制孔用螺栓连接（图5-7）时，被连接件上的横向载荷是靠螺栓杆的剪切及螺栓杆与被连接件的挤压来传递的，故连接仅需较小的预紧力。若忽略结合面间的摩擦力，则其强度条件为

$$\tau = 4F/(\pi d_0^2) \leqslant [\tau] \qquad (5\text{-}5)$$
$$\sigma_{cj} = F/(d_0 h_{min}) \leqslant [\sigma_j]_{min} \qquad (5\text{-}6)$$

式中，d_0 为螺杆直径（mm）；h_{min} 为最小受压高度（mm）；$[\tau]$ 为螺杆的许用切应力（MPa），见表5-3；$[\sigma_j]_{min}$ 为螺杆及被连接件中最弱材料的许用挤压应力（MPa），见表5-3。

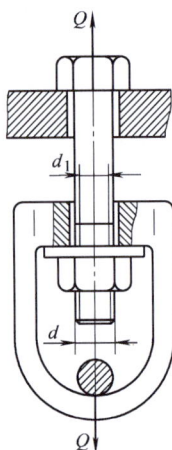

图5-5　吊环的松螺栓连接

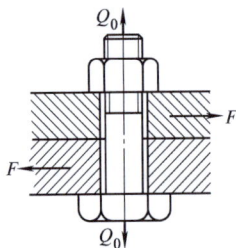

图5-6　受横向载荷的紧螺栓连接

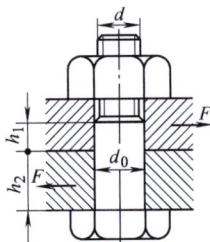

图5-7　铰制孔用螺栓连接

90

表 5-2 螺栓的许用拉应力 $[\sigma]$

螺栓的性能等级		4.6	4.8	5.6	5.8	6.8	8.8	9.8	10.9	12.9
抗拉强度 R_m/MPa		400		500		600	800	900	1000	1200
下屈服强度 R_{eL}/MPa		240	320	300	400	480	640	720	900	1080
连接类型		紧连接(不控制预紧力)							松连接	
载荷性质	螺栓大径 d	材料							材料	
		碳素钢				合金钢			钢	
静载荷	M6~M16	$(0.25\sim0.33)R_{eL}$				$(0.2\sim0.25)R_{eL}$			$(0.6\sim0.83)R_{eL}$	
	>M16~M30	$(0.33\sim0.5)R_{eL}$				$(0.25\sim0.4)R_{eL}$				
	>M30~M60	$(0.5\sim0.77)R_{eL}$				$0.4R_{eL}$				
变载荷	M6~M16	$(0.1\sim0.15)R_{eL}$				$(0.13\sim0.2)R_{eL}$				
	>M16~M30	$0.15R_{eL}$				$0.2R_{eL}$				
	M30~M60	$(0.1\sim0.15)R_{eL}$				$(0.13\sim0.17)R_{eL}$				

表 5-3 铰制孔用螺栓连接的许用应力

载荷性质	材料	$[\tau]$	$[\sigma_j]$
静载荷	钢	$0.4R_{eL}$	$0.8R_{eL}$
	铸铁	—	$(0.4\sim0.5)R_m$
变载荷	钢	$(0.2\sim0.3)R_{eL}$	$0.6R_{eL}$
	铸钢		$(0.3\sim0.4)R_m$

2. 受轴向载荷的紧螺栓连接

图 5-8 所示的气缸盖螺栓连接是这种连接的典型实例，其外载荷与螺栓轴线一致。气缸盖受压强 p 后，被连接件结合面之间仍须保持有一定的压紧力。下面取螺栓组中的一个螺栓来分析它的受载情况。

图 5-9a 为螺母刚好接触缸盖，但尚未拧紧。图 5-9b 为已拧紧螺母，但尚未施加外载荷，此时被连接件受预紧力 Q_0，产生 δ_2 的压缩量，而螺栓在 Q_0 作用下产生 δ_1 的伸长量。图 5-9c 为已加上外载荷 F，此时螺栓伸长量增加 $\Delta\delta$，螺栓所受的拉力由 Q_0 增至 Q，而被连接件因螺栓伸长而被放松，其压缩量减小 $\Delta\delta$，压力由 Q_0 减至 Q'。Q' 称为剩余预紧力。因此加上外载荷后螺栓所受的总拉力 Q 应为 F 与 Q' 之和

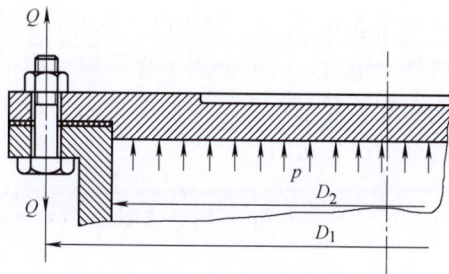

图 5-8 气缸盖螺栓连接

$$Q = Q' + F \tag{5-7}$$

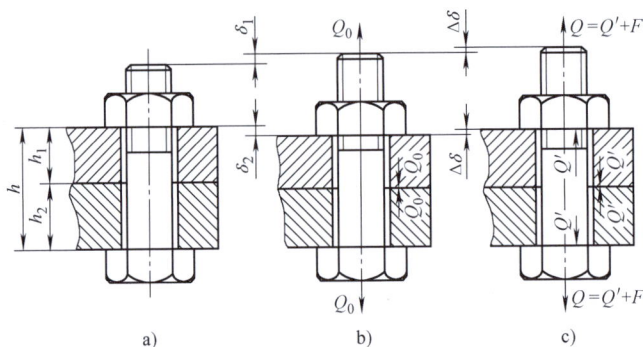

a)   b)   c)

图 5-9 螺栓和被连接件的受力和变形

为了防止外载荷 F 骤然消失时，连接出现冲击以及保证连接的紧密性，受轴向载荷的紧连接必须维持一定的剩余预紧力 Q'，其大小可按连接的工作条件根据经验选定。对一般连接，若外载荷稳定时，可取 $Q' = (0.2 \sim 0.6)F$；若外载荷变动时，可取 $Q' = (0.6 \sim 1.0)F$；对于地脚螺栓连接，可取 $Q' \geqslant F$；对于有紧密性要求的螺栓连接，通常可取 $Q' = (1.5 \sim 1.8)F$。

考虑连接可能在外载荷作用下补充拧紧，与受横向载荷的紧连接相似。螺栓的强度条件为

$$\sigma_c = 4 \times 1.3Q / (\pi d_1^2) \leqslant [\sigma] \tag{5-8}$$

实际上，螺栓多为成组使用。对螺栓组连接计算时，首先应按具体情况，设法分析出受力最大的螺栓及其所受的载荷（见"机械设计"教材），再按上述方法计算或校核其直径，为制造和装配方便，所有螺栓均取相同的尺寸。

双头螺柱连接和螺钉连接的计算方法与螺栓连接基本相同。

3. 预紧力与拧紧力矩

要使紧螺栓连接正常工作，必须给以适当的预紧力 Q_0，对于一般的连接，预紧力凭装配工人的经验在拧紧时控制；对于重要的连接，如液压缸、气缸盖的连接，必须用测量的方法控制预紧力，例如，使用定力矩扳手或指示式扭力扳手进行拧紧。若需严格控制预紧力时，可通过测量螺栓在拧紧后的伸长量来控制，所需的伸长量可根据预紧力的规定值计算。

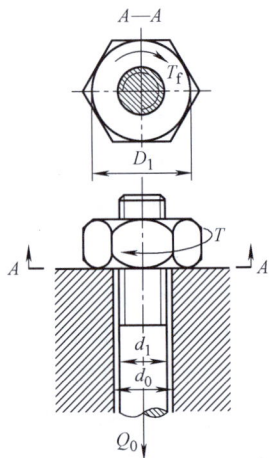

图 5-10 螺栓连接拧紧力矩的计算

如图 5-10 所示，为获得一定的预紧力 Q_0，所需的拧紧力矩 T 由两部分组成，一部分用于克服螺纹中的摩擦阻力矩 T_1，另一部分用于克服螺母与支承面的摩擦阻力矩 T_f，即 $T = T_1 + T_f$。由螺旋副的受力分析可得

$$T_1 = F\frac{d_2}{2} = Q_0 \tan(\lambda + \rho_V)\frac{d_2}{2}$$

对于支承表面 $\qquad\qquad T_f = Q_0 f r_f$

式中，ρ_V 为当量摩擦角；f 为支承面的摩擦系数，对于加工的表面可取 0.2；r_f 为摩擦半径，对于螺母的环形支承面，可近似取 $r_f = (D_1 + d_0)/4$，D_1 和 d_0 分别为环形支承面的外径和内径。

92

因此

$$T = Q_0 \tan(\lambda + \rho_\text{V})\frac{d_2}{2} + Q_0 f r_\text{f} \qquad (5\text{-}9)$$

第四节　设计螺纹连接时应注意的问题

一、螺纹连接的防松

螺纹连接件一般采用单线普通螺纹。在静载荷和温度变化不大情况下，拧紧的螺纹连接件因满足自锁条件一般不会自行松脱。但在冲击、振动或变载荷下，螺纹之间的摩擦力可能瞬时消失，连接有可能自动松脱，从而影响正常的工作，甚至造成严重的事故。当温度变化较大或工作温度较高时，由于连接件与被连接件的温度变形差或材料的蠕变，也可能导致自松。为确保安全可靠，对螺纹连接需采取必要的防松措施。

防松的根本问题在于防止螺旋副在受载时发生相对转动，螺纹连接常用的防松方法见表 5-4。

表 5-4　螺纹连接常用的防松方法

防松方法		结　构　形　式	特点和应用
摩擦防松	对顶螺母	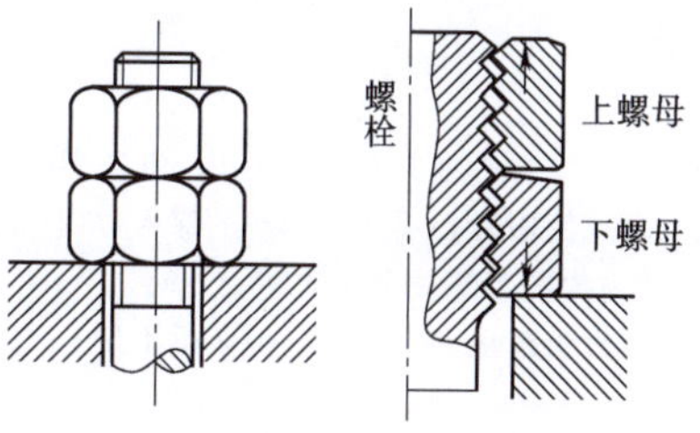	两螺母对顶拧紧后，使旋合螺纹间始终受到附加的压力和摩擦力的作用。工作载荷有变动时，该摩擦力仍然存在。旋合螺纹间的接触情况如图所示，下螺母螺纹牙受力较小，其高度可小些，但为了防止装错，两螺母的高度取成相等为宜 　结构简单，适用于平稳、低速和重载的固定装置上的连接
	弹簧垫圈	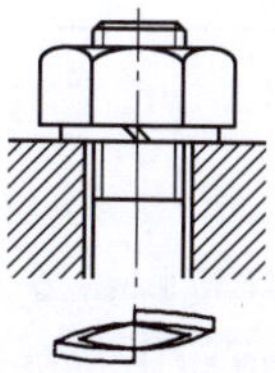	螺母拧紧后，靠垫圈压平而产生的弹性反力使旋合螺纹间压紧。同时垫圈斜口的尖端抵住螺母与被连接件的支承面也有防松作用 　结构简单、使用方便。但由于垫圈的弹力不均，在冲击、振动的工作条件下，其防松效果较差，一般用于不太重要的连接
	自锁螺母	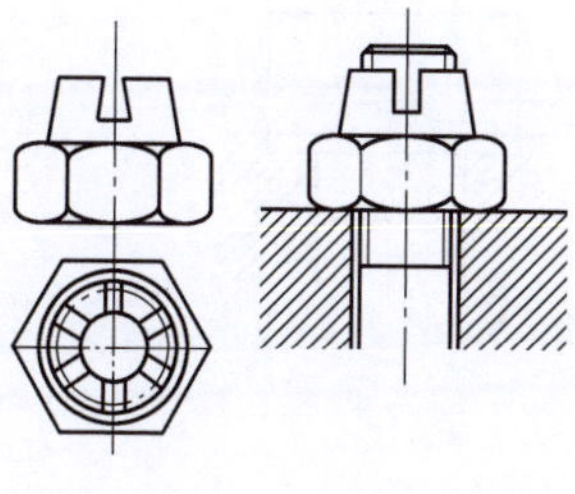	螺母一端制成非圆形收口或开缝后径向收口。当螺母拧紧后，收口胀开，利用收口的弹力使旋合螺纹间压紧 　结构简单，防松可靠，可多次装拆而不降低防松性能

93

(续)

防松方法		结构形式	特点和应用
机械防松	开口销与六角开槽螺母		六角开槽螺母拧紧后将开口销穿入螺栓尾部小孔和螺母的槽内,并将开口销尾部掰开与螺母侧面贴紧。也可用普通螺母代替六角开槽螺母,但需拧紧螺母后再配钻销孔 适用于较大冲击、振动的高速机械中运动部件的连接
	止动垫圈		螺母拧紧后,将单耳或双耳止动垫圈分别向螺母和被连接件的侧面折弯贴紧,即可将螺母锁住。若两个螺栓需要双联锁紧时,可采用双联止动垫圈,使两个螺母相互制动 结构简单,使用方便,防松可靠
	串联钢丝	a)正确 b)不正确	用低碳钢丝穿入各螺钉头部的孔内,将各螺钉串联起来,使其相互制动。使用时必须注意钢丝的穿入方向(a图正确,b图错误)。图中为右旋螺纹钢丝的穿绕方向 适用于螺钉组连接,防松可靠,但装拆不便

二、螺母、螺栓头及被连接件支承表面的平整

如图 5-11a 所示,若被连接件的支承表面不平或倾斜,以及螺母支承表面倾斜,螺纹连接将受到偏心载荷,在螺栓截面内产生附加弯曲应力,总的拉应力可能比单纯的拉应力大很

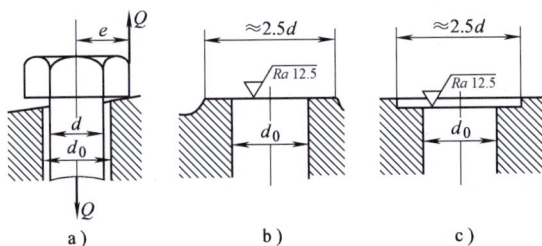

图 5-11　支承表面的倾斜、凸台和凹坑

多。根据理论分析，若载荷偏心距 e 等于螺纹小径，总的拉应力将为单纯受拉时的 9 倍，这将大大降低连接的承载能力。因此，必须注意使支承表面平整。例如，在不平整的被连接件表面上制出经过切削加工的凸台（图 5-11b）或凹坑（图 5-11c），螺母及螺栓头支承表面也要经过切削加工，螺纹应有必要的精度，采用合适的垫圈（如斜垫圈）等。

第五节 螺旋传动

螺旋传动是利用螺杆和螺母组成的螺旋副来实现传动要求的。它主要用于将回转运动转变为直线运动，同时传递运动和动力。螺旋传动按使用要求不同可分为以下三类。

1. 传力螺旋

它以传递动力为主，要求以较小的转矩产生较大的进给推力，此进给推力可以用来做起重或加压等工作，如图 5-12a 所示的千斤顶，图 5-12b 所示的压力机等。

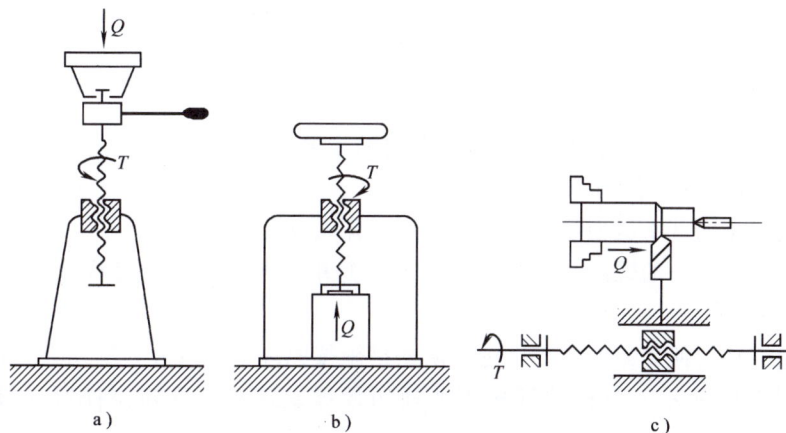

图 5-12 传力螺旋

2. 传导螺旋

它以传递运动为主，有时也承受较大轴向载荷。由于传导螺旋常需在较长的时间内连续工作，且工作速度较高，因此，要求具有较高的传动精度。它常用作机床刀架或工作台的进给机构（图 5-12c）。

3. 调整螺旋

它用以调整、固定零件或部件之间的相对位置，如机床、仪器及测试装置中的微调机构的螺旋。调整螺旋不经常转动，一般在空载下调整。

螺旋传动按其螺旋副的摩擦性质不同，又可分为滑动螺旋、滚动螺旋和静压螺旋。滑动螺旋结构简单，便于制造，易于自锁，但缺点是摩擦阻力大，传动效率低（约为 30% ~ 40%），磨损快，传动精度低等。相反，滚动螺旋（图 5-13）和静压螺旋

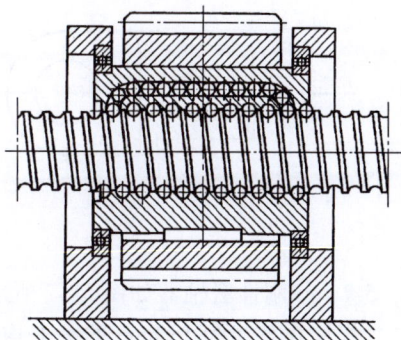

图 5-13 滚动螺旋

（图 5-14）的摩擦阻力小，传动效率高（一般在 90% 以上），但结构复杂，特别是静压螺旋还需供油系统。因此，只有在高精度、高效率的重要传动中才宜采用，如数控、精密机床，测试装置或自动控制系统中的螺旋传动等。

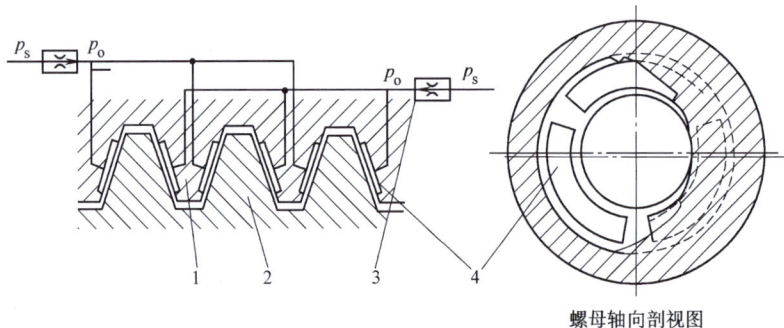

螺母轴向剖视图

图 5-14　静压螺旋
1—螺母　2—螺杆　3—节流阀　4—油腔

习　题

5-1　螺旋线和螺纹牙是如何形成的？螺纹的主要参数有哪些？螺距与导程有何不同？螺纹的线数和螺旋方向如何判定？

5-2　螺纹连接的基本类型有哪些？各适用于什么场合？

5-3　常见的螺栓中的螺纹是右旋还是左旋、是单线还是多线？怎样判别？多线螺纹与单线螺纹的特点如何？

5-4　螺纹连接为何要采取防松措施？防松措施按原理不同可分为哪几类？各有何特点？

5-5　如图 5-15 所示，拉杆端部采用普通粗牙螺纹连接。已知拉杆所受最大载荷 $F = 15kN$，载荷很少变动，拉杆材料为 Q235，试确定拉杆螺纹的直径。

5-6　如图 5-16 所示的螺栓连接，采用两个 M20 的螺栓，其许用拉应力 $[\sigma] = 150MPa$，被连接件结合面间摩擦系数 $f = 0.2$。试计算该连接允许传递的载荷 R。

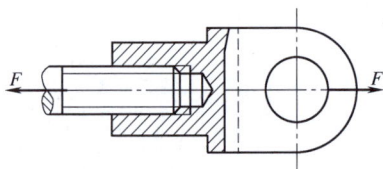

图 5-15　题 5-5 图

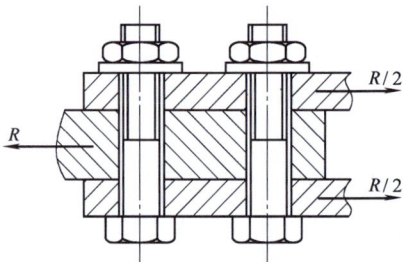

图 5-16　题 5-6 图

5-7　一刚性联轴器如图 5-17 所示，其用 8 个 4.8 级 M12 的螺栓连接（螺栓材质为碳素钢），螺栓在直径为 130mm 的圆上均布，联轴器通过结合面上的摩擦力来传递转矩，结合面上摩擦系数 $f = 0.15$，安装时不控制预紧力，请计算此联轴器能够传递的最大转矩。

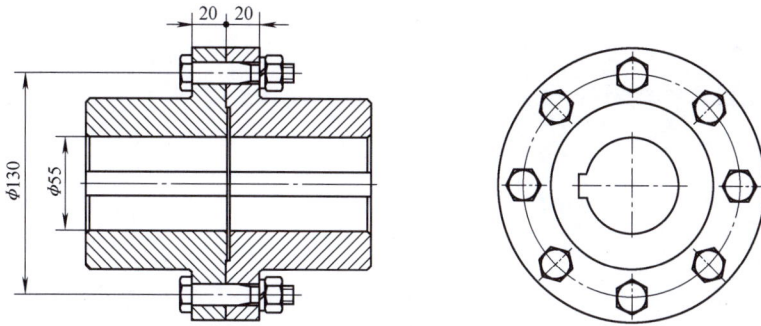

图 5-17   题 5-7 图

5-8   题 5-7 中，若采用 8 个 4.8 级的 M12 的碳素钢制加强杆螺栓进行连接（即铰制孔用螺栓连接），螺栓主要尺寸如图 5-18 所示，若联轴器的工作能力由螺栓的强度决定，请确定此联轴器能够传递的最大转矩。

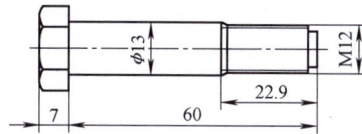

图 5-18   题 5-8 图

第六章

Chapter

带传动和链传动

带传动和链传动都是利用中间挠性件传递运动和动力的，带、链条均为标准件。本章介绍了带传动的常见类型，从摩擦力出发，分析带传动的工作情况、失效形式及 V 带传动的设计计算方法；介绍了短节距精密滚子链的结构、基本参数，链传动的运动特性和设计计算方法。

机器通常由原动机，传动装置和工作机三部分组成，传动装置是将原动机的运动和动力传给工作机的中间装置。传动装置的种类很多，带传动是依靠带与带轮之间的摩擦或啮合，链传动则是依靠链节和链轮之间的啮合，将主动轴的运动和转矩传给从动轴，带传动和链传动都是利用中间挠性件（带或链）进行传动的，适用于两轴中心距较大的传动，且都具有结构简单，维护方便和成本低廉等优点，在近代机器中被广泛应用。

第一节　带传动简介

如图 6-1 所示，带传动是由主动轮 1、从动轮 3 和张紧在两轮上的环形传动带 2 组成的。对靠摩擦力实现传动的带传动，由于张紧，静止时带已受到初拉力，并使带与带轮的接触面间产生压力。当主动轮回转时，靠带与带轮接触面间的摩擦力带动从动轮回转，从而实现运动和动力的传递。

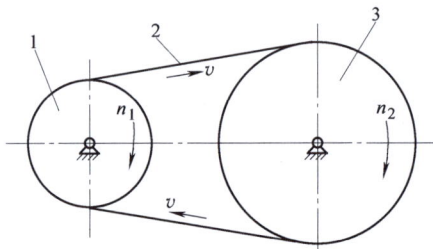

图 6-1　带传动示意图

1—主动轮　2—传动带　3—从动轮

一、带传动的类型、结构和特点

根据传动带的布置情况，带传动可分为三种主要形式：开口传动（图 6-2a）、交叉传动（图 6-2b）和半交叉传动（图 6-2c）。

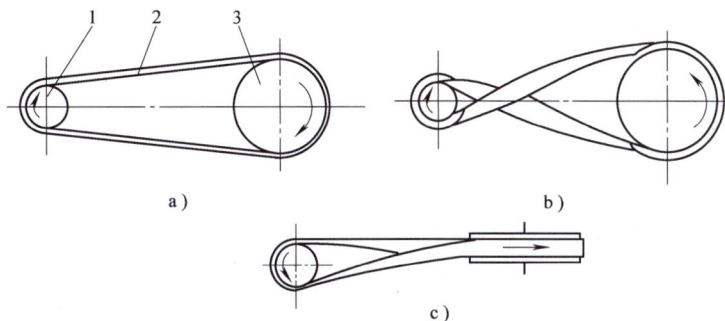

图 6-2 传动带的主要布置形式

a）开口传动 b）交叉传动 c）半交叉传动

1—主动轮 2—传动带 3—从动轮

按带的截面形状来分，常用的有平带传动（图 6-3a）、V 带传动（图 6-3b）、圆带传动（图 6-3c）、多楔带传动（图 6-3d）和同步带传动（图 6-3e）等。

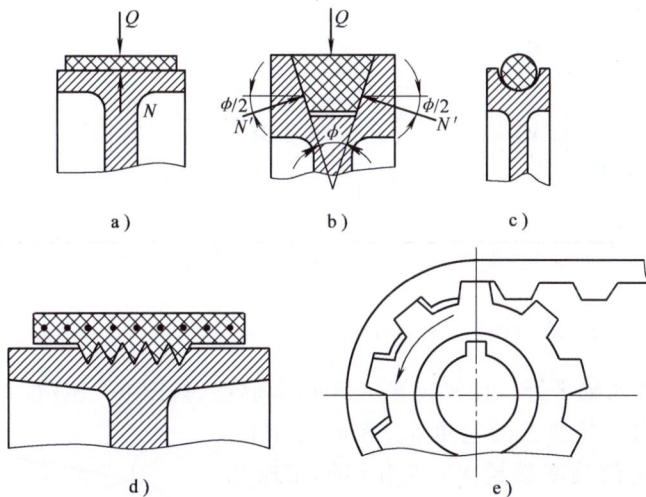

图 6-3 带传动的类型

平带的截面是扁平矩形，工作时带的内环表面与带轮轮缘相接触。常用的平带有帆布芯平带、编织平带（棉织、毛织和缝合棉布等）、绵纶片复合平带。V 带的截面是等腰梯形，工作时其两侧面与带轮轮槽侧面相接触，在同样大小的张紧力作用下，V 带传动较平带传动能产生更大的摩擦力。如图 6-3a、b 所示，设带与带轮的压紧力均为 Q，对于平带，带与带轮之间所产生的极限摩擦力为 $F_f = fQ$，而对于 V 带，其极限摩擦力为 $F_f' = Qf/\sin\dfrac{\phi}{2} = f_v Q$，其中 f 为摩擦系数，对于普通 V 带 ϕ 取 $40°$，则 $F_f' \approx 3F_f$。说明 V 带的承载能力高于平带。V 带按其截面的具体形状又可分为普通 V 带、窄 V 带等多种类型。

V 带由强力层、伸张层、压缩层和包布层四部分组成，如图 6-4 所示。强力层由几层帘布或一层粗线绳组成，分别称为帘布结构（图 6-4a）和线绳结构（图 6-4b），工作时承受基本拉力。伸张层和压缩层由橡胶组成，有弹性，使带有一定的高度 h，带弯曲时分别受拉伸和压缩。包布层是由几层橡胶布组成的，用于保护 V 带。普通 V 带是其中使用最广泛的一种，其截面尺寸和长度已标准化，见表 6-1。

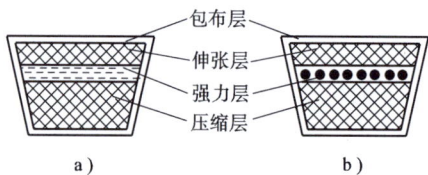

图 6-4 V 带的结构

表 6-1 V 带的截面尺寸 （单位：mm）

截　　形		节宽①b_p	顶宽b	高度①h		截面面积A/mm^2		楔角φ	每米质量$q/(kg \cdot m^{-1})$	
普通 V 带	窄 V 带									
Y		5.3	6	4		18			0.023	
Z		8.5	10	6		47			0.060	
	SPZ				8		57			0.072
A		11.0	13	8		81			0.105	
	SPA				10		94			0.112
B		14.0	17	11		143		40°	0.170	
	SPB				14		167			0.192
C		19.0	22	14		237			0.300	
	SPC				18		278			0.370
D		27.0	32	19		476			0.630	
E		32.0	38	23		681			0.970	

① 为基本尺寸。

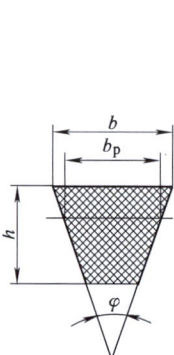

二、普通 V 带传动的几何尺寸

带传动主要用于两轴平行、且回转方向相同的场合。如图 6-5 所示，带与带轮接触弧所对应的圆心角称为带在带轮上的包角 α。相同条件下，包角越大，带可传递的功率就越大。工作时两带轮几何轴线之间的距离称为中心距 a。当带绕上带轮以后，伸张层会因带的弯曲而伸长，压缩层则会缩短，而介于伸张层与压缩层之间的中性层长度保持不变，中性层的周长称为带的基准长度 L_d，也是带的公称长度。带轮上与中性层相切接触的那个圆的直径就称为带轮的基准直径，分别用 D_1 和 D_2 表示。其几何关系如下

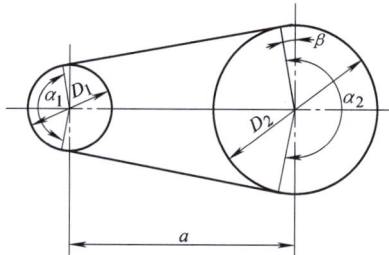

图 6-5 带传动的几何关系

$$\alpha_1 = 180° - 2\beta \approx 180° - \frac{(D_2 - D_1)}{a} \times \frac{180°}{\pi} \qquad (6-1)$$

$$\alpha_2 = 180° + 2\beta \approx 180° + \frac{(D_2 - D_1)}{a} \times \frac{180°}{\pi} \qquad (6-2)$$

$$L_{\mathrm{d}} \approx 2a + \frac{\pi(D_2 + D_1)}{2} + \frac{(D_2 - D_1)^2}{4a} \tag{6-3}$$

$$a \approx \frac{2L_{\mathrm{d}} - \pi(D_2 + D_1) + \sqrt{[2L_{\mathrm{d}} - \pi(D_2 + D_1)]^2 - 8(D_2 - D_1)^2}}{8} \tag{6-4}$$

第二节　带传动工作情况分析

一、带传动的受力分析

在摩擦带传动中，带必须以一定的初拉力张紧在带轮上。带传动不工作时，带轮两边带中的拉力相等，都等于初拉力 F_0（图 6-6a）。带传动工作时，由于带与带轮接触表面间摩擦力的作用，两边带中的拉力就发生了相应的变化，进入主动轮的一边被进一步拉紧，拉力由 F_0 增至 F_1，称为紧边；进入从动轮的一边则被放松，拉力由 F_0 降至 F_2，称为松边（图 6-6b）。设带的总长度不变，则紧边拉力的增加量 $F_1 - F_0$ 应等于松边拉力的减小量 $F_0 - F_2$。

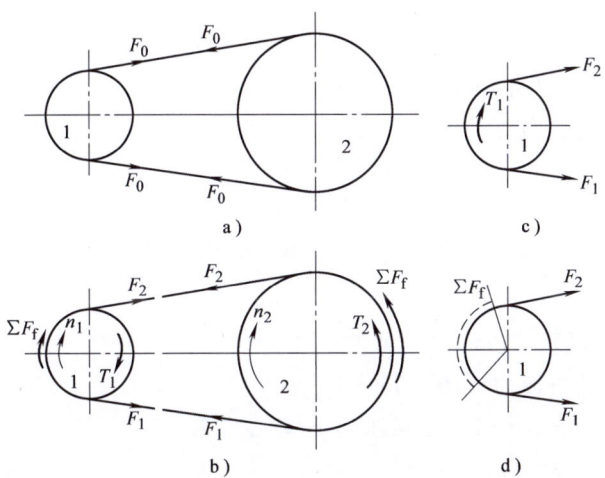

图 6-6　带传动的受力分析

即

$$F_0 = \frac{F_1 + F_2}{2} \tag{6-5}$$

若取主动轮及其一侧的带为分离体（图 6-6c），由静力平衡条件得

$$T_1 = \frac{D_1}{2}(F_1 - F_2)$$

由上式知，紧边拉力与松边拉力的差值即为带传动所传递的有效圆周力 F_{e}

$$F_{\mathrm{e}} = F_1 - F_2 \tag{6-6}$$

若带速为 v（m/s），带传动的有效圆周力为 F_e，则带传动所传递的功率为 P（kW）。即

$$P = \frac{F_e v}{1000} \tag{6-7}$$

通过力分析，不难证明，有效圆周力 F_e 与任一带轮接触面上摩擦力的总合 ΣF_f 相等。当有效圆周力大于带与带轮接触面上最大摩擦力的总和 ΣF_{fmax} 时，带就会沿轮面发生全面滑动，这种现象称为打滑。打滑将使传动失效，故应避免。

当带即将打滑时，带与带轮之间的摩擦力达到极大值 ΣF_{fmax}，此时，由挠性体摩擦的欧拉公式知，紧边拉力 F_1 与松边拉力 F_2 之间有下列关系

$$F_1 = F_2 e^{f\alpha} \tag{6-8}$$

最大有效圆周力 F_{ec} 为

$$F_{ec} = 2F_0 \frac{e^{f\alpha} - 1}{e^{f\alpha} + 1} \tag{6-9}$$

式（6-9）表明，F_{ec} 与初拉力 F_0 有关，增大 F_0 可增加带的承载能力，但 F_0 过大，则使带的寿命缩短；F_{ec} 与包角 α 有关，故设计时要求 $\alpha \geqslant 120°$。因 $\alpha_1 < \alpha_2$，所以打滑总是先发生在小带轮上；F_{ec} 与 f 有关，即与带及带轮的材料有关，因 $f_v > f$，在同等条件下，V 带的承载能力高于平带。

二、带的应力分析

带传动时，带中的应力由以下三部分组成。

1. 由拉力产生的拉应力

紧边拉应力 $\qquad\qquad\qquad\qquad \sigma_1 = \dfrac{F_1}{A}$ $\qquad\qquad\qquad\qquad\qquad$ (6-10)

松边拉应力 $\qquad\qquad\qquad\qquad \sigma_2 = \dfrac{F_2}{A}$ $\qquad\qquad\qquad\qquad\qquad$ (6-11)

其中 A 为带的横截面积（mm^2），见表 6-1。

2. 由离心力产生的拉应力（图 6-7）

当带绕过带轮时，作用于带的微弧段 dl 的离心力为

$$dG = \left(\frac{D}{2}d\alpha\right) \cdot q \cdot \frac{v^2}{D/2} = qv^2 d\alpha$$

式中，q 为带单位长度的质量（kg/m），见表 6-1；v 为带速（m/s）。

若由离心力使该微弧段两边产生拉力为 F_c，由力平衡可知

$$2F_c \cdot \sin\frac{d\alpha}{2} = dG = qv^2 \cdot d\alpha$$

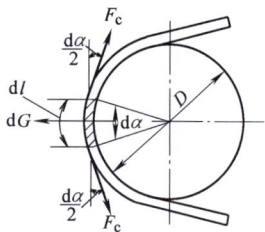

图 6-7 离心力分析

取 $\sin\dfrac{d\alpha}{2} \approx \dfrac{d\alpha}{2}$，得 $F_c = qv^2$。

离心力虽只发生在带做圆周运动的部分，但由此产生的拉力则作用于带的全长。由离心力引起的拉应力为

$$\sigma_c = \frac{F_c}{A} = \frac{qv^2}{A} \qquad (6-12)$$

3. 由带的弯曲产生的弯曲应力

弯曲应力仅产生在带绕在带轮的弧段上。由工程力学而知

$$\sigma_b = E\frac{h}{D} \qquad (6-13)$$

式中，E 为带的弹性模量（MPa）。

图 6-8 所示为带工作时的应力分布情况，各截面应力的大小用该处引出的径向线（或垂直线）的长短表示。由图可知，带承受交变应力，工作中将会发生疲劳失效。最大应力发生在带的紧边开始绕上小带轮处，其值为

$$\sigma_{max} = \sigma_1 + \sigma_{b1} + \sigma_c \qquad (6-14)$$

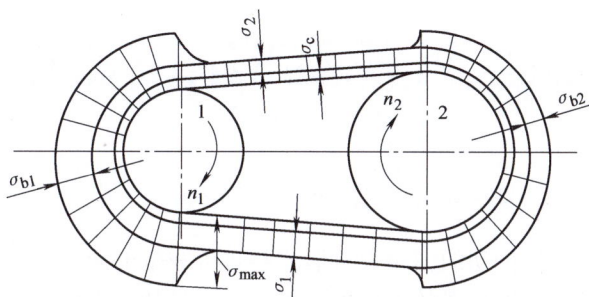

图 6-8　带工作时的应力分布情况

三、带传动的弹性滑动与打滑

带传动工作时紧边和松边拉力不同，因而弹性变形量也不同。带由紧边绕过主动轮进入松边的过程中，带所受的拉力由 F_1 逐渐降至 F_2，弹性变形量也就随之逐渐减小，因而带随带轮运动时相对轮面有一微量回缩，使带速落后于主动轮的圆周速度。带绕过从动轮时也发生类似的现象，带由松边绕上从动轮进入紧边，拉力由 F_2 逐渐增至 F_1，弹性变形量逐渐增大，因而带一面绕带轮前进一面相对于轮面向前伸长，使带的速度超前于从动轮的圆周速度。这种现象表明，带与轮面之间产生相对滑动。这种由于带的弹性和拉力差而引起的相对滑动称为弹性滑动，这是带传动正常工作时的固有特性。

由于弹性滑动的影响，使从动轮的圆周速度 v_2 低于主动轮的圆周速度 v_1，其降低量可用相对滑动率 ε 来表示

$$\varepsilon = \frac{v_1 - v_2}{v_1} \times 100\% \qquad (6-15)$$

或

$$v_2 = (1 - \varepsilon)v_1$$

$$v_1 = \frac{\pi D_1 n_1}{60 \times 1000} \quad \text{m/s}$$

$$v_2 = \frac{\pi D_2 n_2}{60 \times 1000} \quad \text{m/s} \tag{6-16}$$

其中 n_1、n_2 分别为主、从动轮的转速（r/min）；D_1、D_2 为主、从动轮的基准直径（mm）。将式（6-16）带入式（6-15），得带传动的实际平均传动比为

$$i = \frac{n_1}{n_2} = \frac{D_2}{D_1(1-\varepsilon)} \tag{6-17}$$

一般 V 带正常工作时，相对滑动率并不大（$\varepsilon < 3\%$），故可不予考虑，而取传动比为

$$i = \frac{n_1}{n_2} \approx \frac{D_2}{D_1} \tag{6-18}$$

当带传动的有效圆周力达到最大值时，工作载荷略有增加，带与带轮间就将会发生明显的相对滑动，即产生打滑。打滑将使带的磨损加剧，从动轮转速急剧下降，甚至使传动失效。这是带传动的一种失效形式，应当避免。

第三节 普通 V 带传动的设计计算

一、设计准则和单根 V 带的基本额定功率

根据前面分析可知，带传动的主要失效形式是打滑和带的疲劳破坏。因此，带传动的设计准则应为：在保证带传动不打滑的条件下，具有一定的疲劳强度和寿命。

由设计准则知，其必须满足的强度条件为

$$\sigma_1 + \sigma_{b1} + \sigma_c \leqslant [\sigma] \tag{6-19}$$

其中 $[\sigma]$ 为许用应力，与带的材质及应力循环次数有关。对于普通 V 带，以 f_v 代替 f，由式（6-6）和式（6-8）知，单根 V 带所能传递的最大功率 P_0 为

$$P_0 = F_1 \left(1 - \frac{1}{e^{f_v \alpha}}\right) \frac{v}{1000} = \sigma_1 A \left(1 - \frac{1}{e^{f_v \alpha}}\right) \frac{v}{1000}$$

将式（6-19）代入得

$$P_0 = ([\sigma] - \sigma_{b1} - \sigma_c) \left(1 - \frac{1}{e^{f_v \alpha}}\right) \frac{Av}{1000} \tag{6-20}$$

在包角 $\alpha_1 = 180°$、特定带长、平稳工作条件下，单根 V 带的基本额定功率 P_0 见表 6-2。实际工作条件与上述特定条件不同时，应对 P_0 值加以修正。修正后即得实际工作条件下单根 V 带所能传递的功率，称为许用功率 $[P_0]$。

$$[P_0] = (P_0 + \Delta P_0) K_\alpha K_L$$

式中，ΔP_0 为功率增量（kW），考虑传动比 $i \neq 1$ 时，带在大带轮上弯曲应力较小，在寿命相同条件下，所能传递的功率应有所提高，ΔP_0 查表 6-3；K_α 为包角系数，考虑当 $\alpha_1 \neq 180°$ 时对带传动能力的影响，见表 6-4；K_L 为长度系数，考虑带长不等于特定长度时对传动能力的影响，见表 6-5。

表 6-2 单根 V 带的基本额定功率 P_0 （单位：kW）

带型	小带轮基准直径 D_1/mm	小带轮转速 n_1/(r·min^{-1})						
		400	700	800	950	1200	1450	2800
Z 型	50	0.06	0.09	0.10	0.12	0.14	0.16	0.26
	63	0.08	0.13	0.15	0.18	0.22	0.25	0.41
	71	0.09	0.17	0.20	0.23	0.27	0.30	0.50
	80	0.14	0.20	0.22	0.26	0.30	0.35	0.56
A 型	75	0.26	0.40	0.45	0.51	0.60	0.68	1.00
	90	0.39	0.61	0.68	0.77	0.93	1.07	1.64
	100	0.47	0.74	0.83	0.95	1.14	1.32	2.05
	112	0.56	0.90	1.00	1.15	1.39	1.61	2.51
	125	0.67	1.07	1.19	1.37	1.66	1.92	2.98
	140	0.78	1.26	1.41	1.62	1.76	2.28	3.48
B 型	125	0.84	1.30	1.44	1.64	1.93	2.19	2.96
	140	1.05	1.64	1.82	2.08	2.47	2.82	3.85
	160	1.32	2.09	2.32	2.66	3.17	3.62	4.89
	180	1.59	2.53	2.81	3.22	3.85	4.39	5.76
	200	1.85	2.96	3.30	3.77	4.50	5.13	6.43
C 型	200	2.41	3.69	4.07	4.58	5.29	5.84	5.01
	224	2.99	4.64	5.12	5.78	6.71	7.45	6.08
	250	3.62	5.64	6.23	7.04	8.21	9.04	6.56
	280	4.32	6.76	7.52	8.49	9.81	10.72	6.13
	315	5.14	8.09	8.92	10.05	11.53	12.46	4.16
	400	7.06	11.02	12.10	13.48	15.04	15.53	—

表 6-3 单根 V 带额定功率的增量 ΔP_0 （单位：kW）

带 型	小带轮转速 n_1/(r·min^{-1})	传动比 i									
		1.00 ~ 1.01	1.02 ~ 1.04	1.05 ~ 1.08	1.09 ~ 1.12	1.13 ~ 1.18	1.19 ~ 1.24	1.25 ~ 1.34	1.35 ~ 1.51	1.52 ~ 1.99	≥2.0
Z 型	400	0.00	0.00	0.00	0.00	0.00	0.00	0.00	0.00	0.01	0.01
	700	0.00	0.00	0.00	0.00	0.00	0.00	0.01	0.01	0.01	0.02
	800	0.00	0.00	0.00	0.00	0.01	0.01	0.01	0.01	0.02	0.02
	960	0.00	0.00	0.00	0.01	0.01	0.01	0.01	0.02	0.02	0.02
	1200	0.00	0.00	0.01	0.01	0.01	0.01	0.02	0.02	0.02	0.03
	1450	0.00	0.00	0.01	0.01	0.01	0.02	0.02	0.02	0.02	0.03
	2800	0.00	0.01	0.02	0.02	0.03	0.03	0.03	0.04	0.04	0.04
A 型	400	0.00	0.01	0.01	0.02	0.02	0.03	0.03	0.04	0.04	0.05
	700	0.00	0.01	0.02	0.03	0.04	0.05	0.06	0.07	0.08	0.09
	800	0.00	0.01	0.02	0.03	0.04	0.05	0.06	0.08	0.09	0.10
	950	0.00	0.01	0.03	0.04	0.05	0.06	0.07	0.08	0.10	0.11
	1200	0.00	0.02	0.03	0.05	0.07	0.08	0.10	0.11	0.13	0.15
	1450	0.00	0.02	0.04	0.06	0.08	0.09	0.11	0.13	0.15	0.17
	2800	0.00	0.04	0.08	0.11	0.15	0.19	0.23	0.26	0.30	0.34
B 型	400	0.00	0.01	0.03	0.04	0.06	0.07	0.08	0.10	0.11	0.13
	700	0.00	0.02	0.05	0.07	0.10	0.12	0.15	0.17	0.20	0.22
	800	0.00	0.03	0.06	0.08	0.11	0.14	0.17	0.20	0.23	0.25
	950	0.00	0.03	0.07	0.10	0.13	0.17	0.20	0.23	0.26	0.30
	1200	0.00	0.04	0.08	0.13	0.17	0.21	0.25	0.30	0.34	0.38
	1450	0.00	0.05	0.10	0.15	0.20	0.25	0.31	0.36	0.40	0.46
	2800	0.00	0.10	0.20	0.29	0.39	0.49	0.59	0.69	0.79	0.89

（续）

带　　型	小带轮转速 n_1/ (r·min^{-1})	传动比　i									
		1.00 ~ 1.01	1.02 ~ 1.04	1.05 ~ 1.08	1.09 ~ 1.12	1.13 ~ 1.18	1.19 ~ 1.24	1.25 ~ 1.34	1.35 ~ 1.51	1.52 ~ 1.99	≥2.0
C 型	400	0.00	0.04	0.08	0.12	0.16	0.20	0.23	0.27	0.31	0.35
	700	0.00	0.07	0.14	0.21	0.27	0.34	0.41	0.48	0.55	0.62
	800	0.00	0.08	0.16	0.23	0.31	0.39	0.47	0.55	0.63	0.71
	950	0.00	0.09	0.19	0.27	0.37	0.47	0.56	0.65	0.74	0.83
	1200	0.00	0.12	0.24	0.35	0.47	0.59	0.70	0.82	0.94	1.06
	1450	0.00	0.14	0.28	0.42	0.58	0.71	0.85	0.99	1.14	1.27
	2800	0.00	0.27	0.55	0.82	1.10	1.37	1.64	1.92	2.19	2.47

表 6-4　包角系数 K_α

小带轮包角/(°)	K_α	小带轮包角/(°)	K_α
180	1	145	0.91
175	0.99	140	0.89
170	0.98	135	0.88
165	0.96	130	0.86
160	0.95	125	0.84
155	0.93	120	0.82
150	0.92		

表 6-5　普通 V 带长度系数 K_L

Y		Z		A		B		C		D		E	
L_d	K_L	L_d	K_L	L_d	K_L	L_d	K_L	L_d	K_L	L_d	K_L	L_d	K_L
200	0.81	405	0.87	630	0.81	930	0.83	1 565	0.82	2 740	0.82	4 660	0.91
224	0.82	475	0.90	700	0.83	1 000	0.84	1 760	0.85	3 100	0.86	5 040	0.92
250	0.84	530	0.93	790	0.85	1 100	0.86	1 950	0.87	3 330	0.87	5 420	0.94
280	0.87	625	0.96	890	0.87	1 210	0.87	2 195	0.90	3 730	0.90	6 100	0.96
315	0.89	700	0.99	990	0.89	1 370	0.90	2 420	0.92	4 080	0.91	6 850	0.99
355	0.92	780	1.00	1 100	0.91	1 560	0.92	2 715	0.94	4 620	0.94	7 650	1.01
400	0.96	920	1.04	1 250	0.93	1 760	0.94	2 880	0.95	5 400	0.97	9 150	1.05
450	1.00	1 080	1.07	1 430	0.96	1 950	0.97	3 080	0.97	6 100	0.99	12 230	1.11
500	1.02	1 330	1.13	1 550	0.98	2 180	0.99	3 520	0.99	6 840	1.02	13 750	1.15
		1 420	1.14	1 640	0.99	2 300	1.01	4 060	1.02	7 620	1.05	15 280	1.17
		1 540	1.54	1 750	1.00	2 500	1.03	4 600	1.05	9 140	1.08	16 800	1.19
				1 940	1.02	2 700	1.04	5 380	1.08	10 700	1.13		
				2 050	1.04	2 870	1.05	6 100	1.11	12 200	1.16		
				2 200	1.06	3 200	1.07	6 815	1.14	13 700	1.19		
				2 300	1.07	3 600	1.09	7 600	1.17	15 200	1.21		
				2 480	1.09	4 060	1.13	9 100	1.21				
				2 700	1.10	4 430	1.15	10 700	1.24				
						4 820	1.17						
						5 370	1.20						
						6 070	1.24						

二、普通 V 带传动的设计计算

普通 V 带传动的设计时，通常给定的原始数据有传动的工作情况，传递的功率，转速 n_1 和 n_2（或传动比 i），对外廓尺寸的要求及原动机的种类等。要求设计的内容有普通 V 带的型号、长度和根数，传动的中心距，带轮的尺寸和结构，并计算带的初拉力和压轴力。设计计算的一般步骤为：

1. 确定计算功率 P_{ca}

设 P 为传动的功率，K_A 为工作情况系数，见表 6-6，则

$$P_{ca} = K_A P$$

表 6-6　工作情况系数 K_A

工　况		K_A					
		轻、空载起动			重 载 起 动		
		每天工作时间/h					
		<10	10~16	>16	<10	10~16	>16
载荷变动微小	液体搅拌机，通风机和鼓风机（≤7.5kW），离心式水泵和压缩机，轻负载输送机	1.0	1.1	1.2	1.1	1.2	1.3
载荷变动小	带式输送机（不均匀负荷），通风机（>7.5kW），旋转式水泵和压缩机，发电机，金属切削机床，印刷机，旋转筛，锯木机和木工机械	1.1	1.2	1.3	1.2	1.3	1.4
载荷变动较大	制砖机，斗式提升机，往复式水泵和压缩机，起重机，磨粉机，冲剪机床，橡胶机械，振动筛，纺织机械，重载输送机	1.2	1.3	1.4	1.4	1.5	1.6
载荷变动很大	破碎机（旋转式、颚式等），磨碎机（球磨、棒磨、管磨）	1.3	1.4	1.5	1.5	1.6	1.8

注：1. 轻、空载起动—电动机（交流起动、三角起动、直流并励），四缸以上的内燃机，装有离心式离合器、液力联轴器的动力机。重载起动—电动机（联机交流起动、直流复励或串励），四缸以下的内燃机。

2. 反复起动、正反转频繁、工作条件恶劣等场合，K_A 应乘 1.2。

3. 增速传动时 K_A 应乘下列系数：

增速比：　　　1.25~1.74　　　1.75~2.49　　　2.5~3.49　　　≥3.5

系数：　　　　1.05　　　　　1.11　　　　　1.18　　　　　1.25

2. 选择普通 V 带的型号

根据计算功率 P_{ca} 和小带轮转速 n_1，由图 6-9 选定带型。

3. 确定带轮的基准直径 D_1 和 D_2

（1）初选带轮直径 D_1　根据带型参考表 6-7，选取 $D_1 \geqslant D_{min}$，为提高 V 带的寿命，宜选取较大的直径。

（2）验算带速 v　由 $v = \dfrac{\pi D_1 n_1}{60 \times 1000}$ 来计算带的速度，应使 $v \leqslant v_{max}$。对于普通 V 带，一般取

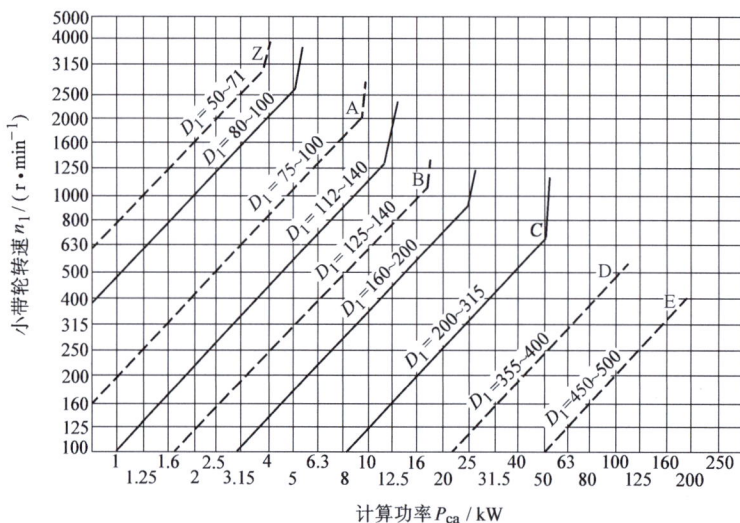

图 6-9   普通 V 带选型图

$v = 5 \sim 25 \mathrm{m/s}$，最高带速 $v_{max} = 30 \mathrm{m/s}$。

（3）计算从动轮的基准直径 D_2 $D_2 = iD_1$，并按表 6-7 带轮的基准直径系列加以适当圆整。

表 6-7   V 带带轮的最小基准直径 D_{min} （单位：mm）

槽 型	Z	A	B	C
D_{min}	50	75	125	200

注：带轮基准直径系列：50、63、71、75、80、85、90、95、100、106、112、118、125、132、140、150、160、170、180、200、212、224、236、250、265、280、315、355、375、400、425、450、475、500。

4. 确定中心距 a 和带的基准长度 L_d

如果中心距未给出，可根据传动的结构需要初选中心距 a_0。取 $0.7(D_1 + D_2) < a_0 < 2(D_1 + D_2)$。$a_0$ 选定后，按式（6-3）求得 V 带的基准长度 L'_d，由初算的带长 L'_d，根据表 6-5 选取与之相近的标准 V 带的基准长度 L_d，再由式（6-4）计算实际中心距 a。由于带传动的中心距一般是可以调整的，故可采用下式作近似计算

$$a \approx a_0 + \frac{L_d - L'_d}{2} \tag{6-21}$$

考虑安装调整和补偿初拉力的需要，中心距的变动范围为

$$a_{min} = a - 0.015 L_d$$
$$a_{max} = a + 0.03 L_d$$

5. 验算小带轮上的包角 α_1

对于开口传动，小带轮包角由式（6-1）来求，应保证

$$\alpha_1 \approx 180° - \frac{(D_2 - D_1)}{a} \frac{180°}{\pi} \geq 120°（至少 90°）$$

6. 确定带的根数 z

$$z = \frac{P_{ca}}{(P_0 + \Delta P_0)K_\alpha K_L} = \frac{P_{ca}}{[P_0]} \tag{6-22}$$

在确定 V 带的根数时，为使各带受力均匀，根数不宜太多（通常 $z<10$），否则应改选带的带型，重新计算。

7. 确定带的初拉力 F_0

单根普通 V 带合适的初拉力可按下式计算

$$F_0 = \frac{500P_{ca}}{zv}\left(\frac{2.5}{K_\alpha} - 1\right) + qv^2 \tag{6-23}$$

新带易松弛，对非自动张紧的带传动，安装新带时的初拉力应为上述初拉力的 1.5 倍。

在带传动中，初拉力是通过在带与两带轮的切点跨距的中点 M 加上一个垂直于两轮上部外公切线的适当载荷 G（图 6-10），使带沿跨距每长 100mm 所产生的挠度 y 为 1.6mm（即挠角为 1.8°）来控制的。G 值见表 6-8。

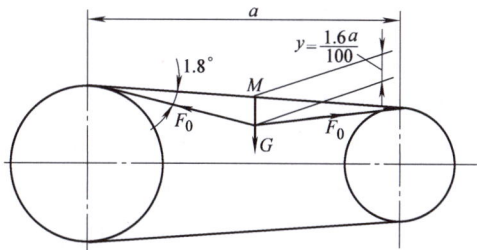

图 6-10 初拉力的控制

表 6-8 载荷 G 值 （单位：N/根）

带　　型		小带轮直径 D_1/mm	带速 v/(m·s^{-1})		
			0~10	10~20	20~30
普通V带	Z	50~100 >100	5~7 7~10	4.2~6 6~8.5	3.5~5.5 5.5~7
	A	75~140 >140	9.5~14 14~21	8~12 12~18	6.5~10 10~15
	B	125~200 >200	18.5~28 28~42	15~22 22~33	12.5~18 18~27
	C	200~400 >400	36~54 54~85	30~45 45~70	25~38 38~56

注：表中高值用于新安装的 V 带或必须保持高张紧的传动。

8. 计算带传动作用在轴上的压轴力 Q

如图 6-11 所示，可近似按下式计算 Q

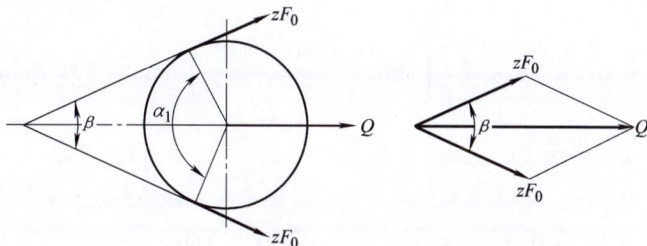

图 6-11 带传动作用在轴上的压轴力

$$Q = 2zF_0 \cos\frac{\beta}{2} = 2zF_0 \cos\left(\frac{\pi}{2} - \frac{\alpha_1}{2}\right) = 2zF_0 \sin\frac{\alpha_1}{2} \qquad (6\text{-}24)$$

例 设计某液体搅拌机的普通 V 带传动。选用普通电动机，电动机设计输出功率 $P = 3\text{kW}$，满载转速 $n_1 = 1430\text{r/min}$，从动轴转速 $n_2 = 340\text{r/min}$，三班制工作，空载起动。

解 1. 确定计算功率 P_{ca}

由表 6-6 查得 $K_A = 1.2$，故

$$P_{ca} = K_A P = 1.2 \times 3\text{kW} = 3.6\text{kW}$$

2. 选择带型

根据 $P_{ca} = 3.6\text{kW}$，$n_1 = 1430\text{r/min}$，由图 6-9，选用 A 型 V 带。

3. 确定带轮基准直径

由图 6-9 和表 6-7 取主动轮基准直径 $D_1 = 100\text{mm}$。

由式（6-18），从动轮基准直径 D_2 为

$$D_2 = iD_1 = \frac{n_1}{n_2}D_1 = \frac{1430}{340} \times 100\text{mm} = 421\text{mm}$$

由表 6-7，取 $D_2 = 425\text{mm}$。

按式（6-16）验算带的速度

$$v = \frac{\pi D_1 n_1}{60 \times 100} = \frac{\pi \times 100 \times 1430}{60 \times 1000}\text{m/s} = 7.487\text{m/s}$$

$$5\text{m/s} < v < 25\text{m/s}$$

带的速度合适。

4. 确定 V 带的基准长度和传动中心距

根据 $0.7\ (D_1 + D_2)\ < a_0 < 2\ (D_1 + D_2)$，初选 $a_0 = 500\text{mm}$。

根据式（6-3）计算所需带的基准长度

$$L_d' \approx 2a_0 + \frac{\pi}{2}\ (D_2 + D_1)\ + \frac{(D_2 - D_1)^2}{4a_0}$$

$$= 2 \times 500\text{mm} + \frac{\pi}{2}\ (425 + 100)\ \text{mm} + \frac{(425 - 100)^2}{4 \times 500}\text{mm} \approx 1877\text{mm}$$

由表 6-5 选带的基准长度 $L_d = 1940\text{mm}$。

按式（6-21）计算实际中心距 a

$$a \approx a_0 + \frac{L_d - L_d'}{2} = \left(500 + \frac{1940 - 1877}{2}\right)\text{mm} \approx 531.5\text{mm}$$

5. 验算主动轮上的包角 α_1

由式（6-1）得

$$\alpha_1 \approx 180° - \frac{(D_2 - D_1)}{a} \times \frac{180°}{\pi} = 180° - \frac{425 - 100}{531.5} \times \frac{180°}{\pi} \approx 144.9° > 120°$$

主动轮上的包角合适。

6. 计算 V 带的根数 z

由表 6-2 插值求得：$P_0 = 1.31\text{kW}$

由表 6-3 $\Delta P_0 = 0.17\text{kW}$

由表 6-4 $K_\alpha = 0.91$

由表 6-5 $K_L = 1.02$

由式（6-22），得

$$z = \frac{P_{\text{ca}}}{(P_0 + \Delta P_0)K_L K_\alpha} = \frac{3.6}{(1.31 + 0.17) \times 1.02 \times 0.91} = 2.62$$

取 $z = 3$ 根

7. 计算初拉力 F_0

由式（6-23）知

$$F_0 = \frac{500P_{\text{ca}}}{zv}\left(\frac{2.5}{K_\alpha} - 1\right) + qv^2$$

查表 6-1，$q = 0.1\text{kg/m}$，故

$$F_0 = \left[\frac{500 \times 3.6}{3 \times 7.487}\left(\frac{2.5}{0.89} - 1\right) + 0.1 \times 7.487^2\right]\text{N} = 150.58\text{N}$$

8. 计算作用在轴上的压轴力 Q

由式（6-24）知

$$Q = 2zF_0\sin\frac{\alpha_1}{2} = \left(2 \times 3 \times 150.58\sin\frac{144.9°}{2}\right)\text{N} = 61.43\text{N}$$

9. 带轮结构设计（略）

第四节　普通 V 带带轮的结构及带传动的张紧和维护

一、V 带带轮设计的要求

设计 V 带带轮时应使其满足下列要求：质量轻，易制造，质量分布均匀。$v > 5\text{m/s}$ 时要进行静平衡，$v > 25\text{m/s}$ 时要进行动平衡。要有足够的强度和刚度，铸造内应力要小。带轮上各轮槽的尺寸和槽角应保持一定的精度，以免载荷分布不均匀。轮槽工作面应保持一定的表面粗糙度（一般为 $Ra1.6\mu\text{m}$ 或 $Ra3.2\mu\text{m}$），以减小带的磨损。

二、带轮的材料

带轮常用 HT150、HT200 等铸铁制造。当速度超过 25m/s 时，可采用铸钢或钢板冲压后

焊接。小功率时可用铸铝或塑料。

三、带轮结构

带轮由轮缘、轮辐和轮毂三部分组成，轮缘部分的尺寸见表6-9。铸铁制带轮其轮辐部分根据带轮的基准直径有以下几种形式：①实心式（图6-12a）；②辐板式（图6-12b）；③孔板式（图6-12c）；④椭圆轮辐式（图6-12d）。

表6-9 V带带轮的轮缘尺寸　　　　　　　　　　（单位：mm）

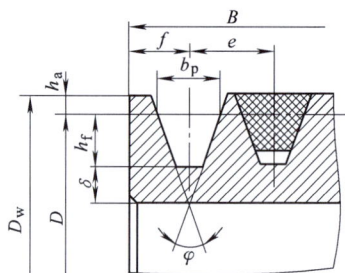

项　　目	符号	槽　型						
		Y	Z\nSPZ	A\nSPA	B\nSPB	C\nSPC	D	E
基准宽度（节宽）	b_p	5.3	8.5	11.0	14.0	19.0	27.0	32.0
基准线上槽深	h_{amin}	1.6	2.0	2.75	3.5	4.8	8.1	9.6
基准线下槽深	h_{fmin}	4.7	7.0 / 9.0	8.7 / 11.0	10.8 / 14.0	14.3 / 19.0	19.9	23.4
槽间距	e	8±0.3	12±0.3	15±0.3	19±0.4	25.5±0.5	37±0.6	44.5±0.7
第一槽对称面至端面的距离	f	7±1	8±1	10^{+2}_{-1}	12.5^{+2}_{-1}	17^{+2}_{-1}	23^{+3}_{-1}	29^{+4}_{-1}
最小轮缘厚	δ_{min}	5	5.5	6	7.5	10	12	15
带轮宽	B	$B=(z-1)e+2f$　　z—轮槽数						
外　径	D_w	$D_w=D+2h_a$						
轮槽角 φ　32°	相应的基准直径D	≤60	—	—	—	—	—	—
34°		—	≤80	≤118	≤190	≤315	—	—
36°		>60	—	—	—	—	≤475	≤600
38°		—	>80	>118	>190	>315	>475	>600
极限偏差		±30′						

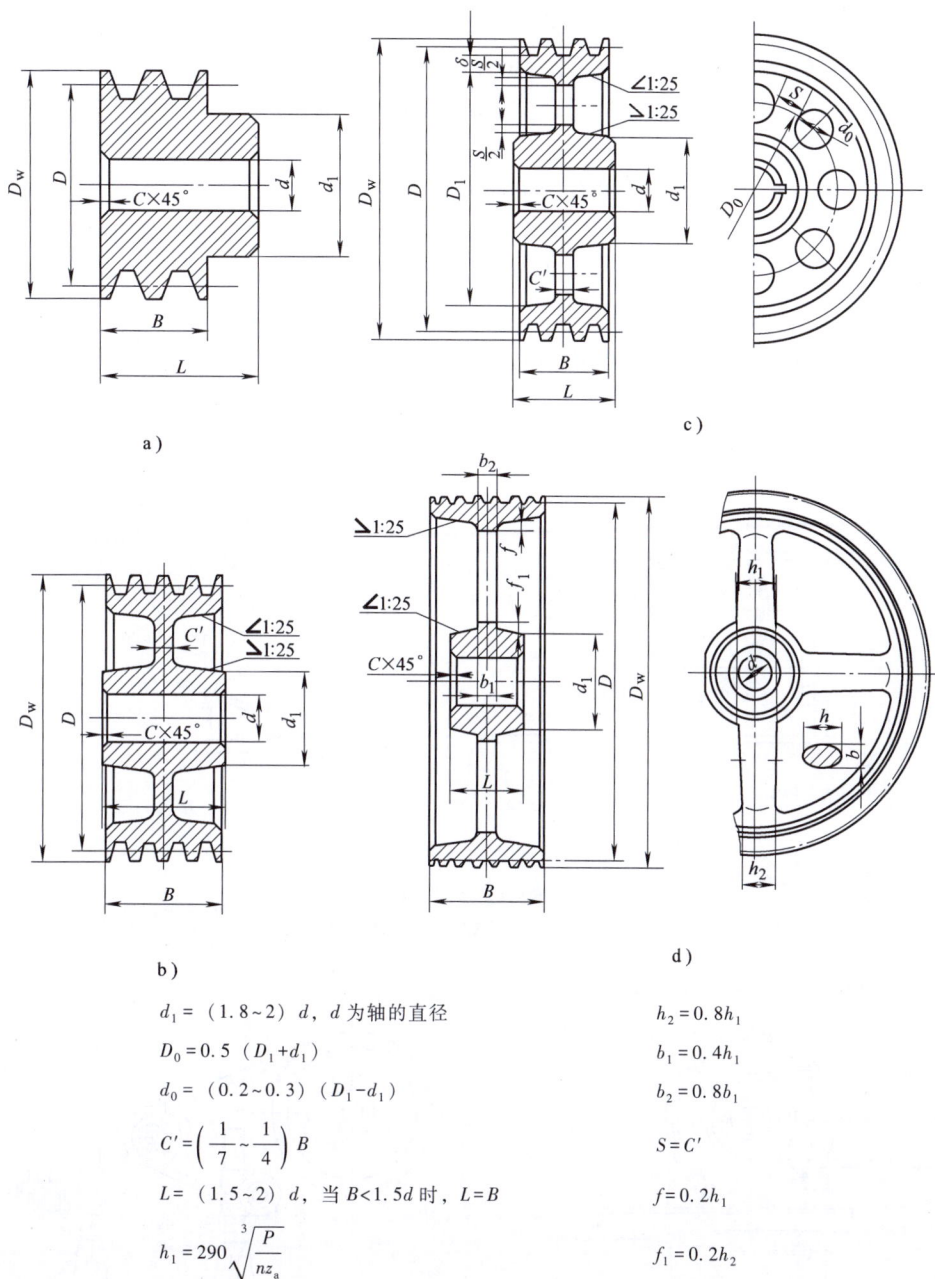

式中，P 为传递的功率（kW）；n 为带轮的转速（r/min）；z_a 为轮辐数。

$$d_1 = (1.8 \sim 2)\, d，\ d\ 为轴的直径$$

$$D_0 = 0.5\,(D_1 + d_1)$$

$$d_0 = (0.2 \sim 0.3)\,(D_1 - d_1)$$

$$C' = \left(\frac{1}{7} \sim \frac{1}{4}\right) B$$

$$L = (1.5 \sim 2)\, d，\ 当\ B < 1.5d\ 时，\ L = B$$

$$h_1 = 290\sqrt[3]{\frac{P}{n z_a}}$$

$$h_2 = 0.8 h_1$$

$$b_1 = 0.4 h_1$$

$$b_2 = 0.8 b_1$$

$$S = C'$$

$$f = 0.2 h_1$$

$$f_1 = 0.2 h_2$$

图 6-12　V 带带轮的结构

　　带轮基准直径 $D \leqslant (2.5 \sim 3)\, d$（$d$ 为轴的直径，单位为 mm）时，可采用实心式；$D \leqslant 300$mm 时，可采用辐板式（当 $D_1 - d_1 \geqslant 100$mm 时，可采用孔板式）；$D > 300$mm 时，可采用轮辐式。轮辐各部分结构尺寸可参照图 6-12 所列经验公式计算。确定了带轮的各部分尺寸后，即可绘制出零件图，并按工艺要求注出相应的技术条件等。

四、带传动的张紧与维护

普通 V 带运转一段时间后，会由于带的塑性变形而松弛，导致初拉力下降。为了保证带传动的工作能力，应对带进行重新张紧。带传动常用的张紧方法是调节中心距。如图 6-13a 所示，用调节螺钉 3 使装有带轮的电动机沿滑轨 1 移动，这种形式适用于水平或接近水平布置的传动。图 6-13b 是将装有带轮的电动机安装在可调的摆架上，适用于垂直或接近垂直布置的传动。图 6-14 是由电动机及摆架自重来调整的自动张紧装置。若中心距不能调节时，可采用具有张紧轮的传动，如图 6-15 所示。对于平带，张紧轮应装在松边外侧，以增加带在小带轮上的包角；对于 V 带，张紧轮应装在松边内侧，并尽量靠近大带轮，使带只受单向弯曲和以免过分影响带在小轮上的包角。

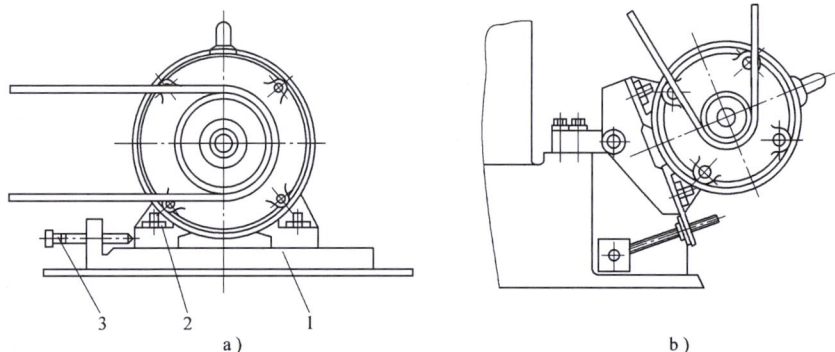

图 6-13　带的定期张紧装置

a）滑道式　b）摆架式

1—滑轨　2—固定螺栓　3—调节螺钉

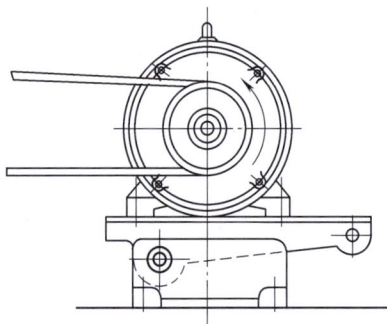

图 6-14　带的自动张紧装置

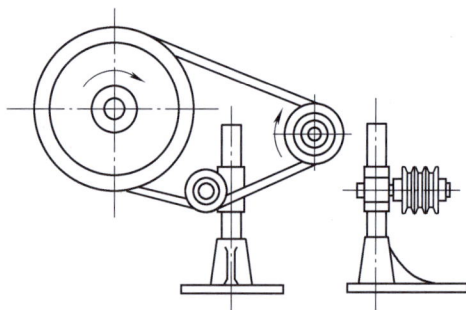

图 6-15　张紧轮装置

普通 V 带传动的使用和维护应注意以下几个方面：安装时，两轴必须平行，两轮的轮槽要对齐；更换时，必须将同一传动中的旧带全部更换，不得新旧并用；V 带不宜与酸碱或油污接触，带传动不宜在有粉尘的环境中工作，工作温度一般应低于 60℃；带传动应加设防护罩。

第五节　其他带传动简介

一、高速带传动

高速带传动系指带速 $v>30\text{m/s}$、高速轴转速 $n_1 = 10000\sim50000\text{r/min}$ 的传动。这种传动主要用于增速以驱动高速机床、粉碎机、离心机及某些其他机器。高速带传动的增速比为 $2\sim4$，有时可达 8。

高速带传动要求传动可靠、运行平稳，并有一定的寿命，故高速带采用质量小、厚度薄而均匀，挠曲性好的环形平带，如麻织带、丝织带、绵纶编织带、薄型强力绵纶带及高速环形胶带等。薄型强力绵纶带采用胶合接头，故应使接头与带的挠曲性能尽量接近。

高速带轮要求质量小而且分布对称均匀，运转时空气阻力小。通常都采用钢或铝合金制造，各个面均应进行加工，轮缘工作表面的粗糙度不得大于 $Ra3.2\mu\text{m}$，并要求进行动平衡。

为防止掉带，主、从动轮轮缘表面都应加工出凸度，可制成鼓形面或 2° 左右的双锥面，如图 6-16a 所示。为防止运转时带与轮缘表面间形成气垫，轮缘表面应开环形槽，如图 6-16b 所示。

在高速带传动中，带的寿命占有很重要的地位，带的挠曲次数 $u=jv/L$（j 为带上某一点绕行一周时所绕过的带轮数；v 为带速，L 为带长）是影响带寿命的主要因素，因此一般应限制 $u_{\max}<45\text{s}^{-1}$。

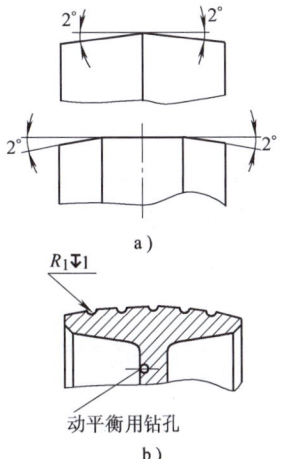

图 6-16　高速带轮轮缘

二、同步带传动

如图 6-17 所示，同步带传动属于啮合传动，它综合了带传动和链传动的优点。同步带通常是以钢丝绳或玻璃纤维绳等为强力层，氯丁橡胶或聚氨酯橡胶为基体，工作面上带齿的环形带。带轮轮面也制成相应的齿形。工作时靠带齿与轮齿啮合传动。由于强力层承载后变形小，能保证同步带的齿距不变，故带与带轮之间无相对滑动，从而保证了同步传动。

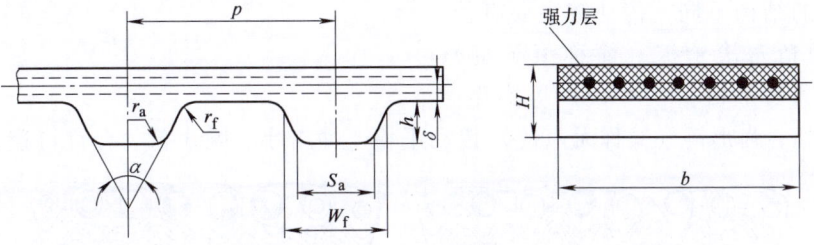

图 6-17　同步带

同步带传动具有如下特点：①传动比恒定；②初拉力小，轴与轴承上所受的载荷小，传动效率可达 0.98；③带薄而轻，强力层强度高，带速可达 50m/s，传动功率可达 300kW，传动比可达 10；④带的柔性好，结构紧凑；⑤安装时中心距要求严格，且价格较高。

同步带传动有其独特的优点，且能实现多种传动要求，因此在现代机械中被广泛使用，例如，电子计算机外部设备（磁盘机、打印机、绘图机等）、记录仪表、放映机、纺织机械、数控机床、机械加工中心等设备，正、反向传动和要求精密的传动中，都应用同步带传动。在轻工行业的包装机械、食品机械、纸加工设备、皮革机械等设备上，也都采用同步带传动。

同步带在工作时强力层长度不变，设计时以强力层的中心线位置作为基准线，此基准线称为带的节线，节线的周长称为节线长度 L_p（公称长度）。相邻两齿中心线沿节线的距离称为节距 p，如图 6-17 所示。节线长度 L_p，节距 p 和带宽 b 是同步带的主要参数。

同步带按齿形可分为直线齿形和圆弧齿形两大类。同步带又分为单面同步带和双面同步带两种。双面同步带的两面都有齿，可以双面传动，它分为 A 型（上下对称型）和 B 型（上下交错型）。

国产同步带的带型（即节距代号）有：MXL——超轻薄型；XXL——超轻型；XL——特轻型；L——轻型；H——重型；XH——特重型；XXH—超重型。同步带的标记为：

带长代号　　带型　　带宽代号。

同步带传动的设计可参考《机械设计手册》。

第六节　链传动简介

如图 6-18 所示，链传动是由装在平行轴上的链轮和跨绕在两链轮上的环形链条组成的。链条作为中间挠性件，靠链节与链轮轮齿的啮合来传递运动和动力。适用于中心距较大而且要求平均传动比准确或工作条件恶劣的场合。

链传动的类型很多，按工作性质的不同可分为传动链、起重链、牵引链三种。传动链用于一般机械中传递运动和动力，起重链和牵引链主要用于起重机械和运输机械中。

按链条的结构不同，传动链主要有传动用短节距精密滚子链（简称滚子链）（图 6-20）和齿形链（图 6-19）等类型。

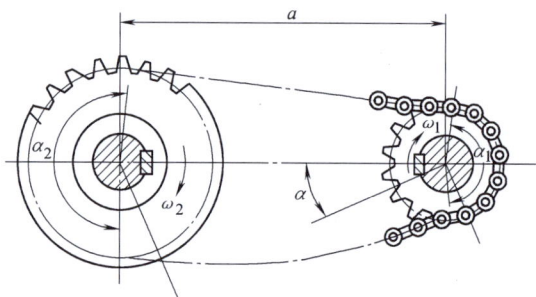

图 6-18　链传动

与滚子链相比，齿形链（又称无声链）传动平稳、冲击小、噪声低、允许链速较高，但结

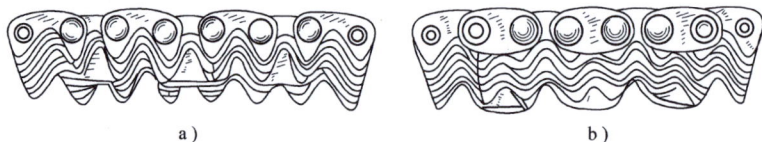

a)　　　　　　　　　　b)

图 6-19　齿形链
a）带内导板　b）带外导板

构复杂、价格较高，装拆也较困难，因此应用不如滚子链广泛。

与齿轮传动相比，链传动的制造和安装精度要求较低，中心距较大时传动结构简单，成本较低；与带传动相比，链传动无弹性滑动和打滑，平均传动比 $i=n_1/n_2=z_2/z_1$ 为常数，只需较小的张紧力，对轴的压力较小，能在温度较高、有油污等的恶劣环境下工作。但链条绕在链轮上呈多边形，工作时瞬时链速和瞬时传动比不是常数，传动平稳性较差，不能用在要求瞬时传动比恒定的精确传动中，也不宜在载荷变化很大和急促反向的传动中应用。

通常，链传动的传动比 $i\le8$，中心距 $a\le5\sim6\mathrm{m}$，传递功率 $P\le100\mathrm{kW}$，链速 $v\le15\mathrm{m/s}$，传动效率 $\eta=0.95\sim0.98$。

第七节　套筒滚子链及链轮

一、链条

套筒滚子链的结构如图 6-20 所示。它由内链板 4、外链板 5、销轴 3、套筒 2 和滚子 1 组成。内链板与套筒、外链板与销轴分别用过盈配合固连，构成内链节和外链节。销轴与套筒之间则为间隙配合，形成了转动副，使相邻内、外链节可以相对转动。套筒与滚子之间也为间隙配合，链与链轮啮合时，滚子与轮齿间形成滚动摩擦，可减小链与轮齿表面的磨损。链板通常制成 8 字形，以减轻链的质量并使链板各横截面抗拉强度大致相等。

套筒滚子链相邻两销轴中心间的距离称为链的节距，用 p 表示，它是链条的主要参数。节距越大，链条各组成元件的尺寸越大，链所能传递的功率也越大。

滚子链有单排和多排之分。多排链的承载能力与排数成正比。但由于制造和装配精度等影响，各排链受力不易均匀，故排数不宜过多。通常不超过三排，常用双排链。如图 6-21 所示。

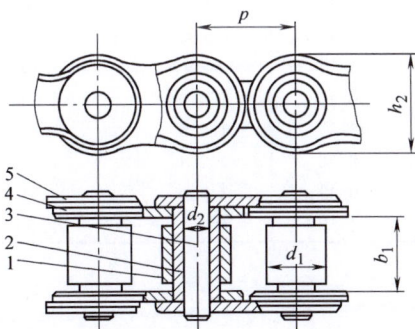

图 6-20　套筒滚子链的结构

1—滚子　2—套筒　3—销轴　4—内链板　5—外链板

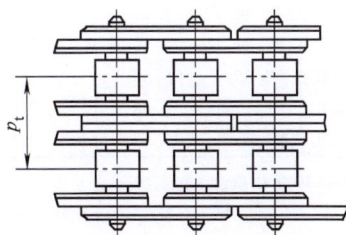

图 6-21　双排链

滚子链已标准化，分为 A、B 两个系列，由专业厂生产。常用的是 A 系列，表 6-10 列出了 GB/T 1243—2006 规定的几种规格滚子链的主要参数。

链条的长度以链节数 L_p 来表示。链节数最好取偶数，以便链条连成环形时正好是内、外链板相接，接头处可用开口销或弹簧卡片锁紧，如图 6-22a、b 所示；若链节数必须采用奇数时，则需要用过渡链节，如图 6-22c 所示，但强度较差，应尽量避免使用。

滚子链的标记为：

| 链号 | 排数 | 整链链节数 | 标准编号 |

例如：08A—1×88　　GB/T 1243—2006

表示：A系列，节距12.7mm，单排，88节的滚子链。

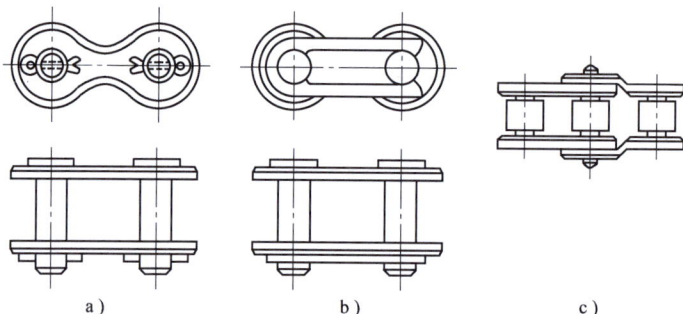

a)　　　　　　　　b)　　　　　　c)

图 6-22　滚子链的接头形式

表 6-10　滚子链规格和主要参数

链号	节距 p	排距 p_1	滚子外径 d_1	内链节内宽 b_1	销轴直径 d_2	内链板高度 h_2	极限拉伸载荷(单排)Q[①]	每米质量(单排)q
				mm			kN	kg/m
05B	8.00	5.64	5.00	3.00	2.31	7.11	4.4	0.18
06B	9.525	10.24	6.35	5.72	3.28	8.26	8.9	0.40
08B	12.70	13.92	8.51	7.75	4.45	11.81	17.8	0.70
08A	12.70	14.38	7.92	7.85	3.98	12.07	13.8	0.60
10A	15.875	18.11	10.16	9.40	5.09	15.09	21.8	1.00
12A	19.05	22.78	11.91	12.57	5.96	18.10	31.1	1.50
16A	25.40	29.29	15.88	15.75	7.94	24.13	55.6	2.60
20A	31.75	35.76	19.05	18.90	9.54	30.17	86.7	3.80
24A	38.10	45.44	22.23	25.22	11.11	36.20	124.6	5.60
28A	44.45	48.87	25.40	25.22	12.71	42.23	169.0	7.50
32A	50.80	58.55	28.58	31.55	14.29	48.26	222.4	10.10
40A	63.50	71.55	39.68	37.85	19.85	60.33	347.0	16.10
48A	76.20	87.83	47.63	47.35	23.81	72.39	500.4	22.60

① 过渡链节取 Q 值的80%。

二、链轮

滚子链与链轮的啮合属于非共轭啮合，其链轮的齿形应保证链节能平稳顺利地进入和退出啮合，啮合时接触良好，且便于加工。GB/T 1243—2006只规定了滚子链链轮的最大和最小齿槽形状及其极限参数，齿槽形状参数计算公式见表6-11，凡在两个极限齿槽形状之间的各种标准齿形均可采用。目前较流行的一种齿形是三圆弧一直线齿形，如图6-23所示。当选用这种齿形并用相应的标准刀具加工时，链轮齿形在工作图上不画出，只需注明链轮的基本参数和主要尺寸，并注明"齿形按3R　GB/T 1243—2006规定制造"即可。

链轮轴面齿形有 A 型（图 6-24a）、B 型（图 6-24b）两种，图 6-24c 为多排链链轮结构。链轮轴面齿形按 GB/T 1243—2006 规定计算。

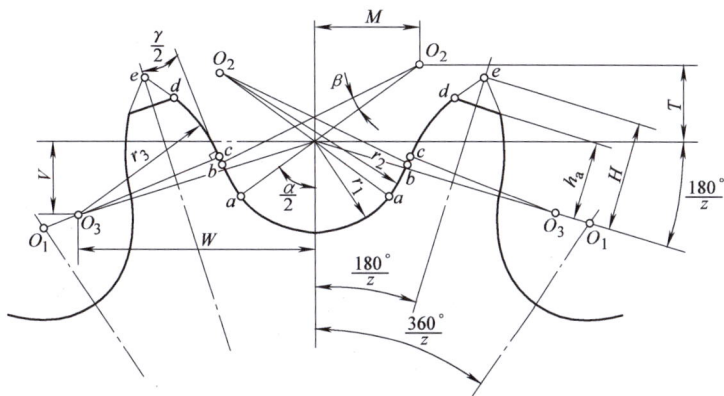

图 6-23 三圆弧—直线齿形

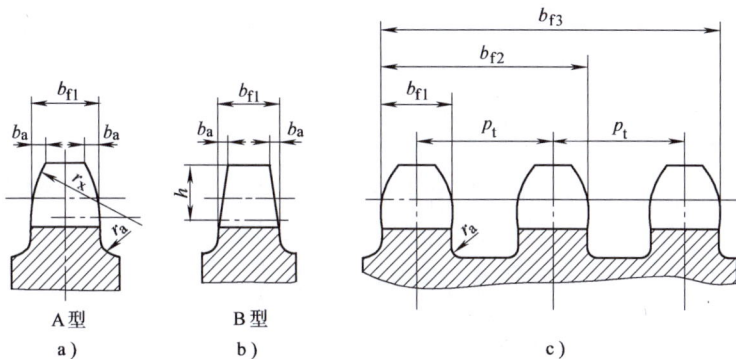

A 型
a)

B 型
b)

c)

图 6-24 链轮的轴面齿形

表 6-11 滚子链链轮的最大和最小齿槽形状参数计算公式

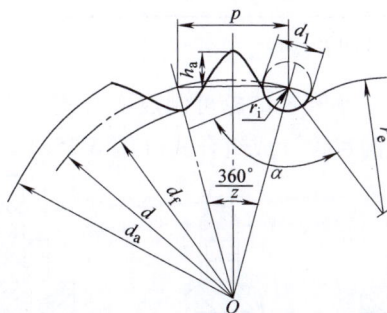

名　称	代　号	计 算 公 式	
		最大齿槽形状	最小齿槽形状
齿面圆弧半径/mm	r_e	$r_{emin} = 0.008d_1(z^2 + 180°)$	$r_{emax} = 0.12d_1(z+2)$
齿沟圆弧半径/mm	r_i	$r_{imax} = 0.505d_1 + 0.069\sqrt[3]{d_1}$	$r_{imin} = 0.505d_1$
齿沟角/(°)	α	$\alpha_{min} = 120° - \dfrac{90°}{z}$	$\alpha_{max} = 140° - \dfrac{90°}{z}$

链轮的基本参数是配用链条的节距 p，套筒的最大外径 d_1，排距 p_t 以及齿数 z。链轮被链节距等分的圆称为分度圆，直径用 d 表示。链轮的主要尺寸及计算公式见表 6-12。

表 6-12　滚子链链轮主要尺寸及计算公式　　　　　　　　（单位：mm）

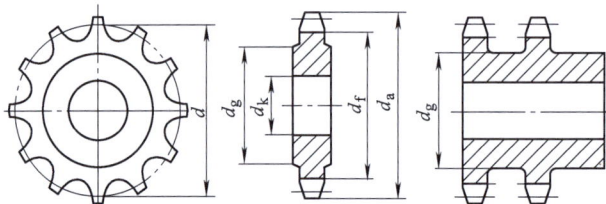

名　称	代　号	计算公式	备　注
分度圆直径	d	$d = \dfrac{p}{\sin\left(\dfrac{180°}{z}\right)}$	
齿顶圆直径	d_a	$d_{amax} = d + 1.25p - d_1$ $d_{amin} = d + \left(1 - \dfrac{1.6}{z}\right)p - d_1$ 若为三圆弧一直线齿形，则 $d_a = p\left(0.54 + \cot\dfrac{180°}{z}\right)$	可在 $d_{amin} \sim d_{amax}$ 范围内任意选取，但选用 d_{amax} 时，应考虑采用展成法加工有发生顶切的可能性
分度圆弦齿高	h_a	$h_{amax} = \left(0.625 + \dfrac{0.8}{z}\right)p - 0.5d_1$ $h_{amin} = 0.5(p - d_1)$ 若为三圆弧一直线齿形，则 $h_a = 0.27p$	h_a 是为简化放大齿形图的绘制而引入的辅助尺寸（表 6-11） h_{amax} 相应于 d_{amax} h_{amin} 相应于 d_{amin}
齿根圆直径	d_f	$d_f = d - d_1$	
齿侧凸缘（或排间槽）直径	d_g	$d_g \leqslant p\cot\dfrac{180°}{z} - 1.04h_2 - 0.76$ h_2 为内链板高度（表 6-10）	

注：d_a、d_g 值取整数，其他尺寸精确到 0.01mm。

链轮的结构如图 6-25 所示。小直径链轮可制成实心式（图 6-25a）；中等直径的可制成孔板式（图 6-25b）；直径较大的可设计成组合式（图 6-25c）。若轮齿磨损可更换齿圈。

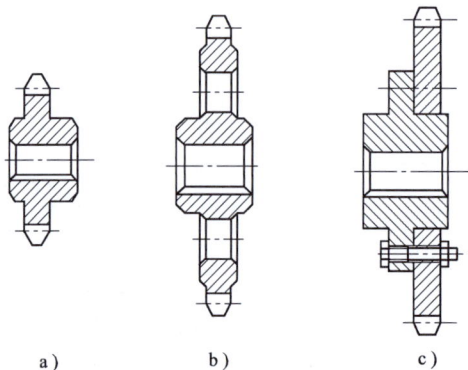

a)　　　　　　　　b)　　　　　　　　c)

图 6-25　链轮的结构

常用的链轮材料有优质碳素钢和合金钢。齿面一般要进行热处理，以保证轮齿表面有足够的接触强度和耐磨性。小链轮轮齿比大链轮轮齿的啮合次数多，冲击大，故所用材料应优于大链轮。

第八节　链传动的运动特性

一、链传动的运动不均匀性

链条是由刚性链节通过销轴铰接而成的，当链条绕在链轮上时，其链节与相应的轮齿啮合后，这段链条将曲折成正多边形的一部分（图 6-26）。该正多边形的边长即为链条的节距 p，边数等于链轮齿数 z。链轮每转一圈，链条转过的长度为 zp，则链条的平均速度为

$$v = \frac{z_1 p n_1}{60 \times 1000} = \frac{z_2 p n_2}{60 \times 1000} \tag{6-25}$$

故链传动的传动比为

$$i_{12} = \frac{n_1}{n_2} = \frac{z_2}{z_1} \tag{6-26}$$

由式（6-26）求得的是平均传动比。实际上，即使主动链轮匀速转动，其瞬时链速和瞬时传动比都是变化的，而且是按每一链节的啮合过程做周期性的变化。

如图 6-26 所示。当主动链轮以等角速度 ω_1 回转时，铰链 A 的速度，即链轮节圆的圆周速度为 $v_1 = R_1 \omega_1$，在沿链条前进方向的分速度为 $v_x = R_1 \omega_1 \cos\beta$。每一链节从进入啮合到脱离啮合，$\beta$ 角在 $\pm\frac{\phi_1}{2}$ 的范围内周期性变化，而每一个链节在主动轮上所对应的中心角 $\phi_1 = \frac{360°}{z_1}$，所以当 $\beta = \pm\frac{\phi_1}{2} = \pm\frac{180°}{z_1}$ 时，链节速度最小 $v_{x\min} = R_1 \omega_1 \cos\frac{180°}{z_1}$；当 $\beta = 0$ 时，链速最大 $v_{x\max} = R_1 \omega_1$，由此可知，即使 $\omega_1 =$ 常数，链条前进速度 v_x、从动轮角速度 ω_2 以及瞬时传动比 $\left(\frac{\omega_1}{\omega_2}\right)$ 也都做周期性变化。

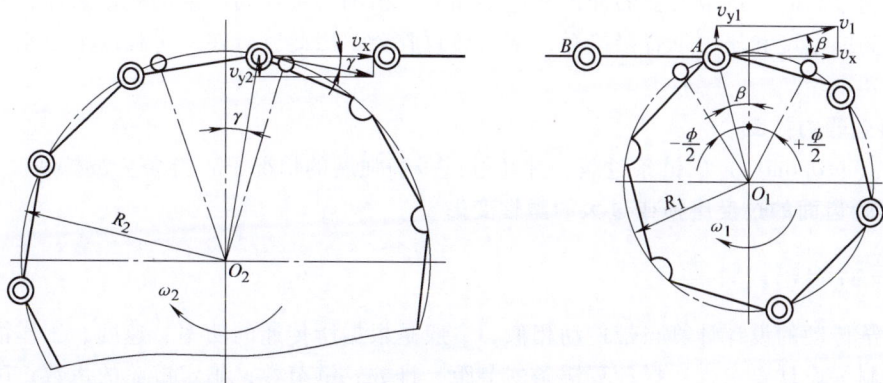

图 6-26　链传动的速度分析

同理，与链条前进方向垂直的横向分速度 $v_{y1} = R_1\omega_1\sin\beta$，也是做周期性变化的，这将使链条产生抖动。

上述链传动运动不均匀性的特征，是由于围绕在链轮上的链条形成了正多边形这一特点所造成的，故称为链传动的多边形效应。

二、链传动的动载荷

链传动在工作过程中，链条和从动链轮都做周期性的变速运动，因而造成和从动链轮相连的零件也产生周期性的速度变化，从而引起动载荷。链轮转速越高，节距越大，齿数越少，则传动的动载荷就越大。同时，由于链条沿垂直方向的分速度 v_{y1} 也在做周期性变化，将使链条发生横向振动，这也是链传动产生动载荷的重要原因之一。

此外，做直线运动的链节和做圆周运动的链轮轮齿以一定的相对速度突然相互啮合，从而使链条和链轮受到冲击，并产生附加动载荷。显然，链节距越大，链速越高，则冲击越强烈。

第九节　链传动的失效形式及设计计算

一、链传动的失效形式

1. 链的疲劳破坏

链在工作时，周而复始地由松边到紧边不断运动着，因而其各个元件都是在变应力作用下工作，经过一定的应力循环次数后，链板将会出现疲劳断裂；套筒、滚子表面将会出现疲劳点蚀。因此，链条的疲劳强度就成为决定链传动承载能力的主要因素。

2. 链条铰链的磨损

链条在工作过程中，由于铰链的销轴与套筒间承受较大的压力，传动时彼此又产生相对转动，导致铰链磨损，使链条总长伸长，松边垂度变化，动载荷增大，发生振动，引起跳齿等。

3. 链条铰链的胶合

当链速过高时，链节所受的冲击和振动加大，销轴与套筒间润滑油膜被破坏，使两工作表面在很高的温度和压力下直接接触，从而导致胶合。因此胶合在一定程度上限制了链传动的极限转速。

4. 链条静力拉断

低速（$v<0.6\text{m/s}$）的链条过载，并超过链条静强度的情况下，链条会被拉断。

5. 链轮齿面的过度磨损或过大的塑性变形

二、链传动的设计计算

滚子链传动的设计计算与带传动相似，一般是根据所传递的功率、速度、工作情况、外廓尺寸限制等设计要求，选择计算链条的节距、排数、链节数；确定链轮的齿数；确定传动的中心距及润滑方式等。

1. 链轮齿数 z_1、z_2 和传动比 i

小链轮齿数对链传动的平稳性和使用寿命有较大的影响。齿数少可减小外廓尺寸，但齿数少会导致：①传动的不均匀性和动载荷加大；②链条进入和退出啮合时，链节间相对转角增大，铰链磨损加剧；③链传动的圆周力加大。因此增大小链轮齿数对传动有利。但小链轮齿数过大，除传动的外廓尺寸和质量增大外，还易因铰链磨损节距伸长而发生脱链现象。由图 6-27 得，链节距的增长量和啮合圆外移量有如下关系

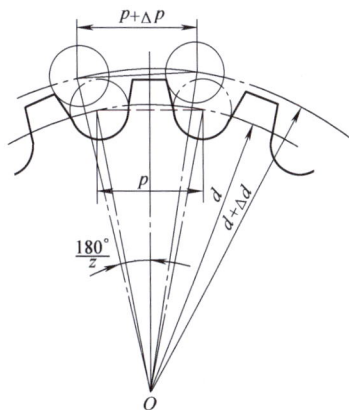

$$\Delta p = \Delta d \sin \frac{180°}{z}$$

当节距 p 一定时，齿高就一定，也就是说允许的啮合圆外移量 Δd 就一定，齿数越多，不发生脱链所允许的节距增长量就越小，链的使用寿命就越短，因此通常限定最大齿数 $z_{max} \leq 120$。为使 z_2 不致过大，在选择 z_1 时可参考表 6-13（先假设某一链速）。

图 6-27　链节距伸长对啮合的影响

表 6-13　小链轮齿数 z_1 的选择

链速 $v/(\mathrm{m \cdot s^{-1}})$	$0.6 \sim 3$	$3 \sim 8$	>8	>25
齿数 z_1	≥ 17	≥ 21	≥ 25	≥ 35

由于链节数通常为偶数，链轮齿数一般应取与链节数互质的奇数，并优先选用以下数列：17、19、21、23、25、38、57、76、95、114。

通常推荐链传动的传动比 $i = 2 \sim 3.5$。当 $v < 2\mathrm{m/s}$ 且载荷平稳时，i 可达 10，传动比过大时，由于小链轮上的包角过小，啮合齿数减少，因而易出现跳齿或加速轮齿的磨损，故可采用二级或二级以上传动。

2. 确定计算功率

计算功率是根据传递功率 P，并考虑工作机和原动机的种类而确定的。即

$$P_{ca} = K_A P \tag{6-27}$$

其中 K_A 为工作情况系数，见表 6-14。

表 6-14　工作情况系数 K_A

工　　况		原动机		
		内燃机-液力传动	电动机或汽轮机	内燃机-机械传动
载荷平稳	洗瓶机、食品罐头的预煮机和杀菌机等载荷平稳的轻工机械、纺织机、离心泵、链式运输机	1.0	1.1	1.3
中等冲击	造纸机械、粉碎机、空气压缩机、木工机械、机床、干燥机、食品灌装机、工程机械	1.4	1.5	1.7

（续）

工　况		原动机		
		内燃机-液力传动	电动机或汽轮机	内燃机-机械传动
较大冲击	破碎机、石油钻机、矿山机械、压力机、橡胶搅拌机、剪床	1.8	1.9	2.1

3. 链的节距

链传动的各种失效形式都在一定条件下限制了它的承载能力，图 6-28 所示为 A 系列滚子链的额定功率曲线，它是在特定实验条件下得出的，即：①单排链；②两链轮共面且两轴水平布置；③小链轮齿数 $z_1 = 19$；④链长 $L_p = 100$ 节；⑤载荷平稳；⑥采用推荐的润滑方式（图 6-29）；⑦工作寿命为 15000h；⑧链条因磨损而引起的相对伸长量不超过 3%。

图 6-28 表明了链的型号、允许传递的功率 P_0 和小链轮转速之间的关系。允许采用的链条节距可根据功率 P_0 和小链轮速 n_1 由图 6-28 并结合表 6-10 选取。由于链传动的实际工作条件与实验条件不完全一致，必须对 P_0 进行修正。

$$P_0 = \frac{P_{ca}}{K_z K_L K_p} \tag{6-28}$$

式中，P_0 为在特条件下，单排链所能传递的功率（图 6-28）；P_{ca} 为链传动的计算功率；K_z 为小链轮齿数系数（表 6-15）；K_L 为链长系数（表 6-15）；K_p 为多排链系数（表 6-16）。

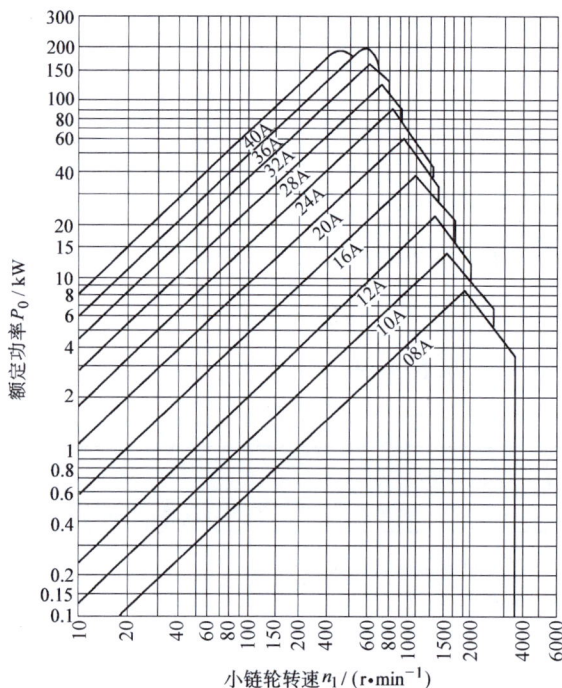

图 6-28　A 系列滚子链的额定功率曲线（$v>0.6$m/s）

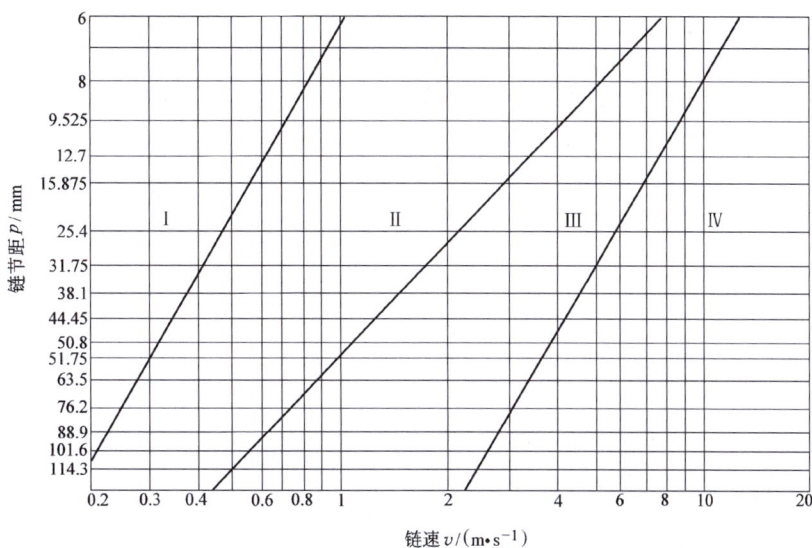

图 6-29 推荐的润滑方式

Ⅰ—人工定期润滑　Ⅱ—滴油润滑　Ⅲ—油浴或飞溅润滑　Ⅳ—压力喷油润滑

表 6-15 小链轮齿数系数 K_z 和链长系数 K_L

链传动工作在图 6-28 中的位置	位于功率曲线顶点左侧时（链板疲劳）	位于功率曲线顶点右侧时（滚子、套筒冲击疲劳）
小链轮齿数系数 K_z	$\left(\dfrac{z_1}{19}\right)^{1.08}$	$\left(\dfrac{z_1}{19}\right)^{1.5}$
链长系数 K_L	$\left(\dfrac{L_p}{100}\right)^{0.26}$	$\left(\dfrac{L_p}{100}\right)^{0.5}$

表 6-16 多排链系数 K_p

排数	1	2	3	4	5	6
K_p	1	1.7	2.5	3.3	4.0	4.6

4. 链传动的中心距和链节数

中心距过小，链速不变时，单位时间内链条伸曲次数和应力循环次数增加，加速链的磨损和疲劳；同时，当传动比（$i \neq 1$）一定时，小链轮包角变小，同时受力轮齿变少，因而每个轮齿所受的载荷增大，加快链和轮齿的磨损，也易出现跳齿和脱链现象。但中心距过大，会引起从动边垂度过大，传动时造成松边颤动。因此设计时，若中心距不受其他条件限制，一般可取 $a_0 = (30 \sim 50)p$，最大取 $a_{0max} = 80p$。链传动的中心距一般应设计成可调节的，否则应设张紧装置。

链条长度以链节数 L_p 来表示。与带传动相似，链节数 L_p 与中心距 a_0 之间的关系为

$$L_p = \frac{2a_0}{p} + \frac{z_1 + z_2}{2} + \left(\frac{z_2 - z_1}{2\pi}\right)^2 \cdot \frac{p}{a_0} \tag{6-29}$$

计算出的 L_p 应圆整为整数，最好取偶数。然后根据圆整后的链节数计算理论中心

距，即

$$a = \frac{p}{4}\left[\left(L_\mathrm{p} - \frac{z_1 + z_2}{2}\right) + \sqrt{\left(L_\mathrm{p} - \frac{z_2 + z_1}{2}\right)^2 - 8\left(\frac{z_2 - z_1}{2\pi}\right)^2}\right] \tag{6-30}$$

为了保证链条松边有一合适的安装垂度 f（f 通常取 $0.01a \sim 0.02a$），实际中心距 a' 应较理论中心距 a 小一些，即

$$a' = a - \Delta a$$

$\Delta a = (0.002 \sim 0.004)a$，对中心距可调整的链传动，$\Delta a$ 可取大值；对中心距不可调整和没设张紧装置的链传动，则应取较小值。

5. 链传动作用在轴上的力 Q（简称压轴力）

链传动是啮合传动，不需很大的张紧力，故压轴力较小，一般可近似取为

$$Q = K_Q F_A \tag{6-31}$$

式中，F_A 为链传递的有效圆周力，$F_A = 1000P/v$；K_Q 为压轴力系数，对于水平传动 $K_Q = 1.15$；对于垂直传动 $K_Q = 1.05$。

第十节　链传动的布置及润滑

一、链传动的布置

链传动一般应布置在铅垂平面内，尽可能避免布置在水平或倾斜平面内。如确有需要，则应考虑加托板或张紧等装置，并且设计较紧凑的中心距。链传动的布置应考虑表 6-17 中提出的一些布置原则。

表 6-17　链传动的布置

传动参数	正确布置	不正确布置	说　　明
$i = 2 \sim 3$ $a = (30 \sim 50)p$ （i 与 a 较佳场合）			两轮中心连线与水平面间的夹角不超过 60°，最好水平，紧边在上在下都可以，但在上较好
$i > 2$ $a < 30p$ （i 大，a 小场合）			两轮轴线不在同一水平面内，松边应在下面，否则松边下垂量增大后，链条易与链轮卡死
$i < 1.5$ $a > 60p$ （i 小，a 大场合）			两轮轴线在同一水平面，松边应在下面，否则下垂量增大后，松边会与紧边相碰，需经常调整中心距

（续）

传动参数	正确布置	不正确布置	说　明
i、a 为任意值 （垂直传动场合）	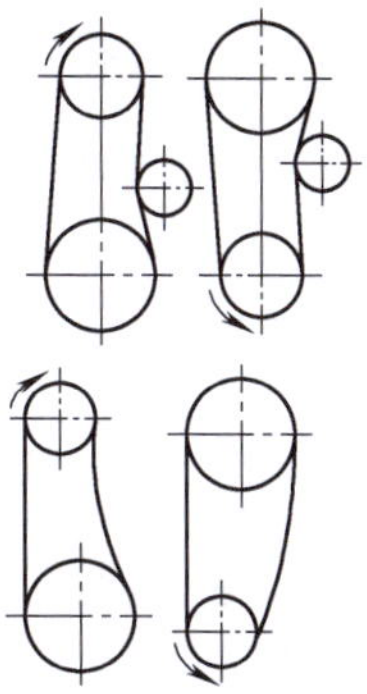	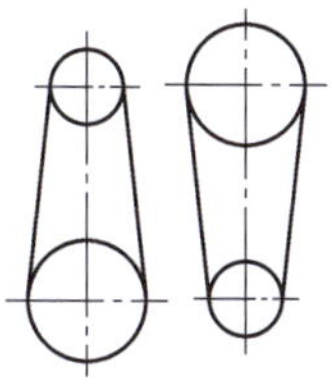	两轮轴线在同一铅垂面内,下垂量增大,会减少链轮的有效啮合齿数,降低传动能力。为此应采用:①中心距可调;②设张紧装置;③上、下两轮偏置,使两轮的轴线不在同一铅垂面内

二、链传动的润滑

链传动的润滑十分重要，对高速、重载的链传动更为重要。良好的润滑可缓和冲击，减轻磨损，延长链条使用寿命。推荐的润滑方式如图 6-29 所示，滚子链的润滑方法和供油量见表 6-18。

表 6-18　滚子链的润滑方法和供油量

方　式	润滑方法	供油量
人工润滑	用刷子或油壶定期在链条松边内、外链板间隙中注油	每班注油一次
滴油润滑	装有简单外壳,用油杯滴油	单排链,每分钟供油 5~20 滴,速度高时取大值
油浴供油	采用不漏油的外壳,使链条从油槽中通过	链条浸入油面过深,搅油损失大,油易发热变质。一般浸油深度为 6~12mm
飞溅润滑	采用不漏油的外壳,在链轮侧边安装甩油盘,飞溅润滑。甩油盘圆周速度 $v>3$m/s。当链条宽度大于 125mm 时,链轮两侧各装一个甩油盘	甩油盘浸油深度为 12~35mm
压力供油	采用不漏油的外壳,油泵强制供油,喷油管口设在链条啮入处,循环油可起冷却作用	每个喷油口供油时可根据链节距及链速大小查阅有关手册

注：开式传动和不易润滑的链传动，可定期拆下用煤油清洗，干燥后，浸入 70~80℃ 润滑油中，待铰链间隙中充满油后安装使用。

习　题

6-1　带传动的工作能力取决于哪些方面？请分析初拉力 F_0、小带轮包角 α_1、小带轮直径 D_1、传动比 i 和中心距 a 数值大小对带传动的影响？

6-2　V 带传动与平带传动比较，主要有哪些特点？带传动工作速度为什么不宜过低或过高？带的结构如何创新才能适应高速传动和转速比准确的传动？

6-3 如何判别带传动的紧边与松边？带传动有效圆周力 F_e 与紧边拉力 F_1、松边拉力 F_2 有什么关系？带传动有效圆周力 F_e 与传递功率 P、转矩 T、带速 v、带轮直径 D 之间有什么关系？

6-4 试述带传动的弹性滑动与打滑的现象、后果及其机理。

6-5 带上一点的应力在运转中如何变化？最大应力发生在何处？为什么要限制带轮的最小直径？

6-6 带传动有哪些失效形式？V 带传动设计计算的准则是什么？如何确定单根普通 V 带传动的许用功率？

6-7 现设计一带式输送机的传动系统中的普通 V 带传动，已知输送机每天工作 16h，原动机为电动机（空载起动），小带轮安装在电动机轴上，电动机满载转速 $n=1460\text{r/min}$，工作中其名义输出功率为 $P=4.3\text{kW}$，设计传动比 $i=3.6$（允许误差不超过 $\pm5\%$），要求带的根数不超过 6 根。请设计此普通 V 带传动，并选定带轮结构形式与材料。

6-8 滚子链由哪些主要零件构成？外链板与销轴，内链板与套筒，套筒与销轴，套筒与滚子各采用什么配合？

6-9 链传动的工作原理是什么？其特点和应用场合是什么？

6-10 滚子链传动的主要参数有哪些？应如何合理选择？

6-11 为什么链传动平均转速比 n_1/n_2 是恒定的，而瞬时角速度比 ω_1/ω_2 是变化的？链传动平稳性较差的原因是什么？

6-12 滚子链传动的主要失效形式有哪些？计算承载能力的基本公式依据是什么？

6-13 选择计算一电动机至螺旋输送机用的滚子链传动。已知电动机转速 $n_1=960\text{r/min}$，功率 $P=7\text{kW}$，螺旋输送机的转速 $n_2=240\text{r/min}$，载荷平稳，单班制工作。并计算两个链轮的分度圆直径、齿顶圆直径、齿根圆直径和轮齿宽度。

6-14 为什么铰链磨损会导致链传动节距增大？节距增大为什么会导致失效？

6-15 链传动的润滑方式应如何选择？链传动布置应考虑些什么问题？

6-16 试从工作原理、结构、特点和应用将带传动和链传动作比较。

第七章

hapter

齿轮传动

本章以渐开线直齿圆柱齿轮传动为重点，阐述了齿廓啮合基本定律；在了解渐开线的形成过程和性质的基础上，介绍了齿轮传动的啮合原理、啮合特点、渐开线标准直齿圆柱齿轮的基本参数、几何尺寸及切削加工原理和方法；通过啮合齿对的受力分析，介绍了轮齿的失效形式、设计准则及强度计算方法；简要介绍了平行轴斜齿圆柱齿轮传动、直齿锥齿轮传动和蜗杆传动的特点、标准参数及基本尺寸计算。

齿轮传动是机械传动中最主要、应用最广泛的一种传动。它可以用于空间任意两轴间的传动，用以改变运动速度和形式。

齿轮传动的类型很多，本章以平行轴间的渐开线直齿圆柱齿轮传动为重点，介绍齿轮传动的啮合原理、强度计算及几何尺寸计算。

第一节　齿轮传动的特点和类型

一、齿轮传动的特点

齿轮传动的主要优点：①传动比稳定；②传动效率高；③工作可靠、寿命长；④适用的尺寸、圆周速度及功率范围广；⑤结构紧凑。这些是齿轮传动获得广泛应用的原因。

齿轮传动也有一些缺点：①制造和安装精度要求高，价格较贵；②不宜用于传动距离过大的场合。

二、齿轮传动的分类

1. 按两齿轮轴线的相对位置和齿向分类

1) 平行轴的圆柱齿轮传动。圆柱齿轮按轮齿相对轴线的方向不同又可分为直齿、斜齿和人字齿圆柱齿轮（图 7-1a、b、c）。

2) 相交轴的锥齿轮传动。锥齿轮按轮齿相对圆锥母线的方向不同又可分为直齿、斜齿锥齿轮（图 7-1d、e）。

3) 交错轴的斜齿圆柱齿轮传动（图 7-1f）和蜗杆传动（图 7-1g）。

2. 按齿轮啮合方式分类

1) 外啮合齿轮传动（图 7-1a、b、c）。两齿轮转向相反。

2) 内啮合齿轮传动（图 7-1h）。两齿轮转向相同。

3) 齿轮齿条传动（图 7-1i）。齿轮转动，齿条移动，用于改变运动形式。

内啮合直齿圆柱齿轮机构

螺旋齿轮传动

人字齿轮机构

蜗轮蜗杆

直齿圆柱齿轮机构

直齿圆锥齿轮机构

齿轮齿条机构

斜齿圆锥齿轮机构

斜齿圆柱齿轮机构

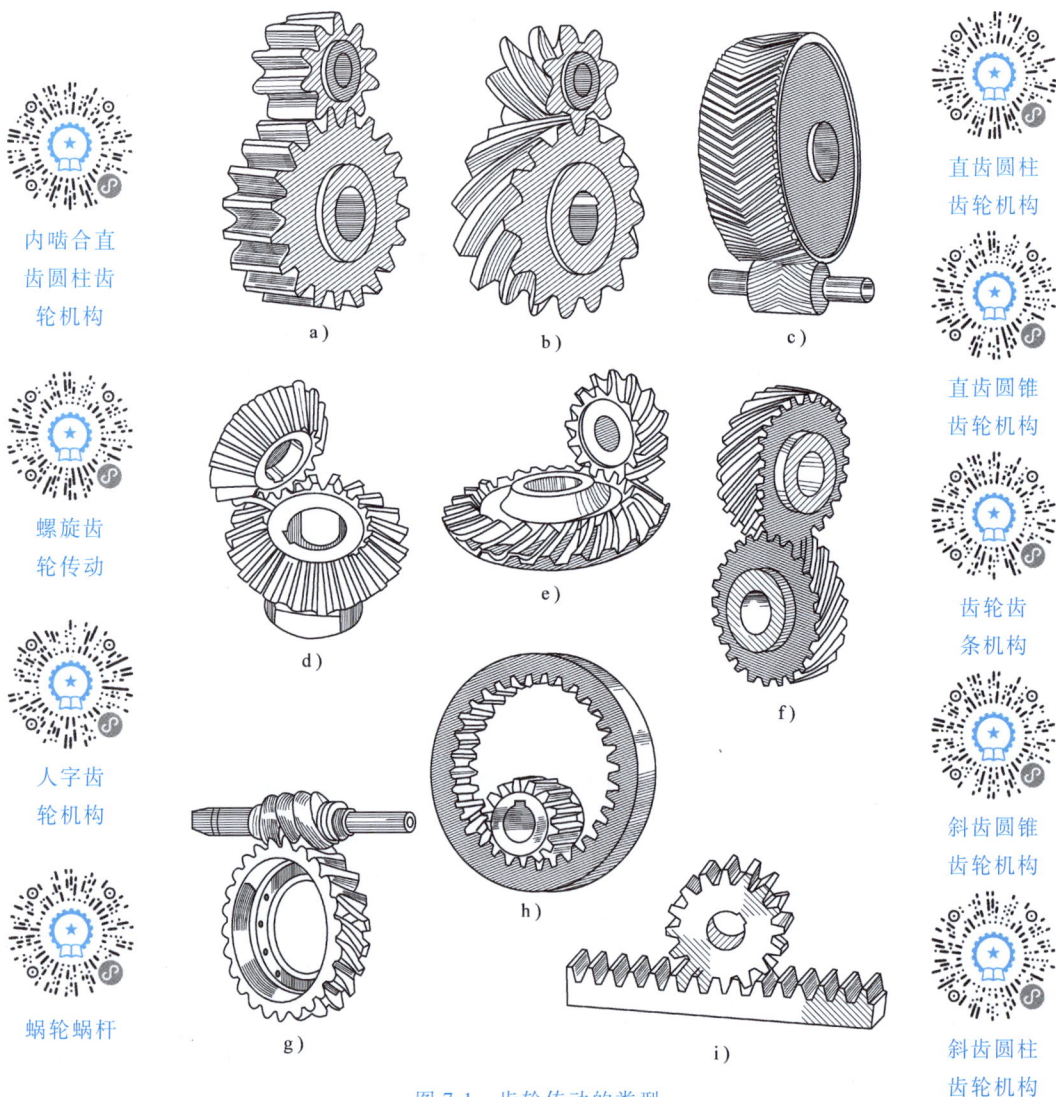

图 7-1　齿轮传动的类型

第二节　齿廓啮合基本定律

机械中通常要求齿轮传动的瞬时传动比恒定不变。齿轮传动是依靠主动轮的轮齿依次推动从动轮的轮齿来实现传动的。因此，要保证瞬时传动比不变，齿轮轮齿的齿廓形状必须符合一定的条件。

图 7-2 所示为一对互相啮合的任意曲线的齿廓，设主动轮 1 和从动轮 2 分别以角速度 ω_1 和 ω_2 绕各自轴心 O_1 和 O_2 转动。两轮齿廓在任一点 K 接触，则两齿廓在 K 点的速度分别为

$$\begin{cases} v_{K1} = \omega_1 \cdot \overline{O_1K} \\ v_{K2} = \omega_2 \cdot \overline{O_2K} \end{cases} \tag{a}$$

过 K 点作两齿廓的公法线 N_1N_2 与两轮中心连线 O_1O_2 交于 P 点。由于两齿廓在啮合过程中即不能分离也不能相互嵌入，所以 v_{K1} 和 v_{K2} 在公法线上的分速度应相等，即

$$v_{K1}\cos\alpha_{K1} = v_{K2}\cos\alpha_{K2} \tag{b}$$

由式（a）、式（b）可得两齿轮的传动比为

$$i_{12} = \frac{\omega_1}{\omega_2} = \frac{\overline{O_2K}\cos\alpha_{K2}}{\overline{O_1K}\cos\alpha_{K1}} \tag{c}$$

由两轮中心 O_1、O_2 分别作公法线的垂线 O_1N_1 及 O_2N_2，由图中几何关系可知，$\angle KO_1N_1 = \alpha_{K1}$，$\angle KO_2N_2 = \alpha_{K2}$，则 $\overline{O_1K}\cos\alpha_{K1} = \overline{O_1N_1}$，$\overline{O_2K}\cos\alpha_{K2} = \overline{O_2N_2}$，又因 $\triangle PO_1N_1 \backsim \triangle PO_2N_2$，则式（c）可写成

$$i_{12} = \frac{\omega_1}{\omega_2} = \frac{\overline{O_2N_2}}{\overline{O_1N_1}} = \frac{\overline{O_2P}}{\overline{O_1P}} \tag{7-1}$$

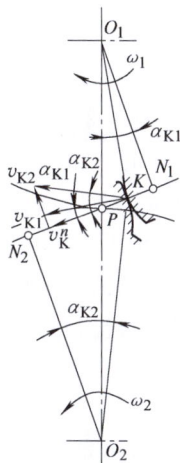

图 7-2　任意齿廓的啮合

上式说明，两齿轮的瞬时传动比等于其中心连线被过两齿廓接触点的齿廓公法线所截得的两线段的反比，这就是齿廓啮合基本定律。

两齿廓接触点的公法线与两齿轮中心连线的交点 P 称为节点。

由式（7-1）可知，要保证传动比 i_{12} 为定值，则比值 $\dfrac{\overline{O_2P}}{\overline{O_1P}}$ 应为常数。由于 $\overline{O_1O_2}$ 为定长，故欲满足上述要求，P 点应为连心线 O_1O_2 上的固定点。

因此，为使齿轮传动保持恒定的传动比，两轮齿廓必须符合下述条件：两轮齿廓不论在任何位置接触，过接触点的公法线必须与两轮的连心线交于一定点。

凡符合齿廓啮合基本定律而相互啮合的一对齿廓，称为共轭齿廓。理论上，共轭齿廓曲线有无穷多。但是齿廓曲线的选择除了要满足传动比的要求外，还必须从设计、制造、测量、安装以及使用等方面综合考虑。目前机械中常采用的齿廓曲线有渐开线、摆线和圆弧曲线等，其中以渐开线齿廓应用最普遍。本章仅讨论渐开线齿轮传动。

第三节 渐开线及渐开线齿廓的啮合特性

一、渐开线及其性质

如图 7-3 所示，当一直线 L 沿半径为 r_b 的圆周做纯滚动时，直线上任意点 K 的轨迹即为该圆的渐开线。这个圆称为渐开线的基圆，直线 L 称为渐开线的发生线，θ_K 称为渐开线 AK 段的展角。

由渐开线的形成可知，它具有以下性质：

1）发生线沿基圆周滚过的一段长度等于基圆上相应被滚过的一段弧长，即 $\overline{KN} = \overset{\frown}{AN}$。

2）发生线沿基圆周滚动时，其与基圆的切点 N 为速度瞬心，故发生线 KN 是渐开线上 K 点的法线。又因为发生线始终与基圆相切，所以渐开线上任一点的法线必与基圆相切。

3）发生线与基圆的切点 N 也是渐开线在 K 点的曲率中心，而线段 $\overline{NK}$ 是渐开线上 K 点的曲率半径。由图 7-3 可知，渐开线离基圆越远，其曲率半径越大，即渐开线越平直。渐开线在基圆上起始点处的曲率半径为零。

4）渐开线的形状决定于基圆的大小。如图 7-4 所示，在展角相同时，基圆半径越大，其渐开线的曲率半径也越大。当基圆半径为无穷大时，其渐开线将成为垂直于 N_3K 的直线。所以渐开线齿条的齿廓就是直线齿廓。

渐开线
的形成

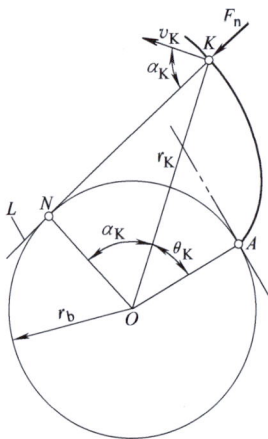

图 7-3 渐开线的形成

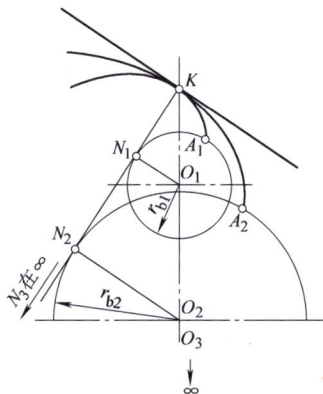

图 7-4 不同基圆形成的渐开线

5）基圆内无渐开线。

如图 7-3 所示，若以 O 为齿轮转动中心，AK 为齿廓曲线，F_n 为作用于任意点 K 的正压力，v_K 为 K 点的速度，则 F_n 的方向与 v_K 的方向所夹的锐角 α_K 称为渐开线上任意点 K 的压力角。由图可知 $\angle KON = \alpha_K$，故

$$\cos\alpha_K = \frac{r_b}{r_K} \tag{7-2}$$

式（7-2）说明渐开线上各点的压力角是不相同的，离基圆越远的点，其压力角越大，基圆上的压力角等于零。

二、渐开线齿廓

1. 渐开线齿廓满足定传动比的要求

图 7-5 所示为一对互相啮合的渐开线齿廓。r_{b1}、r_{b2} 为两轮齿廓的基圆半径。过两轮齿廓啮合点 K 作两齿廓的公法线 N_1N_2，根据渐开线的性质可知，该公法线必与两基圆相切，即为两基圆的内公切线，N_1、N_2 分别为切点。又因两轮中心连线和两轮基圆半径为定值，所以两齿廓无论在任何位置接触，过接触点所作的两齿廓的公法线 N_1N_2 都为同一固定直线，它与中心连线 O_1O_2 相交于一固定点 P，因此保证了传动比为一定值，即

$$i_{12} = \frac{\omega_1}{\omega_2} = \frac{\overline{O_2P}}{\overline{O_1P}} = \frac{\overline{O_2N_2}}{\overline{O_1N_1}} = 常数$$

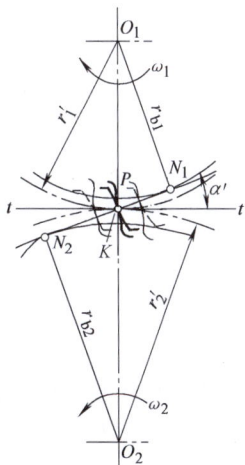

图 7-5 渐开线齿廓啮合

由图 7-5 可知，$\overline{O_1N_1}$、$\overline{O_2N_2}$ 分别为两轮的基圆半径，故传动比又可写成

$$i_{12} = \frac{\omega_1}{\omega_2} = \frac{\overline{O_2P}}{\overline{O_1P}} = \frac{r_{b2}}{r_{b1}} \tag{7-3a}$$

式（7-3a）表明一对渐开线齿轮的传动比为一定值，且等于两齿轮的基圆半径的反比。

若分别以 O_1、O_2 为圆心，过节点 P 作圆，这对相切的圆称为节圆，其半径分别以 r_1'、r_2'表示，则式（7-3a）又可写成

$$i_{12} = \frac{\omega_1}{\omega_2} = \frac{r_2'}{r_1'} = \frac{r_{b2}}{r_{b1}} \tag{7-3b}$$

由式（7-3b）可知，一对渐开线齿轮的传动比，不仅等于基圆半径的反比，也等于节圆半径的反比。

由于 $\omega_1 r_1' = \omega_2 r_2'$，即两齿轮在节点的线速度相等，故一对齿轮的传动相当于这对齿轮的节圆做纯滚动。

需强调说明一点：节点 P 是一对齿轮在啮合传动时产生的，单个齿轮无节点和节圆。

2. 渐开线齿廓啮合特点

（1）中心距的可分性 由式（7-3）可知，渐开线齿轮的传动比等于两齿轮基圆半径的反比。当一对齿轮加工完成后，两齿轮的基圆半径就完全确定了，其传动比也随之确定。若因制造和安装误差等引起中心距变化时，由于基圆不变，故传动比不变。渐开线齿轮传动的这一特点称为中心距的可分性。这对于齿轮的加工、安装都十分有利。

（2）渐开线齿廓啮合的啮合线为直线 一对齿轮啮合传动时，两轮齿廓接触点的轨迹称为啮合线。由于啮合点都在公法线上，而公法线为一条固定直线，且与两轮基圆的内公切线重合。因此渐开线齿廓的啮合线也为一固定直线。即渐开线齿廓的啮合线、公法线、两基圆

的内公切线为同一条固定直线 N_1N_2。

（3）渐开线齿廓啮合的啮合角不变　如图 7-5 所示，啮合线 N_1N_2 与过节点 P 所作两节圆的公切线 t-t 所夹的锐角 α' 称为啮合角。由于一对渐开线齿廓的啮合线为一固定直线，故其啮合角为一定值，且等于渐开线齿廓在节圆上的压力角。

若不计齿廓间的摩擦力的影响，齿廓间的压力总是沿接触点的公法线方向作用。由于渐开线齿廓各接触点的公法线为固定直线 N_1N_2，所以齿廓间的压力作用线方向恒定不变。当齿轮传递的转矩一定时，齿廓之间作用力的大小也为定值。

第四节　渐开线标准直齿圆柱齿轮的基本尺寸

一、直齿圆柱齿轮各部分的名称及代号

图 7-6 所示为一直齿圆柱齿轮的一部分。齿轮的轮齿均匀分布在圆柱面上。每个轮齿两侧齿廓都是由形状相同、方向相反的渐开线曲面组成。轮齿之间的空间部分称为齿槽。齿轮各部分的名称及代号如下：

（1）齿顶圆　过齿轮各轮齿顶端所作的圆称为齿顶圆，其直径用 d_a 表示，半径用 r_a 表示。

（2）齿根圆　过齿轮各齿槽的底部所作的圆称为齿根圆，其直径用 d_f 表示，半径用 r_f 表示。

（3）齿宽　沿齿轮轴向量得的宽度称为齿宽，用 b 表示。

（4）齿厚　在任意圆周上，一个轮齿两侧齿廓间的弧线长度称为该圆上的齿厚，用 s_K 表示。

（5）槽宽　在任意圆周上相邻两齿之间的弧线长称为该圆上的槽宽，用 e_K 表示。

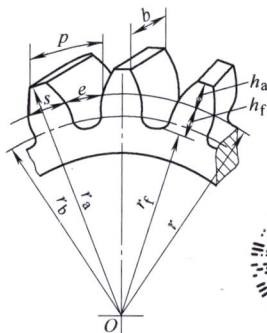

图 7-6　齿轮各部分的名称及代号

直齿圆柱齿轮机构

（6）齿距　在任意圆周上，相邻两齿同一侧齿廓间的弧线长称为该圆上的齿距，用 p_K 表示。任意圆上的齿距等于该圆上的齿厚与槽宽之和，即 $p_K = s_K + e_K$

（7）分度圆　为了设计与制造的方便而规定的一个基准圆，其直径用 d 表示，半径用 r 表示。分度圆上的齿厚、槽宽、齿距分别用 s、e、p 表示，且

$$p = s + e \tag{7-4}$$

（8）齿顶高　轮齿在分度圆与齿顶圆之间的部分称为齿顶。齿顶部分的径向高度称为齿顶高，用 h_a 表示。

（9）齿根高　轮齿在分度圆与齿根圆之间的部分称为齿根。齿根部分的径向高度称为齿根高，用 h_f 表示。

（10）全齿高　齿顶圆与齿根圆之间的径向距离称为全齿高，用 h 表示，则

$$h = h_a + h_f \tag{7-5}$$

二、直齿圆柱齿轮的基本参数

1. 齿数 z

齿轮圆周上均匀分布的轮齿总数称为齿轮的齿数，用 z 表示。

2. 模数 m

齿轮任意圆周上的齿距为 p_K，则该圆的直径为

$$d_K = \frac{p_K}{\pi}z = m_K z$$

式中，m_K 称为该圆上的模数，则 $m_K = p_K/\pi$。显然，不同圆周上的模数不同。齿轮分度圆直径为

$$d = \frac{p}{\pi}z = mz \tag{7-6}$$

式中，m 表示分度圆上的模数，且 $m = p/\pi$，分度圆是人为规定的齿轮几何尺寸计算的基准圆，且分度圆上的模数、齿厚、槽宽、齿距等均可省去分度圆而称为齿轮的模数、齿厚、槽宽、齿距等。

为了便于齿轮几何尺寸的计算及测量，应使分度圆的直径值规整。为此，规定了齿轮的模数为一系列简单的有理数，且使其标准化以便于齿轮设计、制造和测量等工作的标准化。我国标准模数系列见表 7-1。

表 7-1 渐开线圆柱齿轮模数（摘自 GB/T 1357—2008） （单位：mm）

第Ⅰ系列	1	1.25	1.5	2	2.5	3	4	5	6	8
	10	12	16	20	25	32	40	50		
第Ⅱ系列	1.125	1.375	1.75	2.25	2.75	3.5	4.5	5.5	(6.5)	7
	9	11	14	18	22	28	36	45		

注：1. 本表适用于渐开线圆柱齿轮，对于斜齿轮表中模数为法向模数。

2. 优先采用第Ⅰ系列模数，括号内数值尽可能不用。

模数是齿轮几何尺寸计算的一个基本参数，它的大小代表了轮齿的大小。在齿数一定时，也代表了齿轮的大小。模数越大，齿轮的齿距 p 就越大，齿轮的各部分尺寸均相应增大。

3. 压力角 α

由前述可知，渐开线齿廓上各点的压力角 α_K 不同，其值可用式（7-2）求出。

若分度圆上的压力角为 α，则

$$\cos\alpha = \frac{r_b}{r}$$

因此渐开线的基圆半径 r_b 为

$$r_b = r\cos\alpha \tag{7-7}$$

由渐开线的性质可知，渐开线的形状取决于基圆的大小。由式（7-7）可知，当齿轮分度圆半径确定后，基圆半径 r_b 的大小取决于分度圆上压力角的大小。若规定了分度圆的压力角，则基圆半径 r_b 也随之确定。所以压力角是一个决定渐开线形状的参数。在我国的国家标准（GB/T 1356—2001）中规定了分度圆的压力角 $\alpha = 20°$。

至此，可给分度圆一个明确的定义，即齿轮上具有标准模数和标准压力角的圆称为分度圆。

4. 齿顶高系数 h_a^* 和顶隙系数 c^*

轮齿的高度也是以模数为基础来计算的。标准的齿顶高和齿根高分别为

$$h_a = h_a^* m; \quad h_f = (h_a^* + c^*) m$$

式中，h_a^* 称为齿顶高系数；c^* 称为顶隙系数，此两系数均已标准化，其值见表 7-2。

表 7-2　渐开线圆柱齿轮的齿顶高系数及顶隙系数

系数	正常齿制（标准）	短齿制（非标准）
h_a^*	1	0.8
c^*	0.25	0.3

注：一般齿轮多为正常齿制。

三、外啮合标准直齿圆柱齿轮及其几何尺寸计算

1. 标准齿轮

1）模数 m 和压力角 α 为标准值。

2）具有标准的齿顶高和齿根高。

3）分度圆上的齿厚 s 与槽宽 e 相等。

凡具有以上三个特征的齿轮称为标准齿轮。

2. 标准直齿圆柱齿轮的几何尺寸计算

外啮合渐开线标准直齿圆柱齿轮的基本几何尺寸计算公式见表 7-3。

表 7-3　外啮合渐开线标准直齿圆柱齿轮的基本几何尺寸计算公式

名称	代号	公式
模数	m	按表 7-1 选用标准值
压力角	α	$\alpha = 20°$
齿顶高系数	h_a^*	按表 7-2 选用标准值
顶隙系数	c^*	按表 7-2 选用标准值
齿数	$z_1 \, z_2$	根据传动比要求，选定 $z_1 \, z_2$
分度圆直径	d	$d_1 = mz_1, d_2 = mz_2$
基圆直径	d_b	$d_{b1} = mz_1 \cos\alpha, d_{b2} = mz_2 \cos\alpha$
分度圆齿距	p	$p = \pi m$
基圆齿距	p_b	$p_b = p \cos\alpha = \pi m \cos\alpha$
齿顶高	h_a	$h_a = h_a^* m$
齿根高	h_f	$h_f = (h_a^* + c^*) m$
齿顶圆直径	d_a	$d_{a1} = d_1 + 2h_a = m(z_1 + 2h_a^*)$ $d_{a2} = d_2 + 2h_a = m(z_2 + 2h_a^*)$
齿根圆直径	d_f	$d_{f1} = d_1 - 2h_f = m(z_1 - 2h_a^* - 2c^*)$ $d_{f2} = d_2 - 2h_f = m(z_2 - 2h_a^* - 2c^*)$
标准中心距	a	$a = r_1 + r_2 = \dfrac{m}{2}(z_1 + z_2)$

第五节　渐开线直齿圆柱齿轮的啮合传动

一、渐开线齿轮的正确啮合条件

图 7-7 所示为一对渐开线齿轮的啮合情况。如前所述，一对渐开线齿廓在任何位置啮合时，其接触点都应在啮合线 N_1N_2 上。因此，当前一对轮齿在啮合线上 K 点接触时，若要使后一对轮齿也处于啮合状态，则其接触点 M 也应位于啮合线 N_1N_2 上。如图 7-7 所示，要使前后两对轮齿能够正确地同时进行啮合，则两齿轮相邻两轮齿同侧齿廓沿过啮合点的齿廓公法线 N_1N_2 方向上的距离——法线齿距，必须相等，即

$$\overline{K_1M_1} = \overline{K_2M_2} = \overline{KM}$$

根据渐开线的性质可知，齿轮的法线齿距等于基圆齿距 p_b。因此，一对渐开线齿轮正确啮合的条件为：两齿轮基圆齿距相等，即

$$p_{b1} = p_{b2} \tag{7-8}$$

齿轮 1 和齿轮 2 的基圆齿距分别为

$$p_{b1} = p_1 \cos\alpha_1 = \pi m_1 \cos\alpha_1$$
$$p_{b2} = p_2 \cos\alpha_2 = \pi m_2 \cos\alpha_2$$

将 p_{b1} 和 p_{b2} 代入式（7-8）中，得两齿轮正确啮合的条件为

$$m_1 \cos\alpha_1 = m_2 \cos\alpha_2 \tag{7-9}$$

式中，m_1、m_2、α_1、α_2 分别为两齿轮的模数和压力角。由于模数和压力角均已标准化，所以要满足式（7-9），只有使

$$\begin{cases} m_1 = m_2 = m \\ \alpha_1 = \alpha_2 = \alpha \end{cases} \tag{7-10}$$

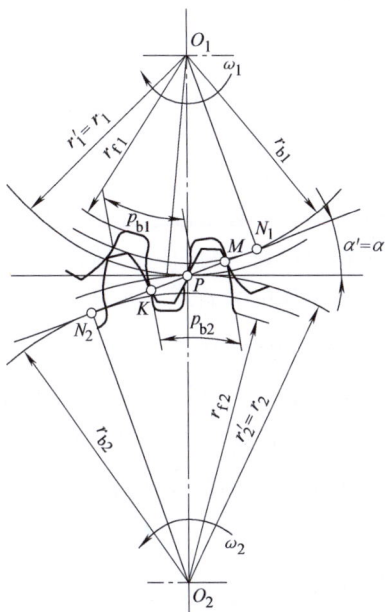

图 7-7　渐开线齿轮的正确啮合

由此得出一对渐开线齿轮的正确啮合条件是：两齿轮的模数和压力角应分别相等。

这样，一对齿轮传动的传动比可写成

$$i_{12} = \frac{\omega_1}{\omega_2} = \frac{r_2'}{r_1'} = \frac{r_{b2}}{r_{b1}} = \frac{z_2}{z_1} \tag{7-11}$$

二、渐开线标准齿轮传动的中心距

要使一对齿轮传动平稳，应保证相啮合的两轮齿的齿侧无间隙存在。由于一对齿轮啮合传动时，两齿轮的节圆做纯滚动，且其中心距等于两轮节圆半径之和。当要求两齿轮的齿侧无间隙存在时，则一齿轮的节圆齿厚必须等于另一齿轮节圆的槽宽，即 $s_1' = e_2'$，$s_2' = e_1'$。当一对模数相等的标准齿轮相啮合时，由于两齿轮分度圆上的齿厚与槽宽相等，即 $s_1 = e_1 = s_2$

$e_2 = \pi m/2$，因此两齿轮在无齿侧间隙的条件下进行传动时，则分度圆必与节圆重合。这时两齿轮的中心距称为标准中心距，用 a 表示，如图 7-8 所示。即

$$a = r_1' + r_2' = r_1 + r_2 = \frac{m}{2}(z_1 + z_2) \tag{7-12}$$

图 7-8 中，一齿轮的齿顶圆至另一齿轮的齿根圆之间沿中心连线的径向间隙称为顶隙，用 c 表示。由于两分度圆相切，故顶隙

$$c = a - r_{a2} - r_{f1} = r_1 + r_2 - (r_2 + h_a) - (r_1 - h_f)$$
$$= h_f - h_a = c^* m \tag{7-13}$$

顶隙的作用是为了避免一齿轮的齿顶与另一齿轮的齿根相抵触，同时也便于储存润滑油。

三、渐开线齿轮连续传动条件

在图 7-9 所示的一对渐开线齿轮传动中，齿轮 1 为主动轮，齿轮 2 为从动轮，转动方向如图所示。一对轮齿进行啮合时，首先是主动轮的齿根部分与从动轮的齿顶部分相接触。随着两轮的传动，两轮齿的啮合点沿着啮合线 N_1N_2 移动，当移至主动轮的齿顶部分与从动轮的齿根部分相接触时，该对轮齿即将脱离啮合。因此，从动轮的齿顶圆与啮合线 N_1N_2 的交点 B_2 为一对轮齿啮合的起始点，而主动轮的齿顶圆与啮合线 N_1N_2 的交点 B_1 为该对轮齿啮合的终止点。一对轮齿由 B_2 点开始进入啮合，由 B_1 点结束啮合，线段 $\overline{B_2B_1}$ 为一对轮齿啮合点的实际轨迹，称为实际啮合线。当两轮的齿顶圆增大时，实际啮合线将随之增长，理论上可达到 $\overline{N_1N_2}$，因此 $\overline{N_1N_2}$ 称为理论啮合线。

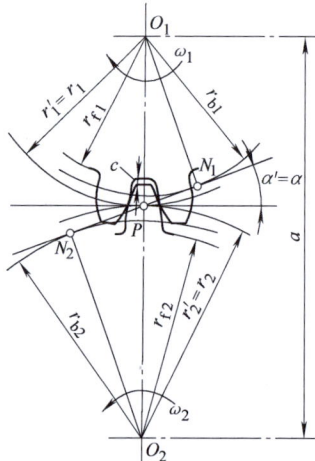

图 7-8　标准中心距

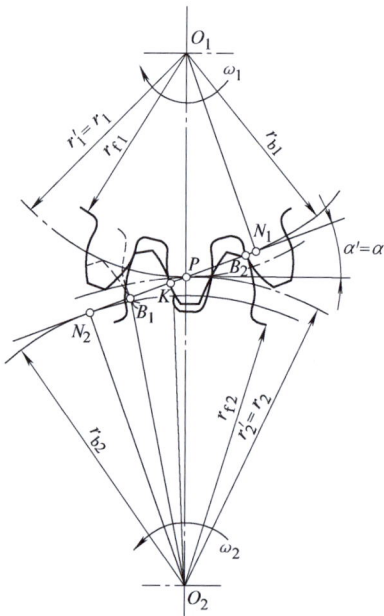

图 7-9　渐开线齿轮的连续传动

由上述一对齿轮的啮合过程可知，为了使两齿轮能连续传动，必须在前一对轮齿尚未终止啮合之前，后一对轮齿就应已进入啮合。如图 7-9 所示，当前一对轮齿啮合到 K 点时，其

后一对轮齿已在 B_2 点开始进入啮合，这表明传动是连续的。若前一对轮齿已啮合到 B_1 点，而后一对轮齿还未到达 B_2 点，即未进入啮合，则表明传动不能连续。因此，由图 7-9 可知，渐开线齿轮连续传动的条件为 $\overline{B_2B_1} \geq \overline{B_2K}$，而 $\overline{B_2K} = p_b$，故连续传动的条件可用下式表示

$$\overline{B_2B_1} \geq p_b \quad 或 \quad \frac{\overline{B_2B_1}}{p_b} \geq 1$$

通常比值 $\dfrac{\overline{B_2B_1}}{p_b}$ 称为重合度，用 ε 表示，即

$$\varepsilon = \frac{\overline{B_2B_1}}{p_b} \geq 1 \tag{7-14}$$

重合度越大，表示同时啮合的齿的对数越多，传动越平稳，承载能力越大。理论上，当 $\varepsilon = 1$ 时就能保证连续传动。但由于齿轮制造、安装等都会有误差，所以实际要求 $\varepsilon > 1$。当一对标准齿轮的齿数大于或等于 17 齿、且按标准中心距安装时，其重合度总是大于 1，所以一般都能满足连续传动的要求。

139

第六节　渐开线齿轮的切削原理及变位齿轮的概念

一、渐开线齿轮加工原理

齿轮可通过铸造、冲压、切削等方法加工而成，其中切削加工法使用最普遍。切削加工法按其加工原理可分为仿形法和展成法两种。

1. 仿形法

用仿形法加工齿轮所用的刀具，在其轴平面内，切削刃的形状与被加工齿轮的齿槽形状相同。切齿时，刀具绕其轴线转动，同时轮坯相对刀具沿其轴线移动来切削齿槽材料。当切完一个齿槽后，轮坯退回原位，然后转过 $360°/z$，再依次切削其余齿槽。

仿形法所用的刀具有盘形铣刀（图 7-10a）、指形齿轮铣刀（图 7-10b）。用这种方法加工齿轮所需的设备简单，刀具价格

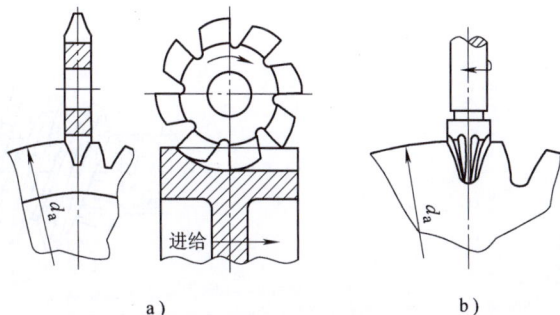

图 7-10　仿形法加工齿轮

低廉，但生产率低，而且加工精度低。仿形法适用于单件或小批量生产的低精度齿轮加工。

2. 展成法

展成法是利用一对齿轮啮合其齿廓互为包络线的原理来加工齿轮的，刀具与轮坯如同一对相互啮合的齿轮传动。展成法所用的刀具有齿轮插刀、齿条插刀和滚刀（图 7-11a、b、c）。标准齿条刀具的形状与普通标准齿条相似（图 7-12），其齿高中部的一条与齿根线相平行的直线称为中线。在中线上，其齿厚 s 与齿槽宽 e 相等，即 $s = e = \pi m/2$。中线以上的齿高

a)

b)

c)

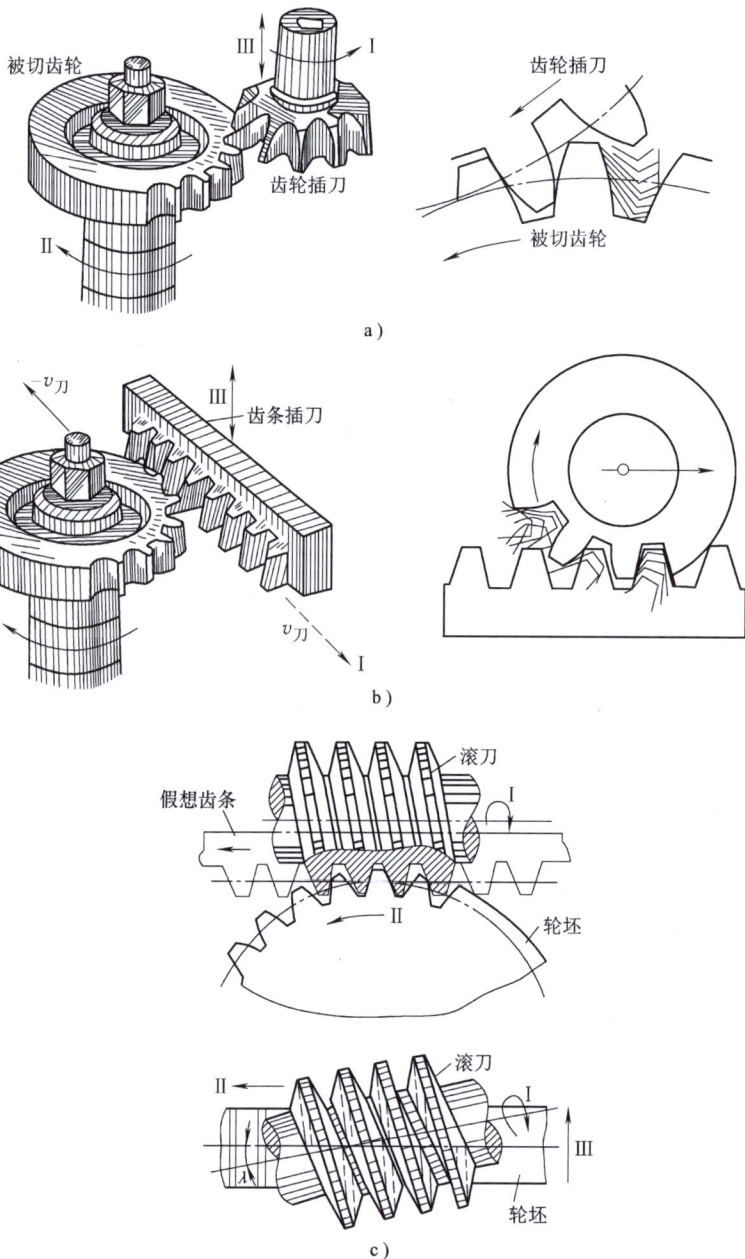

图 7-11　展成法加工齿轮

（即齿顶高）和中线以下齿高（即齿根高）均为（h_a^* + c^*）m，其中在齿顶部距中线 $h_a^* m$ 处与中线平行的直线称为齿顶线，而过顶部切削刃的直线称顶刃线。齿根线到齿顶线部分的齿形为直线，是用来加工齿轮的渐开线齿廓的，齿顶线以上高度为 $c^* m$ 的部分是用来加工齿轮根部的过渡曲线的。刀具的齿形角 α 规定为20°。

标准齿轮刀具与标准齿条刀具的齿顶高相同，即比普

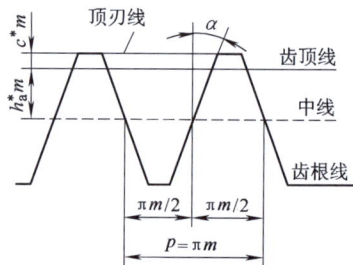

图 7-12　标准齿条刀具

通标准齿轮的齿顶高出 c^*m 部分，用于加工齿轮的齿根部分，其他部分均与普通标准齿轮相同。

二、根切现象及最少齿数

用展成法加工齿轮时，有时出现轮齿根部被刀具的齿顶过多地切去一部分（图 7-13）的现象，这种现象称为齿轮的根切现象。根切的轮齿不仅因齿根厚度减小，强度降低；而且因根部渐开线部分被切去而影响传动的平稳性。为保证齿轮传动质量，一般不允许齿轮出现根切。

轮齿的根切是由于加工齿轮的刀具齿顶线（或齿顶圆）超过了啮合线与被加工齿轮基圆的切点（称啮合极限点）N_1 而造成的。因此，只要使刀具的齿顶线（或齿顶圆）不超过 N_1 点，就不会出现根切。而且，用齿条刀具加工齿轮比用齿轮刀具加工齿轮更易产生根切现象。

图 7-14 所示为标准齿条刀具加工标准齿轮不产生根切的情形。由图可知，被加工齿轮的半径越大，啮合极限点离节点 P 越远，越不会产生根切。而当刀具的齿顶线通过啮合极限点 N_1 时，被加工齿轮基圆半径为不产生根切的齿轮的最小基圆半径。因此，由图可得出不产生根切的条件为

$$\overline{O_1P}\sin^2\alpha \geq h_a^* m$$

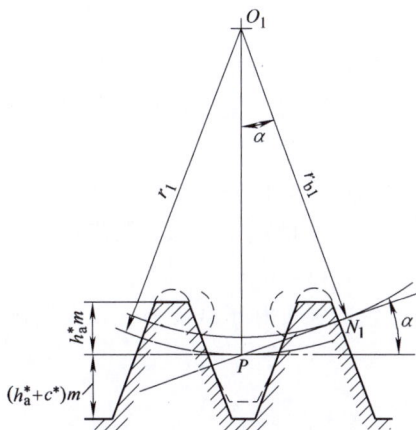

图 7-13　齿轮的根切现象　　　　图 7-14　齿轮不根切的条件

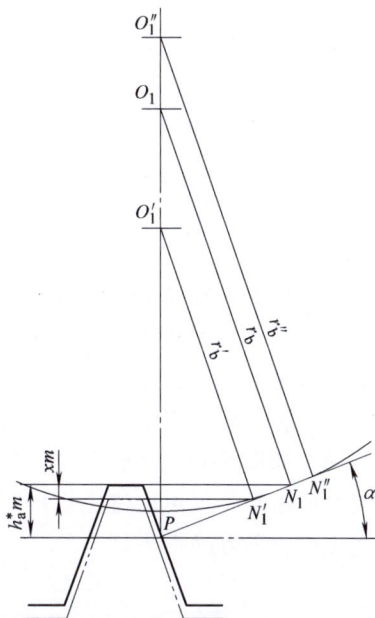

将 $\overline{O_1P}=mz/2$ 代入上式中可得

$$z \geq \frac{2h_a^*}{\sin^2\alpha} \tag{7-15}$$

从而不产生根切的最少齿数为

$$z_{min} = \frac{2h_a^*}{\sin^2\alpha} \tag{7-16}$$

当 $h_a^* = 1$，$\alpha = 20°$时，最少齿数 $z_{min} \approx 17$。

三、变位齿轮简介

若由于齿轮传动尺寸的限制，或由于传动比的要求，需要小齿轮的齿数 $z_1 < z_{min}$ 时，如图 7-14 所示，相应的基圆半径为 r_b'，为使轮齿不发生根切，可将齿条刀具向外移出一段距离 xm，使刀具的齿顶线不超过 N_1' 点。这样加工出的齿轮称为变位齿轮。

如图 7-15a 所示，当用齿条刀具加工标准齿轮时，刀具的中线与齿轮的分度圆保持纯滚动，即刀具的移动速度与轮坯分度圆圆周速度相等。由于刀具中线上的齿厚等于槽宽，所以被加工齿轮分度圆上的齿厚和槽宽也相等，即 $s = e = \pi m/2$。

用加工标准齿轮的刀具来加工变位齿轮时，刀具的中线不再与被加工齿轮的分度圆相切，而是刀具的另一条与中线平行的节线与齿轮的分度圆相切，如图 7-15b、c 所示。由于该节线上的齿厚与槽宽不相等，导致与它相切的被加工齿轮分度圆上的齿厚和槽宽也不相等，所以变位齿轮为非标准齿轮。

加工变位齿轮时，刀具变位的距离称为变位量，用 xm 表示，

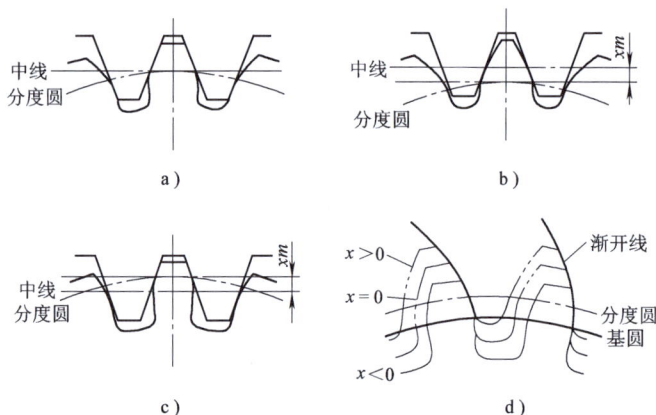

图 7-15　标准齿轮和变位齿轮的加工

其中 m 为刀具的模数，x 称为变位系数。规定刀具中线相对轮坯中心远移时，变位系数为正值，称为正变位，所加工的齿轮称为正变位齿轮。反之，近移时，变位系数为负值，称为负变位，所加工的齿轮称为负变位齿轮。

将变位齿轮与标准齿轮进行比较可知，变位齿轮除变位系数以外的主要参数，分度圆及基圆与标准齿轮一样，但变位齿轮的齿顶圆、齿根圆、齿厚、槽宽、齿顶高及齿根高都与标准齿轮不同，如图 7-15d 所示。

采用变位齿轮不仅可以避免根切，而且可以提高齿轮的强度和承载能力，以及凑配中心距，但变位齿轮的互换性不好。

第七节　齿轮的失效形式及设计准则

一、失效形式

齿轮的失效主要是轮齿的失效，其失效形式是多种多样的。这里仅介绍几种常见的轮齿失效形式。

1. 轮齿的折断

齿轮工作时轮齿相当于悬臂梁，在力的作用下齿根部弯曲应力最大，而且有应力集中，

所以轮齿折断一般发生在齿根部分。轮齿的折断分疲劳折断和脆性折断两种。

（1）疲劳折断　当轮齿在循环变应力作用下，应力循环次数达到一定值后，齿根部将产生疲劳裂纹，如图7-16所示，随着应力的不断作用，裂纹扩展而引起轮齿折断。

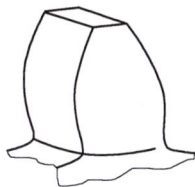

图7-16　轮齿折断

（2）脆性折断　用脆性材料（如淬火钢、铸铁）制成的齿轮，在短时过载或过大冲击载荷作用下发生的突然折断。

2. 齿面磨损

齿轮传动时，两个相互啮合的齿面存在着相对滑动，从而使齿面产生摩擦而引起磨损。在无箱体封闭的开式齿轮传动中，灰尘、砂粒、金属屑粒等杂质进入齿面，会引起剧烈磨损，这种磨损又称为磨粒磨损。磨损严重时，齿廓失去正确齿形，使传动失去平稳性而产生冲击和噪声，甚至会因磨损过度，轮齿变薄而引起轮齿折断。

3. 齿面点蚀

轮齿工作时，在齿面接触处会产生较大的脉动循环的接触应力，当应力循环次数达到一定值后，齿面表层产生微小的疲劳裂纹，随着齿面不断接触，裂纹扩展，使金属微粒剥落而形成麻点，即疲劳点蚀（图7-17）。疲劳点蚀的出现，破坏了完整的渐开线齿面，致使啮合情况恶化而导致齿轮报废。在闭式齿轮传动中，若齿面硬度≤350HBW时，疲劳点蚀是齿轮失效的主要原因。通过提高齿面硬度可提高抗点蚀的能力。开式齿轮传动一般不出现点蚀。

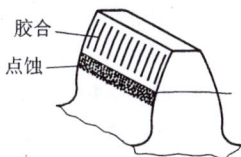

图7-17　齿面点蚀和齿面胶合

4. 齿面胶合

在重载的闭式齿轮传动中，常因啮合区温度过高，润滑失效，致使两齿面的金属直接接触并局部粘合在一起。当两齿面相对滑动时，其中较软的齿面会沿着相对滑动方向被撕下，形成沟纹（图7-17），这种现象称为齿面胶合。

提高齿面硬度、减小表面粗糙度，采用黏度大的润滑油或含有抗胶合剂的润滑油，可有效地防止胶合。

5. 齿面塑性变形

在重载作用下，较软的齿面上可能产生局部的塑性变形。提高齿面硬度，采用高黏度的润滑油均有助于减缓或防止轮齿产生塑性变形。

二、设计准则

齿轮的设计准则应根据齿轮的失效形式来确定。但是对于齿轮的磨损、塑性变形等，由于尚未建立起广为工程实际使用而且行之有效的计算方法及设计数据，所以目前设计一般使用的齿轮传动时，通常只按保证齿根弯曲疲劳强度以避免轮齿折断及保证齿面接触疲劳强度以避免齿面点蚀两准则进行计算。至于抵抗其他失效形式的能力，目前一般不进行计算，但应采用相应的措施，以增强轮齿抵抗这些失效的能力。

在工程实践中，对于闭式齿轮传动中的齿面硬度不超过350HBW的齿轮，通常以保证齿面接触疲劳强度为主。而对于齿面硬度大于350HBW的齿轮，通常以保证齿根弯曲疲劳强度为主。

开式齿轮传动的主要失效形式是磨损。考虑到磨损过度会使轮齿变薄,抗弯能力降低,故目前对开式齿轮传动,仅以保证齿根弯曲疲劳强度作为设计准则,并将所求得的模数适当增大以考虑磨损的影响。对齿轮其他部分(如轮圈、轮辐、轮毂等)的尺寸,通常仅作结构设计,不进行强度计算。

第八节　齿轮的材料和强度计算

一、齿轮的常用材料

由齿轮的失效形式可知,设计齿轮传动时,应使齿面具有较高的抗磨损、抗点蚀、抗胶合及抗塑性变形的能力,而且齿根要有较高的抗折断的能力。因此,对齿轮材料的基本要求是:轮齿具有一定的抗弯强度,齿面要有足够的硬度和耐磨性,齿芯要有较高的冲击韧性。

齿轮常用的材料有锻钢、铸钢和铸铁。一般多采用锻钢,因为锻钢强度高韧性好。当齿轮直径为400~600mm,不宜锻造时,可采用铸钢。当工作平稳,速度较低,且功率不大时,也可采用铸铁。

锻钢齿轮根据热处理后齿面获得的硬度不同分为两类。

1. 齿面硬度≤350HBW 的软齿面齿轮

软齿面齿轮的热处理工艺较简单。一般经正火或调质处理后进行切削加工。齿面硬度通常为160~286HBW,所用材料一般为中碳优质碳素钢和中碳合金钢。因齿面硬度较低,故承载能力低,广泛用于对传动尺寸及质量没有严格限制且精度要求不高的场合。由于小齿轮轮齿的承载次数多,强度低,在选择材料和热处理方法时应使小齿轮齿面硬度比配对的大齿轮齿面硬度高 25~50HBW,以提高其承载能力。

2. 齿面硬度>350HBW 的硬齿面齿轮

硬齿面齿轮的热处理方法有表面淬火、渗碳、渗氮、碳氮共渗等表面热处理方法。齿面硬度一般为40~60HRC,所用材料一般为中、低碳优质碳素钢和中、低碳合金钢。这类齿轮通常是先切齿,再作表面热处理,最后进行磨齿等精加工。这类齿轮由于具有齿面硬度高、耐磨性好、接触强度大、冲击韧性好、精度高等优点,适用于高速、重载、要求结构尺寸小,以及精密机器中的重要齿轮传动。

常用的铸铁有灰铸铁和球墨铸铁。灰铸铁性质较脆,抗弯强度和抗冲击能力较差,但抗胶合和抗点蚀的能力较好。灰铸铁齿轮常用于工作平稳、速度较低,功率不大的场合。球墨铸铁力学性能较好,有时可用来代替铸钢,制造大尺寸的齿轮。

对于高速、轻载及精度不高的齿轮传动,为了降低噪声,也可用非金属材料(如尼龙、夹布塑胶等)做小齿轮,大齿轮可用钢或铸铁制造。为使大齿轮具有足够的抗磨损及抗点蚀的能力,齿面的硬度应为 250~350HBW。

二、直齿圆柱齿轮的强度计算

1. 轮齿的受力分析

进行齿轮的强度计算时,首先要知道轮齿上所受的力,这就需要对齿轮传动进行受力分析。

图 7-18 所示为一对正确啮合的标准直齿圆柱齿轮的受力情况。若忽略齿面间的摩擦力，则轮齿间的总作用力 F_n 沿着轮齿啮合点的公法线 N_1N_2 方向作用。为了计算方便，将 F_n 在节点 P 处分解成互相垂直的两个分力，即为与节圆相切的圆周力 F_t 和径向力 F_r。若作用于齿轮 1 上的转矩为 T_1（N·m）、齿轮 1 的节圆（即分度圆）直径为 d_1（mm），由图可知

$$圆周力 \quad F_t = \frac{1000T_1}{r_1} = \frac{2000T_1}{d_1} \quad (7\text{-}17)$$

$$径向力 \quad F_r = F_t\tan\alpha \quad (7\text{-}18)$$

$$总作用力 \quad F_n = \frac{F_t}{\cos\alpha} = \frac{2000T_1}{d_1\cos\alpha} \quad (7\text{-}19)$$

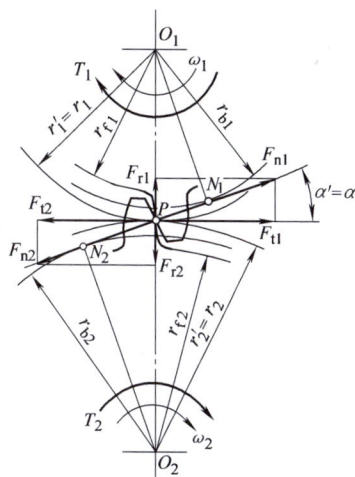

图 7-18　一对正确啮合的标准直齿圆柱齿轮的受力情况

圆周力的方向在主动轮上与圆周速度方向相反，在从动轮上与圆周速度方向相同。径向力的方向都是由其作用点指向各轮轮心，对内齿轮则是背离轮心。

2. 齿根弯曲疲劳强度计算

轮齿的折断与轮齿的弯曲应力大小有关，为了避免轮齿发生折断，必须使齿根弯曲应力小于许用弯曲应力。

计算齿根的弯曲应力时，考虑到齿轮加工和安装误差的影响，假定全部载荷作用在一个轮齿的齿顶，如图 7-19 所示。为了计算方便，将力沿作用线移到轮齿的对称线与力作用线的交点，并分解为 $F_n\cos\alpha_F$ 和 $F_n\sin\alpha_F$ 两个分力，则在齿根部危险截面产生三种应力，即由 $F_n\cos\alpha_F$ 引起的弯曲应力和切应力，以及由 $F_n\sin\alpha_F$ 引起的压应力。因切应力和压应力对轮齿强度的影响较小，所以针对轮齿疲劳折断的强度计算只按抗弯强度进行计算。

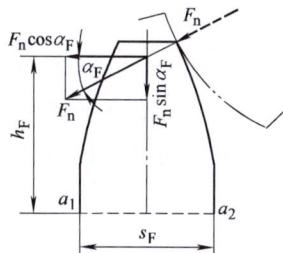

图 7-19　轮齿的受力分析

设齿根危险截面的位置在 a_1a_2 处。由图可知，危险截面的弯曲应力为

$$\sigma_F = \frac{M}{W} = \frac{KF_n\cos\alpha_F h_F}{\dfrac{bs_F^2}{6}}$$

式中，M 为危险截面的弯矩；W 为危险截面的抗弯截面模量；K 为载荷系数；s_F 为危险截面处的齿厚；b 为轮齿的轴向宽度；h_F 为弯曲力臂。

因 s_F 和 h_F 与齿形有关，令 $s_F = k_s m$，$h_F = k_h m$。k_s、k_h 对一定的齿形都是常数。将 F_n、s_F、h_F 代入上式，可得

$$\sigma_F = \frac{2000KT_1 6k_h\cos\alpha_F}{bmd_1 \quad k_s^2\cos\alpha}$$

令 $Y_{Fa} = \dfrac{6k_h\cos\alpha_F}{k_s^2\cos\alpha}$，并以 $d_1 = mz$，代入上式，则得

$$\sigma_F = \frac{2000KT_1}{bm^2z_1}Y_{Fa}$$

实际计算时为了计入弯曲应力以外的其他应力以及齿根过渡曲线的应力集中效应的影响，引入齿根应力修正系数 Y_{Sa}，由此可得出齿根弯曲强度条件为

$$\sigma_F = \frac{2000KT_1}{bm^2z_1}Y_{Fa}Y_{Sa} \leqslant [\sigma_F] \qquad (7\text{-}20)$$

式中，Y_{Fa} 为齿形系数，它与齿轮的模数无关，只与齿形有关，随齿数而变化。对于齿顶高系数 $h_a^* = 1$ 的标准齿轮，Y_{Fa} 值查表7-4；Y_{Sa} 值查表7-4；$[\sigma_F]$ 为许用弯曲应力（MPa），由式（7-25）确定。

表 7-4　齿形系数 Y_{Fa} 及应力修正系数 Y_{Sa}

$z(z_v)$	17	18	19	20	21	22	23	24	25	26	27	28	29
Y_{Fa}	2.97	2.91	2.85	2.8	2.76	2.72	2.69	2.65	2.62	2.6	2.57	2.55	2.53
Y_{Sa}	1.52	1.53	1.54	1.55	1.56	1.57	1.575	1.58	1.59	1.595	1.6	1.61	1.62
$z(z_v)$	30	35	40	45	50	60	70	80	90	100	150	200	∞
Y_{Fa}	2.52	2.45	2.4	2.35	2.32	2.28	2.24	2.22	2.2	2.18	2.14	2.12	2.06
Y_{Sa}	1.625	1.65	1.67	1.68	1.7	1.73	1.75	1.77	1.78	1.79	1.83	1.865	1.97

式（7-20）为齿根的弯曲强度验算公式，由该式可知，计算两轮齿根弯曲应力时，除齿形系数和应力修正系数可能不相同外，其他参数均相同。故当一轮的齿根弯曲应力确定后，另一轮齿根的弯曲应力可按下式求得

$$\frac{\sigma_{F1}}{Y_{Fa1}Y_{Sa1}} = \frac{\sigma_{F2}}{Y_{Fa2}Y_{Sa2}} \qquad (7\text{-}21)$$

验算弯曲强度时，可分别求出两轮齿根的弯曲应力，再用相应的许用弯曲应力进行校核。

在设计齿轮传动时，首先应确定模数。为此，取 $\psi_d = b/d_1$ 及 $d_1 = mz_1$，代入式（7-20），可推导出按齿根的弯曲强度确定齿轮模数的计算公式，即

$$m \geqslant 12.6\sqrt[3]{\frac{KT_1Y_{Fa}Y_{Sa}}{\psi_d z_1^2[\sigma_F]}} \qquad (7\text{-}22)$$

式中，ψ_d 称为齿宽系数。

由于相互啮合的一对齿轮的材料和齿数不一定相同，为同时满足大小齿轮的弯曲强度，计算模数时，应将 $Y_{Fa1}Y_{Sa1}/[\sigma_{F1}]$ 和 $Y_{Fa2}Y_{Sa2}/[\sigma_{F2}]$ 中的较大值代入式（7-22）中。计算得的模数值应按标准圆整。

3. 齿面接触强度计算

齿面点蚀与齿面的接触应力大小有关。为避免出现点蚀，应使齿面的接触应力小于许用接触应力。

一对轮齿表面的啮合过程，可以近似地看成是两个曲率半径随时变化着的两平行圆柱体

的接触过程，如图 7-20 所示。因此可将第一章总论中所介绍的相压的两平行圆柱体的接触应力公式（1-5）作为推导齿面接触应力计算公式的基础。

因节点处只有一对轮齿啮合，而且实践证明，齿根表面靠近节线处最易发生点蚀。因此，常取节点作为计算齿面接触应力的危险位置。一对齿轮在节点处的啮合，可以看作是两个半径分别为节点处曲率半径的圆柱体相接触，如图 7-21 所示。

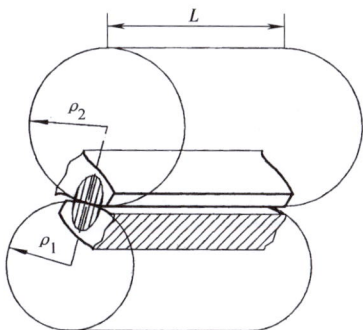

图 7-20 轮齿表面的啮合过程

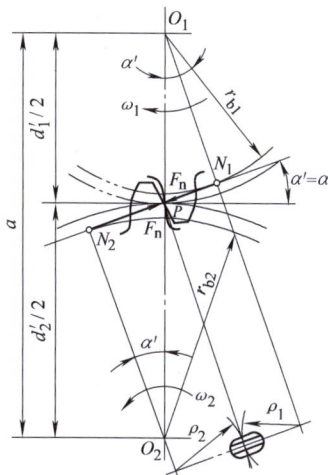

图 7-21 齿面上的接触应力

由渐开线的性质可知，两齿轮齿廓在节点 P 处的曲率半径分别为

$$\rho_1 = \overline{N_1 P} = \frac{d_1}{2}\sin\alpha, \quad \rho_2 = \overline{N_2 P} = \frac{d_2}{2}\sin\alpha$$

将上两式、式（7-19）、$\alpha = 20°$、两齿轮的齿数比 $u = z_2/z_1$，代入式（1-5）中，并考虑齿面载荷沿齿宽分布不均匀以及附加动载荷的影响，引入载荷系数 K 加以修正，经过整理后得到一对标准齿轮传动齿面接触强度的验算公式为

$$\sigma_H = 112 Z_E \sqrt{\frac{KT_1(u \pm 1)}{bd_1^2 u}} \leqslant [\sigma_H] \tag{7-23}$$

将 $\psi_d = b/d_1$ 代入上式，即得按齿面接触强度，确定小齿轮分度圆直径的计算公式为

$$d_1 \geqslant \sqrt[3]{\left(\frac{112 Z_E}{[\sigma_H]}\right)^2 \frac{KT_1(u \pm 1)}{\psi_d u}} \tag{7-24}$$

以上两式中的 Z_E 称为弹性系数（$\sqrt{\text{MPa}}$），它由两齿轮材料的弹性模量 E_1、E_2，以及泊松比 μ_1、μ_2 确定，且 $Z_E = \sqrt{1/\left[\pi \cdot \left(\dfrac{1-\mu_1^2}{E_1} + \dfrac{1-\mu_2^2}{E_2}\right)\right]}$。两齿轮材料均为钢时，$Z_E = 189.8\sqrt{\text{MPa}}$；一齿轮材料为钢—齿轮材料为球墨铸铁时，$Z_E = 182.4\sqrt{\text{MPa}}$；一齿轮材料为钢—齿轮材料为灰铸铁时，$Z_E = 162\sqrt{\text{MPa}}$；两齿轮材料均为球墨铸铁时，$Z_E = 173.9\sqrt{\text{MPa}}$；两个齿轮均为灰铸铁时，$Z_E = 143.7\sqrt{\text{MPa}}$。

在以上两式中，"+"号用于外啮合；"−"号用于内啮合。

两轮齿廓接触时，接触处的接触应力大小相同，但两轮的许用接触应力不一定相同。因此，在进行齿面的接触强度计算时，应取两轮许用接触应力中的较小值代入式（7-24）。

4. 轮齿的许用弯曲应力和许用接触应力

（1）齿根许用弯曲应力　齿根的许用弯曲应力可由下式确定

$$[\sigma_F] = \frac{\sigma_{Flim}}{S_F} \tag{7-25}$$

式中，σ_{Flim} 为齿根的弯曲疲劳极限，查图 7-22；S_F 为齿根弯曲疲劳强度的安全系数，一般取 $S_F = 1.25$，当齿轮损坏可能造成严重影响时，取 $S_F = 1.6$。如果齿轮受双向弯曲应力时，由图 7-22 查得的 σ_{Flim} 值应乘以 0.7。

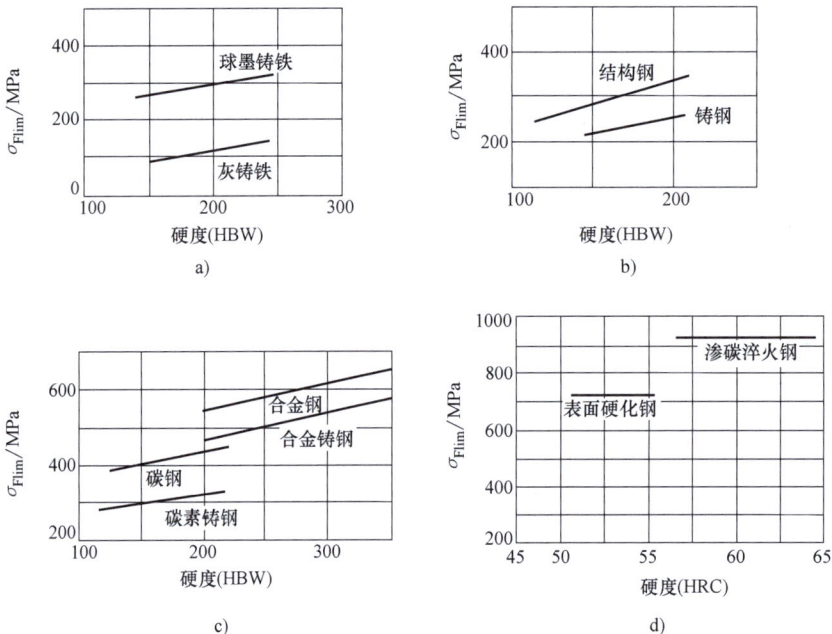

图 7-22　齿根的弯曲疲劳极限 σ_{Flim}

a）铸铁　b）正火处理的结构钢和铸钢　c）调质处理的碳钢和合金钢　d）渗碳淬火钢和表面硬化（火焰或感应淬火）钢

（2）齿面许用接触应力　齿面的许用接触应力按下式确定

$$[\sigma_H] = \frac{\sigma_{Hlim}}{S_H} \tag{7-26}$$

式中，σ_{Hlim} 为齿面的接触疲劳极限，查图 7-23；S_H 为齿面接触疲劳强度的最小安全系数，一般取 $S_H = 1$，当轮齿损坏会引起严重影响时，取 $S_H = 1.25$。

5. 轮齿强度计算中的参数选择

（1）齿数和模数　当分度圆直径确定后，增加齿数，相应减小模数，有利于节约材料和切削加工的工时，且使重合度增大，可以改善传动的平稳性。对于软齿面的闭式传动，在满足轮齿弯曲强度的条件下，可适当增加齿数以减小模数，通常取 $z_1 = 20 \sim 40$。但对传递动力的齿轮，为防止意外折断轮齿，一般模数不小于 2mm。在硬齿面的闭式传动和铸铁齿轮开式传动中，为保证齿根有足够的弯曲强度，常需适当减少齿数，以增大模数。标准齿轮的齿数一般不少于 17。

（2）齿宽 b 和齿宽系数 ψ_d　增大齿宽能减小齿轮的径向尺寸，但齿宽 b 越大，载荷沿

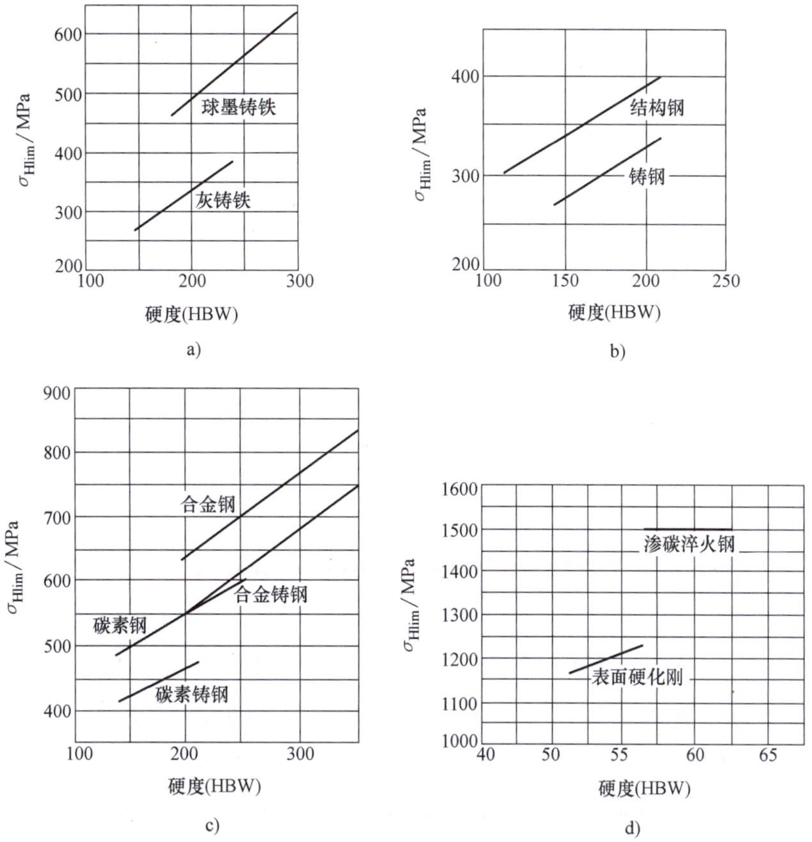

图 7-23　齿轮的接触疲劳极限 σ_{Hlim}

a) 铸铁　b) 正火处理的结构钢和铸钢　c) 调质处理的碳钢和合金钢　d) 渗碳淬火钢和表面硬化（火焰或感应淬火）钢

齿宽分布越不均匀。当齿轮制造精度和安装精度高，轴和轴承的刚度大，或当齿轮相对轴承对称布置时，可取较大齿宽；若齿轮是非对称布置或悬臂时，齿宽应小些。

齿宽系数 ψ_d 的推荐值为：当硬度≤350HBW，齿轮相对轴承对称布置时，$\psi_d=0.8\sim1.4$；齿轮非对称布置时，$\psi_d=0.6\sim1.2$；悬臂布置或开式传动时，$\psi_d=0.3\sim0.4$。当硬度>350HBW 时，ψ_d 值应降低 50%。

（3）齿数比 u　一对齿轮的齿数比 u 不宜过大，否则将增加传动装置的结构尺寸，并使两轮的工作负担差别增大。一般对直齿圆柱齿轮，$u\leqslant5$；斜齿圆柱齿轮，$u\leqslant8$；必要时也可取更大的齿数比。

（4）载荷系数 K　载荷系数 K 的大小与原动机的类型以及工作机的载荷情况有关。对于由电动机驱动的一般齿轮传动，可取 $K=1\sim1.8$，当相对于轴承齿轮对称布置时取低值，非对称布置或悬臂布置时取高值；软齿面时取低值，硬齿面时取高值。

例 7-1　某直齿圆柱齿轮减速器用电动机驱动，单向传动，载荷有中等冲击，高速级传动比 $i=3.7$，高速轴转速 $n_1=745r/min$，传递功率 $P=17kW$。试确定此高速级齿轮传动的尺寸。

解　（1）选择齿轮材料　由于载荷有中等冲击，选用力学性能较好的材料。小齿轮选用 40Cr，调质处理，齿面硬度为 260HBW。大齿轮则用 45 钢，调质处理，齿面硬度为 230HBW。

（2）确定齿数和齿宽系数 小齿轮齿数取 $z_1 = 28$，则 $z_2 = iz_1 = 3.7 \times 28 = 103.6$，取 $z_2 = 104$；齿宽系数 $\psi_d = 1$。

（3）确定许用应力 根据两齿轮的齿面硬度，由图 7-22、图 7-23 得两齿轮的齿根弯曲疲劳极限和齿面接触疲劳极限分别为

$$\sigma_{\text{Flim1}} = 580\text{MPa}$$
$$\sigma_{\text{Flim2}} = 460\text{MPa}$$
$$\sigma_{\text{Hlim1}} = 710\text{MPa}$$
$$\sigma_{\text{Hlim2}} = 580\text{MPa}$$

取 $S_F = 1.3$，$S_H = 1$，则得齿根许用弯曲应力和齿面许用接触应力分别为

$$[\sigma_{F1}] = \frac{\sigma_{\text{Flim1}}}{S_F} = \frac{580}{1.3}\text{MPa} = 446\text{MPa}$$

$$[\sigma_{F2}] = \frac{\sigma_{\text{Flim2}}}{S_F} = \frac{460}{1.3}\text{MPa} = 354\text{MPa}$$

$$[\sigma_{H1}] = \frac{\sigma_{\text{Hlim1}}}{S_H} = \frac{710}{1}\text{MPa} = 710\text{MPa}$$

$$[\sigma_{H2}] = \frac{\sigma_{\text{Hlim2}}}{S_H} = \frac{580}{1}\text{MPa} = 580\text{MPa}$$

（4）按齿面接触疲劳强度条件确定小齿轮直径 小齿轮所受转矩 $T_1 = 9550P/n_1 = (9550 \times 17/745)\ \text{N·m} = 218.0\text{N·m}$，载荷系数 $K = 1.5$，齿数比 $u = z_2/z_1 = 3.7$，两齿轮材料均为钢，其 $Z_E = 189.8\sqrt{\text{MPa}}$，且将大齿轮的许用接触应力 $[\sigma_{H2}]$ 代入式（7-24）得

$$d_1 \geqslant \sqrt[3]{\left(\frac{112Z_E}{[\sigma_H]}\right)^2 \cdot \frac{KT_1(u+1)}{u\psi_d}} = \sqrt[3]{\left(\frac{112 \times 189.8}{580}\right)^2 \cdot \frac{1.5 \times 218 \times (3.7+1)}{3.7 \times 1}}\ \text{mm} = 82.3\text{mm}$$

（5）确定模数和齿宽 $m = d_1/z_1 = (82.3/28)\ \text{mm} = 2.94\text{mm}$，按表 7-1，取 $m = 3\text{mm}$。则 $d_1 = mz_1 = 3 \times 28\text{mm} = 84\text{mm}$。齿宽 $b = \psi_d d_1 = 84\text{mm}$，取 $b_2 = 85\text{mm}$，$b_1 = 90\text{mm}$。

（6）验算齿根弯曲强度 查表 7-4 得齿形系数 $Y_{Fa1} = 2.55$、$Y_{Fa2} = 2.18$，$Y_{Sa1} = 1.61$、$Y_{Sa2} = 1.79$，由式（7-20）得

$$\sigma_{F1} = \frac{2000KT_1}{bm^2z_1}Y_{Fa1}Y_{Sa1} = \frac{2000 \times 1.5 \times 218}{85 \times 3^2 \times 28} \times 2.55 \times 1.61\text{MPa} = 125.4\text{MPa} \leqslant [\sigma_{F1}]$$

由式（7-21）得

$$\sigma_{F2} = \sigma_{F1}\frac{Y_{Fa2}Y_{Sa2}}{Y_{Fa1}Y_{Sa1}} = 125.4 \times \frac{2.18 \times 1.79}{2.55 \times 1.61}\text{MPa} = 119.2\text{MPa} \leqslant [\sigma_{F2}]$$

两齿轮的齿根弯曲应力均小于许用弯曲应力，故两轮轮齿的弯曲强度足够。

（7）计算几何尺寸 分度圆直径

$$d_1 = z_1m = 28 \times 3\text{mm} = 84\text{mm}$$
$$d_2 = z_2m = 104 \times 3\text{mm} = 312\text{mm}$$

中心距 $a = \dfrac{1}{2}(z_1 + z_2)m = 198\text{mm}$

其他几何尺寸略。

第九节　斜齿圆柱齿轮传动

一、斜齿圆柱齿轮齿廓曲面的形成及主要啮合特点

如图 7-24a 所示，对于一定宽度的直齿圆柱齿轮，其齿廓侧面是发生面 S 在基圆柱上做纯滚动时，平面 S 上任一与基圆柱母线 NN 平行的直线 KK 所展出的渐开线曲面。直齿圆柱齿轮啮合时，两轮齿廓侧面是沿着与轴平行的直线接触（图 7-24b），这些平行线称为齿廓的接触线。因而一对直齿轮齿廓是同时沿整个齿宽进入啮合或退出啮合，轮齿上的作用力也是突然加上和突然卸下的，故易引起冲击和噪声，传动平稳性较差。高速传动时，这些情况尤为突出。

斜齿圆柱齿轮齿廓曲面的形成原理与直齿圆柱齿轮的基本相同，但形成渐开线齿廓曲面的直线 KK 不与基圆柱母线 NN 平行，而成一角度 β_b，如图 7-25a 所示。当发生面 S 沿基圆柱滚动时，斜直线 KK 的轨迹为一渐开线螺旋面，即斜齿轮的齿廓曲面。直线 KK 与基圆柱母线的夹角 β_b 称为基圆柱上的螺旋角。

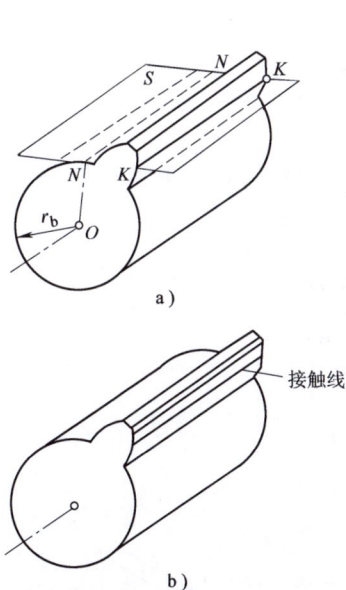

斜齿圆柱
齿轮机构

图 7-24　直齿圆柱齿轮的接触线

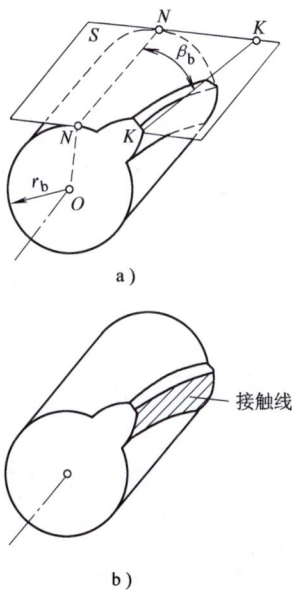

图 7-25　斜齿圆柱齿轮的接触线

一对斜齿圆柱齿轮啮合时，如图 7-25b 所示，接触线是与轴线倾斜的直线，且其长度是变化的。两轮齿进入啮合后，接触线长度逐步增大，到某一啮合位置后，接触线长度又逐渐缩短，直到脱离啮合。因此，斜齿圆柱齿轮是逐渐进入和退出啮合，同时啮合的轮齿数较直齿圆柱齿轮多（图 7-26），故斜齿轮传动的重合度较大。

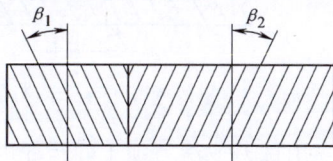

图 7-26　斜齿圆柱齿轮传动

由于斜齿轮传动具有上述逐渐啮合和重合度较大等特点，故与直齿轮传动相比，其传动较平稳，承载能力较大，适用于高速和大功率场合。

二、斜齿圆柱齿轮传动的几何参数和尺寸计算

1. 螺旋角

斜齿圆柱齿轮轮齿的倾斜程度一般是用分度圆柱面上的螺旋角 β 表示。通常所说斜齿轮的螺旋角，如不特别注明，即指分度圆柱面上的螺旋角。

斜齿轮的螺旋角一般为 $8° \sim 20°$。

2. 法向和端面参数

与分度圆柱面上螺旋线垂直的平面称法向，垂直于斜齿轮轴线的平面称为端面。在进行斜齿轮几何尺寸计算时，应注意法向与端面参数之间的换算关系。

图 7-27 所示为斜齿圆柱齿轮分度圆柱面的展开图。从图上可知法向齿距 p_n 与端面齿距 p_t 的关系为

$$p_t = \frac{p_n}{\cos\beta} \tag{7-27}$$

如以 m_n、m_t 分别表示法向模数和端面模数，则

$$m_t = \frac{m_n}{\cos\beta} \tag{7-28}$$

因法向齿高等于端面齿高，而法向模数与端面模数不等，故法向齿顶高系数、法向顶隙系数与端面齿顶高系数、端面顶隙系数也不相等。

法向压力角 α_n 和端面压力角 α_t 之间也有一定关系。图 7-28 所示为斜齿条的一个齿，平面 ABD 是端面，A_1B_1D 是法向，$\angle ABD = \angle A_1B_1D = \angle BB_1D = 90°$。因此

$$\tan\alpha_t = \frac{\overline{BD}}{\overline{AB}}, \quad \tan\alpha_n = \frac{\overline{B_1D}}{\overline{A_1B_1}}$$

而 $B_1D = BD\cos\beta$，$A_1B_1 = AB$

故

$$\tan\alpha_t = \frac{\tan\alpha_n}{\cos\beta} \tag{7-29}$$

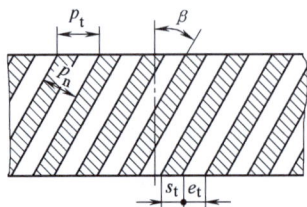

图 7-27 斜齿圆柱齿轮法向与端面的关系

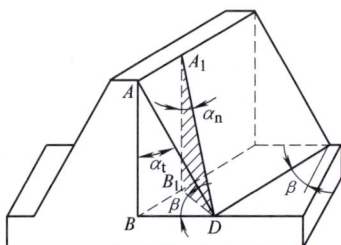

图 7-28 斜齿圆柱齿轮的压力角

用铣刀或滚刀加工斜齿轮时，由于刀具的进刀方向垂直于法向，即刀具沿着螺旋齿槽方向进行切削，故一般规定斜齿圆柱齿轮的法向参数为标准值。

3. 斜齿圆柱齿轮传动几何尺寸计算

表 7-5 中列出了标准斜齿圆柱齿轮传动几何尺寸的计算公式。

表 7-5 外啮合标准斜齿圆柱齿轮传动的几何尺寸

名　称	代号	公式与说明
齿数	z	根据工作要求确定
法向模数	m_n	按强度条件或经验类比选用表 7-1 中的标准值
端面模数	m_t	$m_t = \dfrac{m_n}{\cos\beta}$
法向压力角	α_n	$\alpha_n = 20°$
端面压力角	α_t	$\alpha_t = \arctan\dfrac{\tan\alpha_n}{\cos\beta}$
分度圆（节圆）直径	d	$d_1 = z_1 m_t = z_1 \dfrac{m_n}{\cos\beta}$, $d_2 = z_2 \dfrac{m_n}{\cos\beta}$
齿顶高	h_a	$h_a = h_a^* m_n$
齿根高	h_f	$h_f = (h_a^* + c^*) m_n$
齿高	h	$h = h_a + h_f$
齿顶圆直径	d_a	$d_{a1} = d_1 + 2h_a$, $d_{a2} = d_2 + 2h_a$
齿根圆直径	d_f	$d_{f1} = d_1 - 2h_f$, $d_{f2} = d_2 - 2h_f$
分度圆法向齿厚	s_n	$s_n = \dfrac{\pi m_n}{2}$
中心距	a	$a = \dfrac{1}{2}(d_1 + d_2) = \dfrac{m_n(z_1 + z_2)}{2\cos\beta}$

注：表中的法向齿顶高系数 h_a^* 和法向顶隙系数 c^* 的数值与直齿圆柱齿轮传动中的数值相同。

4. 斜齿圆柱齿轮的正确啮合条件

一对斜齿圆柱齿轮啮合，只从端面观察，与一对直齿圆柱齿轮啮合相同，同时，一对相互啮合的斜齿圆柱齿轮必须保证分度圆柱面上螺旋线的螺旋角的绝对值相等，因此斜齿圆柱齿轮的正确啮合条件用表达式可以表示为

$$\begin{cases} m_{t1} = m_{t2} \\ \alpha_{t1} = \alpha_{t2} \\ \beta_1 = \pm\beta_2 \end{cases} \text{或} \begin{cases} m_{n1} = m_{n2} \\ \alpha_{n1} = \alpha_{n2} \\ \beta_1 = \pm\beta_2 \end{cases}$$

式中，外啮合取"−"，表示两齿轮轮齿旋向相反（图 7-26），内啮合取"+"，表示轮齿旋向相同。

例 7-2 已知一对正常齿外啮合标准斜齿圆柱齿轮传动的 $z_1 = 33$，$z_2 = 66$，$m_n = 5\text{mm}$，$\alpha_n = 20°$，$\beta = 9°$。1）试计算该齿轮传动的中心距 a；2）如果将安装中心距 a 改为 250mm，而齿数和模数都不变，试说明该对齿轮参数如何改变才能满足这一要求。

解 中心距

$$a = \frac{1}{2}(d_1 + d_2) = \frac{m_n(z_1 + z_2)}{2\cos\beta} = \frac{5 \times (33 + 66)}{2 \times \cos9°}\text{mm} = 250.59\text{mm}$$

当模数和齿数不变时，要满足不同中心距 a 的要求，可通过改变螺旋角来实现，即

$$\cos\beta = \frac{m_n(z_1 + z_2)}{2a}$$

故取
$$\beta = \arccos \frac{5(33 + 66)}{2 \times 250} = 8°6'35''$$

就能满足新的中心距要求。

三、斜齿圆柱齿轮的当量齿数和最少齿数

1. 当量齿轮和当量齿数

用铣刀加工斜齿轮时，铣刀是沿着螺旋线方向进刀的，故应按齿轮的法向齿形来选择铣刀。此外，因力是作用在法向内，所以强度计算时也需知道法向齿形。要精确求出法向齿形比较困难，故通常是用下述的近似齿形代替。

如图 7-29 所示，通过分度圆柱面上的 P 点作轮齿螺旋线的法平面 nn，它与分度圆柱面的交线为一椭圆。椭圆的短轴半径为 r，长轴半径为 $r/\cos\beta$，P 点的曲率半径为

$$r_n = \frac{(r/\cos\beta)^2}{r} = \frac{r}{\cos^2\beta}$$

若以 r_n 为半径作圆，此圆与靠近 P 点附近的一段椭圆非常接近。故以 r_n、m_n、α_n 分别为分度圆半径、模数和分度圆压力角作出的假想直齿圆柱齿轮齿形，则与斜齿轮的法向齿形十分接近。这个假想的直齿圆柱齿轮称为该斜齿圆柱齿轮的当量齿轮，其齿数 z_v 称为当量齿数，即

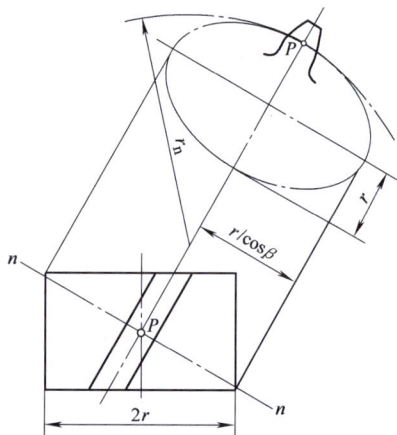

图 7-29　斜齿圆柱齿轮的当量齿数

$$z_v = \frac{2r_n}{m_n} = \frac{2r}{m_n\cos^2\beta} = \frac{zm_t}{m_n\cos^2\beta}$$

因 $m_t = \dfrac{m_n}{\cos\beta}$，故得

$$z_v = \frac{z}{\cos^3\beta} \tag{7-30}$$

由上式可知，斜齿圆柱齿轮的当量齿数总是大于实际齿数。

2. 斜齿圆柱齿轮不发生根切的最少齿数

根据上述分析可知，因斜齿圆柱齿轮的当量齿轮为一假想的直齿圆柱齿轮，其不发生根切的最少齿数 $z_{vmin} = 17$。故斜齿圆柱齿轮不发生根切的最少齿数要比直齿圆柱齿轮少。例如，$\alpha_n = 20°$，当 $\beta = 15°$ 时，斜齿轮的最少齿数 $z_{min} = z_{vmin}\cos^3\beta = 17 \times \cos^3 15° \approx 15$。

四、斜齿圆柱齿轮轮齿的受力分析

如图 7-30 所示，作用在斜齿圆柱齿轮轮齿上的法向力 F_n 可以分解为三个相互垂直的分力，即

圆周力
$$F_t = \frac{2000T_1}{d_1} \tag{7-31}$$

径向力 $$F_r = F'_n \tan\alpha_n = F_t \frac{\tan\alpha_n}{\cos\beta} \qquad (7\text{-}32)$$

轴向力 $$F_a = F_t \tan\beta \qquad (7\text{-}33)$$

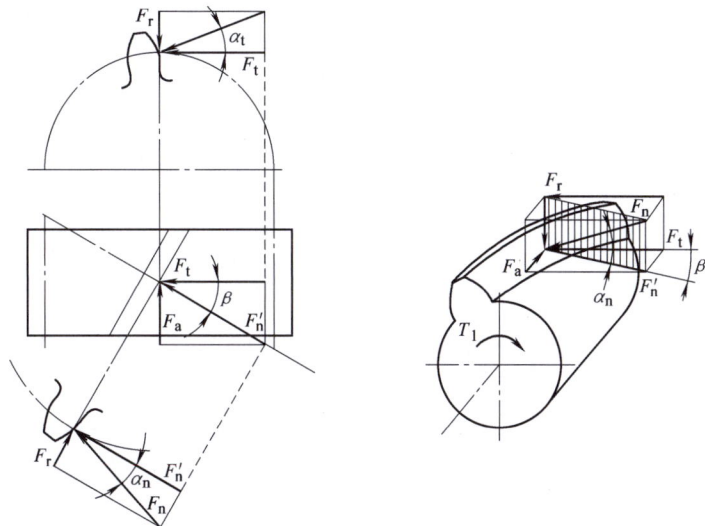

图 7-30　斜齿圆柱齿轮轮齿的受力分析

故总作用力 $$F_n = \frac{F_t}{\cos\beta\cos\alpha_n} \qquad (7\text{-}34)$$

确定圆周力 F_t 和径向力 F_r 方向的原则与直齿圆柱齿轮相同；轴向力 F_a 的方向取决于轮齿螺旋线的方向和齿轮的转动方向，它总是从齿的工作面沿着轴线方向指向齿体。因此要确定轴向力 F_a 的方向，应首先确定齿轮的转动方向和轮齿的工作齿侧。

由于斜齿轮传动时有轴向作用力，要求齿轮的轴向固定可靠，支承的设计也较复杂，因此限制了斜齿轮传动采用较大螺旋角。为了克服这一缺点，可采用如图 7-1c 所示的人字齿轮传动。人字齿轮相当于两个螺旋角相等而方向相反的斜齿轮联系在一起，如图 7-31 所示，由于两边的轴向力互相抵消，故人字齿轮可取较大的螺旋角。人字齿轮常用于大功率传动装置中，其缺点是制造困难。

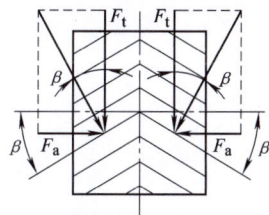

图 7-31　人字齿轮

第十节　直齿锥齿轮传动

锥齿轮是用于两相交轴之间的传动。其轮齿有直齿、斜齿和曲线齿等。应用最广的是两轴线正交（90°）的直齿锥齿轮传动。

图 7-32 所示为一直齿锥齿轮，其轮齿沿圆锥母线朝锥顶方向逐渐减小。锥齿轮有分度圆锥、齿顶圆锥、齿根圆锥和基圆锥，它们的锥底圆分别为分度圆 1、齿顶圆 2、齿根圆 3 和基圆 4。

一、直齿锥齿轮的传动比

图 7-33 所示为一对标准安装的标准直齿锥齿轮，其节圆锥与分度圆锥重合。两锥齿轮的运动相当于一对共顶点的节圆锥做纯滚动。设 δ_1 和 δ_2 分别为两节圆锥的节锥角；轴交角 Σ 为两节圆锥几何轴线的夹角；d_1 和 d_2 分别为两节圆的直径。当 $\Sigma = \delta_1 + \delta_2 = 90°$ 时，传动比

$$i = \frac{\omega_1}{\omega_2} = \frac{n_1}{n_2} = \frac{d_2}{d_1} = \frac{z_2}{z_1}$$

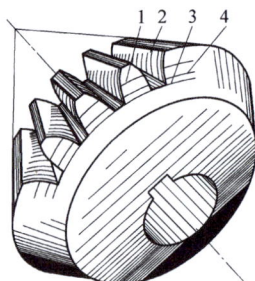

图 7-32 直齿锥齿轮
1—分度圆 2—齿顶圆
3—齿根圆 4—基圆

式中，ω_1、n_1、z_1 和 ω_2、n_2、z_2 分别为两锥齿轮的角速度、转速、齿数。因

$$d_1 = 2\overline{OC}\sin\delta_1, \qquad d_2 = 2\overline{OC}\sin\delta_2$$

故得

$$i = \frac{\omega_1}{\omega_2} = \frac{n_1}{n_2} = \frac{z_2}{z_1} = \tan\delta_2 = \cot\delta_1 \tag{7-35}$$

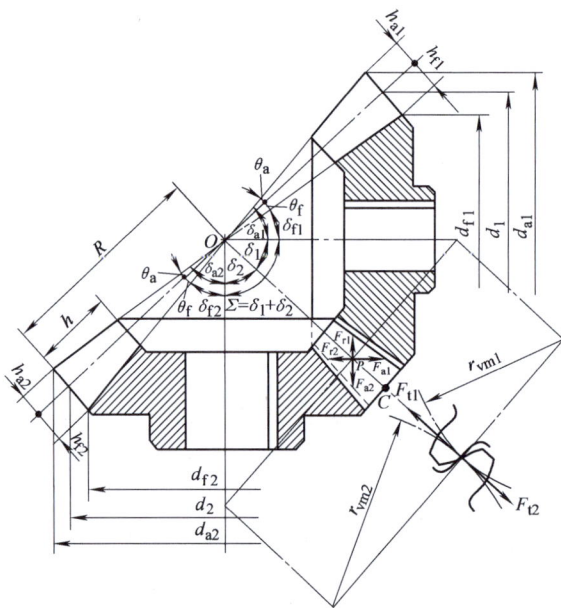

图 7-33 直齿锥齿轮传动

若已知传动比，由上式即可求得两锥齿轮的节锥角 δ_1 和 δ_2。

二、直齿锥齿轮的齿廓和当量齿数

1. 锥齿轮的齿廓曲线

由于一对直齿锥齿轮传动相当于一对共顶点的节圆锥做纯滚动，圆锥上任一点到锥顶的距离始终保持不变，故圆锥上各点的运动是绕锥顶的球面运动。如图 7-34 所示，当发生面 S 沿基圆锥做纯滚动时，发生面上一条沿基圆锥母线并通过锥顶的直线 OK 将描绘出一渐开线曲面，此曲面即为直齿锥齿轮的齿廓。直线 OK 上各点的轨迹都是渐开线（在顶点 O 处的渐

开线为一点）。渐开线 NK 上各点与锥顶 O 的距离均相等，故该渐开线必定在一以锥顶 O 为球心，OK 为半径的球面上。所以，直齿锥齿轮的齿廓曲线理论上是以锥顶 O 为球心的球面渐开线。

当球面半径 OK 增至无穷大时，球心 O 趋于无穷远，基圆锥变为基圆柱，球面渐开线变为平面渐开线。所以，在直齿圆柱齿轮中所述平面渐开线的性质同样适用于球面渐开线。

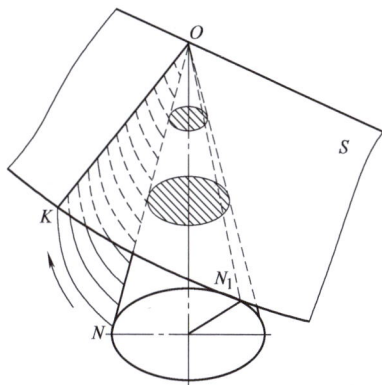

图 7-34　球面渐开线的形成

2. 锥齿轮的近似齿形和当量齿数

由于球面渐开线无法在平面上展开，给设计和制造球面渐开线齿廓带来困难。通常采用下述近似曲线来代替球面渐开线。

图 7-35 所示为一锥齿轮的轴平面 $\triangle OAB$、$\triangle Obb$、$\triangle Oaa$ 分别表示其分度圆锥、齿顶圆锥和齿根圆锥与轴平面的交线，圆弧 $\overset{\frown}{ab}$ 为轮齿大端与轴平面的交线。过 A 点作切线 $O'A$ 与轴线相交于 O'；以 OO' 为轴线，$O'A$ 为母线作一圆锥，这个圆锥称为背锥或辅助圆锥。由于背锥母线与球面相切于锥齿轮大端的分度圆上，故与分度圆锥母线相互垂直。

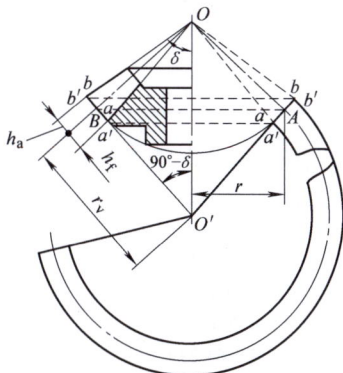

图 7-35　背锥和扇形齿轮

若将球面渐开线的轮齿向背锥上投影，则 a、b 点的投影为 a'、b' 点，由图 7-35 可知 $a'b'$ 与 ab 相差很小，分度圆锥母线 OA 越长，两者差别越小。由几何学已知，圆锥面可以展开成平面，故背锥表面可展开为一扇形平面，扇形的半径 r_v 即是背锥母线的长度 $O'A$，即 $O'A=r_v$。当以 r_v 为分度圆半径，并取圆锥齿轮的大端模数为标准模数，大端压力角为标准压力角（如 $\alpha=20°$），按直齿圆柱齿轮的作图方法可画出扇形齿轮的齿形。再将这扇形齿轮卷回到背锥上，过顶点 O 连接该齿形上的各点，所得即为与球面渐开线齿廓极为接近的锥齿轮的实际齿廓表面。

将扇形齿轮补足为完整的直齿圆柱齿轮，这个齿轮称为锥齿轮的当量齿轮，其齿数 z_v 称为当量齿数。由图 7-35 可知，当量齿轮的分度圆半径 $r_v=\dfrac{d}{2\cos\delta}$，故得当量齿数 z_v 与锥齿轮的实际齿数 z 之间的关系如下

$$z_v=\frac{z}{\cos\delta} \tag{7-36}$$

由于 $\delta>0$，所以 $z_v>z$，且一般不是整数。锥齿轮不产生根切的最少齿数 $z_{\min}$ 也可由相应的当量圆柱齿轮最少齿数 $z_{v\min}=17$ 来确定，即

$$z_{\min}=z_{v\min}\cos\delta=17\cos\delta$$

根据上述分析可知，一对锥齿轮的啮合相当于一对当量圆柱齿轮的啮合，因此，圆柱齿轮传动的啮合原理也可近似用于锥齿轮传动。

三、标准直齿锥齿轮传动的几何尺寸

由于锥齿轮的大端尺寸最大，计算和测量的数值相对误差较小，同时也便于估计传动的外形尺寸，因此规定锥齿轮的几何尺寸以大端为准。在大端分度圆上的模数和压力角等都应取规定的标准值，但取顶隙系数 $c^* = 0.2$。为了正确反映锥齿轮的形状，还需有表明锥形的角度尺寸。此外，为了使切削时切削刃能顺利通过小端的齿槽，齿宽 b 一般不应大于 $0.35R$。传动比越大，齿宽系数 ψ_R（$\psi_R = b/R$）应越小，$\psi_R = \dfrac{1}{2} \sim \dfrac{1}{3}$，一般取 $\psi_R = 0.3$。

标准直齿锥齿轮传动的参数和几何尺寸见表7-6（图7-33）。

表7-6　标准直齿锥齿轮传动的参数和几何尺寸（$\Sigma = 90°$）

名　称	代号	公式与说明
齿数	z	根据工作要求确定
模数	m	按强度条件或经验类比，选用表7-1中的标准值
分度圆压力角	α	$\alpha = 20°$
分度圆（节圆）锥角	δ	$\delta_1 = \arctan \dfrac{z_1}{z_2}$，$\delta_2 = \arctan \dfrac{z_2}{z_1} = 90° - \delta_1$
分度圆（节圆）直径	d	$d_1 = mz_1$，$d_2 = mz_2$
齿顶高	h_a	$h_a = h_a^* m = m$
齿根高	h_f	$h_f = (h_a^* + c^*)m = 1.2m$
齿高	h	$h = h_a + h_f = 2.2m$
齿顶圆直径	d_a	$d_{a1} = d_1 + 2h_a\cos\delta_1$，$d_{a2} = d_2 + 2h_a\cos\delta_2$
齿根圆直径	d_f	$d_{f1} = d_1 - 2h_f\cos\delta_1$，$d_{f2} = d_2 - 2h_f\cos\delta_2$
外锥距	R	$R = \dfrac{d}{2\sin\delta} = 0.5m\sqrt{z_1^2 + z_2^2}$
齿顶角	θ_a	$\theta_a = \arctan \dfrac{h_a}{R}$
齿根角	θ_f	$\theta_f = \arctan \dfrac{h_f}{R}$
顶锥角	δ_a	$\delta_{a1} = \delta_1 + \theta_a$，$\delta_{a2} = \delta_2 + \theta_a$
根锥角	δ_f	$\delta_{f1} = \delta_1 - \theta_f$，$\delta_{f2} = \delta_2 - \theta_f$

四、标准直齿锥齿轮传动的受力分析

由于锥齿轮的轮齿厚度和高度是一头大一头小，受力分析时，通常假定载荷是集中作用在齿宽中点处。如图7-36a所示，作用在主动轮齿上的法向力 F_{n1}，可分解为三个分力

$$圆周力 \qquad F_{t1} = \frac{2000T_1}{d_{m1}} \tag{7-37}$$

$$径向力 \qquad F_{r1} = F'_{r1}\cos\delta_1 = F_{t1}\tan\alpha\cos\delta_1 \tag{7-38}$$

$$轴向力 \qquad F_{a1} = F'_{r1}\sin\delta_1 = F_{t1}\tan\alpha\sin\delta_1 \tag{7-39}$$

式中，T_1 为主动轮1传递的转矩（N·m）；d_{m1} 为主动轮1的平均分度圆直径（mm），$d_{m1} = d_1\left(1 - 0.5\dfrac{b}{R}\right) = d_1(1 - 0.5\psi_R)$。

由图7-36b可知，圆周力 F_t 的指向在主动轮1上与轮齿的运动方向相反，在从动轮2上

则与轮齿运动方向相同。径向力 F_r 均指向轮心。轴向力 F_a 均由齿轮的小端指向大端。

对于轴交角 $\Sigma = \delta_1 + \delta_2 = 90°$ 的直齿锥齿轮传动，因 $\sin\delta_1 = \cos\delta_2$，$\cos\delta_1 = \sin\delta_2$，故如图 7-36b 所示

$$F_{r1} = -F_{a2}, \quad F_{a1} = -F_{r2}$$

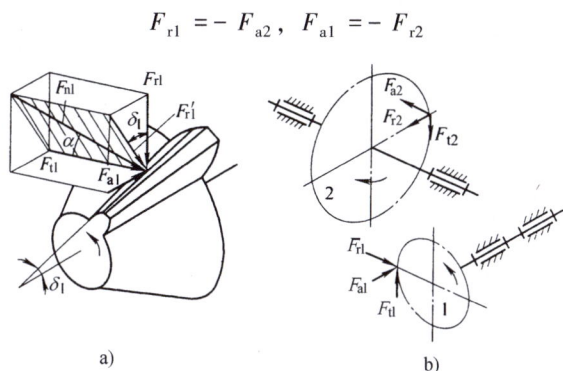

图 7-36 锥齿轮传动的受力分析

第十一节 蜗杆传动

一、蜗杆传动的组成和特点

如图 7-1g 所示，蜗杆传动由蜗杆与蜗轮组成。蜗杆的形状似螺杆，一般为主动件，蜗轮是一具有特殊形状的斜齿轮，通常用于两轴交错成 90° 的传动。

蜗杆传动的主要优点是：结构紧凑，单级传动可得到很大的传动比，一般 $i = 5 \sim 80$，在分度机构中 i 可达 1000 以上；传动平稳无噪声；当蜗杆导程角很小时，能实现自锁，用于某些手动的简易起重设备中，可防止起吊的重物因自重而下坠。其主要缺点是：传动效率低，发热量大，长期连续工作时必须考虑散热问题；传动功率较小，通常不超过 50kW；蜗轮齿圈常需用较贵重的青铜制造，制造成本较高。

根据蜗杆的形状，蜗杆传动可分为圆柱蜗杆传动（图 7-1g）和圆弧面蜗杆传动两类。圆弧面蜗杆传动的润滑条件较好，效率较高，但制造较复杂，主要用于传递大功率的传动中。其中，圆柱蜗杆传动应用较为广泛。本节仅介绍普通圆柱蜗杆传动（或称阿基米德圆柱蜗杆传动）。

二、蜗杆传动的几何尺寸

如图 7-37 所示，通过蜗杆轴线并垂直蜗轮轴线的平面称为中间平面，在中间平面内，蜗杆具有齿条形直线齿廓，其两侧夹角 $2\alpha = 40°$，蜗轮为渐开线齿廓，即在中间平面内的蜗杆蜗轮啮合情况相当于渐开线齿条与齿轮啮合。因此，在中间平面内的蜗杆传动参数和几何关系与渐开线齿轮传动相似。

考虑制造方便，规定蜗杆的轴向模数（等于蜗轮的端面模数）m 为标准模数，标准模数系列见表 7-7。蜗杆头数 z_1 通常小于 4。

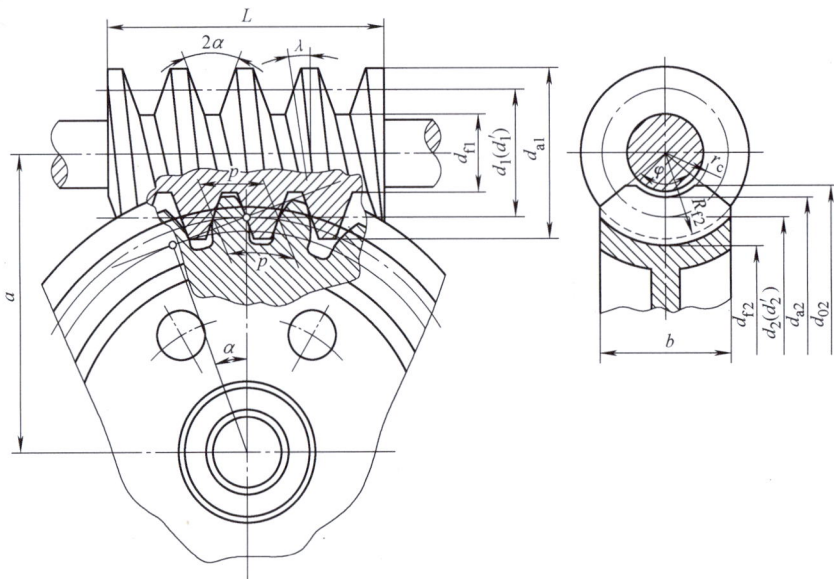

图 7-37 普通圆柱蜗杆传动

表 7-7 蜗杆直径与参数匹配标准系数

m/mm	d_1/mm	q	m/mm	d_1/mm	q	m/mm	d_1/mm	q
1	18	18.00	2.5	28	11.20	5	90	18.00
1.25	20	16.00		45	18.00	6.3	63	10.00
	22.4	17.92	3.15	35.5	11.27		112	17.778
1.6	20	12.50		56	17.778	8	80	10.00
	28	17.50	4	40	10.00		140	17.50
2	22.4	11.20		71	17.75	10	90	9.00
	35.5	17.75	5	50	10.000		160	16.00

注: 1. 本表摘自 GB/T 10085—2018。

  2. d_1—蜗杆分度圆直径，q—蜗杆直径系数。

由图 7-38 可知

$$\tan\lambda = \frac{z_1 \pi m}{\pi d_1} = \frac{mz_1}{d_1} \qquad (7\text{-}40)$$

式中，λ 为蜗杆的导程角。

式（7-40）表明，对于任一标准模数 m，当 z_1 和 λ 不同时，分度圆柱直径 d_1 也不相同。若用与蜗杆尺寸相同的滚刀加工蜗轮，则同一模数就需配备很多把滚刀。为了减少刀具数目，便于刀具标准化，国家标准规定将蜗杆的

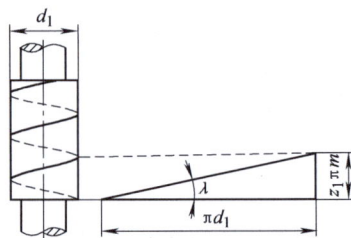

图 7-38 蜗杆的导程角 λ

分度圆直径进行标准化，且与其模数相匹配，$q = d_1/m$，q 称为蜗杆直径系数。d_1 与 m 匹配的标准系列值见表 7-7。

由式（7-40）可知，当 q、z 确定后，λ 也就随之确定。在一定范围内，蜗杆传动的效

率 η 随 λ 增大而提高。

标准普通圆柱蜗杆传动的参数和几何尺寸见表 7-8（图 7-37）。

表 7-8　标准普通圆柱蜗杆传动的参数和几何尺寸

名　称	代号	公式与说明
模数	m	按强度条件或经验类比选用表 7-7 中的标准值
压力角	α	$\alpha = 20°$
齿顶高	h_a	$h_a = m$
齿根高	h_f	$h_f = 1.2m$
齿高	h	$h = h_a + h_f$
蜗杆轴向（蜗轮端面）齿距	p	$p = \pi m$
分度圆（节圆）直径	$d(d')$	$d_1 = mq, d_2 = mz_2$
齿顶圆直径	d_a	$d_{a1} = d_1 + 2h_a, d_{a2} = d_2 + 2h_a$
齿根圆直径	d_f	$d_{f1} = d_1 - 2h_f, d_{f2} = d_2 - 2h_f$
蜗轮宽度	b	$b \leqslant 0.7d_{a1}$
中心距	a	$a = \dfrac{m}{2}(q + z_2)$

三、蜗杆传动的运动学参数

1. 传动比和齿数

如图 7-39 所示，蜗杆和蜗轮的转速分别为 n_1 和 n_2，在中间平面内节点 P 处，蜗杆的轴向速度 v_1 等于蜗轮的圆周速度 v_2。因

$$v_1 = \frac{\pi m z_1 n_1}{60} \qquad v_2 = \frac{\pi m z_2 n_2}{60}$$

故得蜗杆传动的传动比为

$$i = \frac{n_1}{n_2} = \frac{z_2}{z_1} \qquad (7-41)$$

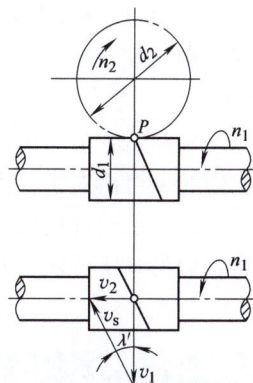

通常取 $z_1 = 1 \sim 4$。当取 $z_1 = 1$ 时，可得到很大的传动比，但效率较低。在形成自锁蜗杆传动时，效率 $\eta = 0.4 \sim 0.45$。如传动比不要求很大，则 z_1 可取较大值。$z_1 = 2$ 时，$\eta = 0.75 \sim 0.82$。$z_1 = 3 \sim 4$ 时，$\eta = 0.80 \sim 0.92$，一般 z_1 越大传动效率越高。

为了避免加工蜗轮时产生根切，当 $z_1 = 1$ 时，取 $z_2 \geqslant 17$；$z_1 > 2$ 时，取 $z_2 \geqslant 27$。对于动力传动，常取 $z_2 = 28 \sim 80$，故传动比 $i = 7 \sim 80$。对于分度机构，传动比可以很大，z_2 可达数百以上。

图 7-39　蜗杆传动的
传动比和滑动速度

2. 滑动速度

图 7-39 所示为一右旋蜗杆传动，当蜗杆以转速 n_1 按图示方向转动时，在节点 P 处，蜗杆的圆周速度 v_1（$v_1 = \pi m q n_1 / 60$）使蜗轮产生向左的圆周速度 v_2，从而可判定蜗轮的转动方向。

由图 7-39 可见，v_1 和 v_2 之间成 90° 的夹角，因而沿齿面螺旋线方向有相对滑动。蜗轮相对蜗杆的滑动速度为

$$v_s = \frac{v_1}{\cos\lambda'} = \sqrt{v_1^2 + v_2^2} \qquad (7-42)$$

式中，λ' 为蜗杆齿在节圆柱上的导程角。

相对滑动使齿面发生磨损并发热。为了减摩和耐磨，蜗轮齿圈常需采用较贵重的青铜制造。对于连续工作的闭式蜗杆传动，由于发热量大，若散热不良，易引起过高的温升，使润滑油的黏度降低，润滑油从啮合齿间挤出，失去润滑作用，导致齿面发生胶合，甚至使传动失效，因此，连续工作的闭式蜗杆传动必须注意散热。通常蜗杆传动工作的油温限制在70~80℃，否则需增加散热的措施，如在箱体外加散热片以增大散热面积、在蜗杆轴上装风扇进行吹风冷却、或在箱体油池内装蛇形水管用循环水冷却、或直接用循环油冷却等。

四、蜗杆传动的受力分析

如图 7-40 所示，当右旋蜗杆按图示方向转动时，作用在节点处轮齿上的法向力 F_n，可分解为三个相互垂直的分力：圆周力 F_t、径向力 F_r 和轴向力 F_a。由于蜗杆和蜗轮的轴线相互垂直交错，根据作用力与反作用力大小相等方向相反，可得作用于蜗杆 1 和蜗轮 2 的力为

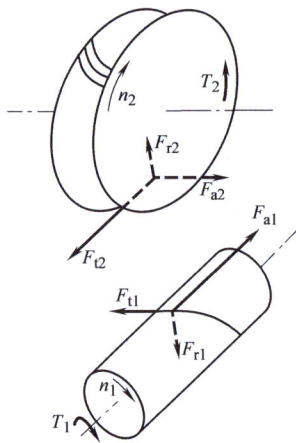

图 7-40　蜗杆传动的受力分析

$$- F_{a2} = F_{t1} = \frac{2000T_1}{d_1} \qquad (7\text{-}43)$$

$$- F_{a1} = F_{t2} = \frac{2000T_2}{d_2} \qquad (7\text{-}44)$$

$$- F_{r1} = F_{r2} = F_{t2}\tan\alpha' \qquad (7\text{-}45)$$

式中，T_1 和 T_2 为蜗杆和蜗轮轴上的转矩（N·m）；d_1 和 d_2 为蜗杆和蜗轮的节圆（分度圆）直径（mm）；啮合角 $\alpha' = \alpha = 20°$。

蜗杆和蜗轮上作用力的方向与蜗杆的螺旋线旋向及转动方向有关。确定蜗杆和蜗轮的转动方向时，可用右手代表右旋蜗杆，左手代表左旋蜗杆，以拇指指向螺旋轴线的移动方向，其余四指表示蜗杆的转动方向，而蜗轮的转动方向与拇指的指向相反。圆周力、径向力和轴向力方向的确定方法，与斜齿圆柱齿轮相同。

第十二节　齿轮、蜗杆和蜗轮的构造

当钢制齿轮的根圆直径与轴的直径相差不多时，常将齿轮与轴制成一体，称为齿轮轴，如图 7-41 所示。

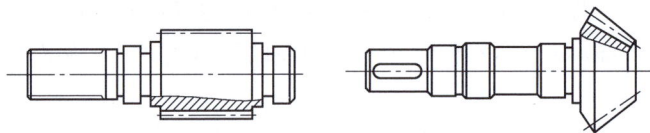

图 7-41　齿轮轴

当钢制齿轮的根圆直径比轴的直径大出两倍齿高时，齿轮宜单独制造，然后用键或花键与轴连接。

齿顶圆直径 $d_a \leqslant 500\text{mm}$ 的锻造齿轮，当齿顶圆直径 $d_a \leqslant 160\text{mm}$ 时，一般可制成实体结构，当 $d_a > 160\text{mm}$ 时，可制成辐板式结构。为了减轻重量和便于运输，有时还在辐板上制出圆孔，如图 7-42 所示。

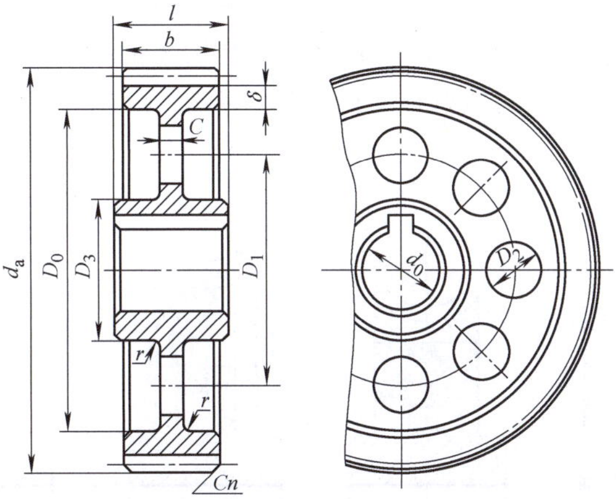

$d_a \leqslant 500\text{mm}; \delta = (2.5 \sim 4)m_n; D_0 = d_f - 2\delta, d_f$ 为齿根圆直径; $D_3 = 1.6d_0; D_2 = (0.25 \sim 0.35)(D_0 - D_3); l = (1.2 \sim 1.5)d_0,$
$l \geqslant b; D_1 = 0.5(D_0 + D_3); C = (0.2 \sim 0.3)b; n = 0.5m_n; r \approx 5\text{mm}$

图 7-42 锻造齿轮

齿顶圆直径 $d_a > 500\text{mm}$ 时，因锻造比较困难，宜采用铸钢或铸铁铸造轮坯，常采用轮辐式结构。图 7-43 所示为十字形轮辐式结构。

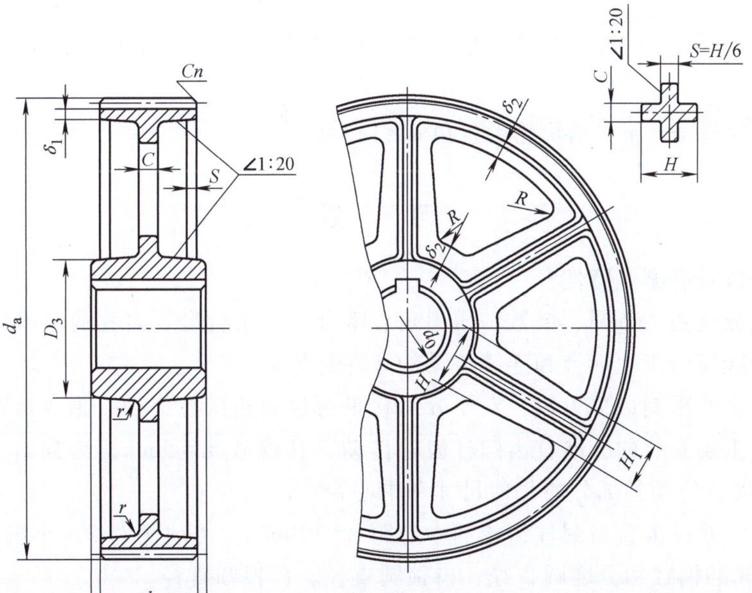

$d_a \leqslant 1000\text{mm}; D_3 = 1.6d_0$(铸钢)或 $D_3 = 1.8d_0$(铸铁); $\delta_1 = (2.5 \sim 4)m_n$, 但不小于8mm;
$n = 0.5m_n; C = H/5; S = 0.8C$, 但不小于10mm; $\delta_2 = 0.8\delta_1; H = 0.8d_0; H_1 = 0.8H; r \approx 0.5C;$
$R \approx 0.5H; l = (1.2 \sim 1.5)d_0, l \geqslant b;$ 轮辐数常取为6

图 7-43 铸造齿轮

蜗杆通常多与轴制成一体，如图 7-37 所示，图中 L 为蜗杆有齿部分长度，当 $z_1 = 1 \sim 2$ 时，$L \geqslant (11 + 0.06z_2) \, m$；$z_1 = 3 \sim 4$ 时，$L \geqslant (12.5 + 0.09z_2) \, m$；如钢制蜗杆上的齿需要磨削时，$L$ 还要加长 $3m$，m 是蜗杆的轴向模数。

蜗轮的结构如图 7-44 所示，铸铁和尺寸小的青铜蜗轮，多采用整体式结构（图 7-44a）。尺寸大的青铜蜗轮多采用组合式结构以节省贵重的有色金属。为了防止齿圈和轮芯因发热而松动，常在接缝处用 4~6 个螺钉或螺栓紧固（图 7-44b、c），也可直接将青铜齿圈浇注在铸铁轮芯上（图 7-44d）。

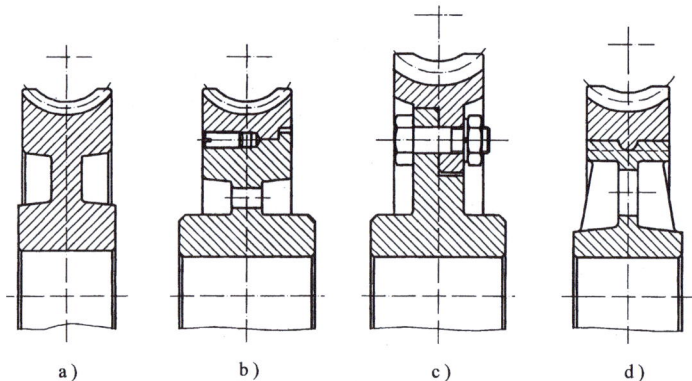

a)   b)   c)   d)

图 7-44　蜗轮的结构

蜗轮齿圈的尺寸如图 7-37 所示。d_{02} 为蜗轮外圆直径，当 $z_1 = 1$ 时，$d_{02} \leqslant d_{a2} + 2m$；$z_1 = 2 \sim 3$ 时，$d_{02} \leqslant d_{a2} + 1.5m$；$z_1 = 4$ 时，$d_{02} \leqslant d_{a2} + m$。蜗轮齿顶圆弧半径 $r_c = m\left(\dfrac{q}{2} - 1\right)$，蜗轮齿根圆弧半径 $R_{f2} = \dfrac{d_{a1}}{2} + c^* m$。蜗轮轮齿包角 $\varphi = 2\arcsin\dfrac{b}{d_1}$。

习　　题

7-1　渐开线具有哪些特性？

7-2　试述分度圆、节圆、模数、压力角、啮合角、重合度等名称的基本含义。

7-3　渐开线齿轮正确啮合和连续传动的条件是什么？

7-4　为什么要限制最少齿数？对于 $\alpha = 20°$ 的标准直齿圆柱齿轮，最少齿数 z_{min} 是多少？

7-5　一对正确安装的标准直齿圆柱齿轮传动，其模数 $m = 5\text{mm}$，齿数 $z_1 = 20$，$z_2 = 100$，试计算这一对齿轮传动各部分的几何尺寸和中心距。

7-6　已知一对标准直齿圆柱齿轮的中心距 $a = 120\text{mm}$，传动比 $i = 3$，小齿轮齿数 $z_1 = 20$。试确定这对齿轮的模数和分度圆直径、齿顶圆直径、齿根圆直径。

7-7　已知两直齿圆柱齿轮的齿数分别为 20 和 25，而测得其齿顶圆直径均为 216mm。试求两轮的模数和齿顶高系数。

7-8　已知一对标准斜齿圆柱齿轮的模数 $m_n = 3\text{mm}$，齿数 $z_1 = 23$，$z_2 = 76$，螺旋角 $\beta = 8°6'34''$，试求其中心距和两轮各部分的几何尺寸。

7-9　在一个中心距 $a = 155\text{mm}$ 的旧箱体内，配上一对齿数 $z_1 = 23$，$z_2 = 76$，模数 $m_n =$

3mm 的斜齿圆柱齿轮,试问这对齿轮的螺旋角 β 应是多少?

7-10 画出图 7-45 中各齿轮轮齿所受的作用力方向。图 7-45a、b 为主动轮,图 7-45c 为从动轮。

7-11 试说明齿轮几种主要失效形式产生的原因?

7-12 若一对齿轮的传动比和中心距保持不变,仅改变其齿数,试问这对于齿轮的接触强度和抗弯强度各有什么影响?

7-13 用于胶带运输机上二级减速器中的一对齿轮,其传动比 $i=3$,传动效率 $\eta=0.98$,输出转速 $n_2=$ 65r/min,输出功率 $P=4.5$kW。试确定这对齿轮的中心距及其主要尺寸。

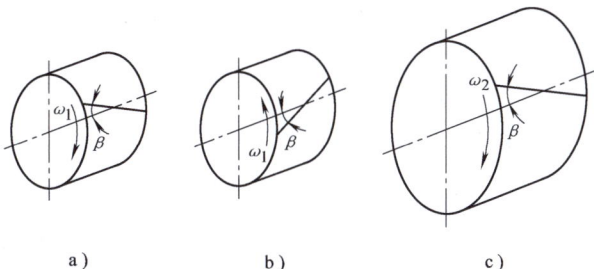

图 7-45 题 7-10

7-14 锥齿轮传动与圆柱齿轮传动各有什么特点?试举例说明。

7-15 为什么应当在球面上来了解锥齿轮的啮合情况?而实际上又是如何用近似方法来研究锥齿轮的啮合情况的?为什么取锥齿轮的大端模数为标准模数?

7-16 如图 7-33 所示,一对直齿锥齿轮传动,模数 $m=5$mm,齿数 $z_1=16$、$z_2=48$,轴交角 $\Sigma=90°$。试计算这对齿轮传动的几何尺寸。

7-17 图 7-36 所示的一对锥齿轮传动,若其小轮的转向改变,两轮受力情况有无变化?为什么?若将大轮改为主动轮,两轮受力情况有无变化?为什么?

7-18 蜗杆传动有哪些基本特点?

7-19 蜗杆传动以哪一个平面内的参数和尺寸为标准?这样做有什么好处?

7-20 蜗杆传动的正确啮合条件是什么?其传动比是否等于蜗轮和蜗杆的节圆直径之比?

7-21 什么叫蜗杆直径系数 q?为什么要规定蜗杆直径系数的标准值?

7-22 图 7-37 所示的一对标准普通圆柱蜗杆传动,已知其蜗杆轴向模数 $m=10$mm,蜗杆直径系数 $q=8$,蜗杆头数 $z_1=1$,蜗轮齿数 $z_2=32$,试计算这一蜗杆传动的各部分几何尺寸和中心距。

7-23 标准蜗杆传动的蜗杆轴向齿距 $p=$ 15.708mm,蜗杆头数 $z_1=2$,蜗杆齿顶圆直径 $d_{a1}=$ 60mm,蜗轮的齿数 $z_2=40$,试确定其模数 m、蜗杆直径系数 q、蜗轮分度圆直径 d_2 和中心距 a。

7-24 图 7-46 所示为一标准蜗杆传动,蜗杆 1 主动,蜗杆上的转矩 $T_1=20$N·m,蜗杆轴向模数 $m=3$mm,轴向压力角 $\alpha=20°$,头数 $z_1=2$,蜗杆直径系数 $q=12$,蜗轮 2 的齿数 $z_2=50$,传动的啮合效率 $\eta=0.75$。试确定:

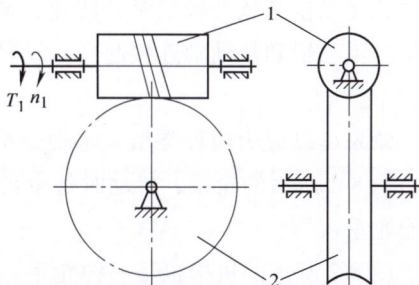

图 7-46 题 7-24

1)蜗轮 2 的转向。

2)蜗杆 1 和蜗轮 2 轮齿上的圆周力、径向力和轴向力的大小和方向。

7-25 蜗杆传动的主要失效形式是什么?为什么常要采取散热措施?

第八章

Chapter

轮　系

本章介绍了轮系的分类，着重讨论了定轴轮系、周转轮系及混合轮系传动比的计算，同时介绍了各类轮系在机械中的应用。

第一节　轮系的类型

由一对齿轮组成的机构是齿轮传动的最简单形式，但是在实际机械中，为了将主动轴的一种转速变换为从动轴的多种转速，或者为了获得很大的传动比，常采用一系列互相啮合的齿轮将主动轴和从动轴连接起来。这种由一系列互相啮合的齿轮所组成的齿轮传动系统，称为轮系。

轮系可以分为两种类型：定轴轮系和周转轮系。

图 8-1 所示的轮系，传动时每个齿轮的几何轴线都是固定的，这种轮系称为定轴轮系或普通轮系。

图 8-2 所示的机构也是一种轮系。内齿轮 1 固定不转。当摇动手柄 H 时，因为齿轮 2 是和齿轮 1 相啮合的，所以双联齿轮 2—2′一方面绕自己的几何轴线 O_2 转动，同时又随同 O_2 绕位置固定的轴线 O_1 转动。齿轮 2′的这种运动，又推动与它相啮合的齿轮 3 转动。与定轴轮系不同，在这个轮系传动时，齿轮 2—2′的几何轴线并不固定，它围绕齿轮 1 和齿轮 3 的固定几何轴线转动。这种至少有一个齿轮的几何轴线绕另一齿轮的几何轴线转动的轮系，称为周转轮系。

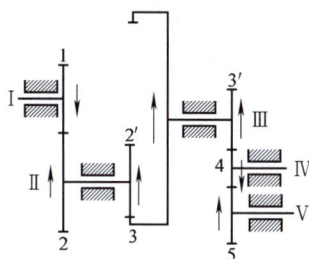

图 8-1　定轴轮系

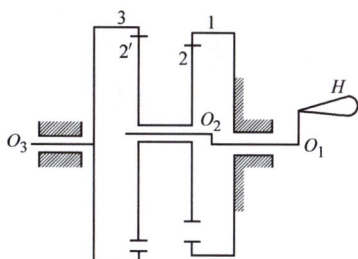

图 8-2　周转轮系

第二节　定轴轮系及其传动比

在轮系中，首末两齿轮的角速度或转速之比称为该轮系的传动比。传动比用 i 来表示，并在其右下角附注两个角标表示所属的两齿轮，如 i_{15} 即表示齿轮 1 和齿轮 5 的传动比。计算轮系的传动比，不但要确定它的数值大小，而且要确定从动轮与主动轮相对转动方向的关系。

一、传动比大小的确定

图 8-1 所示的定轴轮系中，Ⅰ 为第一主动轴，Ⅴ 为最末从动轴。其传动比 i_{15} 可由各对相啮合的齿轮求出。

设 z_1、z_2、z_2'、z_3、z_3'、z_4 及 z_5 为各齿轮的齿数；n_1、n_2、n_2'（$=n_2$）、n_3、n_3'（$=n_3$）、n_4 及 n_5 为各齿轮的转速。

由轮系中各对齿轮传动比的关系可得

$$i_{12}=\frac{n_1}{n_2}=\frac{z_2}{z_1},n_2=n_1\left(\frac{z_1}{z_2}\right)$$

$$i_{2'3}=\frac{n_2'}{n_3}=\frac{z_3}{z_2'},n_3=n_2'\left(\frac{z_2'}{z_3}\right)=n_1\left(\frac{z_1}{z_2}\right)\left(\frac{z_2'}{z_3}\right)$$

$$i_{3'4}=\frac{n_3'}{n_4}=\frac{z_4}{z_3'},n_4=n_3'\left(\frac{z_3'}{z_4}\right)=n_1\left(\frac{z_1}{z_2}\right)\left(\frac{z_2'}{z_3}\right)\left(\frac{z_3'}{z_4}\right)$$

$$i_{45}=\frac{n_4}{n_5}=\frac{z_5}{z_4},n_5=n_4\left(\frac{z_4}{z_5}\right)=n_1\left(\frac{z_1}{z_2}\right)\left(\frac{z_2'}{z_3}\right)\left(\frac{z_3'}{z_4}\right)\left(\frac{z_4}{z_5}\right)$$

从而得出轮系的传动比为

$$i_{15}=\frac{\omega_1}{\omega_5}=\frac{n_1}{n_5}=\left(\frac{z_2}{z_1}\right)\left(\frac{z_3}{z_2'}\right)\left(\frac{z_4}{z_3'}\right)\left(\frac{z_5}{z_4}\right)$$

$$=i_{12}i_{2'3}i_{3'4}i_{45}=\frac{z_2z_3z_4z_5}{z_1z_2'z_3'z_4}=\frac{z_2z_3z_5}{z_1z_2'z_3'}$$

由以上计算可以看出，该定轴轮系的传动比等于组成轮系的各对啮合齿轮传动比的连乘积，也等于各对齿轮传动中的从动轮齿数的乘积与主动轮齿数的乘积之比。

将以上结论推广到一般情况，设 1、N 为定轴轮系的第一主动齿轮和最末从动齿轮，则

$$i_{1N} = \frac{n_1}{n_N} = \frac{\text{所有从动轮齿数的乘积}}{\text{所有主动轮齿数的乘积}} \tag{8-1}$$

二、首、末轮转向关系的确定

定轴轮系中各轮的相对转向可以通过在齿轮上标注箭头（箭头方向表示齿轮可见侧的圆周速度方向）的方法来确定。

根据不同类型齿轮传动的运动关系可知，一对平行轴外啮合齿轮（图 8-3a），其两轮转向相反，用方向相反的箭头表示；一对平行轴内啮合齿轮（图 8-3b），其两轮转向相同，用方向相同的箭头表示；一对锥齿轮传动时，因其啮合点具有相同速度，故表示转向的箭头或同时指向啮合点，或同时背离啮合点（图 8-3c）；在蜗杆传动中，蜗轮的转向不仅与蜗杆的转向有关，还与其螺旋线旋向有关，具体用左右手法则来判断，蜗杆左旋用左手，右旋用右手，拇指伸直，其余四指握拳，令四指弯曲方向与蜗杆转动方向一致，则拇指指向的反方向是蜗轮上的啮合点的运动方向（图 8-3d）。

a)   b)

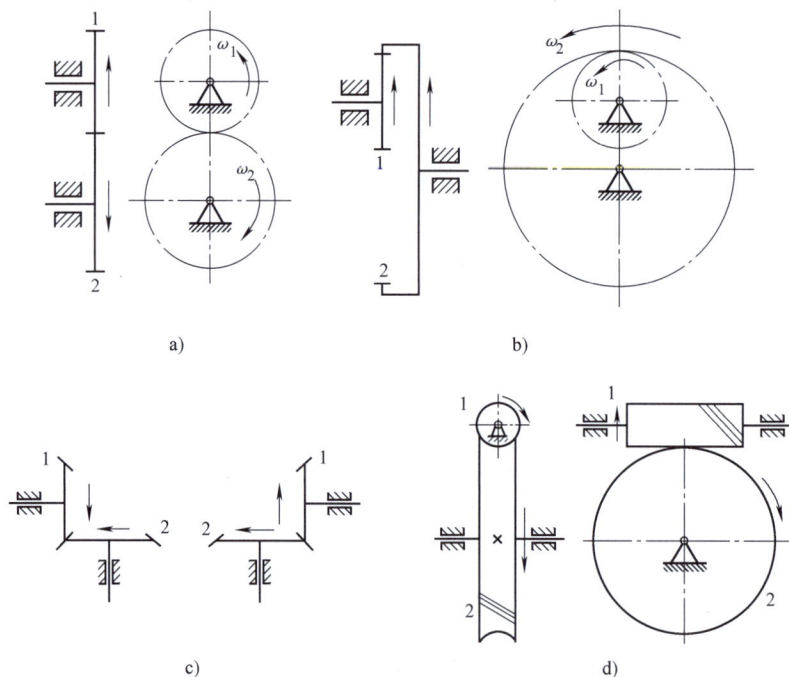

c)   d)

图 8-3 传动转向关系

如图 8-1 所示，根据前面的方法标出了轮系中各轮转向。

图 8-1 所示轮系中的齿轮 4 和两个齿轮同时啮合，它既是齿轮 3′、4 传动中的从动轮，又是齿轮 4、5 传动中的主动轮，因此，它的齿数多少不影响传动比的大小，它的存在改变了齿轮 5 的转向。这种只改变轮系从动轮转向，而对轮系传动比大小没有影响的齿轮称为

惰轮。

对平面定轴轮系而言，其中所有的齿轮均为圆柱齿轮，各齿轮轴线相互平行，各对啮合齿轮主、从动轮转向只有相同（内啮合）和相反（外啮合）两种情况，因此，可以定义一对内啮合齿轮传动比为正，一对外啮合齿轮传动比为负。若用 m 表示轮系中外啮合的对数，则可用 $(-1)^m$ 来确定轮系传动比的正负号。若计算结果为正，说明轮系首、末两轮的转向相同，反之，则首、末两轮的转向相反。

即对平面定轴轮系有

$$i_{1N} = \frac{n_1}{n_N} = (-1)^m \frac{\text{所有从动轮齿数的乘积}}{\text{所有主动轮齿数的乘积}} \qquad (8\text{-}2)$$

式（8-2）只适用于平面定轴轮系，不适用于空间定轴轮系。因为空间定轴轮系中含有锥齿轮和蜗轮蜗杆等齿轮传动，这些齿轮的几何轴线不互相平行，其啮合齿轮转向关系不能用相同或相反表达。

综上，在图上用画箭头表达转向关系的方式既可以用于平面定轴轮系，也可以用于空间定轴轮系；正负号法只能用于平面定轴轮系中表达各齿轮的转向关系。

例 8-1 图 8-4 所示的定轴轮系中，$z_1 = 16$，$z_2 = 32$，$z_2' = 20$，$z_3 = 40$，$z_3' = 2$（右旋），$z_4 = 40$。若 $n_1 = 800\text{r/min}$，求蜗轮的转速 n_4 及各轮的转向。

解 因为轮系中有锥齿轮和蜗杆蜗轮等空间齿轮传动，所以只能用公式（8-1）计算轮系传动比的大小。

$$i_{14} = \frac{n_1}{n_4} = \frac{z_2 z_3 z_4}{z_1 z_2' z_3'} = \frac{32 \times 40 \times 40}{16 \times 20 \times 2} = 80$$

图 8-4 定轴轮系

所以

$$n_4 = \frac{n_1}{i_{14}} = \frac{1}{80} \times 800\text{r/min} = 10\text{r/min}$$

各轮的转向如图 8-4 中箭头所示。其画法简述如下：从已知转速的齿轮 1 开始，若其转向如图中箭头所示。轮 1 轮 2 为两锥齿轮传动，其节点处的圆周速度相同，故表示转向的箭头同时指向节点（如图示）。蜗杆传动则应根据蜗杆的转向及其螺旋线的旋向来确定蜗轮的转向。如图 8-4 中的右旋蜗杆 3′ 按图示方向转动时，蜗轮 4 将沿逆时针方向转动。

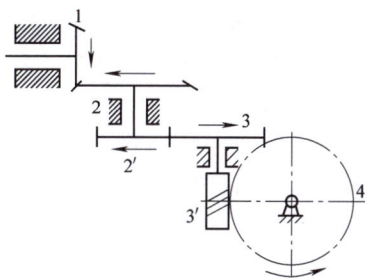

第三节 周转轮系及其传动比

一、周转轮系的组成

在图 8-5 所示的轮系中，齿轮 1 和 3 以及构件 H 各绕固定的几何轴线 O_1、O_3（与 O_1 重合）及 O_H（也与 O_1 重合）转动；齿轮 2 空套在构件 H 的小轴上。当构件 H 转动时，齿轮 2 一方面绕自己的几何轴线 O_2 转动（自转），同时又随构件 H 绕固定的几何轴线 O_H 转动（公转）。从前述轮系的定义可知，这是一个周转轮系。在周转轮系中，轴线位置变动的齿轮，即既做自转又作公转的齿轮，称为行星轮；支持行星轮做自转和公转的构件称为转臂或系杆；轴线位置固定的齿轮则称为太阳轮。每个单一的周转轮系具有一个系杆，太阳轮的数目不超过两个。应当注意，单一周转轮系中系杆与两个太阳轮的几何轴线必须重合，否则便不能传动。

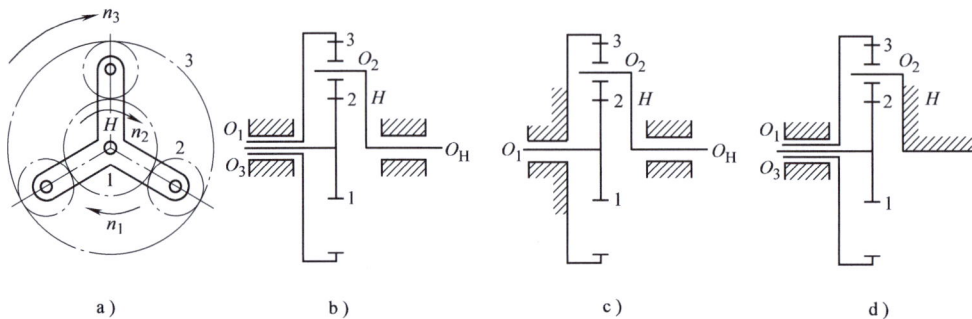

图 8-5　轮系的转化

为了使转动时的惯性力平衡以及减轻轮齿上的载荷，常采用几个完全相同的行星轮（图 8-5a 中为三个）均匀地分布在太阳轮的周围同时进行传动。因为这种行星齿轮的个数对研究周转轮系的运动没有任何影响，所以在机构简图中可以只画出一个，如图 8-5b 所示。

图 8-5b 所示的周转轮系，它的两个太阳轮都能转动。该机构的活动构件 $n=4$，$P_L=4$，$P_H=2$，机构自由度 $F=3\times4-2\times4-2=2$，需要两个原动件，这种周转轮系称为差动轮系。

图 8-5c 所示的周转轮系，只有一个太阳轮能转动，该机构的活动构件 $n=3$，$P_L=3$，$P_H=2$，机构自由度 $F=3\times3-2\times3-2=1$，即只需一个原动件，这种周转轮系称为行星轮系。

二、周转轮系传动比的计算

因为周转轮系中行星轮的运动不是绕固定轴线的简单转动，所以其传动比不能直接用求解定轴轮系传动比的方法来计算。但是，如果能使转臂变为固定不动，并保持周转轮系中各个构件之间的相对运动不变，则周转轮系就转化成为一个假想的定轴轮系，便可由式（8-1）列出该假想定轴轮系传动比的计算式，从而求出周转轮系的传动比。

在图 8-5b 所示的周转轮系中，设 n_H 为转臂 H 的转速。根据相对运动原理，当给整个周转轮系加上一个绕轴线 O_H 的大小为 n_H、而方向与 n_H 相反的公共转速（$-n_H$）后，转臂 H 便静止不动了，而各构件间的相对运动并不改变。这样，所有齿轮的几何轴线的位置全部固定，原来的周转轮系便成了定轴轮系（图 8-5d），这一定轴轮系就称为原周转轮系的转化轮系。现将各构件转化前后的转速列于表 8-1。

表 8-1　各轴转速

构件	原来的转速	转化轮系中的转速
1	n_1	$n_1^H = n_1 - n_H$
2	n_2	$n_2^H = n_2 - n_H$
3	n_3	$n_3^H = n_3 - n_H$
H	n_H	$n_H^H = n_H - n_H = 0$

转化轮系中各构件的转速 n_1^H、n_2^H、n_3^H 及 n_H^H，表示这些转速是各构件对转臂 H 的相对转速。

既然周转轮系的转化轮系是一个定轴轮系，就可应用求解定轴轮系传动比的方法，求出其中任意两齿轮的传动比来。

转化轮系中齿轮 1 对齿轮 3 的传动比 i_{13}^{H}，根据传动比定义为

$$i_{13}^{\mathrm{H}} = \frac{n_1^{\mathrm{H}}}{n_3^{\mathrm{H}}} = \frac{n_1 - n_{\mathrm{H}}}{n_3 - n_{\mathrm{H}}}$$

因转化轮系是一个平面定轴轮系，由定轴轮系传动比的计算式（8-2）又可得

$$i_{13}^{\mathrm{H}} = (-1)^1 \frac{z_2 z_3}{z_1 z_2} = -\frac{z_3}{z_1}$$

故

$$\frac{n_1 - n_{\mathrm{H}}}{n_3 - n_{\mathrm{H}}} = -\frac{z_3}{z_1}$$

等式右边的"-"号表示轮 1 与轮 3 在转化轮系中的转向相反。

现将以上分析推广到一般情形。n_{G} 和 n_{K} 为周转轮系中任意两个齿轮 G 和 K 的转速，它们与转臂 H 的转速 n_{H} 之间的关系应为

$$\frac{n_{\mathrm{G}} - n_{\mathrm{H}}}{n_{\mathrm{K}} - n_{\mathrm{H}}} = (-1)^m \frac{\text{从齿轮 G 至 K 间所有从动轮齿数的乘积}}{\text{从齿轮 G 至 K 间所有主动轮齿数的乘积}} \qquad (8\text{-}3)$$

式中，m 为齿轮 G 到 K 间外啮合的次数。

应用上式时，应令 G 为主动轮，K 为从动轮，中间各轮的主从地位也按此假设判定。

必须注意，在推导过程中对各构件所加上的公共转速（$-n_{\mathrm{H}}$）与各构件的原来转速是代数相加的，所以 n_{G}、n_{K} 必须是平行向量或者说式（8-3）只能适用于齿轮 G、K 和转臂 H 的轴线互相平行的场合。

将已知转速代入上式以求解未知转速时，要特别注意转速的正负号，在假定了某一方向的转动为正以后，其相反方向的转动就是负，必须将转速的大小连同它的符号一同代入式（8-3）进行计算。

上述这种运用相对运动的原理，将周转轮系转化成假想的定轴轮系，然后计算其传动比的方法，称为相对速度法或反转法。

例 8-2　在图 8-6 所示的行星轮系中，各轮的齿数为 $z_1 = 27$，$z_2 = 17$，$z_3 = 61$。已知 $n_1 = 6000\mathrm{r/min}$，求传动比 $i_{1\mathrm{H}}$ 和转臂 H 的转速 n_{H}。

解　由式（8-3）得

$$\frac{n_1 - n_{\mathrm{H}}}{n_3 - n_{\mathrm{H}}} = -\frac{z_3}{z_1}$$

从而

$$\frac{n_1 - n_{\mathrm{H}}}{0 - n_{\mathrm{H}}} = -\frac{61}{27}$$

解得

$$i_{1\mathrm{H}} = \frac{n_1}{n_{\mathrm{H}}} = 1 + \frac{61}{27} \approx 3.26$$

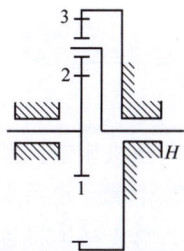

图 8-6　行星轮系

设 n_1 的转向为正，则

$$n_{\mathrm{H}} = \frac{n_1}{i_{1\mathrm{H}}} = \frac{6000}{3.26}\mathrm{r/min} \approx 1840\mathrm{r/min}$$

n_{H} 的转向和 n_1 相同。

利用式（8-3）还可以计算出行星齿轮 2 的转速 n_2，即

$$\frac{n_1-n_H}{n_2-n_H}=-\frac{z_2}{z_1}$$

从而

$$\frac{6000-1840}{n_2-1840}=-\frac{17}{27}$$

解得

$$n_2\approx-4767\text{r/min}$$

负号表示 n_2 的转向与 n_1 相反。

式（8-3）同样也适用于由锥齿轮组成的单一周转轮系的太阳轮和系杆。但因行星轮的轴线与太阳轮的轴线不平行，故式（8-3）等式右边的负号必须在转化轮系中用画箭头的方法确定。

例 8-3   在图 8-7 所示锥齿轮组成的行星轮系中，各轮的齿数为 $z_1=20$，$z_2=30$，$z_2'=50$，$z_3=80$。已知 $n_1=50\text{r/min}$。求转臂 H 的转速 n_H。

解   因在该轮系中，齿轮 1、3 和转臂 H 的轴线相重合，所以可用式（8-3）进行计算

图 8-7   行星轮系

$$\frac{n_1-n_H}{n_3-n_H}=-\frac{z_2z_3}{z_1z_2'}$$

上式等号右边的负号，是由于在转化轮系中画上转向箭头（图 8-7 中虚线箭头所示）后，1、3 两轮的箭头方向相反。

设 n_1 的转向为正，则

$$\frac{50-n_H}{0-n_H}=-\frac{30\times80}{20\times50}$$

解得

$$n_H\approx14.7\text{r/min}$$

正号表示 n_H 的转向和 n_1 的转向相同。

注意，本例中行星齿轮 2—2′ 的轴线和齿轮 1（或齿轮 3）及转臂 H 的轴线不平行，所以不能利用式（8-3）来计算 n_2。

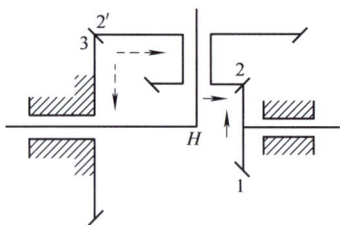

第四节   混合轮系及其传动比

在机械中，经常用到定轴轮系和周转轮系或几个单一的周转系组合而成的混合轮系。由于整个混合轮系不可能转化成一个定轴轮系，所以不能只用一个公式来求解。计算混合轮系时，首先必须将各个单一的周转系和定轴轮系正确区分开来，然后分别列出计算这些轮系的方程式，最后联立解出所要求的传动比。

正确区分各个轮系的关键在于找出各个单一周转轮系。找单一周转轮系的一般方法是：先找出行星轮，即找出那些几何轴线绕另一齿轮的几何轴线转动的齿轮；支持行星轮运动的那个构件就是转臂（注意，转臂的形状不一定是简单的杆状）；而几何轴线与转臂的回转轴线相重合，且直接与行星轮相啮合的定轴齿轮就是太阳轮。这组行星轮、转臂、太阳轮构成

一个单一周转轮系。区分出各个单一周转轮系以后，剩下的就是定轴轮系。

例 8-4 在图 8-8 所示的电动卷扬机减速器中，各轮齿数为 $z_1 = 24$，$z_2 = 52$，$z_2' = 21$，$z_3 = 78$。$z_3' = 18$，$z_4 = 30$，$z_5 = 78$。求 i_{1H}。

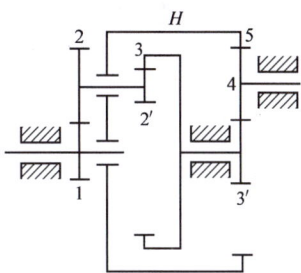

图 8-8 电动卷扬机减速器

解 在该轮系中，双联齿轮 2—2′ 的几何轴线是绕着齿轮 1 和 3 的轴线转动的，所以是行星轮；支持它运动的构件（卷筒 H）就是转臂；和行星轮相啮合的齿轮 1 和 3 是两个太阳轮。这两个太阳轮都能转动，所以齿轮 1、2—2′、3 和转臂 H 组成一个差动轮系。该差动轮系的转臂 H 和太阳轮 3 再用由齿轮 3′、4 和 5 组成的定轴轮系联系起来，就构成一个混合轮系。

在差动轮系中

$$\frac{n_1 - n_H}{n_3 - n_H} = -\frac{z_2 z_3}{z_1 z_2'} = -\frac{52 \times 78}{24 \times 21} \qquad (a)$$

在定轴轮系中

$$i_{35} = \frac{n_3}{n_5} = -\frac{z_5}{z_3'} = -\frac{78}{18} \qquad (b)$$

由式（b）得

$$n_3 = -\frac{13}{3} n_5 = \frac{13}{3} n_H$$

代入式（a）得

$$\frac{n_1 - n_H}{\frac{13}{3} n_H - n_H} = -\frac{169}{21}$$

得

$$i_{1H} = \frac{n_1}{n_H} = 43.9$$

第五节 轮系的应用

轮系广泛应用于各种机械中，它主要用在以下几个方面。

一、相距较远的两轴之间的传动

当主动轴和从动轴间的距离较远时，如果仅用一对齿轮来传动，如图 8-9 中细点画线所示，齿轮的尺寸就很大，既占空间，又费材料，而且制造、安装等都不方便。若改用轮系来传动，如图 8-9 中粗点画线所示，便可避免上述缺点。

二、实现变速传动

当主动轴转速不变时，利用轮系可使从动轴获得多种工作转速。汽车、机床、起重设备等都需要这种变速传动。

图 8-10 为汽车的变速器，图中轴 Ⅰ 为动力输入轴，轴 Ⅱ 为输出轴，4、6 为滑移齿轮，A—B 为牙嵌离合器。该变速器可使输出轴得到四种转速：

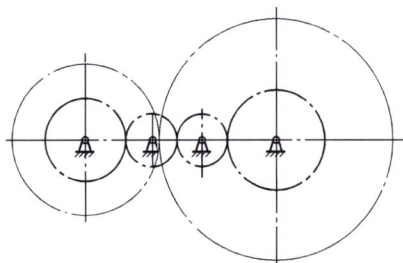

图 8-9　较远距离传动

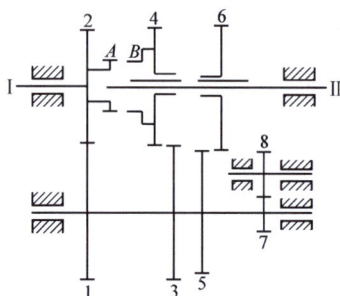

图 8-10　多级传动比传动

（1）第一挡　齿轮 5、6 相啮合，而 3、4 和离合器 A、B 均脱离。

（2）第二挡　齿轮 3、4 相啮合，而 5、6 和离合器 A、B 均脱离。

（3）第三挡　离合器 A、B 相嵌合，而齿轮 5、6 和 3、4 均脱离。

（4）倒退挡　齿轮 6、8 相啮合，而 3、4 和 5、6 以及离合器 A、B 均脱离。此时，由于惰轮 8 的作用，输出轴 Ⅱ 反转。

三、获得大的传动比

当两轴之间需要很大的传动比时，虽然可以采用定轴轮系传动，但齿轮和轴的增多会使机构趋于复杂。假若采用行星轮系，则只需要很少几个齿轮，就可以得到很大的传动比。如图 8-11 所示的行星轮系，当 $z_1 = 100$，$z_2 = 101$，$z_2' = 100$，$z_3 = 99$ 时，其传动比 i_{H1} 可达 10000，其计算如下：

图 8-11　行星轮系

行星轮系

由式（8-3）得

$$\frac{n_1 - n_H}{n_3 - n_H} = (-1)^2 \frac{z_2 z_3}{z_1 z_2'}$$

则

$$\frac{n_1 - n_H}{0 - n_H} = \frac{101 \times 99}{100 \times 100}$$

解得

$$i_{1H} = \frac{1}{10000}$$

或

$$i_{H1} = 10000$$

但须注意，这种类型的行星齿轮传动用于减速时，减速比越大，其机械效率越低。所以一般只适用于作辅助装置的传动机构，不宜传递功率。如将它用作增速传动，则可能发生自锁。

四、合成运动和分解运动

最简单的用作合成运动的轮系如图 8-12 所示，其中 $z_1 = z_3$。由式（8-3）得

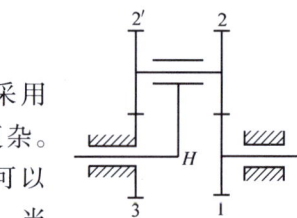

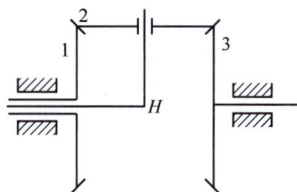

图 8-12　差动轮系

差动轮系

$$\frac{n_1 - n_H}{n_3 - n_H} = -\frac{z_3}{z_1} = -1$$

解得
$$2n_H = n_1 + n_3$$

这种轮系可用作加（减）法机构。当由齿轮 1 及齿轮 3 的轴分别输入被加数和加数的相应转角时，转臂 H 的转角之两倍就是它们的和。这种合成作用在机床、计算机构和补偿装置等中得到广泛的应用。

图 8-13 所示汽车后桥差速器可作为差动轮系分解运动的实例。当汽车拐弯时，它能将发动机传到齿轮 5 的运动，以不同转速分别传递给左右两车轮。

当汽车在平坦道路上直线行驶时，左右两车轮所滚过的距离相等，所以转速也相同。这时齿轮 1、2、3 和 4 如同一个固连的整体，一起转动。当汽车向左拐弯时，为使车轮和地面间不发生滑动以减少轮胎的磨损，就要求右轮比左轮转得快些。这时齿轮 1 和齿轮 3 之间便发

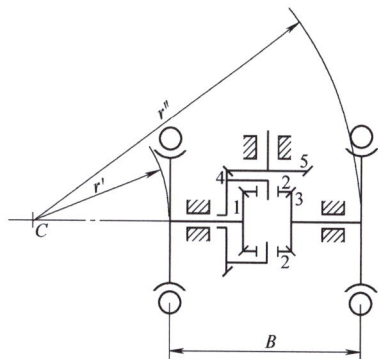

图 8-13 汽车后桥差速器

生相对转动，齿轮 2 除随齿轮 4 绕后车轮轴线公转外，还绕自己的轴线自转，由齿轮 1、2、3 和 4（即转臂 H）组成的差动轮系便发挥作用。这个差动轮系和图 8-12 所示的机构完全相同，故有

$$2n_4 = n_1 + n_3$$

又由图 8-13 可见，当车身绕瞬时回转中心 C 转动时，左右两轮走过的弧长与它们至 C 点的距离成正比，即

$$\frac{n_1}{n_3} = \frac{r'}{r''} = \frac{r'}{r' + B}$$

当发动机传递的转速 n_4、轮距 B 和转弯半径 r' 为已知时，即可由以上两式算出左右两轮的转速 n_1 和 n_3。

差动轮系可分解运动这一作用，在汽车、飞机等动力传动中，得到广泛应用。

习　题

8-1　在图 8-14 所示的轮系中，已知 $z_1 = 15$，$z_2 = 25$，$z_2' = 15$，$z_3 = 30$，$z_3' = 15$，$z_4 = 30$，$z_4' = 2$（右旋），$z_5 = 60$，$z_5' = 20$（$m = 4\text{mm}$）。若 $n_1 = 500\text{r/min}$，求齿条 6 线速度 v 的大小和方向。

8-2　在图 8-15 所示的钟表传动示意图中，E 为擒纵轮，N 为发条盘，S、M 及 H 分别为秒针、分针和时针。设 $z_1 = 72$，$z_2 = 12$，$z_3 = 64$，$z_4 = 8$，$z_5 = 60$，$z_6 = 8$，$z_7 = 60$，$z_8 = 6$，$z_9 = 8$，$z_{10} = 24$，$z_{11} = 6$，$z_{12} = 24$。求秒针与分针的传动比 i_{SM} 及分针与时针的传动比 i_{MH}。

8-3　在图 8-16 所示轮系中，已知 $z_1 = 2$，$z_2 = 52$，$z_2' = 23$，$z_3 = 35$，$z_3' = 27$，$z_4 = 30$，$z_4' = 25$，$z_5 = 80$，且已知 $n_1 = 1440\text{r/min}$。求轮 5 的转速大小及转向。

8-4　在图 8-17 所示手摇提升装置中，其中各齿轮齿数均为已知，试求传动比 i_{15}，并指出当提升重物时手柄的转向。

8-5 在图 8-18 所示机构中，已知 $z_1 = z_2' = 41$，$z_2 = z_3 = 39$，求手柄 H 与齿轮 1 的传动比 i_{H1}。

8-6 在图 8-19 所示行星减速装置中，已知 $z_1 = z_2 = 17$，$z_3 = 51$。当手柄转过 90° 时，转盘 H 转过多少度？

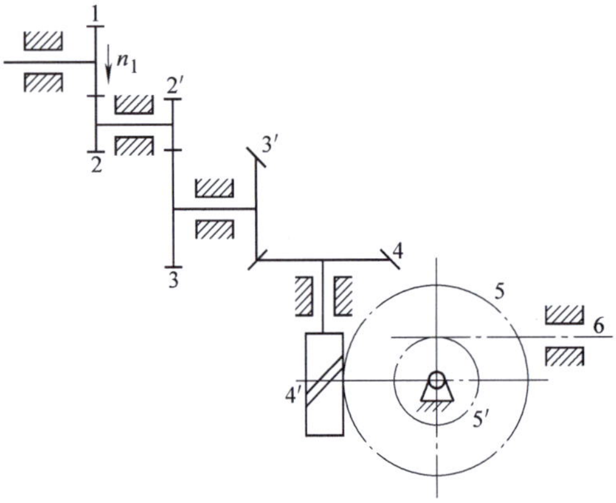

图 8-14 题 8-1 图

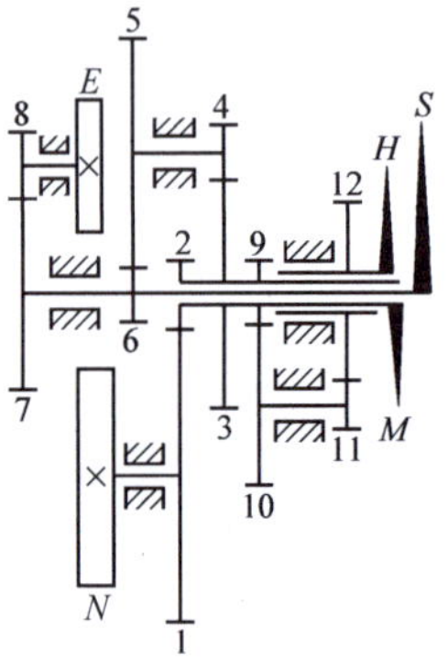

图 8-15 题 8-2 图

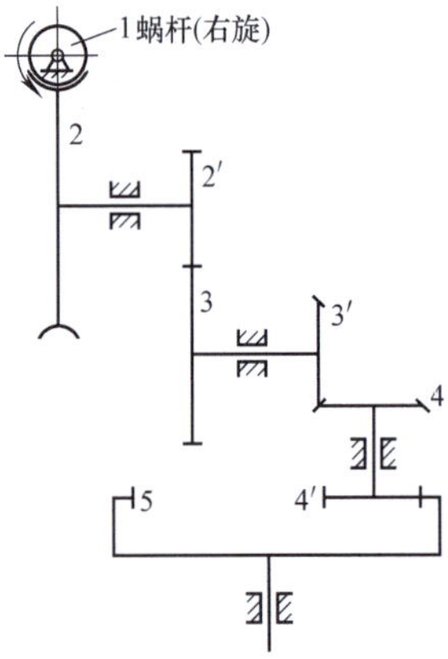

图 8-16 题 8-3 图

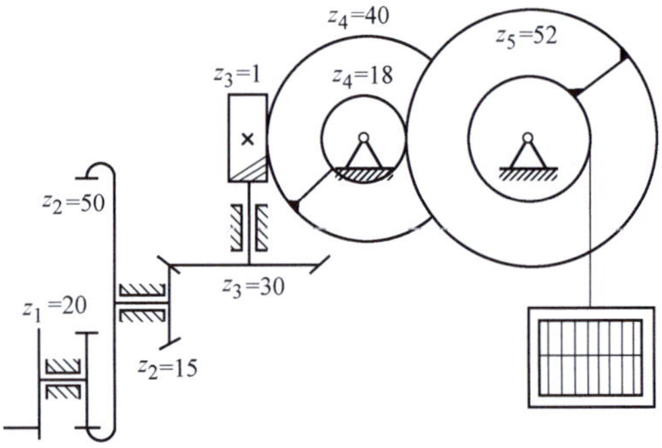

图 8-17 题 8-4 图

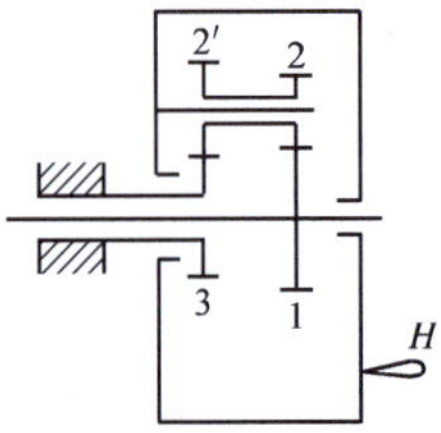

图 8-18 题 8-5 图

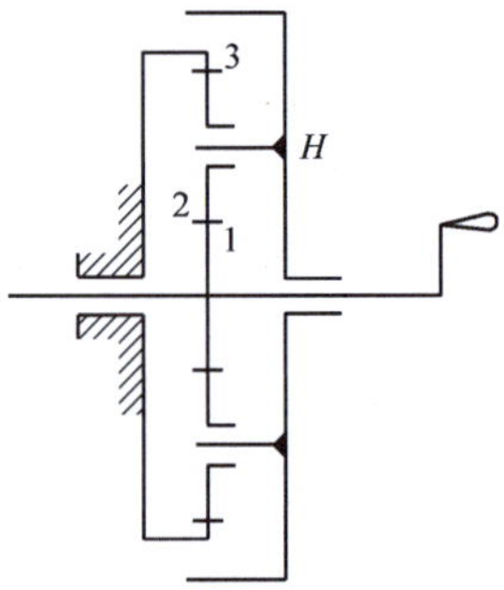

图 8-19 题 8-6 图

8-7 在图 8-20 所示机构中，已知 $z_1 = 60$，$z_2 = 40$，$z_2' = z_3 = 20$，若 $n_1 = n_3 = 120 \text{r/min}$，并设 n_1 与 n_3 转向相反，求 n_H 的大小及方向。

8-8 在图 8-21 所示的手动葫芦中，S 为手动链轮，H 为起重链轮。已知 $z_1 = 12$，$z_2 =$

28，$z_2' = 14$，$z_3 = 54$。求传动比 i_{SH}。

8-9 在图 8-22 所示液压回转台的传动机构中，已知 $z_2 = 15$，液压马达 M 的转速 $n_M = 12r/min$，回转台 H 的转速 $n_H = -1.5r/min$。求齿轮 1 的齿数（提示：$n_M = n_2 - n_H$）。

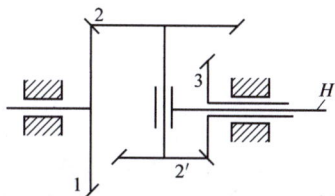

图 8-20 题 8-7 图

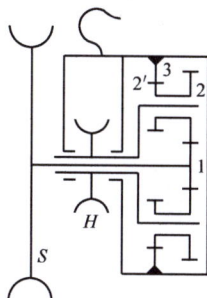

图 8-21 题 8-8 图

8-10 在图 8-23 所示自行车里程表的机构中，C 为车轮轴。已知 $z_1 = 17$，$z_3 = 23$，$z_4 = 19$，$z_4' = 20$，$z_5 = 24$。设轮胎受压变形后使 28in 的车轮有效直径约为 0.7m。当车行 1km 时，表上的指针 P 要刚好回转一周。求齿轮 2 的齿数。

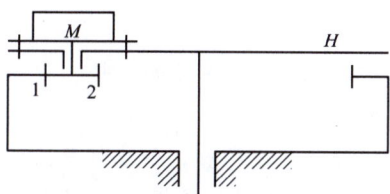

图 8-22 题 8-9 图

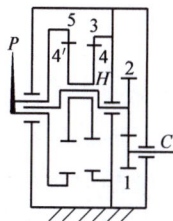

图 8-23 题 8-10 图

8-11 图 8-24 所示为一小型起重机构，一般工作情况下，单头蜗杆 5 不转，动力由电动机 M 输入，带动卷筒 N 转动，当电动机发生故障或慢速吊重时，电动机停转并制动，用蜗杆传动。已知 $z_1 = 53$，$z_1' = 44$，$z_2 = 48$，$z_2' = 53$，$z_3 = 58$，$z_3' = 44$，$z_4 = 87$。求一般工作情况下的传动比 i_{H4} 和慢速吊重时的传动比 i_{54}。

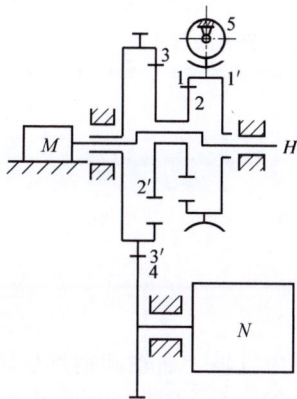

图 8-24 题 8-11 图

第九章

Chapter

轴和轴毂连接

轴是机器中的主要支承零件之一。一切做回转运动的传动零件（如齿轮、带轮、链轮、联轴器等），都必须安装在轴上才能传递运动和动力。

本章主要讨论轴的结构设计和强度计算。对一般工作条件下的轴，强度计算比结构设计要简单得多，因此，本章重点介绍轴的结构设计，强度计算部分根据《工程力学》中的方法，做一些必要的归纳和补充。

轴毂连接主要是使轴上零件与轴实现周向固定以传递运动和转矩，本章介绍了几种常用的连接类型。

轴用于支承齿轮、带轮、链轮、凸轮等回转零件，大多数轴同时传递回转运动和转矩。轴要用轴承来支承以承受作用在轴上的载荷。轴、轴上的主要零件（传动零件及联轴器、支承零件、工作零件）和其他辅助零件组成轴系。

第一节　轴的类型和材料

一、轴的类型

根据轴线的几何形状，轴可分为直轴、曲轴和钢丝软轴。直轴的轴线是一条直线，机械上绝大多数的轴都是直轴。曲轴（图 9-1）是曲柄连杆机构中曲柄的一种结构形式，属于专用零件。内燃机、压缩机、曲柄压力机上多采用曲轴。钢丝软轴（图 9-2）可以把回转运动和转矩灵活地传送到不同的位置。本章只讨论直轴。

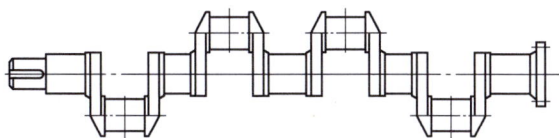

图 9-1 曲轴

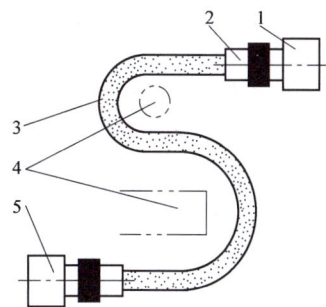

图 9-2 钢丝软轴

1—被驱动装置 2—接头 3—钢丝软轴
4—设备 5—动力源

根据承载情况，轴可分为转轴、心轴和传动轴三类，见表 9-1。

表 9-1 按照轴的承载分类

类型		特点	举 例
转轴		既传递转矩又承受弯矩	齿轮减速器中的轴
心轴	转动心轴	只承受弯矩不传递转矩	火车轮轴
	固定心轴		车轮轴
传动轴		只传递转矩不承受弯矩或承受很小的弯矩	汽车的传动轴

根据外形，轴可分为阶梯轴（图 9-5）和光轴（图 9-3）。根据横剖面结构，轴可分为实心轴和空心轴，采用空心轴是为了充分发

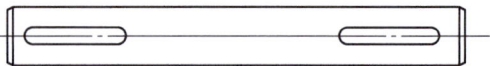

图 9-3　光轴

挥材料的承载能力或结构上的需要。如汽车的传动轴和造纸机上需通过蒸汽管的干燥烘缸轴都是空心轴。

轴的设计，一般是根据工作条件先选择合适的材料，然后估算轴的直径并进行轴的结构设计，再校核计算轴的强度。对于有刚度要求的轴，还要进行刚度计算。对于高转速轴，还应考虑其振动稳定性。

二、轴的材料

轴的材料主要采用碳素钢和合金钢，一般多采用碳素钢。常用的有 35、40、45 和 50 等优质碳素钢，其中 45 钢应用最普遍。为保证其力学性能，应进行调质或正火处理，也可在采用滑动轴承的轴颈处进行表面淬火以提高其耐磨性。对于不重要或受载较小的轴可采用 Q235、Q275 等普通碳素钢。

合金钢具有较高的机械强度和良好的热处理性能，但对应力集中较敏感，价格也较高。对于载荷大并要求尺寸小、质量轻的轴；耐磨性或耐蚀性要求高；以及处于高温或低温条件下工作的轴，可采用合金钢并进行相应的热处理。常用的合金钢有 20Cr、20CrMnTi、40Cr、40MnB、35SiMn 等。应该注意，在一般工作温度下（低于 200℃），各种碳素钢和合金钢的弹性模量均相差不多，热处理对其影响也甚小，因此用合金钢代替碳素钢或通过热处理的方法都不能提高轴的刚度。

钢轴可用轧制圆钢或锻件毛坯经切削加工制成，光轴直接利用冷拉圆钢比较经济。外形复杂的轴，如曲轴、凸轮轴也常采用高强度铸铁或球墨铸铁制造。

轴的常用材料及其主要力学性能参见第一章中表 1-1。

第二节　轴的结构设计

一、概述

轴没有标准的结构形式。轴的结构设计就是确定轴的各部分的合理形状和尺寸，它是轴的设计中的一项重要工作。轴的结构设计与轴上零件的数量、安装、定位、其他相关零件的结构及轴的加工等密切相关，所以轴的结构设计应在轴系这一整体中加以考虑。

轴的结构应满足使用要求，保证轴和轴上零件具有确定的工作位置；应有利于提高轴的强度和刚度；还应具有良好的加工和装配工艺性。

进行轴的结构设计时，首先要从传动要求和传动路线来考虑轴上零件的布置，拟定合适的装拆方案。然后以强度初步设计估算的轴径为基础，分别确定轴上零件的轴向及周向定位、固定方法，逐一确定出轴的各部分直径和长度，设计出结构合理、工艺性良好的轴。

图 9-4 所示的减速传动装置的传动路线为：（电动机）→V 带传动→单级圆柱齿轮减速器→（工作装置）。减速器的高速轴由两个滚动轴承支承，两轴承中间安装一个直齿圆柱齿

轮，轴左端为外伸端，其上安装一个带轮。轴上零件布置相同，装拆方案不同，轴的结构也会不同。如考虑带轮、左轴承和小齿轮从高速轴的左端装拆，右轴承从高速轴的右端装拆，则该轴的结构可以设计成如图9-5a所示。如考虑齿轮从轴的右端装拆，则如图9-5b所示。

轴常设计成阶梯形，接近等强度的阶梯轴便于轴上零件的轴向定位、固定和装拆，也可以实现轴径分段，以满足不同配合、精度和表面粗糙度的要求。图9-5即为阶梯轴，轴上与轴承配合的部分轴段称为轴颈（图9-5中轴段③⑦）；与传动零件轮毂配合的轴段称为轴头（图9-5a中轴段①、④）；两相邻直径变化处称为轴肩；图9-5中轴段⑤两侧都是递减轴肩且长度较小则称为轴环，它的直径大小直接影响轴的毛坯尺寸。

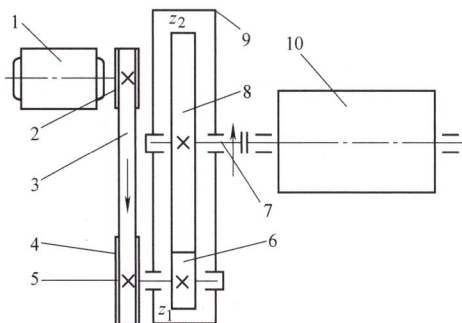

图 9-4　从传动路线考虑轴上零件的布置

1—电动机　2—小带轮　3—传动带　4—大带轮
5—高速轴　6—小齿轮　7—低速轴　8—大齿轮
9—减速器箱体　10—工作装置

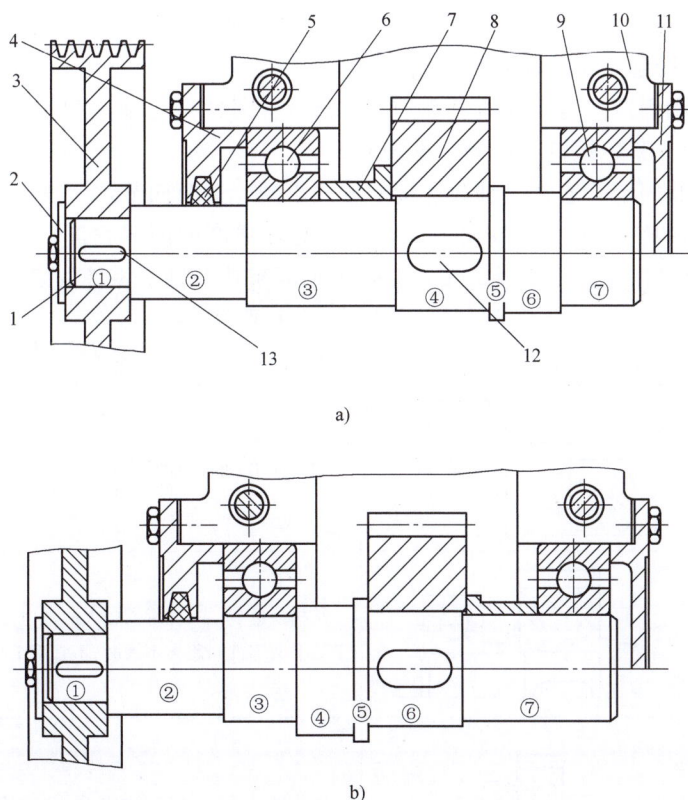

a)

b)

图 9-5　轴的结构

1—轴　2—轴端挡圈　3—带轮　4—轴承端盖（透盖）　5—毡圈油封　6—左轴承　7—套筒
8—齿轮　9—右轴承　10—减速器箱体　11—轴承端盖（闷盖）　12、13—普通型平键

传动轴和一些简单的心轴则设计成等直径的光轴，光轴加工方便。轻工机械中的一些轴，如图 9-6 所示的糖果包装机的分配轴，由于轴上安装的零件很多，难以将轴设计成阶梯形，轴上零件所受载荷又较小，因此采用了光轴。

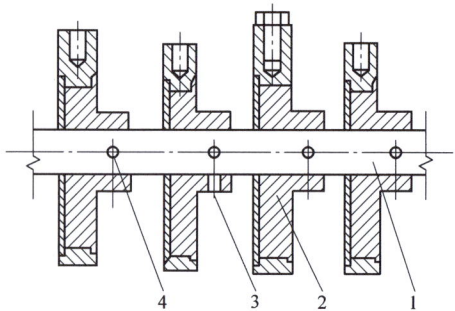

图 9-6 糖果包装机的分配轴
1—分配轴 2—偏心轮 3—紧钉螺钉 4—圆锥销

二、应考虑的主要问题

1. 轴及轴上零件的定位和固定

（1）轴的定位和固定 轴必须进行轴向定位，使轴具有确定的工作位置。如图 9-5a 所示的轴系中，轴通过⑥、⑦间的轴肩→右轴承→轴承端盖→箱体，实现了右向的轴向定位；通过轴环⑤→齿轮→套筒→左轴承→轴承端盖→箱体，实现了左向的轴向定位。但对转动的轴，其轴向定位不能妨碍轴的自由转动，所以该轴系中可在滚动轴承（深沟球轴承）外圈端面与轴承端盖间留有少量的热补偿间隙，使轴能在轴向有微小的移动。对固定心轴，其轴向、周向固定则必须确保轴不转动。

（2）轴上零件的定位和固定 安装时，轴上零件之间应有确定的相对位置，轴上零件需要定位；工作中应保持位置不变，因此轴上零件还需要固定，以保持轴系的正常工作，作为结构措施，通常既起定位又起固定作用。

1）轴向定位和固定。常用轴肩（轴环）、套筒、圆螺母、轴用弹性挡圈、圆锥面、轴端挡圈、锁紧挡圈、紧定螺钉、销等，见表 9-2。

2）周向定位和固定。通常以轴毂连接的方式出现，见第四节。

可以根据传递的转矩和所受轴向力的大小，对轴强度的削弱程度，定位和固定的可靠性，零件在轴上所处的位置，以及加工、装拆方便等来选择轴上零件的定位和固定方法。

表 9-2 轴上零件的定位和固定方法

定位和固定方法	图　例	特点与应用
轴肩（轴环）		结构简单、可靠，能承受较大的轴向力。应用较广泛
套筒		结构简单、可靠，能承受较大的轴向力。装拆方便，一般用于轴上两零件间距离不大时，不宜用于高速轴
圆螺母		定位可靠，能承受较大的轴向力。用于零件与轴承之间距离较大处，但对轴的疲劳强度削弱较大，因此多用于轴端，且采用细牙螺纹

182

（续）

定位和固定方法	图　例	特点与应用
轴用弹性挡圈		结构简单、紧凑，只能承受较小的轴向力，可靠性差，当位于受载荷轴段时应力集中较严重。常用于滚动轴承的轴向固定
圆锥面		用于承受冲击载荷和同心度要求较高的轴端零件的固定
轴端挡圈		可靠，装拆方便，能承受冲击载荷。多用于轴端零件，也常用于转速较高的轴
锁紧挡圈		结构简单，两侧各用一锁紧挡圈时，轴上零件位置可调整。多用于光轴，能承受的轴向力较小，不宜用于高速轴
紧定螺钉		结构简单，轴上零件位置可调。多用于光轴，可兼作轴向定位、固定。能承受的轴向力较小，不宜用于高速轴
销		结构简单，多用于光轴。轴的应力集中较严重，可兼作轴向定位、固定

例 9-1　分析图 9-5a 所示轴系中轴上零件的定位和固定方法。

解　列表分析如下：

轴上零件	轴向定位	轴向固定	周向定位及固定
带轮	①、②间的轴肩	轴肩、轴端挡圈	普通型平键
齿轮	轴环⑤	轴环、套筒	普通型平键、过盈配合
右轴承	⑥、⑦间的轴肩	轴肩、（轴承端盖）	过盈配合
左轴承	套筒（间接由轴环⑤）	套筒、（轴承端盖）	过盈配合

轻工自动机的分配轴上往往安装有很多传动零件，它们的周向、轴向相对位置对实现工作机构循环图的要求影响很大。如图 9-6 所示的轴采用圆锥销作为轴上传动零件的轴向、周向定位和固定方法。初步调整时，各传动零件在轴上的位置应用紧定螺钉固定，经试车，确认各动作无误，才能用销来定位和固定。

2. 提高轴的强度和刚度

轴和轴上零件的结构、轴上零件的布置对轴的强度和刚度有很大影响。为了减小应力集中，提高轴的疲劳强度，阶梯轴相邻轴段直径不宜相差过大，轴径变化处通常以圆角平缓过渡，并尽可能采用较大的圆角半径。键槽不应开到圆角处；必须在轴上开横孔时，孔边要倒圆，以避免应力集中过大。改进轴上零件的结构可以减小轴所承受的弯矩，从而提高轴的强度和刚度。如将图 9-7a 所示卷筒的轮毂结构改为图 9-7b 所示两段，则轴的弯矩可大大降低。

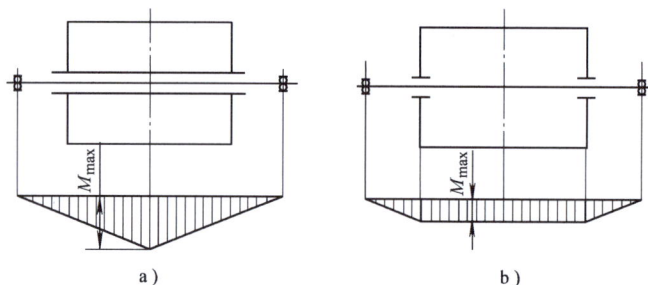

图 9-7　卷筒轮毂结构的改进

合理布置轴上多个传动零件的位置，可以使轴传递的转矩较小，因而轴的尺寸也可较小。如图 9-8a 所示的方案，轴传递的最大转矩为 $T_2 + T_3 + T_4$，而图 9-8b 所示的方案则为 $T_3 + T_4$。

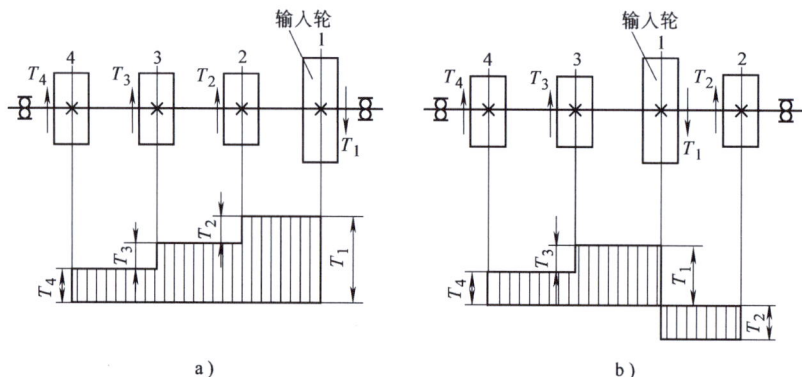

图 9-8　轴上零件的合理布置

粗糙表面容易发生疲劳裂纹，所以应合理选择轴的表面粗糙度。采用高频淬火、渗碳淬火、氮化、辗压、喷丸等表面强化处理方法，可以显著提高轴的疲劳强度。

3. 轴的结构工艺性

轴的结构应满足加工、装拆的要求。在满足使用要求的前提下，轴的结构应尽量简单。安装轴上零件时，应能使其无过盈地到达装配轴段，如图 9-5a 中装配齿轮轴段的轴径为 d_4，

取 $d_1 \sim d_3 < d_4$。为便于轴上零件的装配，轴端部、轴颈和轴头的端部应有倒角，一般为 45°；当零件和轴采用过盈配合时，轴上可设导向锥，如图 9-9 所示。

轴肩的高度在保证可靠定位的前提下，要给轴上零件的拆卸留有余地，如用于滚动轴承的定位，轴肩高度就应小于轴承内圈端面高度（图 9-5）。

车制螺纹的轴段，应有退刀槽（图 9-10）；轴上需磨削的轴段，应有砂轮越程槽（图 9-11）。

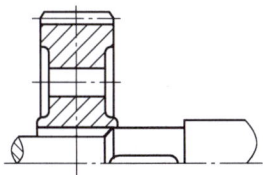

图 9-9 轴上的导向锥   图 9-10 螺纹退刀槽   图 9-11 砂轮越程槽

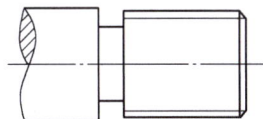

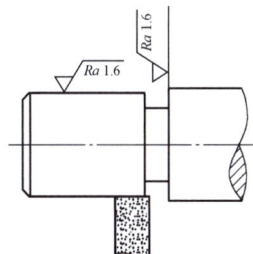

为便于加工检验，降低成本，同一轴上的各键槽应布置在同一母线上，轴径相差不大或在满足键连接承载能力的条件下，可取相同的槽宽；同一轴上的圆角半径、倒角、退刀槽宽度、越程槽宽度等应尽量一致。

三、确定轴各段直径和长度

1. 确定各段直径

由估算轴的最小直径（图 9-5 中①轴段的直径），根据轴的结构要求定出阶梯轴其他各段直径。轴头和轴颈通常应按标准（GB/T 2822—2005）取为圆整尺寸，而安装滚动轴承的轴颈直径必须按滚动轴承内径选取。轴上安装其他标准件（如联轴器、密封圈等）部位的轴径，也应取相应的标准值。

定位轴肩（轴环）用于轴上零件的轴向定位、固定或承受轴向力，相邻轴径的变化更大些。

为了保证轴上零件紧靠轴肩的定位面，轴肩处的圆角半径 r 应小于相配零件毂孔端部的倒角高度 C 或圆角半径 R，如图 9-12 所示。一般可取定位轴肩（轴环）高度 $h \geqslant$（0.07～

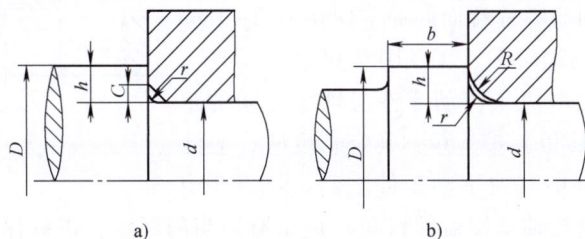

a)   b)

图 9-12 定位轴肩和轴环结构

0.1）d，非定位轴肩，h 可取较小值，仅为装拆方便或区别加工表面而设计的非定位轴肩处相邻轴径的变化应较小，轴径差一般可取 1～3mm。

在确定各段轴径时，往往可以有多种方案。图 9-5b 中，若①段轴径定为 30mm，③段为滚动轴承装配轴段，则相邻的②、③两段直径常取不同的公称尺寸并选用不同的公差配合（图 9-13a），或者采取相同的公称尺寸而选用不同的公差配合（图 9-13b）。还可以采用如图 9-13c 所示的结构，①、②两段间设计成非定位轴肩，轴的尺寸减小，但增加了一个套筒。

由以上三种方案，可见轴结构设计的多样性。

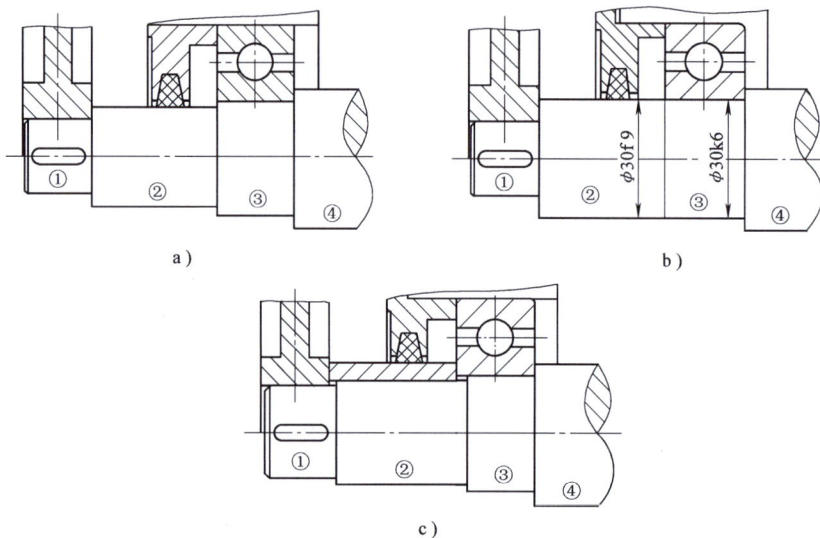

图 9-13　轴段直径确定举例

2. 确定各段长度

阶梯轴各段长度一般先从轴径较大处开始考虑，可以根据轴上零件的位置、轴上零件与轴的配合长度、装拆与调整时必要的空间、轴系结构乃至部件结构来确定。

轴上安装传动零件的轴段长度由零件的轮毂宽度决定，而轮毂宽度一般和相配轴段的直径有关。当采用套筒、圆螺母、轴端挡圈等作轴上零件的轴向固定时，为保证固定可靠，轴端面与零件端面间通常应留有 2～3mm 的距离，如图 9-5a 中的轴段①、④及图 9-14 所示。

轴上某些轴段长度取决于传动零件与轴承之间的距离，如图 9-5a 中的轴段②、③、⑥。确定长度时，应注意轴上回转零件与部件中其他不动零件之间（图 9-5 中齿轮与机体内壁、带轮与轴承端盖螺钉间）应留有适当的间距，以确保运转安全。

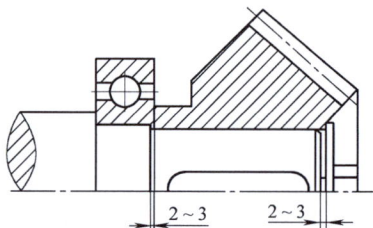

图 9-14　轴段长度确定举例

例 9-2　分析图 9-5a 所示的轴系，确定轴各段直径和长度的主要依据。

解　分析列表如下：

段别	确定各段轴径的主要数据	段别	确定各段长度的主要数据
①	按扭转强度初步估算的轴径	④	齿轮轮毂宽度
②	定位轴肩高度、密封圈标准值	⑤	轴环宽度,通常取 $b \geqslant 1.4h$,h 为轴环高度
③	滚动轴承的标准尺寸、非定位轴肩轴径差	③	左轴承与齿轮间的距离(齿轮与箱体内壁的距离、滚动轴承的润滑方式等)
④	标准尺寸系列值、非定位轴肩轴径差	⑥	右轴承位置(相对于齿轮与左轴承对称布置)
⑤	轴环定位轴肩高度	⑦	滚动轴承宽度
⑦	取 $d_7 = d_3$	②	带轮与左轴承间的距离(轴承座的宽度、轴承端盖的结构形式、带轮与轴承端盖螺钉的间距等)
⑥	取 $d_6 = D_1$,D_1 为滚动轴承的安装尺寸	①	带轮轮毂宽度

第三节 轴的计算

大多数轴都在变应力下工作,轴受弯矩作用会产生弯曲变形,受转矩作用会产生扭转变形。轴的主要失效形式是疲劳断裂和过大的弹性变形。所以,轴的工作能力主要取决于它的强度和刚度。

一、轴的强度计算

一般用途的轴,其强度计算常用以下两种方法:按扭转强度条件计算;按弯扭合成强度条件计算。

1. 按扭转强度条件计算

按扭转强度条件计算,适用于传动轴的强度计算及初步估算转轴的直径以便进行结构设计。

对于实心圆剖面传动轴,其强度条件为

$$\tau_{\mathrm{T}} = \frac{T}{W_{\mathrm{T}}} = 9.55 \times 10^6 \frac{P}{0.2d^3 n} \leqslant [\tau_{\mathrm{T}}]$$

式中,τ_{T} 为轴的扭切应力(MPa);T 为工作转矩(N·mm);W_{T} 为轴的抗扭剖面系数(mm³),对实心圆剖面轴,$W_{\mathrm{T}} = \frac{\pi d^3}{16} \approx 0.2 d^3$;$P$ 为轴传递的功率(kW);d 为轴的直径(mm);n 为轴的转速(r/min);$[\tau_{\mathrm{T}}]$ 为轴材料许用扭切应力(MPa)。

对于转轴,结构设计前轴上零件的位置未定,轴上载荷作用点和支承点的位置未定,无法计算轴上弯矩。因此可按上式初步估算的直径,采取降低许用扭切应力的办法,考虑弯矩的影响。估算的轴径,一般作为阶梯轴的最小直径。

将上式写成设计公式为

$$d \geqslant \sqrt[3]{9.55 \times 10^6 \frac{P}{0.2[\tau_{\mathrm{T}}]n}} = C \sqrt[3]{\frac{P}{n}} \tag{9-1}$$

式中,C 为与轴材料有关的系数,见表9-3。对于空心轴,则

$$d \geqslant C \sqrt[3]{\frac{P}{n(1 - \beta^4)}} \tag{9-2}$$

式中，$\beta = \dfrac{d_1}{d}$，即空心轴的内径 d_1 与外径 d 之比，通常取 $\beta = 0.5 \sim 0.6$。

表 9-3 轴常用材料的 $[\tau_T]$ 值和 C 值

轴的材料	Q235A、20	Q275A、35	45	40Cr、35SiMn、40MnB
$[\tau_T]$ /MPa	$12 \sim 20$	$20 \sim 30$	$30 \sim 40$	$40 \sim 52$
C	$160 \sim 135$	$135 \sim 118$	$118 \sim 107$	$107 \sim 98$

注：当作用在轴上的弯矩比传递的转矩小或只传递转矩时，C 取较小值。

如果计算的轴剖面上有键槽，会削弱轴的强度，按式（9-1）式（9-2）计算所得的直径应适当加大。有单键时，轴径加大 4%；有双键槽时，轴径加大 7%，然后按标准取为圆整尺寸。

2. 按弯扭合成强度条件计算

这种方法适用于转轴的强度计算。

对于一般的转轴，在估算轴径（或用类比法初估轴径）并进行结构设计后，通常按弯扭合成强度条件校核轴的强度。

对于钢制的轴，可用第三强度理论（最大切应力理论）求出危险剖面的计算应力 σ_e，其强度条件为

$$\sigma_e = \sqrt{\sigma_b^2 + 4\tau_T^2} \leqslant [\sigma_b] \tag{9-3}$$

式中，σ_e 为危险剖面的计算应力（MPa）；σ_b 为危险剖面上弯矩 M 产生的弯曲应力（MPa），对实心圆剖面轴 $\sigma_b = M/W = 32M/(\pi d^3) \approx M/(0.1d^3)$；$\tau_T$ 为转矩在危险剖面上产生的扭切应力（MPa），对实心圆剖面轴 $\tau_T = T/W_T = T/(2W)$，其中 W、W_T 分别为危险剖面的抗弯剖面系数和抗扭剖面系数（mm^3），对于危险截面为圆形的，$W_T = 2W$；$[\sigma_b]$ 为轴材料的许用弯曲应力（MPa）。

一般转轴的 σ_b 为对称循环应力，而 τ_T 的循环特性往往与 σ_b 不同，由于 σ_b 与 τ_T 的应力循环特征不同，故引入一应力折算系数 α，则

$$M_e = \sqrt{M^2 + (\alpha T)^2}$$

$$\sigma_e = \frac{M_e}{W} = \frac{\sqrt{M^2 + (\alpha T)^2}}{0.1d^3} \leqslant [\sigma_{-1b}] \tag{9-4}$$

或

$$\sigma_e = \sqrt{\left(\frac{M}{W}\right)^2 + 4\left(\alpha \frac{T}{W_T}\right)^2} = \frac{1}{W}\sqrt{M^2 + (\alpha T)^2} \leqslant [\sigma_{-1b}]$$

式中，M_e 为当量弯矩（N·mm）；α 为考虑扭切与弯曲应力循环特性不同，将转矩转化为当量弯矩的折合系数，对于不变的转矩，取 $\alpha \approx 0.3$；对于脉动变化的转矩，取 $\alpha \approx 0.6$；对于频繁正反转的轴，其 τ_T 可看作对称循环变应力，取 $\alpha = 1$。在多数情况下，转矩的变化规律往往不易确定，一般也按脉动变化处理。

$[\sigma_{-1b}]$、$[\sigma_{0b}]$、$[\sigma_{+1b}]$ 分别为对称循环、脉动循环和静应力状态下材料的许用弯曲应力，见表 9-4。

表 9-4　轴的许用弯曲应力　　　　　　　（单位：MPa）

材料	强度极限 R_m	$[\sigma_{+1b}]$	$[\sigma_{0b}]$	$[\sigma_{-1b}]$
碳素钢	400	130	70	40
	500	170	75	45
	600	200	95	55
	700	230	110	65
合金钢	800	270	130	75
	900	300	140	80
	1000	330	150	90
	1200	400	180	110

当计算轴的直径时，式（9-4）可写成

$$d \geqslant \sqrt[3]{\frac{M_e}{0.1[\sigma_{-1b}]}} \tag{9-5}$$

计算出危险剖面的轴径后，应与结构设计中初步确定的相应轴径相比较。如果后者小，说明轴的强度不够，应修改结构设计（增大轴径；采用有利于提高轴强度的结构措施等）或改选强度较高的材料并进行适当的热处理。如果计算出的轴径较小，单从强度的观点来看，轴的直径可以缩小，但考虑到限制轴的结构尺寸因素较多，所以除非相差悬殊，一般仍以结构设计定出的轴径为准。

对于重要的轴，须用安全系数法对其强度作精确的校核计算。

例 9-3　若将图 9-4 中的减速器设计成直齿圆柱齿轮减速器，现以其低速轴为例，说明轴强度计算的一般顺序。直齿圆柱齿轮传动，齿数 $z_1 = 21$，$z_2 = 79$，$m = 3\text{mm}$，$a = 150\text{mm}$；轴的材料取为 45 钢，调质处理，传动功率 $P = 5.43\text{kW}$，单向回转，转速 $n = 165.1\text{r/min}$。

解　1. 初步估算轴径

该轴为转轴，先按扭转强度计算法估算轴径，作为轴的最小直径（安装联轴器）。

由式（9-1），轴材料为 45 钢，由表 9-3 查得 $C = 118 \sim 107$，若不考虑联轴器处的附加径向力，该轴段只传递转矩，取 $C = 110$。

$$d \geqslant 110\sqrt[3]{\frac{5.43}{165.1}} = 35.24\text{mm}$$

根据联轴器轴孔直径，取 $d = 38\text{mm}$。

2. 进行轴的结构设计

如图 9-15a 所示。

3. 按弯扭合成强度计算法校核轴的强度

（1）绘出轴的计算简图（简化的力学模型）　将轴看作铰链支座梁，由轴上零件传来作用到轴上的载荷，通常简化为集中力，其作用点取为轮毂宽度的中点；作用在轴上的转矩，一般从传动零件及联轴器中点算起。轴的支承反力的作用点与轴承的类型和布置方式有关，也可近似地都取在轴承宽度的中点。

1）求出轴上载荷（图 9-15b）。

齿轮上的作用力：

转矩　　　$T = 9.55 \times 10^6 \dfrac{P}{n} = 9.55 \times 10^6 \dfrac{5.43}{165.1}\text{N} \cdot \text{mm} = 3.141 \times 10^5 \text{N} \cdot \text{mm}$

189

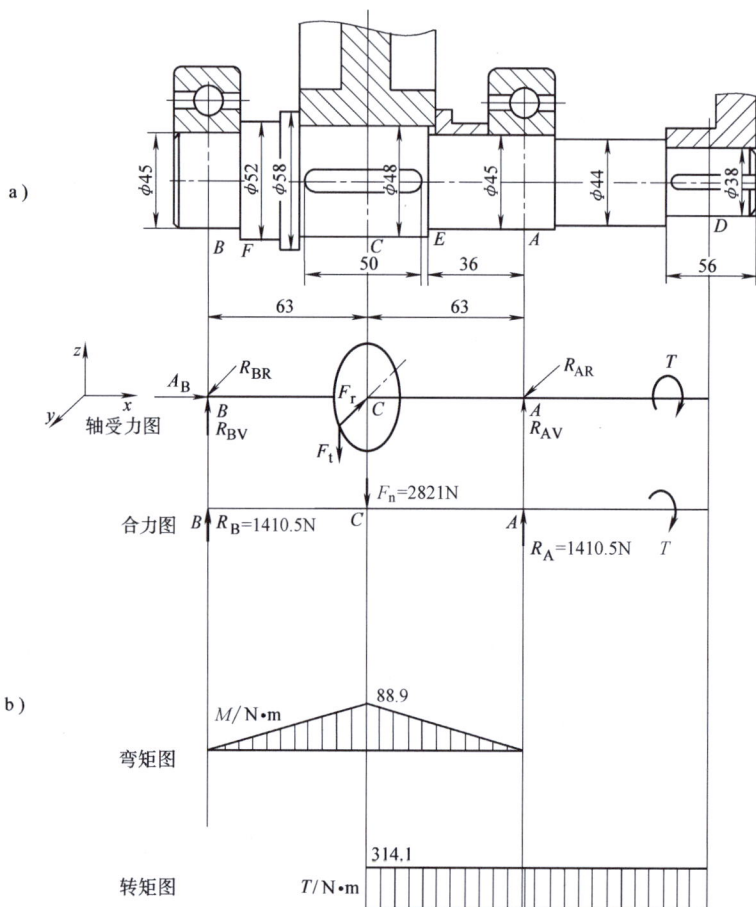

图 9-15 轴的结构及其受力分析图

齿轮分度圆直径 $\qquad d_2 = mz_2 = 3 \times 79\text{mm} = 237\text{mm}$

圆周力 $\qquad F_t = \dfrac{2T}{d_2} = \dfrac{2 \times 3.141 \times 10^5}{237}\text{N} = 2651\text{N}$

径向力 $\qquad F_r = F_t \tan\alpha = 2651\text{N} \times \tan 20° = 965\text{N}$

总作用力 $\qquad F_n = \sqrt{F_t^2 + F_r^2} = \sqrt{2651^2 + 965^2}\,\text{N} = 2821\text{N}$

2）求出支承反力。

$$\sum M_A = 0 \qquad \sum M_B = 0$$

故 $\qquad R_A = R_B = \dfrac{F_n}{2} = \dfrac{2821\text{N}}{2} = 1410.5\text{N}$

（2）绘出轴的弯矩图（图 9-15b）C 点处：$M_C = R_A l = R_B l = 1410.5 \times 63\text{N} \cdot \text{mm}$

$$= 88.9 \times 10^3 \text{N} \cdot \text{mm}$$

（3）绘出轴的转矩图

转矩 $\qquad T = 314.1 \times 10^3 \text{N} \cdot \text{mm}$

（4）计算危险剖面的当量弯矩 M_e

当量弯矩 $\qquad\qquad\qquad\qquad M_e = \sqrt{M^2 + (\alpha T)^2}$

该轴单向回转，转矩按脉动循环考虑，取 $\alpha \approx 0.6$。

分析可能的危险剖面：C 剖面，合成弯矩值最大。E 剖面处弯矩较大，且尺寸有突变。A 剖面右边应校核 D 剖面，其直径最小，因此对 C、D、E 三个剖面进行校核。

C 点处

$$M_{eC} = \sqrt{M_C^2 + (\alpha T)^2} = \sqrt{88.9^2 + (0.6 \times 314.1)^2} \times 10^3 \mathrm{N \cdot mm} = 208 \times 10^3 \mathrm{N \cdot mm}$$

E 点处

$$M_E = R_A \times 36 = 1410.5 \times 36 \mathrm{N \cdot mm} = 50.8 \times 10^3 \mathrm{N \cdot mm}$$

$$M_{eE} = \sqrt{M_E^2 + (\alpha T)^2} = \sqrt{50.8^2 + (0.6 \times 314.1)^2} \times 10^3 \mathrm{N \cdot mm} = 195.2 \times 10^3 \mathrm{N \cdot mm}$$

D 点处

$$M_{eD} = \sqrt{M_D^2 + (\alpha T)^2} = \sqrt{0^2 + (0.6 \times 314.1)^2} \times 10^3 \mathrm{N \cdot mm} = 188.5 \times 10^3 \mathrm{N \cdot mm}$$

（5）按当量弯矩 M_e 计算轴的直径

$$d \geqslant \sqrt[3]{\frac{M_e}{0.1 [\sigma_{-1b}]}}$$

轴材料为 45 钢调质，硬度为 217～255HBW，查表 1-1，得 $R_m = 650\mathrm{MPa}$，由 R_m 查表 9-4，得 $[\sigma_{-1b}] = 60\mathrm{MPa}$。

C 剖面直径 $\qquad d_C \geqslant \sqrt[3]{\dfrac{M_{eC}}{0.1 [\sigma_{-1b}]}} = \sqrt[3]{\dfrac{208 \times 10^3}{0.1 \times 60}} \mathrm{mm} = 32.6\mathrm{mm}$

考虑键槽影响， $\qquad\qquad d_C \geqslant 32.6 \times 1.04 \mathrm{mm} = 33.9\mathrm{mm}$

E 剖面直径 $d_E \geqslant \sqrt[3]{\dfrac{M_{eE}}{0.1 [\sigma_{-1b}]}} = \sqrt[3]{\dfrac{195.2 \times 10^3}{0.1 \times 60}} \mathrm{mm} = 31.9\mathrm{mm}$

D 剖面直径 $\qquad d_D \geqslant \sqrt[3]{\dfrac{M_{eD}}{0.1 [\sigma_{-1b}]}} = \sqrt[3]{\dfrac{188.5 \times 10^3}{0.1 \times 60}} \mathrm{mm} = 31.6\mathrm{mm}$

考虑键槽影响，$d_D \geqslant 31.6 \times 1.04 \mathrm{mm} = 32.9\mathrm{mm}$。与结构设计所确定的相应轴径相比较，$C$、$E$、$D$ 三剖面均安全。

二、轴的刚度校核

轴的刚度不够，工作时会产生过大变形，从而影响轴上零件的工作质量。刚度不适当，又往往是轴发生振动的重要原因。如会使安装在轴上的齿轮轮齿啮合发生偏载；会引起滑动轴承上的载荷集中，造成不均匀的严重磨损和过度发热；会使滚动轴承内、外圈过于相对歪斜以致转动不灵活，寿命降低。又如轻工机械中的一些转速并不太高、受力不大而跨度较大的轴，若刚度不足，必引起轴上零件的颤动，影响正常工作。所以必要时应进行轴的刚度校核。

轴的刚度校核，就是计算轴在载荷作用下产生的挠值 y、偏转角 θ（弯曲变形）和扭转角 ϕ（扭转变形）是否在允许极限以内或符合所要求的数值。即

$$y \leqslant [y]; \quad \theta \leqslant [\theta]; \quad \phi \leqslant [\phi]$$

轴的弯曲变形数值可按材料力学中求铰链支座梁的 y、θ 的方法进行计算；轴的扭转角

可按材料力学中扭转变形公式求出。其许用值通常由各机械的实践经验确定，如一般用途的轴，其 $[y]=(0.0003\sim0.0005)l$，l 为支承间的跨矩；$[\phi]=(0.5°\sim1°)/m$。

刚度校核不能满足要求时，可以采用适当加大轴径、增加支承或减小轴承间的跨距等措施。

三、类比法

这是一种经验设计方法。以要求设计的轴所传递的功率、转速、载荷情况、轴承数目和跨度、轴的材料等因素与经过实践检验的同类机械（或部件）的轴进行分析对比，来确定轴的直径。此法比较简便，但只是一种估计的方法。

如包装机受力较小，其电动机所需要的功率一般难以进行准确的计算，目前主要用类比法或实测法决定。因此包装机上主要轴的轴径也可采用类比法确定。

又如若减速装置高速轴通过联轴器与电动机相连接，则高速轴外伸段轴径可按电动机轴径 D 用经验公式 $d=(0.8\sim1.2)D$ 类比估算；相应各级低速轴的最小直径可按同级齿轮中心距 a 估算，$d=(0.3\sim0.4)a$。

192

第四节　轴毂连接

轴毂连接的主要功能是使轴与轴上零件作周向固定以传递转矩。

轴毂连接有多种类型，所对应的连接原理、轴和轴毂的结构以及连接零件（如键、销等）的种类各有不同。常用的有键、花键、过盈、弹性环、型面、销、紧定螺钉连接等，其中过盈、弹性环连接的连接原理为摩擦锁合，其余均为形锁合。

一、键连接

1. 键连接的类型及其选择

键连接是轴毂连接中主要的连接方式。键是标准连接件，其类型、特点和应用见表 9-5。可根据连接的结构特点、使用要求和工作条件选择键的类型。

表 9-5　键的类型、特点和应用

类型		例　图	特　点	应　用
平键	普通平键	A型(圆头) B型(平头) C型(半圆头)	平键的侧面是传递转矩的工作面。定心良好，装拆方便，不能实现轴上零件的轴向固定。通常轴与键槽的配合较紧	用于静连接，应用广泛，也适用于高精度、高速或承受变载、冲击的场合。A型和B型分别用于面铣刀和盘铣刀加工的轴槽，C型则用于轴端

（续）

类型		例　图	特　点	应　用
平键	导向平键	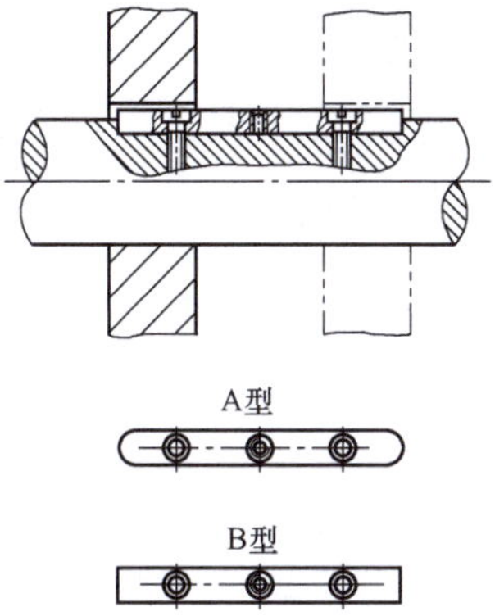 A型 B型	键用螺钉固定在键槽中,键与毂槽为间隙配合,能实现轴上零件的轴向移动。为起键方便,设有起键螺钉	适用于轴上零件轴向移动量不大的动连接。如变速箱中的滑移齿轮
	滑键	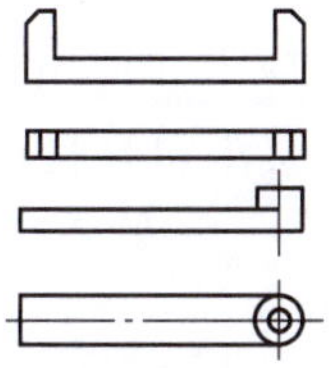	键固定在轮毂上,轴上零件能带键一起沿轴槽做轴向移动	适用轴上零件轴向移动量较大的动连接
半圆键			靠键的侧面传递转矩,不能实现轴上零件的轴向固定。半圆键在轴槽中摆动以便装配,但键槽较深对轴的削弱较大	用于静连接,主要适用于轻载荷轴的锥形轴端
楔键	普通楔键	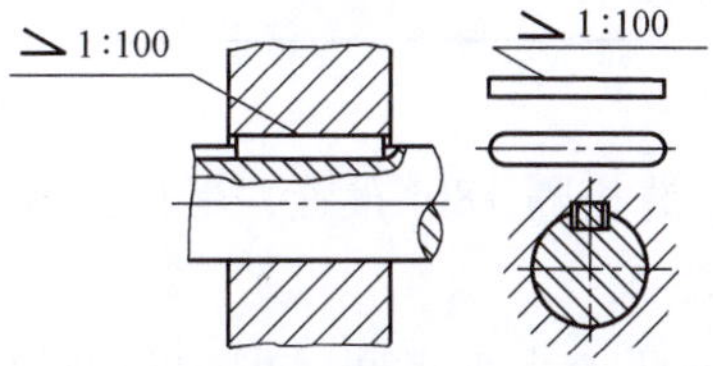	楔键的上下两面是工作面,键的上表面和毂槽底面均有1:100的斜度。装配打入后,键楔紧在轴与轮毂之间,而其两侧面与轴槽、毂槽间留有间隙,工作时靠楔紧的摩擦力传递转矩。能承受沿楔紧方向的单向轴向力,但楔紧会使轴、轮毂间产生偏心,定心性差	用于静连接,主要适用定心精度要求不高、载荷平稳和低速的场合。钩头楔键的钩头供拆卸时用
	钩头楔键			

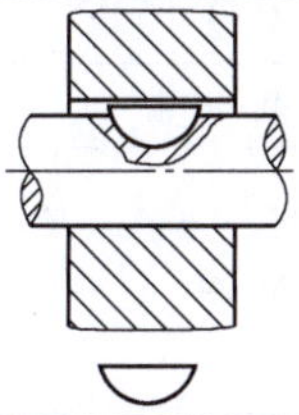

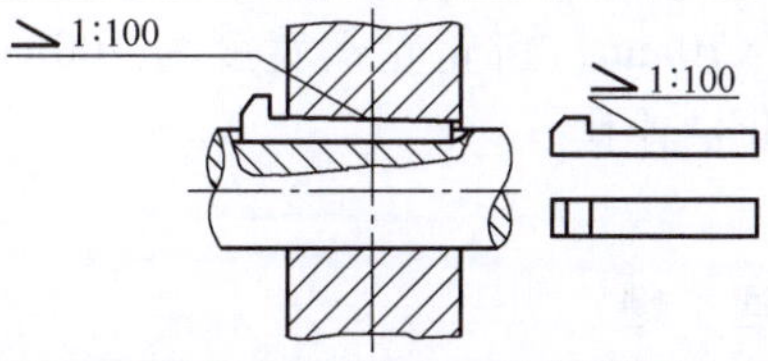

2. 平键连接的选择及强度校核

　　键的剖面尺寸通常根据轴径从标准中选取;键长可参考轮毂长度和轴上零件的轴向移动距离确定。所选定的键长也应符合标准规定的长度系列。

　　键材料采用抗拉强度 $\sigma_b \geq 600\text{MPa}$ 的碳素钢,如45钢,当轮毂用非铁金属或非金属材料时,则键可用20钢或Q235钢。

　　必要时应对键连接的强度进行校核。下面介绍平键连接的强度计算。

平键连接可能的失效形式有工作面的压溃（静连接）或磨损（动连接）及键的剪断。选用平键连接时，较薄弱零件（通常为轮毂）工作面的压溃或磨损常是主要失效形式。因此，通常只作连接的挤压强度或耐磨性计算。

设载荷均匀分布，由图9-16可得普通平键的挤压强度条件为

$$\sigma_p = \frac{4T}{dhl} \leq [\sigma_p]$$

对于导向平键和滑键连接，应限制压强，作耐磨性的条件计算，即

$$p = \frac{4T}{dhl} \leq [p]$$

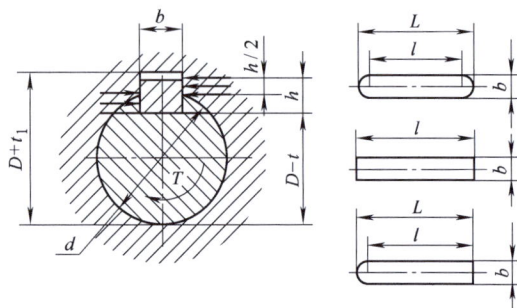

图9-16 传递转矩时平键连接的受力情况

式中，T为传递的转矩（N·mm）；d为轴径（mm）；h为键的高度（mm）；l为键的工作长度（mm），当用A型键时，$l = L - b$；σ_p、$[\sigma_p]$分别为挤压应力和许用挤压应力（MPa）；p、$[p]$分别为压强和许用压强（MPa）；$[p]$、$[\sigma_p]$应按连接中机械性能较弱的零件（通常为轮毂）材料选取，见表9-6。

表9-6 键连接的许用挤压应力和许用压强 （单位：MPa）

连接方式	许用值	轮毂材料	载荷性质		
			静载荷	轻微冲击	冲击
静连接	$[\sigma_p]$	钢	125~150	100~120	60~90
		铸铁	70~80	50~60	30~45
动连接	$[p]$	钢	50	40	30

注：如与键有相对滑动的被连接件表面经过表面淬火，则$[p]$值可提高2~3倍。

如果一个平键不能满足强度要求，可采用两个平键相隔180°布置，考虑载荷分布的不均匀性，在强度校核中可按1.5个平键计算。

例9-4 已知减速器中某直齿圆柱齿轮安装在轴的两个支承点间，齿轮和轴的材料都是锻钢，用普通平键构成静连接。装齿轮处的轴径$d = 70$mm，齿轮轮毂宽度为100mm，需传递的转扭$T = 1000$N·m，载荷有轻微冲击。试设计此键连接。

解 1. 选择键的类型和尺寸

普通平键连接位于轴的中间位置，选用A型普通平键。

根据$d = 70$mm，查GB/T 1096—2003得键的截面尺寸为：宽度$b = 20$mm，高度$h = 12$mm。由轮毂宽度并参考键的长度系列，取键长$L = 90$mm。

2. 校核键连接的强度

键、轴和轮毂的材料都是钢，由表9-6查得许用挤压应力$[\sigma_p] = 100 \sim 120$MPa。键的工作长度$l = L - b = (90-20)$mm $= 70$mm，则工作挤压应力$\sigma_p = \dfrac{4T}{dhl} = \dfrac{4 \times 1000 \times 10^3}{70 \times 12 \times 70}$MPa $= 68.03$MPa $\leq [\sigma_p]$，满足工作要求。

194

二、花键连接

花键连接是由键与轴做成一体的外花键和具有相应凹槽的毂孔内花键构成，多个键齿在轴和轮毂孔的周向均布，齿侧面为工作面。

与平键连接比较，花键连接的优点是：由于是多齿承载，承载能力高；齿浅、应力集中小，对被连接件的强度削弱较小；定心性和导向性能好。但加工需专用设备和量具、刀具，成本较高。它适用受重载和定心精度要求较高的静连接或动连接。

根据齿形不同，花键连接分为矩形花键、渐开线花键、三角形花键三种，如图 9-17 所示。矩形花键加工较方便，可用磨削方法获得较高的精度，一般常用。渐开线花键齿根较厚，连接强度高，寿命长，加工工艺与齿轮相同，易获得较高精度，用于载荷较大、定心精度要求较高及尺寸较大的连接中。三角形花键内、外花键齿形分别为三角形和渐开线，齿细小而多，多用于轻载和直径小的静连接，特别适用于薄壁零件的轴毂连接。

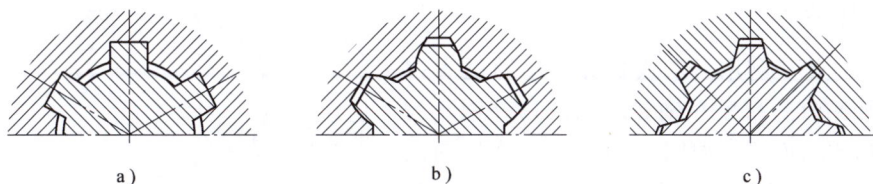

a)　　　　　　　　　b)　　　　　　　　　c)

图 9-17　花键连接

a）矩形花键　b）渐开线花键　c）三角形花键

三、型面连接

型面连接是利用非圆剖面的轴头与相应零件毂孔构成的轴毂连接，轴头和毂孔可做成柱形或锥形，多用于静连接。其中的等距形（轴头横剖面的两平行切线间的距离一定）如图 9-18a 所示，无应力集中源，定心能力高，但制造较困难，应用受到限制。方形（图 9-18b）和切边圆形连接等，应力集中严重，定心性差，主要用在轻载及定心精度要求不高的场合，如手柄、手轮与轴的连接。

四、过盈连接

过盈连接是利用包容件（轮毂）和被包容件（轴）间的过盈配合实现的连接。由于材料具有弹性，装配后在两者的配合面间产生径向压力，工作时靠此压力所产生的摩擦力来传递转矩及轴向力，如图 9-19 所示。过盈连接的配合面通常为圆柱面，也有为圆锥面的。

这种连接结构简单，定心性较好，承载能力较高，并能在变载荷及冲击的情况下工作。由于其承载能力主要取决于装配过盈量的大小，故对配合面的加工精度要求较高。过盈连接装配不便，不易用于经常装拆的场合，常与平键联合使用以承受大的变载、振动和冲击载荷。

圆柱面过盈连接的过盈量或尺寸较小时，一般用压入法装配；过盈量或尺寸较大时，常用温差法（加热包容件或冷却被包容件）装配；大型零件的圆锥面过盈连接可以用高压油来进行装拆。

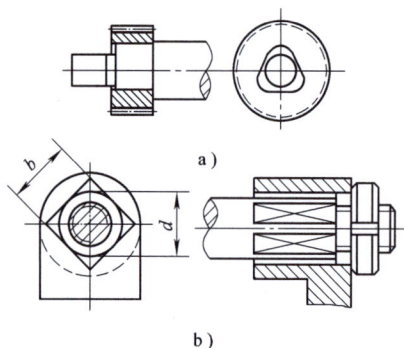

图 9-18　型面连接
a）等距形　b）方形

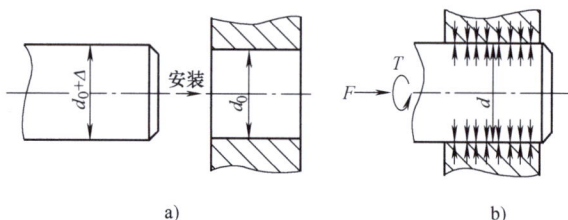

图 9-19　过盈连接

五、弹性环连接

　　弹性环连接是利用一对或数对（不超过 3～4 对）以锥面贴合并挤紧在轴毂之间的内外钢环为连接件而构成的连接，如图 9-20 所示。在轴向压紧力（通常由拧紧螺纹连接而产生）的作用下，内外环互相抵紧，内环缩小，外环胀大，形成过盈配合，靠接触面间摩擦力来传递转矩和轴向力。

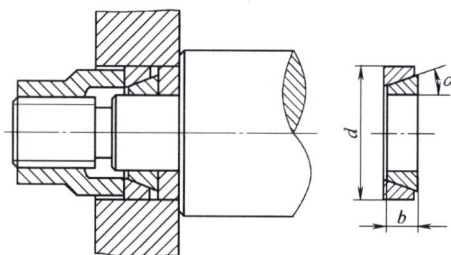

图 9-20　弹性环连接

　　这种连接的定心性好，装拆方便，承载能力高，可避免因键槽等原因而削弱被连接件的强度，有密封作用。但由于要安装弹性环，其应用有时受到结构上的限制。

习　　题

　　9-1　试举出转轴、心轴、传动轴的实例各两个。根据承载情况，链传动式自行车的前轴、后轴和中轴，各是什么轴？

　　9-2　试分析如图 9-21 所示轴系中轴上零件的定位和固定方法。

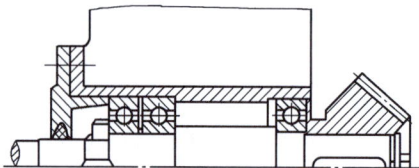

图 9-21　题 9-2 图

　　9-3　请说明图 9-22 所示轴系结构中标注序号处的错误是什么？

　　9-4　已知一传动轴的直径 $d = 32\text{mm}$，转速 $n = 1480\text{r/min}$，如果轴上切应力不得超过 40MPa，试求该轴允许传递的功率。

　　9-5　一轴的结构及受力简图如图 9-23 所示，其输入端安装一带轮，带传动作用在轴上的载荷 $Q = 1740\text{N}$，$T = 1.97 \times 10^5 \text{N} \cdot \text{mm}$，两轴承中间安装一直齿圆柱齿轮，齿轮分度圆直径 $d = 75\text{mm}$。该轴的材料为 45 钢，正火处理，传递功率为 7kW，转速 $n = 340\text{r/min}$，单向回转，载荷变动小，试校核该轴的强度。

9-6 若题 9-5 中轴与带轮、轴与齿轮轴毂连接处均采用 A 型普通型平键连接。带轮材料为 HT150，齿轮材料为 45 钢，键的材料取为 45 钢。试确定两普通型平键的尺寸，并校核该两处键连接的强度。

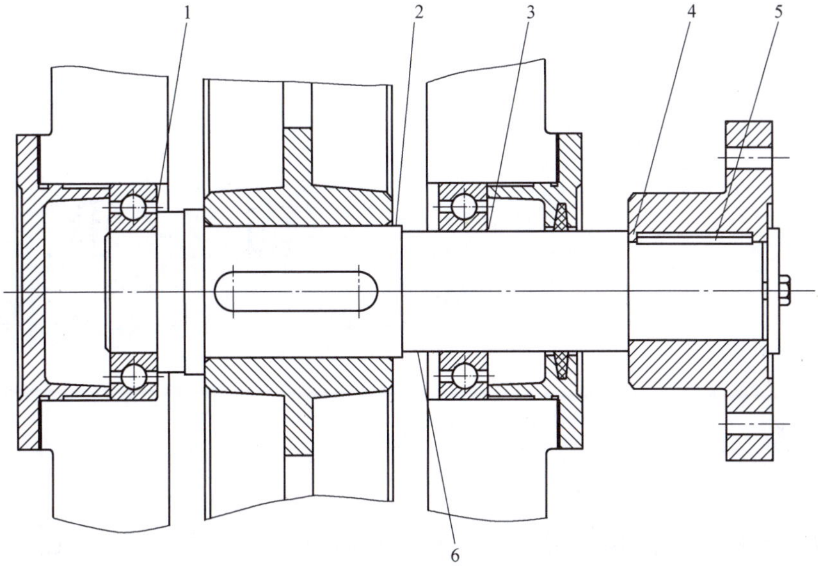

图 9-22 题 9-3 图

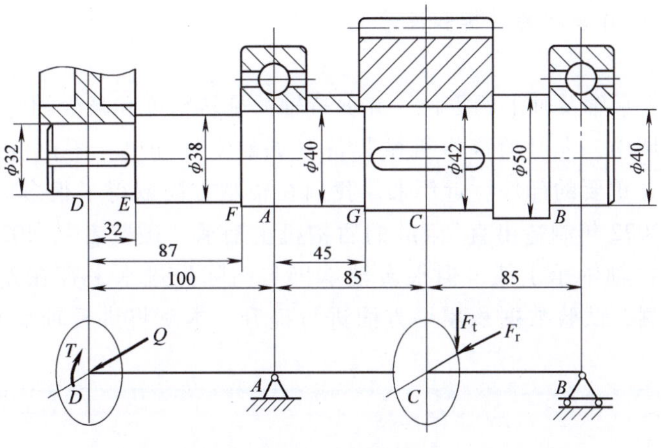

图 9-23 题 9-5 图

第十章

Chapter

轴 承

轴承根据工作时的摩擦性质不同，分为滑动轴承和滚动轴承两大类。本章分别介绍了滑动轴承和滚动轴承的结构以及校核计算方法；其中滚动轴承是一种大量生产的标准部件，结构形式繁多，在了解常用滚动轴承性能的基础上，掌握轴承类型的选用原则和尺寸选择的计算方法。为确保轴承正常工作，必须对轴承的安装、润滑、密封以及与轴承有关的轴和机壳的结构等作合理的安排和设计。

轴承的功用是支承轴及轴上的零件，并保持轴的旋转精度和减少轴与支承间的摩擦和磨损。轴承在机械领域中，尤其对高端机械装备（如航空发动机、盾构机、高铁、地铁、机器人、航天器等）是重要的部件。近年来，我国在轴承方面取得了很多成就，如 2021 年地铁轴承实现国产，2022 年制造出直径 8m 的盾构机主轴承"破壁者"，2022 年 9 月，国内首套 16MW 平台风电主轴轴承下线。但很多轴承仍与国际先进水平存在差距，需要从材料、制造工艺、检验检测、试验数据积累等方面进行提升。本章将讲授轴承及与其相关的基础知识。

第一节　轴承的分类

轴承根据工作时的摩擦性质，轴承可分为滑动轴承和滚动轴承两大类。而每一类轴承，按其所承受载荷的方向，又可分为承受（或主要承受）径向载荷的向心轴承，承受轴向载荷的推力轴承及同时承受径向载荷和轴向载荷的向心推力轴承。

滑动轴承按其工作表面的摩擦状态可分为液体摩擦滑动轴承和非液体摩擦滑动轴承。液体摩擦滑动轴承按油膜形成的方法又可分为液体动压轴承和液体静压轴承。所谓液体动压轴承，即利用轴颈与轴承间的相对滑动，把润滑油带入轴颈与轴承之间的楔形间隙中，形成具有一定液体动压力的油膜，从而将工作表面完全隔开，并承受外载荷。所谓液体静压轴承，就是利用外界高压液压泵，将具有一定压力的润滑油送入轴颈与轴承之间，靠液体的静压力将工作表面完全隔开，并承受外载荷。液体摩擦滑动轴承的轴颈与轴承的工作表面完全被油膜隔开，所以摩擦系数很小，一般仅为 $0.001 \sim 0.008$；非液体摩擦滑动轴承的轴颈与轴承的工作表面之间虽有润滑油存在，但在表面局部凸起部分仍会发生金属直接接触，因此摩擦系数较大，容易磨损。

一般地说，选用滑动轴承或是滚动轴承，主要取决于对轴承的工作性能要求和机器设计制造、使用维护中的综合技术经济要求。滚动轴承具有摩擦阻力小、起动灵敏、效率高、润滑简便和易于互换等优点，所以在一般机器中获得了广泛应用。但是在高速、高精度、重载及结构上要求剖分等场合下，滑动轴承就显示出它的优良性能，因而在汽轮机、离心式压缩机、内燃机、大型电机中多采用滑动轴承。此外，在低速而带有冲击的机器中，如水泥搅拌机、滚动清砂机、破碎机等中也常采用滑动轴承。

第二节　滑动轴承的典型结构

一、径向滑动轴承

径向滑动轴承（旧称向心滑动轴承）一般由壳体、轴瓦和润滑装置组成。

轴承壳体可以直接利用机器的箱壁凸缘或机器的一部分组成（图 10-1），如减速器箱或金属切削机床的主轴箱。有时为了加工、装拆方便，轴承壳体可以做成独立的轴承座。

1. 整体式滑动轴承

如图 10-2 所示，整体式滑动轴承由轴承座 1、轴套 2 和紧定螺钉 3 组成。这种轴承结构简单，成本低，但装拆时必须通过轴端，而且磨损后轴颈和轴瓦之间的间隙无法调整，故多用于轻载、低速和间歇性工作且不太重要的场合。

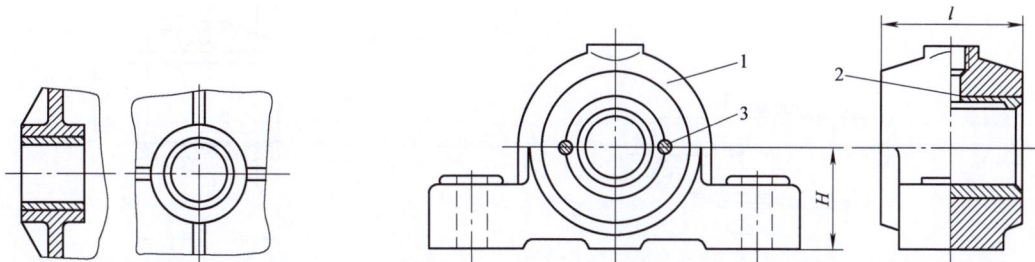

图 10-1　镶于箱体的轴承

图 10-2　整体式滑动轴承
1—轴承座　2—轴套　3—紧定螺钉

2. 对开式滑动轴承

如图 10-3 所示，对开式正滑动轴承由轴承座 1、轴承盖 2、剖分的上、下轴瓦 3 和 4 及连接螺栓 5 等组成。为使轴承盖和轴承座能很好地对中并承受径向力，在对开剖分面上作出阶梯形的定位止口。剖分面间放有少量垫片，以便在轴瓦磨损后，借助减少垫片来调整轴颈和轴瓦之间的间隙。轴承盖应适度压紧轴瓦，使轴瓦不能在轴承孔中转动。轴承盖上制有螺纹孔，以便安装油杯或油管。轴承所受的径向力一般不超过对开剖分面垂线左右 35° 的范围，否则应采用对开式斜滑动轴承（图 10-4），使对开剖分面垂直于或接近垂直于载荷方向。

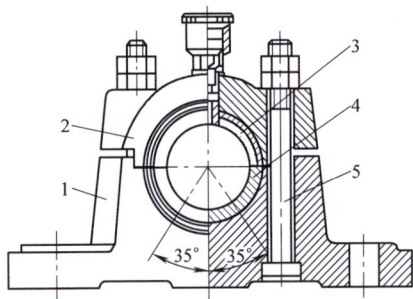

图 10-3　对开式滑动轴承

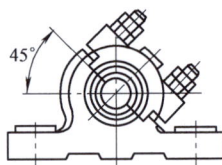

图 10-4　对开式斜滑动轴承

1—轴承座　2—轴承盖　3—上轴瓦　4—下轴瓦　5—连接螺栓

200

对开式滑动轴承便于装拆和调整间隙，因此在轻工机械和其他机械上都得到了广泛的应用。这种轴承的尺寸可查有关标准。

3. 自位式滑动轴承

当轴颈较长（长径比>1.5~1.75），轴的刚度较小，或由于两轴承不是安装在同一刚性的机架上，同心度较难保证时，都会造成轴颈与轴瓦端部的局部接触，如图 10-5 所示，使轴瓦局部磨损严重，为此可采用自动调位滑动轴承，又称自动调心滑动轴承，如图 10-6 所示。这种轴承的结构特点是将轴瓦 1 与轴承盖 2 及轴承座 3 相配合的表面做成球面，球面中心恰好在轴线上，轴瓦可沿支座的球面自动调整位置来适应轴的变形，从而保证轴颈与轴瓦为面接触。此外还有带锥形表面轴套的可调间隙轴承，适用于一般用途的机床主轴的支承上，其具体结构可查阅有关手册。

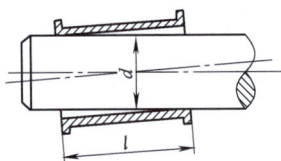

图 10-5　轴瓦端部的局部磨损

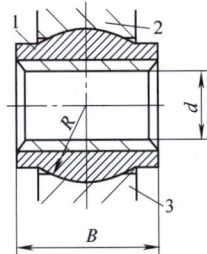

图 10-6　自位式滑动轴承

1—轴瓦　2—轴承盖　3—轴承座

二、推力滑动轴承

推力滑动轴承的结构简图如图 10-7 所示，它由轴承座和轴颈组成。轴颈结构形式有实心式（图 10-7a）、单环式（图 10-7b）、空心式（图 10-7c）和多环式（图 10-7d）等几种，因而推力轴承的工作表面可以是轴的端面或轴上的环形平面。由于支承面上离中心越远处，其相对滑动速度越大，因而磨损也越快，故实心轴颈端面上压力分布极不均匀，靠近中心处的压力很高，因此一般机器上大多采用空心轴颈或多环轴颈。多环轴颈能够承受较大的双向轴向载荷。推力滑动轴承轴颈的基本尺寸可按表 10-1 中的计算公式确定。图 10-7e 为空心轴颈式的推力滑动轴承结构图，它由轴承座 1、衬套 2、向心轴瓦 3 和推力轴瓦 4 组成。为了便于对中，推力轴瓦底部制成球面，销钉 5 用来防止推力轴瓦 4 随轴转动。润滑油从下部油管注入，从上部油管导出。这种轴承主要承受轴向载荷，也可借助向心轴瓦 3 承受较小的径向载荷。

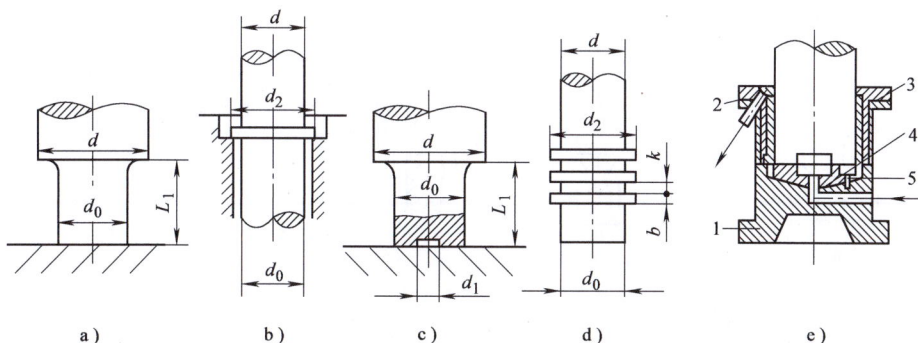

图 10-7　推力滑动轴承结构简图

a）实心式　b）单环式　c）空心式　d）多环式　e）空心轴颈式

1—轴承座　2—衬套　3—向心轴瓦　4—推力轴瓦　5—销钉

表 10-1　推力滑动轴承轴颈基本尺寸计算公式

符　号	名　称	计算公式及说明
d	轴直径	由计算决定
d_0	推力轴颈直径	由计算决定
d_1	空心轴颈内径	$d_1 \approx (0.4 \sim 0.6)d_0$
d_2	轴环外径	$d_2 \approx (1.2 \sim 1.6)d$
b	轴环宽度	$b \approx (0.1 \sim 0.15)d$
k	轴环距离	$k \approx (2 \sim 3)b$
z	轴环数	$z \geqslant 1$，由计算及结构而定

此外，还有一些其他形式的滑动支承，如图 10-8 所示的顶针支承和图 10-9 所示的轴尖支承。顶针支承的运动件是带有圆锥轴颈的顶针，其圆锥角一般为 60°，而承导件（即固定部分）是具有沉头圆柱孔的轴承，沉头孔的圆锥角一般为 90°。轴尖支承的运动件称为轴尖，其轴颈呈圆锥形，轴颈的端部是一半径很小的球面。承导件称为座垫，是一个带有内圆锥孔的轴承，轴承底部为一较轴尖半径稍大的内球面。这种支承既可用于垂直轴（图 10-9a），又可用于水平轴（图 10-9b）。有时，轴承不是内圆锥形，而是内球面（图 10-9c），图 10-9d 所示为这种支承的典型结构。拧动镶有轴承的螺钉可以调整支承中的轴向间隙，调整后用螺母锁紧。

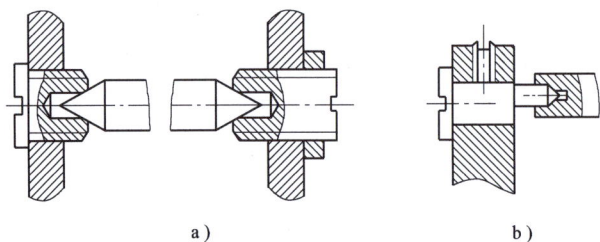

图 10-8 顶针支承

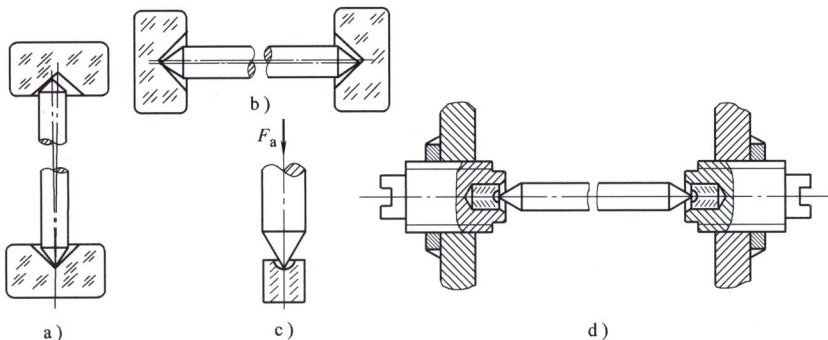

图 10-9 轴尖支承

由于以上两种支承中轴颈和轴承的接触面都很小，因此抗磨损能力都较差，磨损较快，只能适用于低速轻载的场合，如钟表和家用缝纫机上，但它们都具有摩擦力矩很小的优点。

第三节 滑动轴承材料和轴瓦结构

一、轴承材料

通常轴承壳体或轴承座一般采用铸铁，重载和冲击很大的情况下采用铸钢，在其与轴颈相对摩擦处镶入用减摩材料做成的轴套（图 10-2）或轴瓦（图 10-3）。为了提高轴瓦的强度，可采用双金属或三金属的轴瓦结构（见本节最后说明）。轴瓦内表面与轴颈相对摩擦的部分称为轴承衬。通常所谓轴承材料一般即指轴瓦和轴承衬材料。

1. 对轴承材料的基本要求

实践证明，滑动轴承的主要失效形式是轴瓦的磨损和胶合。此外，还可能产生轴瓦的疲劳破坏、塑性变形等。因此，要求轴承材料具备以下性能：①摩擦系数小；②导热性好，线胀系数小；③耐磨、耐蚀、抗胶合能力强；④要有足够的机械强度和可塑性；⑤工艺性好，价格便宜，易于获得。

能同时满足上述要求的材料是很难找到的，但应根据具体情况满足主要使用要求。

2. 常用的轴承材料

（1）轴承合金（又称巴氏合金或白合金） 其主要是锡（Sn）、铅（Pb）、锑（Sb）和铜（Cu）的合金，分锡锑轴承合金和铅锑轴承合金两大类。锡锑轴承合金的摩擦系数小，抗胶合性能良好，对油的吸附性强，耐蚀性好，易跑合，是优良的轴承材料，常用于高速、重载的轴承，但价格较贵且机械强度较差，因此只能作为轴承衬材料而浇注在钢、铸铁或青铜轴瓦上。这种轴承合金在110℃开始软化，为了安全，在设计、运行中常将温度控制得比110℃低30~40℃。

铅锑轴承合金的各方面性能与锡锑轴承合金相近，但这种材料较脆，不宜承受较大的冲击载荷。一般用于中载、中速的轴承。

（2）铜合金 青铜是常用的轴瓦材料，其强度高，承载能力大，耐磨性与导热性都优于轴承合金。它可在较高的温度（250℃）下工作。但它的减摩性、跑合性、塑性不如轴承合金，适于重载、中速条件下，与之相配的轴颈必须淬硬。黄铜的应用不如青铜广泛，其减摩性、耐磨性都低于青铜，而且容易产生胶合。但其价格低，铸造工艺性好，容易加工，在低速和中等载荷条件下常代替青铜。

（3）铝合金 它的强度高、耐蚀、导热性能良好。主要使用的品种有含锡约分别为6.5%（低锡的）和20%（高锡的）两类。可用轧制的办法把铝合金与低碳钢结合起来制成双金属轴瓦。

（4）铸铁 用作轴瓦的铸铁有普通灰铸铁或加有镍、铬、钛等合金成分的耐磨灰铸铁及球墨铸铁。它耐磨性好，但其硬而性脆，磨合性较差，主要适用于低速（$v<3m/s$）、轻载和无冲击的场合。

（5）其他材料 除上述几种常用材料外，还采用粉末冶金轴承材料（含油轴承），非金属轴承材料，如石墨、橡胶（用于有水、泥沙的场合）、塑料（耐蚀）、硬木等。其中尼龙轴承和含油轴承已在轻工机械中得到了相当广泛地应用。

常用金属轴承材料性能见表10-2。

表 10-2 常用金属轴承材料性能

常用轴承材料		最大许用值			最高工作温度/℃	硬度 HBW	一般用途
		$[p_p]$/MPa	$[v_p]$/m·s^{-1}	$[pv]$/MPa·m·s^{-1}			
锡基合金	SnSb11Cu6	5	80	20	150	27	用于高速、重载下工作的重要轴承，变载荷下易疲劳，价高
	SnSb8Cu4					24	
铅基合金	PbSb16Sn16Cu2	15	12	10	150	30	用于中速、中等载荷及无显著冲击的轴承
	PbSb15Sn5Cu3Cd2	5	8	5		32	
铜基合金	CuSn10P1	25	12	30	280	25	制造有冲击载荷的轴承
	CuSn5Pb5Zn5	8	3	15		65	用于制造一般用途轴承
	CuPb30	20	12	30		25	用于高速、重载、冲击载荷的轴承
	CuAl10Fe3	20	5	15		110	用于制造海洋环境中工作的轴承
铝基合金	AlSn6Cu1Ni1				200	40	用于制造高速、中到重载轴承，如柴油机、压气机和制冷机轴承
	AlSn20Cu	34	14		170	40	

（续）

常用轴承材料		最大许用值			最高工作温度/℃	硬度 HBW	一般用途
		$[p_p]$/MPa	$[v_p]$/m·s^{-1}	$[pv]$/MPa·m·s^{-1}			
耐磨铸铁	MTCuMo-175	0.05-9	0.2-2	0.1~1.8		195~260	铸造铜钼合金灰铸铁，与其配合的轴颈需经热处理（淬火或正火）
	MTCrMoCu-235	0.1~6	0.75~3	0.3~4.5		200~250	铸造铬钼铜合金灰铸铁，与其配合的轴颈需经热处理（淬火或正火）
	KTZ450-06	0.5~1.2	1.0~5	2.5~12		150~200	可锻铸铁，与其配合的轴颈需经热处理（淬火或正火）
	KTZ550-04					180~250	
灰铸铁	HT150	4	0.5		150	143~255	用于制造低速、轻载的不重要轴承，价廉
	HT200	2	1				
	HT250	1	2				

注：1. 部分内容摘自 JB/T 7921—1995 和 GB/T 18326—2022。

2. 表中给出硬度为最高硬度。

关于轴承材料的选择，除了根据载荷的大小和性质，滑动速度等条件外，还应考虑经济性问题。如非高速重载或重要场合，一般不要选用高锡的轴承合金和青铜，而是根据条件不同，以低锡青铜或无锡青铜、黄铜、铸铁等轴承材料代用。

二、轴瓦结构

常用的轴瓦可分为整体式和剖分式两种结构。整体式轴瓦（又名轴套）分光滑的（图 10-10a）和带纵向油沟的（图 10-10b）两种。除轴承合金以外的其他金属材料、粉末冶金材料和石墨，都可制成这种结构。

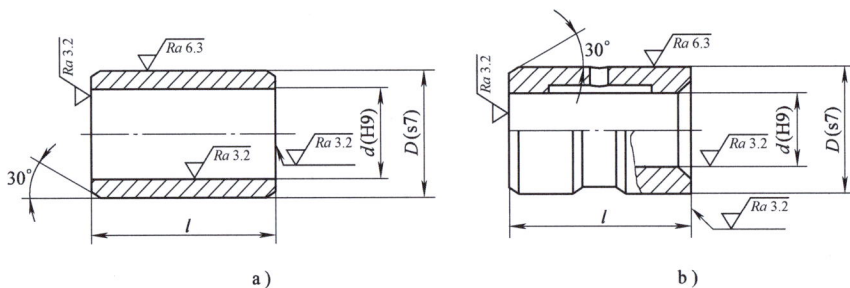

a)　　　　　　　　　　　　b)

图 10-10　整体式轴瓦

剖分式轴瓦（图 10-11）由上、下轴瓦组合而成。其两端的凸肩用以限制轴瓦的轴向窜动。为了调整轴承间隙，可在上、下轴瓦剖分面处去掉 0.3~0.5mm，加上垫片。为了防止轴瓦随轴转动，可用定位销钉或紧定螺钉将其固定在轴承座上（图 10-2）。剖分式轴瓦用于对开式滑动轴承。

为了使润滑油能够很好地分布到轴瓦的整个工作表面，在轴瓦的非承载区要开设油沟和

第 十 章 轴   承

油孔。常见的油沟形式有轴向的、周向的和斜向的三种，分别如图 10-12a、b、c 所示。为了使油在整个接触表面上均匀分布，油沟沿轴向应有足够的长度，通常取为轴瓦宽度的 80% 左右，不能开通，以免油从轴瓦端部漏掉，起不到应有的润滑作用。油沟的具体尺寸和剖面形状可参阅有关机械设计手册。

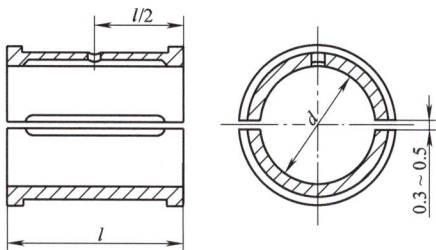

图 10-11　剖分式轴瓦

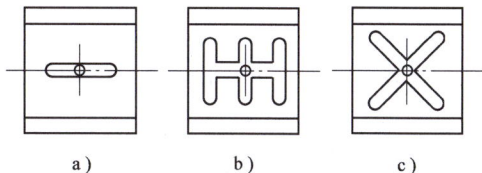

图 10-12　油沟形式

为了合理使用材料，对于重要的轴承，常在钢、青铜或铸铁的轴瓦上浇注一层轴承合金作轴承衬，这就是前面所说的双金属轴瓦。三金属轴瓦是在钢背和轴瓦材料之间再加一个中间层（常用青铜及铜合金）。中间层的作用是提高表层的强度，使表层易于与钢背贴合牢靠，或者在表层材料磨损后还可以起到耐磨的作用。

205

第四节　非液体摩擦滑动轴承的校核计算

对于工作要求不高、速度较低、载荷不大，难于维护条件下工作的轴承，往往设计成非液体摩擦滑动轴承。其主要失效形式是磨损和胶合。

非液体摩擦滑动轴承的失效机理很复杂，影响因素也很多，目前尚无完善的计算理论。所以习惯上采用条件性计算，即计算轴承表面的平均压强 p、滑动速度 v 以及 pv 值。这些参数是影响轴承摩擦表面磨损、胶合、摩擦发热等现象的主要参数。在已知轴颈直径 d、转速 n、轴承承受的载荷、工作条件和使用要求的条件下，通常这种轴承的设计步骤大致如下：

（1）选择轴承的类型和轴瓦材料　根据工作条件和使用要求，确定轴承的类型和结构，并按表 10-2 选取轴瓦材料。

（2）确定轴承的工作长度 l　如图 10-13 所示，轴承的长径比 l/d 过小，润滑油容易从轴承两端流失，使轴瓦早期磨损；l/d 过大，散热性差，温度升高，轴承对轴的弯曲变形敏感，使轴承两端发生严重磨损。通常取 $l/d = 0.5 \sim 1.5$。若必须要求 $l/d > 1.5 \sim 1.75$ 时，应改善润滑条件，并采用自动调位滑动轴承。

（3）验算轴承表面的平均压强 p、滑动速度 v 和 pv 值　如果计算结果不符合要求，应重新选择材料或重新确定轴承尺寸 l 和 d。

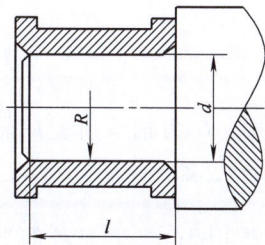

图 10-13　轴承工作长度

（4）确定轴颈与轴瓦之间的间隙　通常是选择适当的配合或刮研而得到合适的间隙，以保证一定的旋转精度。常用的配合为 H9/d9、H8/f7、H8/f8、H9/f9。

一、径向滑动轴承的校核计算

1. 校核轴承摩擦表面的平均压强 p

限制轴承压强 p，以保证润滑油不被过大的压力所挤出，保证良好的润滑而不致过度磨损，压强 p 应满足下列条件

$$p = \frac{R}{dl} \leqslant [p] \tag{10-1}$$

式中，$[p]$ 为轴承材料的许用压强（MPa）（表 10-2）；R 为轴承所受的径向载荷（N）；d 为轴颈直径（mm）；l 为轴颈的工作长度（mm）。

2. 校核 pv 值

对于载荷较大和速度较高的轴承，为保证工作时不致因过度发热而产生胶合，应限制轴承单位面积上的摩擦功耗 fpv（f 为材料的滑动摩擦系数）。在稳定的工作条件下，f 可近似地看作为常数，因此，pv 值间接反映了轴承的温升。要防止轴承产生胶合，pv 值应满足下列条件

$$pv = \frac{R}{dl} \frac{\pi dn}{60 \times 1000} = \frac{Rn}{19100l} \leqslant [pv] \tag{10-2}$$

式中，n 为轴的转速（r/min）；$[pv]$ 为轴承材料的 pv 许用值（MPa·m/s），见表 10-2。

3. 校核 v

当压强 p 值较小时，虽 p 和 pv 验算合格，但因滑动速度过高，轴承也会发生加速磨损。这是因为压强 p 只是平均值，而实际上，轴在产生弯曲或不同心等引起的一系列误差及振动的影响下，轴承边缘可能产生相当高的压强，因而局部区域的 pv 值仍可能超过许用值。故在 p 值较小时，应保证

$$v \leqslant [v] \tag{10-3}$$

式中，$[v]$ 为轴承材料 v 的许用值，见表 10-2。

当验算结果不能满足要求时，可考虑改用较好的轴瓦材料或加大轴承的几何尺寸 d 和 l。

二、推力滑动轴承的校核计算

图 10-14 所示的推力滑动轴承的校核计算公式如下

$$p = \frac{Q}{\frac{\pi}{4}(d_0^2 - d_1^2)} \leqslant [p] \tag{10-4}$$

$$pv_m \leqslant [pv] \tag{10-5}$$

式中，Q 为轴承所受的轴向载荷（N）；d_1、d_0 分别为轴环的内、外径（mm），如图 10-14 所示，其值见表 10-1；$[p]$ 为压强的许用值（MPa），见表 10-3；v_m 为轴环的平均速度（m/s），$v_m = \frac{\pi d_m n}{60 \times 1000}$，$d_m$ 为轴环的平均直径（mm）；$d_m = (d_0 + d_1)/2$；n 为轴的转速（r/min）。

由于推力滑动轴承接触面上的压力分布不均匀，润滑条件较差，故其 $[p]$ 和 $[pv]$ 均较向心滑动轴承低，见表 10-3。

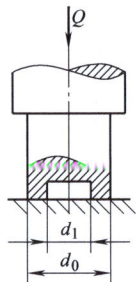

图 10-14 推力滑动轴承的校核计算

表 10-3 推力滑动轴承的材料和 $[p]$、$[pv]$ 值

轴颈材料	未淬火钢			淬火钢		
轴瓦材料	铸铁	青铜	轴承合金	青铜	轴承合金	淬火钢
$[p]$/MPa	2~2.5	4~5	5~6	7.5~8	8~9	12~15
$[pv]$/(MPa·m/s)	1~2.5					

例 10-1 试按非液体摩擦设计电动绞车中卷筒两端的滑动轴承。钢绳拉力 F 为 30kN，卷筒转速 $n=25$r/min，结构尺寸如图 10-15a 所示，其中轴颈直径 $d=60$mm。

解 （1）求滑动轴承上的径向载荷 R 当钢绳在卷筒中间时，两端滑动轴承受力相等，且为钢绳上拉力之半。但是，当钢绳绕在卷筒的边缘时，一侧滑动轴承上受力达最大值，为

$$R = R_B = F \times \frac{700}{800} = 30000 \times \frac{7}{8}\text{N} = 26250\text{N}$$

（2）取长径比 $l/d=1.2$，则

$$l = 1.2 \times 60\text{mm} = 72\text{mm}$$

（3）计算压强 p

$$p = \frac{R}{ld} = \frac{26250}{72 \times 60}\text{MPa} = 6.076\text{MPa}$$

（4）计算 pv 值

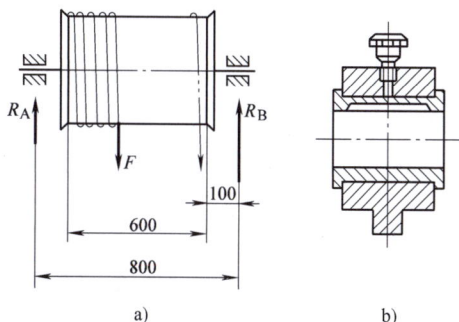

图 10-15 电动绞车卷筒滑动轴承结构

$$pv = \frac{Rn}{19100l} = \frac{26250 \times 25}{19100 \times 72}\text{MPa·m/s} = 0.48\text{MPa·m/s}$$

根据以上计算，可知选用锡青铜（ZCuPb5Sn5Zn5）作为轴瓦材料是足够的，其 $[p]=$ 8MPa，$[pv]=15$MPa·m/s。并选用润滑脂润滑，用油杯加脂，结构如图 10-15b 所示。

第五节 滚动轴承的类型、代号及其选择

一、滚动轴承的类型

滚动轴承通常由内圈 1、外圈 2、滚动体 3 和保持架 4 组成（图 10-16）。内圈用来和轴颈装配，外圈用来和轴承座装配。当内、外圈相对转动时，滚动体即在内、外圈上的滚道间滚动，形成滚动摩擦。轴承内、外圈上的滚道，有限制滚动体侧向位移的作用。保持架的作用是均匀地隔开滚动体，避免滚动体间直接接触，从而减小摩擦和磨损。常用滚动体形式如图 10-17 所示，有球、圆柱滚子、滚针、圆锥滚子、球面滚子、非对称球面滚子等几种。

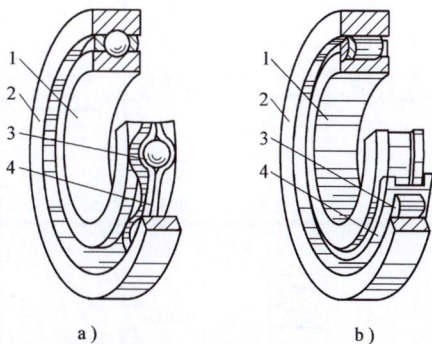

图 10-16 滚动轴承的结构

1—内圈 2—外圈 3—滚动体 4—保持架

滚动体与内、外圈一般都用轴承铬钢制造，并经淬硬、磨光。保持架有冲压的（图 10-16a）和实体的（图 10-16b）两种。冲压保持架一般用低碳钢板冲压制成，它与滚动体间有较大的间隙。实体保持架用铜合金、铝合金或塑料经切削加工制成，有较好的定心作用。滚动轴承已经标准化，由专业厂大批量生产。

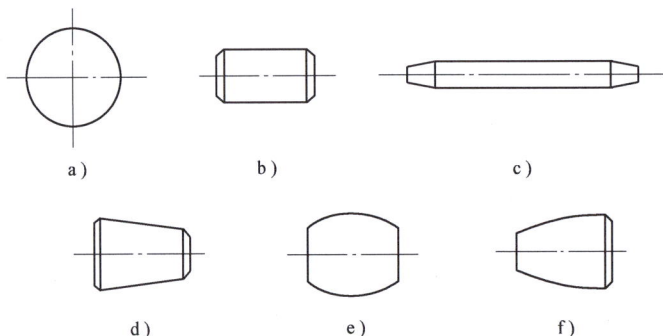

图 10-17　滚动体的形式

与滑动轴承相比，如前所述，滚动轴承具有摩擦阻力小，起动灵活、效率高，润滑简便和互换性好等优点，所以，获得了更为广泛的应用。它的主要缺点是抗冲击载荷的能力差，高速时会出现噪声，工作寿命也不及液体摩擦滑动轴承。

　　按照滚动体的形状，滚动轴承可分为球轴承和滚子轴承两大类。球轴承和滚子轴承可分为单列、双列或多列形式；能自动调心与不能自动调心形式。按承载方向，滚动轴承可分为向心轴承（主要承受径向载荷）、推力轴承（只能承受轴向载荷）及向心推力轴承（能同时承受径向载荷和轴向载荷）。向心推力轴承的滚动体与外圈滚道接触点（线）处的法线与半径方向的夹角 α，称为轴承的接触角。α 角越大，轴承承受轴向载荷的能力也越大。

　　滚动轴承的类型很多，现将常用的各类滚动轴承的性能和特点列于表 10-4 中。

表 10-4　常用滚动轴承的类型、主要性能和特点

轴承名称	结构简图	结构代号	承载方向	基本额定动载荷比	极限转速比	轴向承载能力	性能和特点
调心球轴承		10000		0.6~0.9	中	少量	因为外圈滚道表面是以轴承中点为中心的球面，故能自动调心，允许内圈（轴）对外圈（外壳）轴线偏斜量 ≤2°~3°。一般不宜承受纯轴向载荷
调心滚子轴承		20000		1.8~4	低	少量	性能、特点与调心球轴承相同，但具有较大的径向承载能力，允许内圈对外圈轴线偏斜量 ≤1.5°~2.5°

（续）

轴承名称	结构简图	结构代号	承载方向	基本额定动载荷比	极限转速比	轴向承载能力	性能和特点
推力调心滚子轴承		29000		1.6~2.5	低	很大	用于承受以轴向载荷为主的轴向、径向联合载荷，但径向载荷不得超过轴向载荷的55%。运转中滚动体受离心力矩作用，滚动体与滚道间产生滑动，并导致轴圈与座圈分离。为保证正常工作，需施加一定轴向预载荷，允许轴圈对座圈轴线偏斜量≤1.5°~2.5°
圆锥滚子轴承		30000		1.1~2.5	中	较大	可以同时承受径向载荷及轴向载荷（30000型以径向载荷为主，30000B型以轴向载荷为主）。外圈可分离，安装时可调整轴承的游隙。一般成对使用
推力球轴承		51000		1	低	只能承受单向的轴向载荷	为了防止钢球与滚道之间的滑动，工作时必须加有一定的轴向载荷，高速时离心力大，钢球与保持架磨损，发热严重，寿命降低，故极限转速很低。轴线必须与轴承座底面垂直，载荷必须与轴线重合，以保证钢球载荷的均匀分配
双向推力球轴承		52000		1	低	能承受双向的轴向载荷	
深沟球轴承		60000		1	高	少量	主要承受径向载荷，也可同时承受小的轴向载荷。当量摩擦系数最小。在高转速时，可用来承受纯轴向载荷。工作中允许内、外圈轴线偏斜量≤8′~16′，大量生产，价格最低
角接触球轴承		70000C（$\alpha=15°$）		1.0~1.4	高	一般	可以同时承受径向载荷及轴向载荷，也可以单独承受轴向载荷，能在较高转速下正常工作。由于一个轴承只能承受单向的轴向力，因此，一般成对使用。承受轴向载荷的能力由接触角α决定。接触角大的，承受轴向载荷的能力也高
		70000AC（$\alpha=25°$）		1.0~1.3		较大	
		70000B（$\alpha=40°$）		1.0~1.2		更大	

（续）

轴承名称	结构简图	结构代号	承载方向	基本额定动载荷比	极限转速比	轴向承载能力	性能和特点
外圈无挡边的圆柱滚子轴承	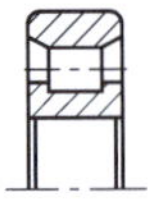	N0000				无	外圈（或内圈）可以分离，故不能承受轴向载荷，滚子由内圈（或外圈）的挡边轴向定位，工作时允许内、外圈有少量的轴向错动。有较大的径向承载能力，但内外圈轴线的允许偏斜量很小（$2'\sim4'$）。这一类轴承还可以不带外圈或内圈
内圈无挡边的圆柱滚子轴承	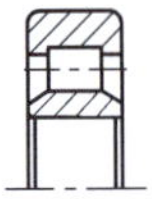	NU0000		$1.5\sim3$	高	无	
内圈有单挡边的圆柱滚子轴承	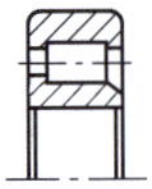	NJ0000				少量	
滚针轴承	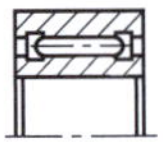	NA0000		—	低	无	在同样内径条件下，与其他类型轴承相比，其外径最小，内圈或外圈可以分离，工作时允许内、外圈有少量的轴向错动。径向承载能力较大。一般不带保持架，摩擦系数大

210

二、滚动轴承的代号

在常用的各类滚动轴承中，每一种类型又可做成几种不同的结构、尺寸和公差等级等，以便适应不同的技术要求。为了统一表征各类轴承的特点，便于设计、制造和选用，在国家标准 GB/T 272—2017 中规定了轴承代号的表示方法。

滚动轴承代号由基本代号、后置代号和前置代号组成，用字母和数字等表示。滚动轴承代号的构成见表 10-5。

表 10-5　滚动轴承代号的构成

前置代号	基本代号					后置代号								
	一	二	三	四	五	1	2	3	4	5	6	7	8	9
轴承分部件代号	类型代号	尺寸系列代号		内径代号		内部结构代号	密封、防尘与外部形状代号	保持架及其材料代号	轴承零件材料代号	公差等级代号	游隙代号	多轴承配置代号	振动与噪声	其他代号
		宽度系列代号	直径系列代号											

1. 基本代号

基本代号是轴承代号的基础，用来表明轴承的内径、直径系列、宽度系列和类型，一般最多为五位数，现分述如下：

1）轴承内径用基本代号左起第五、四位数字表示。常用内径 $d = 10\sim480\text{mm}$（22mm、28mm、32mm 除外）的轴承，内径代号的意义见表 10-6。对于内径小于 10mm 和大于 495mm（包括 22mm、28mm、32mm）的轴承，内径代号用公称内径毫米数直接表示，只是与直径系列代号用"/"分开。

表 10-6　轴承内径代号

内径代号	00	01	02	03	04~99
轴承内径/mm	10	12	15	17	内径代号×5

2）轴承的直径系列（即结构相同、内径相同的轴承在外径和宽度方面的变化系列）用基本代号左起第三位数字表示。例如，对于向心轴承和向心推力轴承，0、1表示特轻系列；2表示轻系列；3表示中系列；4表示重系列。各系列之间的尺寸对比如图10-18所示。推力轴承除了用1表示特轻系列之外，其余与向心轴承的表示一致。

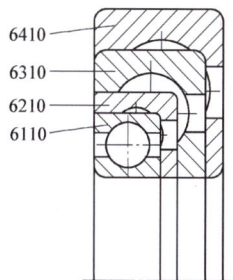

图 10-18　直径系列的尺寸对比

3）轴承的宽度系列（即结构、内径和直径系列都相同的轴承，在宽度方面的变化系列）用基本代号左起第二位数字表示。当宽度系列为0系列（正常系列）时，对多数轴承在代号中可不标出宽度系列代号0，但对于调心滚子轴承和圆锥滚子轴承，宽度系列代号0仍应标出。

直径系列代号和宽度系列代号统称为尺寸系列代号。

4）轴承类型代号用基本代号左起第一位数字表示（对圆柱滚子轴承和滚针轴承等类型代号为字母），其表示方法见表10-4。

2. 后置代号

轴承的后置代号是用字母（或加数字）等表示轴承的结构、公差及材料的特殊要求等。后置代号的内容很多，下面介绍几个常用的代号。

1）内部结构代号是表示同一类型轴承的不同内部结构，用字母紧跟着基本代号表示。如E表示加强型轴承。对于接触角为15°、25°和40°的角接触球轴承分别用C、AC和B表示内部结构的不同。

2）滚动轴承的公差等级由低到高分为5级：PN、P6（P6x）、P5、P4、P2。P6x级仅用于圆锥滚子轴承。标记方法为：/PN、/P6（/P6X）、/P5、/P4、/P2。N级为普通级，在轴承代号中省略不标。另外，代号/UP和SP用于圆柱滚子轴承，代号/SP表示尺寸精度相当于5级，旋转精度相当于4级，代号/UP表示尺寸精度相当于4级，旋转精度高于4级。

3）滚动轴承的游隙包括径向游隙和轴向游隙，分别表示轴承的一个套圈固定时，另一个套圈沿径向或轴向由一个极限位置到另一个极限位置的移动量。游隙的大小用游隙代号表示，常用的游隙系列按从小到大分为5组：2组、N组、3组、4组、5组，分别用代号/C2、/CN、/C3、/C4、/C5表示，其中N组游隙在代号中省略不标。另外，公差等级代号与游隙代号需同时标注时，可采用组合方式表示，例"/P63"表示轴承公差等级6级，径向游隙为3组。

3. 前置代号

轴承的前置代号用于表示轴承的分部件，用字母表示。如用L表示可分离轴承的可分离套圈；K表示轴承的滚动体与保持架组件等。

211

对于一般使用的轴承，若没有特殊改变，且为 N 级公差和 N 组游隙时，则只用基本代号表示。

实际应用的滚动轴承类型是很多的，相应的轴承代号也是比较复杂的。以上介绍的代号是轴承代号中最基本、最常用的部分，熟悉了这部分代号，就可以识别和查选常用的轴承。关于滚动轴承详细的代号表示可查阅 GB/T 272—2017。

代号举例：

6307——表示内径为 35mm，中系列深沟球轴承，正常宽度系列，正常结构，N 级公差，N 组游隙。

7210C/P4——表示内径为 50mm，轻系列角接触球轴承，接触角为 15°，正常宽度系列，N 级公差，N 组游隙。

62/22——表示内径为 22mm，轻系列深沟球轴承，正常宽度系列，正常结构，N 组游隙，N 级公差。

三、滚动轴承类型选择

滚动轴承是标准件，合理选择轴承首先是选择轴承的类型，然后再选择轴承的尺寸。常用轴承类型及性能见表 10-4。选择滚动轴承类型时，应明确轴承的工作载荷（包括大小、方向和性质）、转速、安装轴承的空间尺寸范围以及其他特殊要求。选择滚动轴承类型的一般原则如下。

1. 载荷

轴承所受载荷的大小、方向和性质，是选择轴承类型的主要依据。

滚子轴承与球轴承相比，前者的承载和抗冲击能力较大，当载荷较大，或有冲击载荷时，宜选用线接触的滚子轴承。球轴承为点接触，宜用于承受较轻的或中等的载荷，故在载荷较小时，应优先选择球轴承。

根据载荷方向选择轴承类型时，对于纯轴向载荷，一般选用推力轴承。轴向载荷较小时，可选用推力球轴承；轴向载荷较大时，可选用推力滚子轴承。对于纯径向载荷，一般选用深沟球轴承、圆柱滚子轴承或滚针轴承。当轴承同时承受径向载荷和轴向载荷时，应区别不同的情况：以径向载荷为主时，可选用深沟球轴承或接触角不大的角接触球轴承或圆锥滚子轴承；以轴向载荷为主时，可同时采用推力轴承和向心轴承的组合结构；轴向载荷和径向载荷都较大时，可选用接触角较大的角接触球轴承或圆锥滚子轴承。

2. 转速

在一般转速下，转速的高低对轴承类型的选择不发生什么影响，只有在转速较高时，才会有比较显著的影响。各种类型尺寸的轴承都有其极限转速 n_{lim} 值，这是轴承工作时所允许的最高转速。球轴承比滚子轴承的极限转速高。单列滚动体轴承比双列滚动体轴承极限转速高。在内径相同条件下，外径越小，则滚动体越小，运转时滚动体加在外圈滚道上的离心惯性力也就越小，因而也就更适于在更高的转速下工作。故在高速时，宜选用同一直径系列中外径较小的轴承。

3. 轴承刚度

一般说来，滚子轴承的刚度比球轴承高，因此对轴承刚度要求较高时，宜采用滚子轴承。

4. 调心性能

当轴的弯曲变形大或轴承座孔同轴度较低时，可选用自动调心式轴承。同一轴上调心式轴承不要与其他类型轴承混合使用，以免失去调心作用。

5. 装拆

便于装拆，也是在选择轴承类型时应考虑的一个因素。在轴承座没有剖分面而必须沿轴向安装和拆卸轴承部件时，应优先选用内外圈可分离的轴承（如 N0000、NA0000、30000 等）。有时由于轴承安装尺寸的限制，如当轴承径向尺寸不允许太大时，可考虑选用滚针轴承。

6. 经济性

选择轴承时要考虑经济性的要求和市场供应情况。球轴承比滚子轴承便宜，向心轴承比角接触轴承便宜。此外，轴承的精度等级越高，价格就越贵。在一般机械中，N 级精度轴承应用最广泛，选用高精度轴承必须慎重。

第六节　滚动轴承的寿命及尺寸选择

一、滚动轴承的失效形式

滚动轴承的失效形式主要有以下几种：

（1）疲劳点蚀　轴承在工作过程中，滚动体和内圈（或外圈）不断接触转动，滚动体和滚道表面的接触应力将循环变化。当接触应力超过某一限值时，在工作一定时间后，其接触表面就可能发生疲劳点蚀，因而引起强烈振动、噪声和发热等现象，使轴承很快失去工作能力。

（2）塑性变形　对于那些在工作载荷下基本上不旋转或间歇摆动以及转速很低（$n<10\text{r/min}$）的轴承，由于表面接触应力变化次数少，不会出现疲劳点蚀现象。但在过大的静载荷和冲击载荷作用下，滚动体或套圈滚道上会出现不均匀的塑性变形凹坑。对于这种工作条件下的轴承，应校核静强度。

（3）磨损　滚动轴承在密封不可靠以及多尘的运转条件下工作时易发生磨粒磨损。通常在滚动体与套圈之间，特别是滚动体与保持架之间都有滑动摩擦，如果润滑不好，发热严重时，可能使滚动体回火，甚至产生胶合磨损。转速越高，磨损越严重。轴承磨损后会降低旋转精度，直至失效。

另外，由于不正常的安装、拆卸及操作也会引起轴承元件破裂等损坏，这是应该避免的。

在决定轴承尺寸时，应针对轴承的主要失效形式进行必要的计算。一般情况下，轴承的失效形式主要是疲劳点蚀，其工作能力主要取决于轴承的接触疲劳强度，应进行防止疲劳点蚀的寿命计算。对于高速轴承，由于发热，常产生磨损或烧伤，除进行寿命计算外，还要进行必要的极限转速校核。对于不转动、缓慢摆动或转速极低的轴承，要防止塑性变形的发生，进行静强度计算。

二、滚动轴承的寿命计算

1. 基本额定寿命和基本额定动载荷

轴承中任一元件首先出现疲劳点蚀前运转的总转数或在一定转速下工作的小时数，称为轴承的寿命。试验研究表明，一批相同的轴承在完全相同的条件下工作，由于制造精度，材料组织结构，热处理等方面不可避免的差异，各轴承寿命并不相同，其使用寿命有时相差几倍甚至几十倍，所以不能以单个轴承寿命作为计算依据。为此引入基本额定寿命的概念。

一批同型号的轴承，在同样的工作条件下运转，其中 10% 的轴承发生疲劳点蚀，而 90% 的轴承仍然能正常工作时所经历的总转数 L_{10}（10^6r）或在一定转速下工作的小时数 L_{10h}(h)，称为轴承的基本额定寿命。

同一型号轴承，在不同的载荷作用下，其寿命显然是不同的。载荷越大，其基本额定寿命越短，反之则越长。轴承在基本额定寿命恰好为 10^6r（转）时，所能承受的最大载荷称为轴承的基本额定动载荷。不同型号的轴承，基本额定动载荷的值不同。对于向心轴承，指的是纯径向载荷，对于角接触球轴承或圆锥滚子轴承，是指载荷的径向分量，均称为径向基本额定动载荷，用 C_r 表示；对于推力轴承，指的是纯轴向载荷，称为轴向基本额定动载荷，用 C_a 表示。C_a、C_r 可统一用 C 表示，它反映了轴承承载能力的大小。工作温度 $T \leqslant 120℃$ 时，各类轴承的 C_r 和 C_a 值可查阅有关手册标准。附录 3 摘列了深沟球轴承的基本额定动载荷 C 值。如轴承工作温度高于 120℃ 时，因轴承元件材料金相组织将产生变化，硬度降低，轴承承载能力下降。在寿命计算时，引入温度系数 f_T 对 C 值进行修正。f_T 值见表 10-7。

表 10-7　温度系数 f_T

轴承工作温度/℃	≤120	125	150	175	200	225	250	300	350
温度系数 f_T	1	0.95	0.90	0.85	0.80	0.75	0.70	0.6	0.5

2. 滚动轴承寿命计算公式

对于具有基本额定动载荷 C（C_r 或 C_a）的轴承，当它所受的载荷 P 恰好为 C 时，其基本额定寿命就是 10^6r。但是当所受的载荷 $P \neq C$ 时，轴承的寿命为多少？这就是轴承寿命计算所要解决的一类问题。轴承寿命计算所要解决的另一类问题是轴承所受的载荷等于 P，而且要求轴承具有的预期使用寿命为 L'_{10h}，那么，需选用具有多大的基本额定动载荷的轴承？下面讨论解决上述问题的方法。

图 10-19 所示为在大量试验研究基础上得出的轴承所受的载荷 P 与基本额定寿命 L_{10} 的关系曲线，其方程为

$$P^\varepsilon L_{10} = 常数 \qquad (10\text{-}6)$$

式中，ε 为轴承寿命指数，对于球轴承 $\varepsilon = 3$，对于滚子轴承 $\varepsilon = 10/3$。由基本额定动载荷的定义可知，当 $L_{10} = 1 \times 10^6$r 时的载荷即为轴承的基本额定动载荷 C，则有

$$P^\varepsilon L_{10} = C^\varepsilon \times 1 = 常数$$

即

$$L_{10} = \left(\frac{C}{P}\right)^\varepsilon \qquad (10\text{-}7)$$

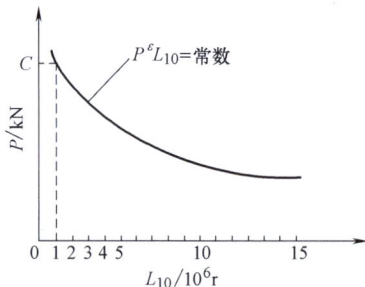

图 10-19　轴承的载荷—寿命曲线

式中，L_{10} 是载荷为 P 时轴承的基本额定寿命（10^6r）；C 为轴承的基本额定动载荷（N）；P

为轴承当量动载荷（N），其含义和计算公式见后。

实际计算时，用小时数表示轴承寿命比较方便。现用 n 表示轴承的转速（r/min），以 L_{10h} 表示以小时（h）数计算的轴承寿命，则上式可写成

$$L_{10h} = \frac{10^6}{60n}\left(\frac{C}{P}\right)^{\varepsilon} \tag{10-8}$$

如果已知当量动载荷 P 和转速 n，需按轴承的预期使用寿命 L'_{10h} 选择轴承，可将式（10-8）改写为

$$C' = P\sqrt[\varepsilon]{\frac{60nL'_{10h}}{10^6}} \tag{10-9}$$

按上式计算所得的 C' 值在设计手册中选用所需的轴承，应使所选轴承的 $C \geqslant C'$。

常用机械设备中轴承的预期使用寿命推荐用值见表 10-8。

当轴承工作温度 $T>120℃$ 时，应将以上公式中的 C 乘以温度系数 f_T。

表 10-8　轴承预期使用寿命推荐值 L'_{10h}

机械种类		举　例	预期使用寿命 L'_{10h}/h
不经常使用的仪器和设备		闸门及门窗开闭装置	300～3000
航空发动机			500～2000
间断使用的机械	中断使用不致引起严重后果	手动操作机械、农业机械等	3000～8000
	中断使用后果严重	发电站辅助设备、流水作业线自动传送设备、升降机、吊车、不常使用的机床等	8000～12000
每天使用8h 的机械	利用率不高	一般齿轮传动、某些固定电动机等	10000～25000
	利用率较高	金属切削机床、连续使用的起重机、印刷机械等	20000～30000
连续24h使用的机械	一般使用	矿山用升降机、空气压缩机、纺织机械等	40000～50000
	中断使用后果严重	电站主要设备、船舶螺旋桨轴、纤维和造纸机械、给排水装置等	≈100000

3. 滚动轴承的当量动载荷

轴承在实际工作中，往往同时受到径向载荷与轴向载荷的复合作用，寿命计算中须将这个复合载荷换算成某一假想载荷，在此假想载荷作用下，轴承的寿命与实际载荷作用下的寿命相同，并与额定动载荷具有相同的受载条件，该假想载荷称为当量动载荷，用符号 P 表示（N）。当量动载荷 P 的计算公式为

$$P = f_P(XF_r + YF_a) \tag{10-10}$$

对于只能承受纯径向载荷 F_r 的轴承（如 N、NA 类轴承）

$$P = f_P F_r \tag{10-11}$$

对于只能承受纯轴向载荷 F_a 的轴承（如 5 类轴承）

$$P = f_P F_a \tag{10-12}$$

式中，X 为径向载荷系数，Y 为轴向载荷系数，其值见表 10-9；f_P 为载荷系数，其值见

表 10-10，它是考虑到机械在工作中的冲击、振动以及运转零件的不精确和运转不平稳等因素的影响，使得轴承实际所受的载荷与理论计算值有所不同而引入的一个根据经验而定的修正系数。

4. 向心推力轴承轴向载荷的计算

角接触球轴承和圆锥滚子轴承承受径向载荷时，要产生派生的轴向力，为保证这类轴承正常工作，通常是成对使用。图 10-20 所示为角接触球轴承的两种安装方式。

在按式（10-10）计算各轴承的当量动载荷 P 时，其中的径向载荷即为由外界作用到轴上的径向力 F_r 在各轴承上产生的径向载荷；但其中的轴向载荷并不完全由外界的轴向作用力 F_a 产生，而是应该根据整个轴上的轴向载荷（包括因径向载荷 F_r 产生的派生轴向力 F_s）之间的平衡条件得出。

表 10-9　径向载荷系数 X 和轴向载荷系数 Y

轴承类型 名称	代号	iF_a/C_{0r}	e	单列轴承 $F_a/F_r \leq e$ X	Y	$F_a/F_r > e$ X	Y	双列轴承（或成对安装单列轴承） $F_a/F_r \leq e$ X	Y	$F_a/F_r > e$ X	Y
深沟球轴承	60000	0.025 0.04 0.07 0.13 0.25 0.5	0.22 0.24 0.27 0.31 0.37 0.44	1	0	0.56	2.0 1.8 1.6 1.4 1.2 1.0	1	0	0.56	—
调心球轴承	10000	—	$1.5\tan\alpha$	1	0	0.40	$0.40\cot\alpha$	1	$0.42\cot\alpha$	0.65	$0.65\cot\alpha$
调心滚子轴承	20000C(CA)	—	$1.5\tan\alpha$	—	—	—	—	1	$0.45\cot\alpha$	0.67	$0.67\cot\alpha$
角接触球轴承	70000C $\alpha=15°$	0.015 0.029 0.058 0.087 0.12 0.17 0.29 0.44 0.58	0.38 0.40 0.43 0.46 0.47 0.50 0.55 0.56 0.56	1	0	0.44	1.47 1.40 1.30 1.23 1.19 1.12 1.02 1.00 1.00	1	1.65 1.57 1.46 1.38 1.34 1.26 1.14 1.12 1.12	0.72	2.39 2.28 2.11 2.00 1.93 1.82 1.66 1.63 1.63
角接触球轴承	70000AC $\alpha=25°$	—	0.68	1	0	0.41	0.87	1	0.92	0.67	1.41
角接触球轴承	70000B $\alpha=40°$	—	1.14	1	0	0.35	0.57	1	0.55	0.57	0.93
圆锥滚子轴承	30000	—	$1.5\tan\alpha$	1	0	0.4	$0.4\cot\alpha$	1	$0.45\cot\alpha$	0.67	$0.67\cot\alpha$

注：1. 表中 i 为滚动体列数。C_{0r} 为基本额定静载荷，由有关手册查出，单列深沟球轴承的 C_{0r} 值摘列于附录 3。
　　2. 接触角 α 的具体数值按不同型号轴承由有关手册查出。

表 10-10 载荷系数 f_P

载荷性质	f_P	应用举例
无冲击或轻微冲击	1.0~1.2	电动机、汽轮机、通风机、水泵等
中等冲击	1.2~1.8	车辆、机床、起重机、冶金设备、内燃机等
剧烈冲击	1.8~3	破碎机、轧钢机、石油钻机、振动筛等

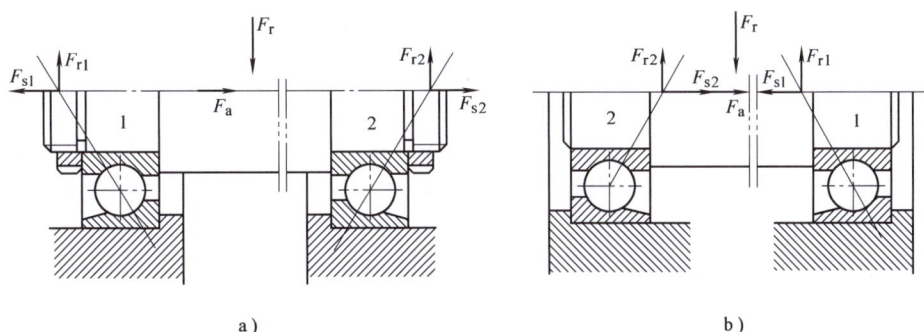

图 10-20 角接触球轴承轴向载荷分析

a）反装（背靠背） b）正装（面对面）

根据力的径向平衡条件，很容易由径向力 F_r 计算出两个轴承上的径向载荷 F_{r1}、F_{r2}，当 F_r 的大小和作用位置固定时，径向载荷 F_{r1}、F_{r2} 也就固定。由径向载荷 F_{r1}、F_{r2} 派生的轴向力 F_{s1}、F_{s2} 的大小可按表 10-11 中的公式计算。

表 10-11 派生轴向力 F_s 的计算公式

圆锥滚子轴承	角接触球轴承		
	70000C（$\alpha = 15°$）	70000AC（$\alpha = 25°$）	70000B（$\alpha = 40°$）
$F_s = F_r/(2Y)$ [1]	$F_s = eF_r$ [2]	$F_s = 0.68F_r$	$F_s = 1.14F_r$

[1] Y 是对应表 10-9 中 $F_a/F_r > e$ 的 Y 值。

[2] e 值由表 10-9 查出。

如图 10-20 所示，把派生轴向力的方向（其方向是沿轴向由轴承外圈的宽端指向外圈的窄端）与外加轴向力 F_a 的方向一致的轴承标为 2，另一端轴承标为 1。取轴与其配合的轴承内圈为分离体，如达到轴向平衡时，应满足

$$F_a + F_{s2} = F_{s1}$$

如果不满足上述关系式时，可能出现下面两种情况：

1）当 $F_a + F_{s2} > F_{s1}$ 时，则轴有向右窜动的趋势，相当于轴承 1 被"压紧"，轴承 2 被"放松"，但实际上轴必须处于平衡位置（即轴承座必然要通过轴承元件施加一个附加轴向力来阻止轴的窜动），所以被"压紧"的轴承 1 所受的总轴向力 F_{a1} 必须与 $F_a + F_{s2}$ 相平衡，即

$$F_{a1} = F_a + F_{s2} \tag{10-13a}$$

而被"放松"的轴承 2 只受其本身派生的轴向力 F_{s2}，即

$$F_{a2} = F_{s2} \tag{10-13b}$$

2）当 $F_a + F_{s2} < F_{s1}$ 时，同前理，被"放松"的轴承 1 只受其本身派生的轴向力 F_{s1}，即

$$F_{a1} = F_{s1} \tag{10-14a}$$

而被"压紧"的轴承 2 所受的总轴向力为

$$F_{a2} = F_{s1} - F_a \tag{10-14b}$$

综上可知，计算角接触球轴承和圆锥滚子轴承所受轴向力的方法可归结为：

1）首先通过派生轴向力及外加轴向载荷的计算与分析，判断出被"压紧"的轴承及被"放松"的轴承。

2）被"压紧"轴承的轴向力等于减去本身派生的轴向力后其余各轴向力的代数和（指向被压紧轴承的力的方向为正，反之为负）。

3）被"放松"轴承的轴向力等于本身的派生轴向力。

轴承反力的径向分力在轴心线上的作用点称为轴承的压力中心。各类向心推力轴承压力中心的位置距其外侧端面的距离可从标准手册中查取，其偏离轴承宽度中心线一侧的方向与派生轴向力的方向相一致。图 10-20a、b 的两种安装方式，对应两种不同的压力中心的位置。但当两轴承支点间的距离不是很小时，常以轴承宽度中点作为支反力的作用位置，这样计算起来比较方便，且误差也不大。

5. 滚动轴承的静强度计算

滚动轴承的静强度计算公式为

$$C_0 \geqslant S_0 P_0 \tag{10-15}$$

式中，C_0 为轴承的基本额定静载荷（N），其值可查阅有关手册，附录 3 摘列了深沟球轴承的 C_0 值；S_0 为轴承静强度安全系数，其选择可参考表 10-12；P_0 为轴承所承受的当量静载荷（N），其计算公式为

$$P_0 = X_0 F_r + Y_0 F_a \tag{10-16}$$

式中，X_0 及 Y_0 分别为当量静载荷的径向载荷系数和轴向载荷系数，其值可查阅轴承手册。对于深沟球轴承，当 $F_a/F_r \leqslant 0.8$ 时，$X_0 = Y_0 = 1$；当 $F_a/F_r > 0.8$ 时，$X_0 = 0.6$，$Y_0 = 0.5$。

表 10-12　轴承静强度安全系数 S_0

使用要求,载荷性质或使用的设备		S_0
旋转的轴承	对旋转精度和运转平稳性要求较高,或承受很大的冲击载荷	1.2~2.5
	一般情况	0.8~1.5
	对旋转精度和运转平稳性要求较低,或基本上无冲击和振动	0.5~1.8
非旋转及摆动的轴承	水坝闸门装置	≥1
	吊桥	≥1.5
	附加动载荷很大的小型装卸起重机吊钩	>1.6

第七节　滚动轴承的组合设计

为了保证轴承在机器中正常工作，除合理选择轴承类型和尺寸外，还应正确进行轴承的组合设计。也就是必须根据轴承的具体要求及结构特点，对轴承支承的刚度，轴承的固定、间隙、润滑、密封、配合以及装拆等进行全面的考虑。下面提出一些设计中的注意要点以供参考。

一、保证支承的刚度和同心度

轴和安装轴承的轴承座或机体，以及轴承装置中的其他受力零件，必须有足够的刚度，否则会因这些零件的变形而使滚动体的滚动受到阻碍，影响旋转精度，导致轴承过早损坏。为此，轴承孔壁及外壳均应有足够的厚度，壁板上的轴承座的悬臂应尽可能缩短，并用加强筋来增强支承部位的刚度（图 10-21）。

同一轴上各轴承座孔要保持必要的同轴度，否则轴安装后会产生较大变形，影响轴承运转。因此，应尽可能采用整体铸造机壳，并采用直径相同的轴承孔，以便一次镗出（图 10-22a），如在一根轴上装有不同直径的轴承时，可在直径小的轴承处加套环，使轴承孔具有相同直径（图 10-22b）。

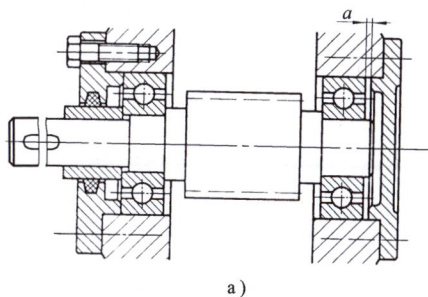

a)

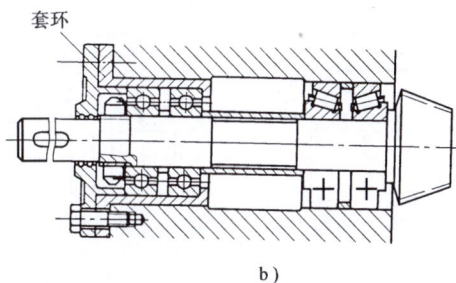

b)

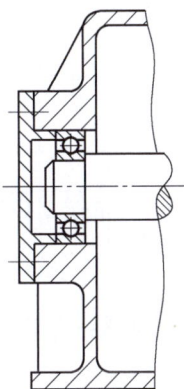

图 10-21　轴承座的刚度　　　　　图 10-22　轴承孔的同轴度

二、轴承的固定和调整

1. 轴承的固定

为了使轴及轴上零件在机器中有确定的位置，并能承受轴向载荷，必须固定轴承的轴向位置，同时还应考虑轴因受热伸长后不致将轴承卡死等因素。常用的轴承固定方法有以下三种。

（1）双支承单向固定　如图 10-22a 及图 10-23 所示，这种方法是利用轴肩顶住轴承内圈，轴承盖顶住轴承外圈，每一个支承只能限制单方向的轴向移动。考虑温升后轴的伸长，对深沟球轴承，安装时通过调整端盖端面与外壳之间垫片的厚度，使轴承外圈与端盖间留有 $a = 0.2 \sim 0.3$ mm 的间隙。对于向心推力轴承（30000 类及 70000 类），是在安装时使轴承内部留有适当的轴向间隙。此间隙是靠增减轴承端盖与箱体间的垫片（图 10-23）来保证的，也可用调节螺钉改变轴承外圈上压盖的位置来实现调整间隙（图 10-24）。这种固定结构简单，便于安装，但仅适用于温升不高的短轴。

（2）单支承双向固定　对于支承跨距较大（如大于 350mm）且工作温度较高的轴，由于其热伸长量大，应将一个支承处的轴承双向固定，而另一支承的轴承可沿轴向自由游动。作为固定支承的轴承，应能承受双向轴向载荷，故内外圈在轴向都要固定。作为补偿轴的热膨胀的游动支承，若使用的是内外圈不可分离型轴承，只需固定内圈，其外圈在座孔内应可以轴向游动（图 10-25）；若使用的是可分离型的圆柱滚子轴承或滚针轴承，则内外圈都要固定，如图 10-26 所示。当轴向载荷较大时，作为固定的支点可以采用向心轴承和推力轴承组合在一起的结构，如图 10-27 所示；也可采用两个角接触球轴承（或圆锥滚子轴承）"背对背"或"面对面"组合在一起的结构，如图 10-28 所示。

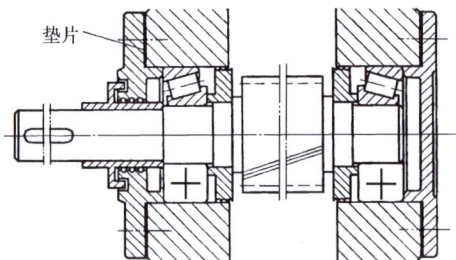

图 10-23　双支承的单向固定

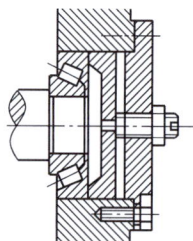

图 10-24　轴承的间隙调整

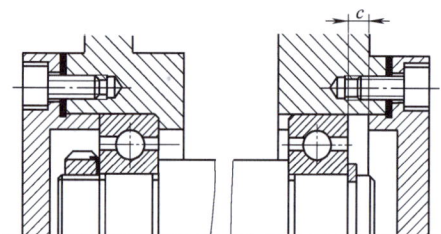

图 10-25　一端固定、一端游动支承方案之一

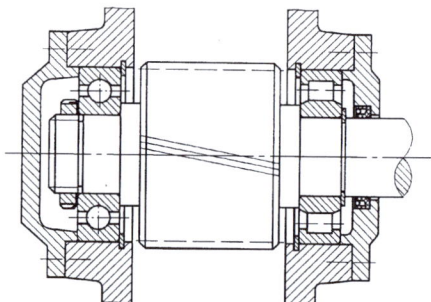

图 10-26　一端固定、一端游动支承方案之二

（3）两端游动支承　此种支承结构形式用得很少，只用于某些特殊情况，如人字齿轮小齿轮轴。由于人字齿轮的螺旋角加工不易左右一样，啮合传动时有左右移动，因此必须用两端游动的支承结构，否则人字齿轮两边受力不均匀。但大齿轮轴必须做成两端固定支承，以使轴承轴向定位。

内圈在轴上的轴向固定方法如图 10-29 所示，图 10-29a 为利用轴肩单向固定，只

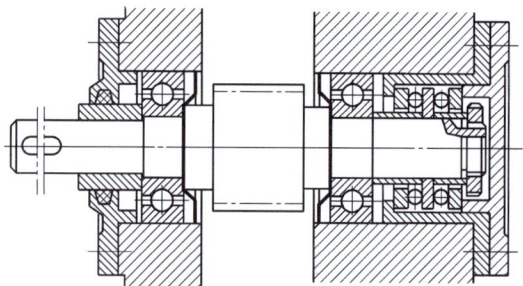

图 10-27　一端固定、一端游动支承方案之三

能承受单向轴向力；图 10-29b 为利用轴肩和弹性挡圈嵌入轴的环槽内作双向固定，用于轴向力不大和转速不高的情况；图 10-29c 为利用轴肩和轴端挡圈固定，可以承受高转速下大的轴向力；图 10-29d 为利用轴肩、圆螺母和止动垫圈固定，可以承受较大的轴向力。

外圈在轴承座孔内的轴向固定方法如图 10-30 所示。图 10-30a 为利用轴承端盖单向固定，可以承受很大的轴向力；图 10-30b 为利用轴承端盖和凸肩作双向固定，可以承受较大的双向轴向力；图 10-30c 为利用弹性挡圈和凸肩作双向固定，只能承受较小的轴向力。

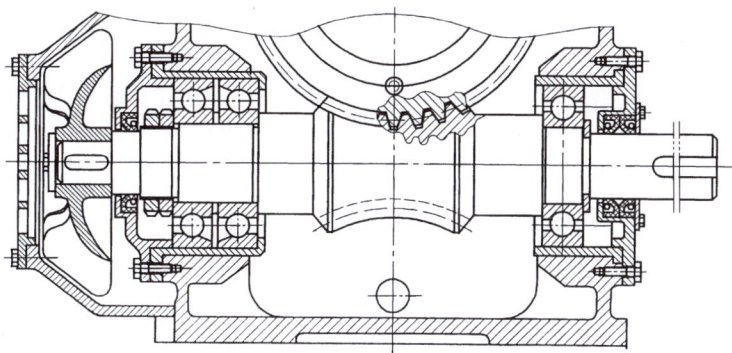

图 10-28 一端固定、一端游动支承方案之四

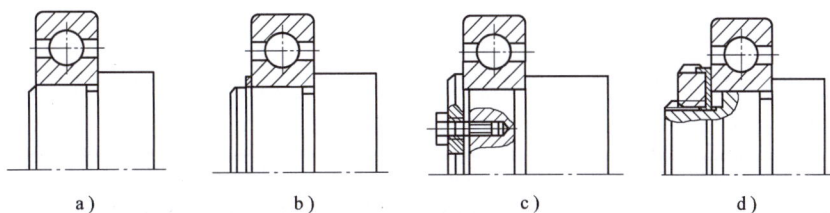

图 10-29 内圈轴向紧固的常用方法

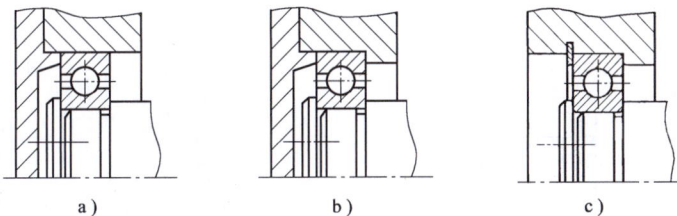

图 10-30 外圈轴向紧固的常用方法

2. 轴向位置的调整

为了使轴上零件具有准确的工作位置，要求轴承组合的轴向位置可以调整。如锥齿轮和蜗杆在装配时，通常就需要进行轴向位置的调整。为了便于调整，可将确定其轴向位置的轴承装在一个套杯中，套杯装在机座孔中，如图 10-31 所示的小锥齿轮支承结构和图 10-28 所示的蜗杆轴支承结构。通过增减套杯端面与机座之间垫片的厚度，即可调整锥齿轮或蜗杆的轴向位置，从而达到两锥齿轮锥顶共点或蜗轮的主平面通过蜗杆轴线的要求。端盖与套杯间的垫片，是用来调整轴承间隙的。

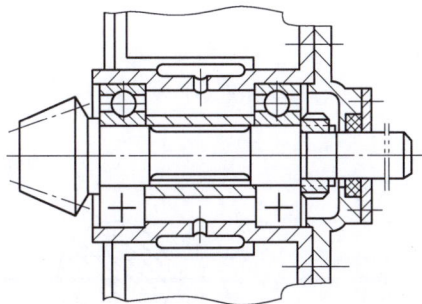

图 10-31 小锥齿轮轴向位置的调整

三、滚动轴承的配合和装拆

1. 滚动轴承的配合

滚动轴承的配合是指内圈与轴颈及外圈与轴承座孔的配合。由于滚动轴承是标准件，为

使轴承便于互换和大量生产，轴承内圈与轴颈的配合采用基孔制，即以轴承内孔的尺寸为基准；轴承外圈与座孔的配合采用基轴制，即以轴承的外径尺寸为基准。与内圈相配合的轴的公差带以及与外圈相配合的座孔的公差带，均按圆柱公差与配合的国家标准选取。

轴承配合种类的选取，应根据轴承的类型和尺寸，载荷的大小、方向和性质，转速高低、旋转精度和装拆方便等因素来决定。一般地说，当工作载荷方向不变时，转动的套圈采用有过盈的配合，固定的套圈采用有间隙或过盈不大的配合。转速越高，载荷和振动越大，旋转精度越高时，应采用较紧的配合。游动的套圈和经常拆卸的轴承则要采用较松的配合，以便于装拆和更换。此外，当轴承安装于薄壁外壳或空心轴上时，也应采用较紧的配合。

以上介绍了选择轴承配合的一般原则，具体选择时可结合机器的类型和工作情况，参照同类机器的使用经验进行。各类机器所使用的轴承配合以及各类配合的配合公差、配合表面粗糙度和几何形状允许偏差等资料可查阅有关手册。

2. 轴承的装拆

轴承组合设计时，应考虑轴承装拆方便。轴承内圈与轴颈配合通常较紧，在装拆时注意不要通过滚动体来传递装拆压力，以免损伤轴承。图 10-32 和图 10-33 所示分别为常见的安装和拆卸滚动轴承的情况。为便于装拆，应留有足够的拆卸高度，以便放入拆卸用的钩头。如拆卸高度不够，可在轴肩上开槽（图 10-34a）或在机体上制出拆卸用螺纹孔，可用拆卸螺钉顶出外圈（图 10-34b）。

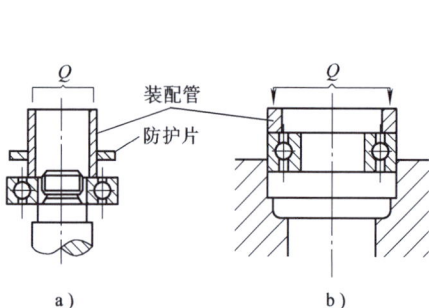

图 10-32　轴承的安装
a）装内圈　b）装外圈

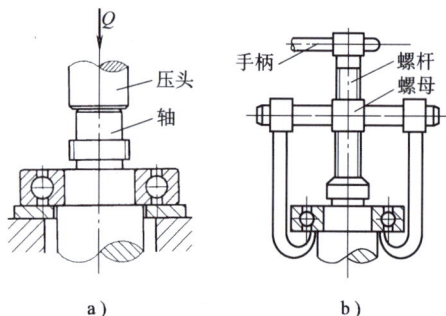

图 10-33　轴承的拆卸
a）用压力机拆卸　b）用拆卸器拆卸

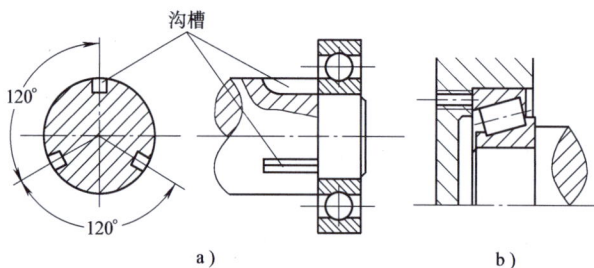

图 10-34　拆卸用沟槽和螺纹孔

对于尺寸较大的轴承，可将轴承先放入热油（80~120℃）中加热后进行热装。

例 10-2　设某支承根据工作条件决定选用深沟球轴承，其轴颈直径 $d=40$mm，轴的转速 $n=1450$r/min，根据受力分析知，轴承受径向载荷 $F_r=2480$N，受轴向载荷 $F_a=1080$N，预

期使用寿命 $L'_{10h}=5000h$，试选择其轴承型号。

解 根据选定的轴承类型及轴颈直径，初步选中系列 6308 轴承，由附录 3 查得 $C=40.8kN$，$C_0=24.0kN$。

1. 计算当量动载荷 P

$$F_a/C_0 = \frac{1080}{24000} = 0.045$$

查表 10-9，用插入法得 $e=0.245$，由 $F_a/F_r = \frac{1080}{2480} = 0.435 > e$，查表 10-9 得 $X=0.56$，用插入法得 $Y=1.767$，且查表 10-10，取 $f_P=1.1$。按式（10-10）得

$$P = f_P(XF_r + YF_a) = 1.1 \times (0.56 \times 2480 + 1.767 \times 1080)N$$
$$= 3627N$$

2. 验算基本额定动载荷

设轴承工作温度正常（低于 120℃），故取 $f_T=1$，按式（10-9）得所需基本额定动载荷 C' 为（球轴承 $\varepsilon=3$）

$$C' = \frac{P}{f_T}\sqrt[\varepsilon]{\frac{60nL'_{10h}}{10^6}} = \frac{3627}{1} \times \sqrt[3]{\frac{60 \times 1450 \times 5 \times 10^3}{10^6}}N$$
$$= 27481N < C = 40800N$$

故所选 6308 轴承合适。

注意：若 $C'>C$，则应重新选重系列或中宽系列轴承，并重新校核；若 $C' \ll C$，则可改选轻系列或特轻系列轴承。

例 10-3 如图 10-35 所示，根据工作条件决定在轴的两端反装一对 $\alpha=25°$ 的角接触球轴承，轴上作用的载荷 $F_r=3000N$，$F_a=1000N$，载荷平稳无冲击，轴的转速 $n=450r/min$，轴颈直径 $d=35mm$，轴承预期寿命 $L'_{10h}=12000h$，轴承工作温度正常，试选择轴承型号。

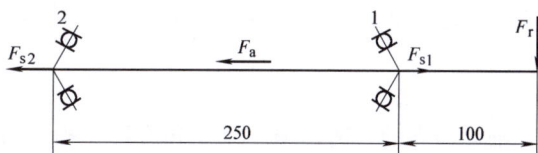

图 10-35 例 10-3 图

解 根据题中条件，初选两个型号均为 7207AC 的角接触球轴承，查附录 4 可知，7207AC 轴承的 $C=29000N$，$C_0=19200N$。

1. 计算两轴承受到的径向载荷 F_{r1} 和 F_{r2}

$$F_{r1} = \frac{3000 \times (250+100)}{250}N = 4200N$$

$$F_{r2} = \frac{3000 \times 100}{250}N = 1200N$$

2. 计算两轴承的派生轴向力 F_{s1}、F_{s2}

对于 70000AC 型轴承，按表 10-11，$F_s = 0.68F_r$，故得

$$F_{s1} = 0.68F_{r1} = 0.68 \times 4200N = 2856N$$

$$F_{s2} = 0.68F_{r2} = 0.68 \times 1200N = 816N$$

3. 计算两轴承所受的轴向力 F_{a1}、F_{a2}

由于

$$F_a + F_{s2} = 1000N + 816N = 1816N < F_{s1} = 2856N$$

故轴承 2 被"夹紧",轴承 1 被"放松"。

所以 $F_{a1} = F_{s1} = 2856N, F_{a2} = F_{s1} - F_a = (2856 - 1000)N = 1856N$

4. 计算两轴承当量动载荷 P_1 和 P_2

因为

$$\frac{F_{a1}}{F_{r1}} = \frac{2856}{4200} = 0.68 = e = 0.68$$

$$\frac{F_{a2}}{F_{r2}} = \frac{1856}{1200} = 1.55 > e = 0.68$$

由表 10-9 可查得径向载荷系数和轴向载荷系数为

对轴承 1　　　$X_1 = 1$　　　$Y_1 = 0$

对轴承 2　　　$X_2 = 0.41$　　　$Y_2 = 0.87$

因无冲击载荷,查表 10-10,取 $f_P = 1$。则

$$P_1 = f_P(X_1 F_{r1} + Y_1 F_{a1}) = 1 \times 1 \times 4200N = 4200N$$

$$P_2 = f_P(X_2 F_{r2} + Y_2 F_{a2}) = 1 \times (0.41 \times 1200 + 0.87 \times 1856)N = 2107N$$

5. 验算轴承寿命

因为 $P_1 > P_2$,所以按轴承 1 的受力验算

$$L_{10h} = \frac{10^6}{60n}\left(\frac{C}{P_1}\right)^{\varepsilon} = \frac{10^6}{60 \times 450} \times \left(\frac{29000}{4200}\right)^3 h = 12192.2h > L'_{10h} = 12000h$$

224

故所选轴承满足寿命要求。

第八节　轴承的润滑、润滑装置和密封装置

轴承润滑的目的是减少摩擦和磨损,提高效率和延长使用寿命,同时也起冷却、防锈、吸振和减少噪声等作用。

一、润滑剂的种类及其性能

润滑剂分为液体润滑剂、半固体润滑剂、固体润滑剂和气体润滑剂。

1. 液体润滑剂

液体润滑剂有油、水及液态金属(如液态钠、锂、汞等)。水润滑宜用于橡胶和塑料制成的轴承,而液态金属则主要用于高温、高真空的核反应堆及宇航装置中。在一般参数的机械中广泛使用的是润滑油,其中因矿物油(主要是石油产品)来源充足,成本低廉,适用范围广,而且稳定性好,故应用最多。合成油是通过化学合成方法制成的新型润滑油,它能满足矿物油所不能满足的某些特性要求,如高温、低温、高速、重载和其他条件,由于它多是针对某些特定需要制成,适用面窄,成本高,故一般机器应用较少。

润滑油最主要的性能指标是黏度,用以表示润滑油流动时内部摩擦阻力的大小,黏度越大,内摩擦阻力越大,流动性越差,工业上常用运动黏度来表示。其次还有衡量油的易燃性的指标——闪点,表示润滑油在低温下工作的重要质量指标——凝点(也称流动点)。选用时应使工作温度低于闪点 30~40℃,而高于凝点。

2. 半固体润滑剂

半固体润滑剂又称润滑脂，是在润滑油中加入稠化剂后形成的膏状混合物，这是除润滑油外应用最多的一类润滑剂。其主要性能指标是针入度（也称稠度），针入度越大即稠度越小，它标志着润滑脂内阻力的大小和受力后流动性的强弱。针入度越小，润滑脂越不易从摩擦面间被挤出，故承载能力高，密封性能好，但摩擦阻力大，不适用高速，同时也难以充填很小的间隙。其次还有标志润滑脂耐高温能力的滴点。选用时一般应使工作温度至少低于滴点 $15\sim20℃$。

3. 固体润滑剂

常用的固体润滑剂有石墨和二硫化钼、聚四氟乙烯等。应用时，主要是将其粉剂加入润滑油和润滑脂中，用以提高润滑性能。实践表明，润滑剂中添加二硫化钼后，滑动轴承的摩擦损失减少，温升降低，使用寿命提高，尤其对高温、重载下工作的轴承，润滑效果良好。

4. 气体润滑剂

任何气体都可以作为气体润滑剂，其中用得最多的是空气，另外还有氢、氦等气体，主要用在气体轴承中。气体黏度很小，仅为润滑油黏度的几千分之一，摩擦系数很小，承载能力低，故宜用于轻载高速条件下，也可用于需要防止产品污染的场合。

二、润滑剂的选择

对于液体摩擦滑动轴承主要是根据黏度来选择润滑油，并且希望温度变化时，润滑油的黏度变化越小越好。

对于非液体摩擦滑动轴承，目前也是按黏度选择润滑油。载荷大、温度高的轴承应选用黏度大的润滑油，载荷小、转速高的轴承应选用黏度小的润滑油。

润滑脂主要用在速度低、载荷大、不便经常加润滑油或那些不允许润滑油流失而致污染产品且使用要求不高的场合。一般按针入度选择，转速高、载荷小时，应选针入度较大的润滑脂；反之，应选用针入度小的润滑脂。

润滑油和润滑脂的具体选择可参阅有关《机械设计手册》。

三、润滑方式和润滑装置

低速和间歇工作的轴承可用油壶向轴承的油孔（图 10-36）内注油。为了不使污物进入轴承，可在油孔上安装压注油杯（图 10-37）。

比较重要的轴承应采用连续供油润滑方式。图 10-38 所示为针阀式油杯，当轴承需要供油时，可将手柄 1 直立，提起针阀 3，油即通过油孔自动缓慢而连续地流入轴承。需要停止供油时，可将手柄按倒，针阀即堵住油孔。供油量大小可用螺母 2 调节针阀的开起高度。

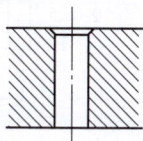

图 10-36　油孔

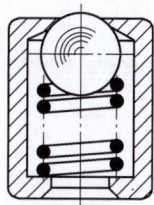

图 10-37　压注油杯

图 10-39 所示为芯捻油杯，利用棉纱的毛细管吸油作用将油滴入轴承，但应注意不要将芯捻碰到轴颈。其缺点是无法调节供油量。

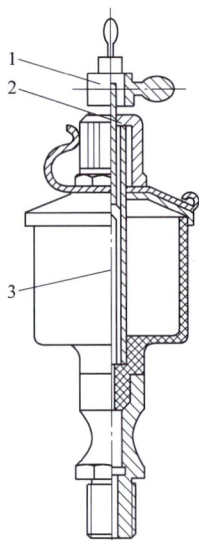

图 10-38　针阀式油杯

1—手柄　2—螺母　3—针阀

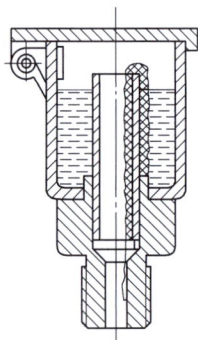

图 10-39　芯捻油杯

图 10-40 所示为油环润滑。油环 2 套在轴颈 1 上，其下部浸在油池中，当轴颈旋转时，靠摩擦力带动油环旋转，把油带入轴承。其供油量与轴的转速、轴环剖面形状和油的黏度有关。这种润滑方法适用于轴颈转速范围在 $100r/min<n<2000r/min$ 的场合。

此外，还可采用飞溅润滑，这是一般闭式齿轮传动装置中的轴承常用的润滑方法，即利用齿轮的转动把润滑齿轮的油甩到四周壁面上，然后通过沟槽把油引入轴承中去；转速高、载荷大、要求润滑可靠的轴承，可用液压泵将油增压，通过油管或机体上特制的油孔，经喷嘴将油喷射到轴承中去。流过轴承后的油，经过滤冷却后再循环使用。这种装置结构比较复杂，费用较高。

润滑脂只能间歇补充。图 10-41 所示的旋盖式油杯是润滑脂润滑中用得较多的润滑装置，润滑脂储存在杯体 2 内，杯盖 1 用螺纹与杯体联接，旋紧杯盖可将润滑脂压送到轴承孔内。

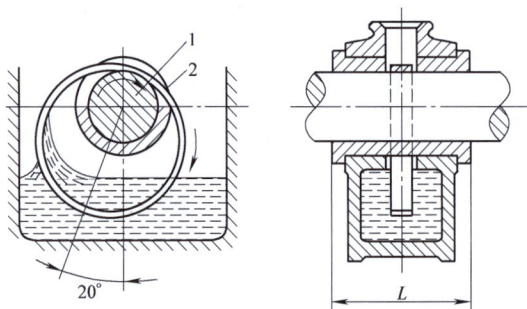

图 10-40　油环润滑

1—轴颈　2—油环

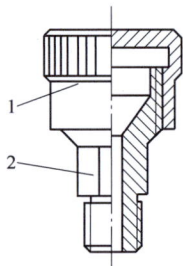

图 10-41　旋盖式油杯

1—杯盖　2—杯体

四、密封装置

轴承的密封装置是为了阻止灰尘、水、酸气和其他杂物进入轴承，并阻止润滑剂流失而设置的。密封装置可分为接触式及非接触式两大类。

1. 接触式密封

在轴承盖内放置弹性材料与转动轴直接接触而起密封作用。常用的有图 10-42 所示的毡圈式（图 10-42a）和皮碗式（图 10-42b）两种。前者主要用于低速场合，当采用粗毛毡时要求线速度 $v \le 3\text{m/s}$，而采用优质细毛毡，且轴经过抛光，则要求线速度 $v \le 10\text{m/s}$；后者所用的耐油橡胶制造的皮碗是标准件，借本身弹性压紧在轴上，适用于密封处速度 $v < 10\text{m/s}$ 的脂润滑和油润滑。接触式密封在接触处有较大摩擦，密封件易磨损，限制了使用速度，对与密封件接触的轴段的硬度、表面粗糙度均有较高的要求。

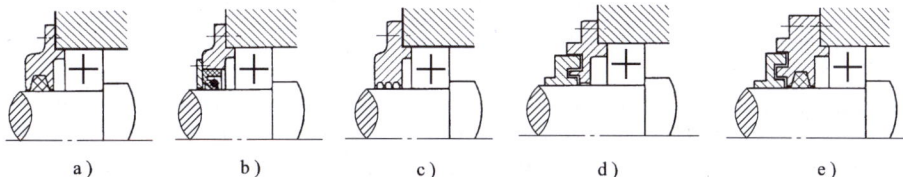

图 10-42 密封装置

2. 非接触式密封

非接触式密封避免了轴段与密封件的直接接触，适用于较高转速。常用的有图 10-42 所示的间隙式（图 10-42c）和迷宫式（图 10-42d）。前者利用轴和轴承盖孔之间充满润滑脂的微小间隙（0.1~0.3mm）实现密封，结构简单，适用于密封处速度 v 为 5~6m/s 的脂润滑或低速的油润滑；后者是旋转件与固定件之间制成迂回曲折的小缝隙，使用时也可在缝隙内填装润滑脂，可用于密封油润滑或脂润滑，密封处速度 v 可达到 30m/s，但其结构比较复杂，安装要求较高，当环境比较脏和比较潮湿时，采用此种密封是相当可靠的。

机械设备中有时还常将几种密封装置适当组合起来使用（图 10-42e），密封效果更好。

习 题

10-1 试说明液体摩擦滑动轴承和非液体摩擦滑动轴承的区别。

10-2 非液体摩擦滑动轴承有哪些常用的结构？各有什么特点？

10-3 油沟的作用是什么？应该如何正确布置油沟？

10-4 对轴瓦和轴承衬的材料有什么要求？

10-5 试设计某机械的转动轴上的非液体摩擦向心滑动轴承，已知轴颈直径 $d = 55\text{mm}$，轴颈处所受的径向载荷 $F_r = 2500\text{N}$，轴的转速 $n = 700\text{r/min}$，载荷平稳。

10-6 某推力滑动轴承，其轴颈为空心形，外径 $d_0 = 60\text{mm}$，内径 $d_1 = 22\text{mm}$，轴的转速 $n = 500\text{r/min}$，轴的材料为 45 钢，轴颈部分经淬火处理。轴承材料为青铜 ZCuSn10P1，试计算该轴承所能承受的最大轴向载荷 Q。

10-7 滚动轴承一般由哪些元件组成，各有什么作用？

10-8 试述滚动轴承的主要类型及其特点？

10-9　滚动轴承代号是怎样组成的，其中基本代号包括哪几项？如何表示？试说明下列滚动轴承代号的意义：6205、N308E/P4、30207、7208AC/P5、51106、1208。

10-10　试述滚动轴承的基本额定寿命、基本额定动载荷、当量动载荷、基本额定静载荷的含义。

10-11　一代号为6309的深沟球轴承，转速 $n = 1000\text{r/min}$，受径向载荷 $F_r = 2100\text{N}$，工作时有中等冲击，轴承工作温度估计在200℃左右，希望使用寿命不低于5000h。试验算该轴承能否满足要求？

10-12　已知轴承受径向载荷 $F_r = 3200\text{N}$，轴向载荷 $F_a = 750\text{N}$，转速 $n = 350\text{r/min}$，载荷有轻微冲击，希望轴承使用寿命大于12000h，由结构初定轴颈直径 $d = 40\text{mm}$，试选择深沟球轴承型号。

10-13　根据工作条件决定在轴的两端安装两个7307AC角接触球轴承，如图10-20b所示正装。工作时有中等冲击，转速 $n = 1200\text{r/min}$，两轴承所受的径向载荷分别为 $F_{r1} = 3400\text{N}$，$F_{r2} = 1100\text{N}$，轴向载荷 $F_a = 900\text{N}$，作用方向指向轴承1，试计算这两个轴承的工作寿命。

10-14　某转动装置由两个圆锥滚子轴承支承，"背靠背"安装。其中一个为30307，另一个为30306，所受的径向载荷分别为 $F_{r1} = 4600\text{N}$，$F_{r2} = 4000\text{N}$，外加轴向载荷 $F_a = 500\text{N}$，作用方向指向30306轴承，轴的转速 $n = 960\text{r/min}$，试计算两轴承的寿命（e、Y 值查《机械设计手册》）。

第十一章

Chapter

联轴器与离合器

联轴器和离合器都是用来连接两轴使其一起转动并传递运动和转矩的常用部件。本章分别简要介绍了几种常用联轴器和离合器结构特点及其使用条件，以便能够正确选用。

联轴器和离合器都是用来连接两轴使其一起转动并传递转矩的部件。联轴器只能在机器停车后用拆卸的方法使两联接部分分离；而离合器可在机器工作时使两连接部分接合或分离。

第一节 联轴器

联轴器的类型很多，根据内部结构是否包含弹性元件，可分为刚性联轴器和弹性联轴器两大类。弹性联轴器有弹性元件，故可缓和冲击，具有吸收振动的能力。刚性联轴器根据其结构特点又分为固定式和可移式两类。前者要求被连接的两轴严格对中，且工作时不发生相对位移，而后者允许两轴有一定的安装误差，并能补偿工作时可能产生的相对位移。

一、固定式刚性联轴器

刚性联轴器用于载荷平稳或有轻微冲击的两轴连接。

1. 套筒联轴器

图 11-1 所示的套筒联轴器是一种最简单的联轴器。它由连接两轴轴端的套筒和连接件（销钉或键）组成。这种联轴器结构简单，径向尺寸小，被连接的两轴必须能严格地同步转动，当机器过载时如果销能被剪断，则同时可作为安全装置使用。缺点是装拆时轴需做轴向移动，

使拆装工作极不方便。通常用于传递转矩较小的场合，被连接轴的直径一般不大于 100mm。

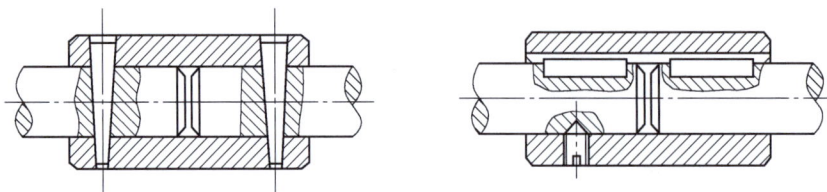

图 11-1　套筒联轴器

2. 夹壳联轴器（HG5-213-65）

图 11-2 所示夹壳联轴器由纵向剖分的两半筒形夹壳 1、2 和连接两夹壳的螺栓 3 组成。这种联轴器在装拆时轴不需做轴向移动，装拆比较方便，但外形复杂，平衡困难，使用时要加防护罩。主要用于低速，工作平稳及安装时不能很好对中的长轴之间的联接。

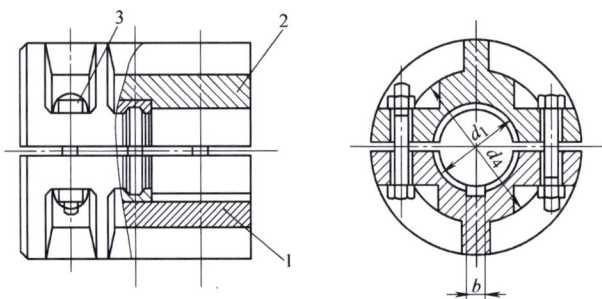

图 11-2　夹壳联轴器

1、2—半筒形夹壳　3—螺栓

3. 凸缘联轴器（GB/T 5843—2003）

图 11-3 所示凸缘联轴器由两个带毂的圆盘（凸缘）1、2 组成，圆盘 1、2 用键与轴相连，再用螺栓 3 将两圆盘连接起来。这种联轴器结构简单，能传递较大的转矩，对中精度可靠，因而应用广泛。缺点是不能缓冲和吸振，不能消除两轴的安装误差所引起的不良后果。如果提高其制造和安装精度，也可用于高速重载。

凸缘联轴器按结构分为 YLD 型和 YL 型两种。图 11-3a 所示的 YLD 型是利用两半联轴器的凸肩和凹槽定心，装拆时轴需做轴向移动，多用于不常拆卸的场合。图 11-3b 所示的 YL 型是利用铰制孔用螺栓定心，装拆较方便，但制造较麻烦，可用于经常装拆的场合。

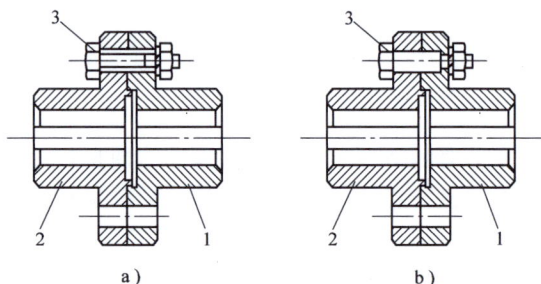

图 11-3　凸缘联轴器

a）YLD 型　b）YL 型

1、2—圆盘　3—螺栓

二、可移式刚性联轴器

可移式刚性联轴器用于被连接两轴的轴线有偏离、倾斜或在工作中两轴有相对位移的场合。

1. 滑块联轴器

图 11-4 所示滑块联轴器是由两个在端面上开有凹槽的半联轴器 1、3 和一个两端面具有
互相垂直的凸榫的中间圆盘 2 组成。两半
联轴器分别固定在主动轴和从动轴上，
中间圆盘上的凸榫则与两半联轴器上的
凹槽相嵌合而构成动连接，两轴线不同
轴或有偏斜时，圆盘将在凹槽内滑动，
以补偿轴线的偏移。

半联轴器的材料一般为 ZG270-500 或
45 钢，中间圆盘的材料一般为 45 钢。为

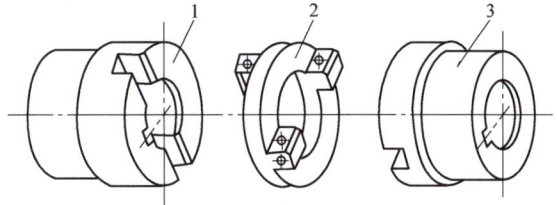

图 11-4　滑块联轴器
1、3—半联轴器　2—中间圆盘

防止滑动表面过早磨损，凹槽与凸榫表面应进行表面淬火，在使用时应对表面进行润滑。这
种联轴器结构简单，径向尺寸小，但高速时中间圆盘的偏心将产生较大的离心力而加剧磨
损，并有一定的功率损耗，故一般用于转速小于 250r/min、轴的刚度较大、且无剧烈冲击的
场合。两轴间允许的径向位移不大于 $0.01d+0.25$mm（d 为轴的直径），允许的角偏斜不大
于 40′。

2. 齿式联轴器（JB/T 8854.2—2001、JB/T 8854.3—2001 和 JB/T 5514—2007）

图 11-5 所示的齿式联轴器由两个带有内齿和凸缘的外套筒 3 和两个带有外齿的内套筒 1
组成。两个内套筒 1 分别用键与主、从动轴相连，两个外套筒 3 用螺栓 5 连成一体，依靠内
外齿相啮合以传递转矩。为了减少磨损，可由油孔 4 注入润滑油，并在内套筒 1 和外套筒 3
之间装有密封圈 6，以防止润滑油泄漏。

齿式联轴器中，所用齿轮的齿廓曲线为渐
开线，啮合角为 20°，齿数一般为 30~80，材料
一般为 45 钢或 ZG270-500。

齿式联轴器允许角位移小于或等于 30′。其
径向位移为 0.4~6.3mm，转速可达 3500r/min
（随联轴器尺寸而异）。

齿式联轴器的优点是能传递很大的转矩和
补偿适当的综合位移，因此常用于重型机械中。
但是，当传递大转矩时，齿间的压力也随着增
大，使联轴器的灵活性降低，而且其结构笨重、
复杂，制造也较困难。

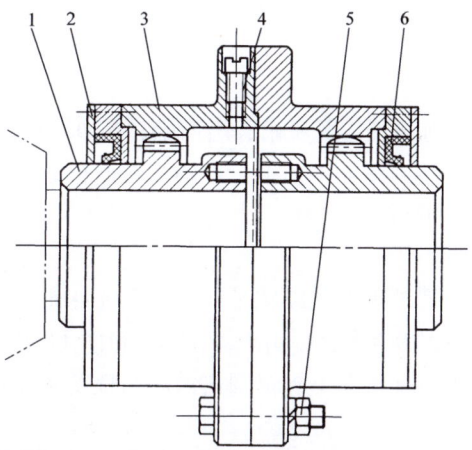

图 11-5　齿式联轴器
1—内套筒　2—端盖　3—外套筒
4—油孔　5—螺栓　6—密封圈

3. 万向联轴器

万向联轴器又称十字铰链联轴器，图 11-6
所示为其结构示意图，中间是一个相互垂直的
十字头 3，十字头的四端用铰链分别与轴 1、轴 2 上的叉形接头相连。因此，当一轴的位置
固定后，另一轴可以在任意方向偏斜 α 角，角位移 α 可达 40°~45°。为了增加其灵活性，可
在铰链处配置滚针轴承。

但是，单万向联轴器两轴的瞬时角速度并不时时相等，即当主动轴 1 以等角速度回转

时，从动轴 2 做变角速度转动。由于两轴的瞬时传动比不能保持恒定，因此引起附加动载荷。

轴 2 转动时角速度变化情况可以用图 11-7 所示的两个特殊位置进行分析。图 11-7a 是主动轴 1 的叉面转到图样平面时，从动轴 2 的叉面垂直于图样平面。设轴 1 的角速度为 ω_1，而轴 2 的角速度为 ω_2'，并取十字头的 A 点作为两轴的公共点。当将 A 点看成轴 1 上的一点时，其速度为

图 11-6 单万向联轴器
1、2—轴 3—十字头

单万向联轴节

$$v_{A1} = \omega_1 r$$

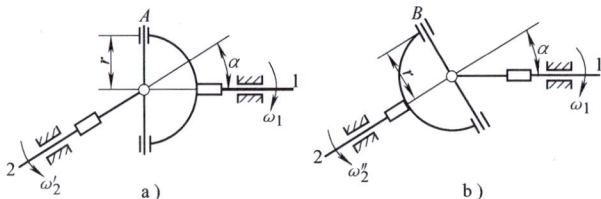

图 11-7 单万向联轴器的运动分析

而将 A 点看成轴 2 上的一点时，其速度为

$$v_{A2} = \omega_2' r\cos\alpha$$

显然，轴 1 上的 A 点与轴 2 上的 A 点速度相等，即 $v_{A1}=v_{A2}$，所以

$$\omega_1 r = \omega_2' r\cos\alpha$$

即

$$\omega_2' = \frac{\omega_1}{\cos\alpha} \qquad (11\text{-}1)$$

如图 11-7b 所示，当两轴转过 90°时，主动轴 1 的叉面垂直于图样平面，而从动轴 2 的叉面转到图样平面上。设轴 2 在此位置时的角速度为 ω_2''，取十字头上 B 点为两轴的公共点。同理可得

$$\omega_2'' = \omega_1 \cos\alpha \qquad (11\text{-}2)$$

若轴 1 再继续转过 90°时，则两轴的叉面又恢复到图 11-7a 的位置。由此可见，当轴 1 每转过 90°将交替出现图 11-7a 和图 11-7b 的图形。因此，轴 1 以等角速度 ω_1 回转时，轴 2 的角速度将在下列范围内做周期性变化，即

$$\omega_1\cos\alpha \leqslant \omega_2 \leqslant \frac{\omega_1}{\cos\alpha}$$

可见角速度 ω_2 变化剧烈的程度与两轴的夹角 α 有关，α 越大，ω_2 变化也越大，产生的动载荷也越大。

由以上分析可知，单独的万向联轴器存在着上述缺点，所以在机器中很少单独使用。实际应用中，常用双万向联轴器，即由两个单万向联轴器串连而成，如图 11-8 所示。当主动轴 1 以等角速度旋转时，带动中间轴 C 做变角速度旋转，利用对应关系，再由中间轴 C 带动从动轴 2 以与轴 1 相等的角速度旋转。

要使双万向联轴器主、从动轴实现同步转动，必须满足下列三个条件：

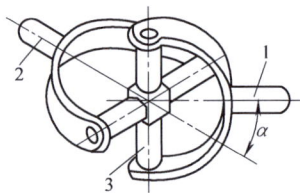

232

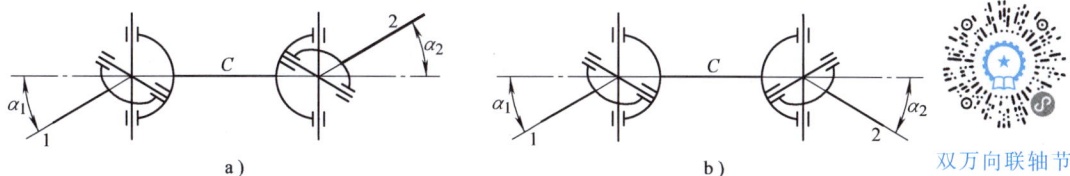

a）　　　　　　　　b）

双万向联轴节

图 11-8　双万向联轴器

1）中间轴、主动轴和从动轴的轴线应在同一平面内。

2）中间轴两端的叉面必须位于同一平面内。

3）中间轴与主、从动轴之间的轴间夹角必须相等，即 $\alpha_1 = \alpha_2$。

三、弹性联轴器

1. LT 型弹性套柱销联轴器（GB/T 4323—2017）

图 11-9 所示 LT 型弹性套柱销联轴器结构上与凸缘联轴器很近似，只是用套有数个橡胶圈的柱销代替了连接螺栓。

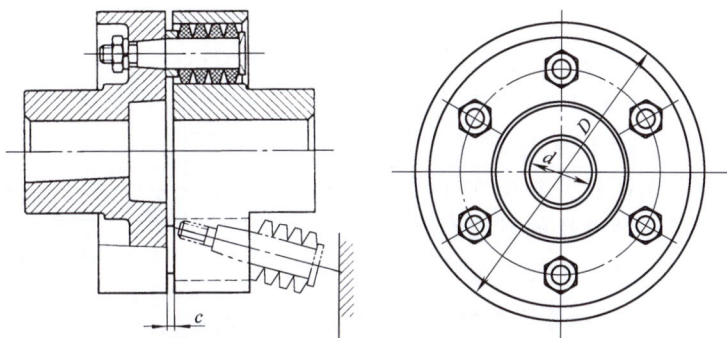

图 11-9　LT 型弹性套柱销联轴器结构

这种联轴器结构简单，装拆方便，易于制造，安装时如果两圆盘之间留有间隙，则利用弹性柱销的变化可以补偿较大的轴向位移、微量的径向位移和角度偏斜。但弹性圈容易磨损和老化，故寿命较短。它适用于正反转变化多、载荷较平稳或起动频繁的中小功率的两轴连接上。

2. 弹性柱销联轴器（GB/T 5014—2017）

采用尼龙柱销来代替橡胶套圈，称为弹性柱销联轴器，如图 11-10 所示。为了防止柱销脱落，在半联轴器的外侧，用螺钉固定了挡板。这种联轴器与弹性套柱销联轴器很相似，但传递转矩的能力很大，结构更为简单，制造、安装及维修方便，寿命长，也有一定的缓冲和吸振能力，允许被连接两轴有一定的轴向位移以及少量的径向位移和角度偏斜，适用于轴向窜动量较大、正反转变化较多和起动频繁的场合。由于尼龙对温度较敏感，故使用温度限制在 20~70℃ 的范围内。

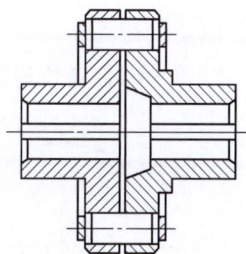

图 11-10　弹性柱销联轴器

233

第二节 离合器

离合器按工作原理可分为啮合式离合器和摩擦式离合器两大类。前者利用接合元件的啮合来传递转矩，而后者则依靠接合面间的摩擦力来传递转矩。

啮合式离合器主要优点是结构简单，外廓尺寸小，传递的转矩大，但接合只能在停车或低速下进行。

摩擦式离合器的主要优点是接合平稳，可在较高的转速差下接合，但接合中摩擦面间必将发生相对滑动。这种滑动要消耗一部分能量，并引起摩擦面的发热和磨损。

按照操纵方式，离合器有机械操纵式、电磁操纵式、液压操纵式和气动操纵式等多种形式，它们统称为操纵式离合器。能够自动进行接合和分离而且不需人来操纵的称为自动离合器，例如，当离心离合器转速达到一定值时，两轴能自动接合或分离；安全离合器则当转速超过其极限值时，两轴即自动分离；定向离合器只允许单向传递运动，反转时则自动分离。

一、牙嵌离合器

这是一种啮合式离合器，如图 11-11 所示。它由两个端面带牙的半离合器 1、2 组成，其中 1 紧配在轴上，而 2 可以沿导向平键 3（或花键）在另一根轴上移动。利用操纵杆移动滑环 4 可使两半离合器接合或分离。为了避免滑环的过度磨损，可动的半离合器应装在从动轴上。为便于两轴对中，在半离合器 1 上固定有对中环 5，从动轴端则可在对中环中自由转动。

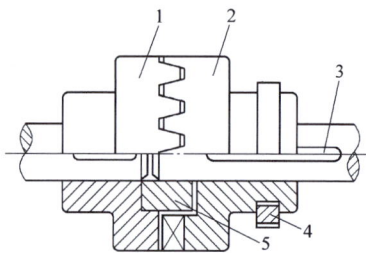

图 11-11 牙嵌离合器
1、2—半离合器 3—键 4—滑环 5—对中环

离合器牙的形状有三角形、矩形、梯形和锯齿形（图 11-12）。三角形牙离合很方便，但磨损较快，强度较弱，传递转矩小，适用于低速。矩形牙和梯形牙均能双向工作，但由于梯形牙具有侧边斜角 $\alpha = 2° \sim 8°$，所以它比矩形牙容易离合，并能补偿牙齿的磨损和消除牙侧间隙，因而可以避免速度和载荷变化时因间隙而产生冲击振动；同时梯形牙的齿根强度较高，能传递较大转矩，所以应用甚广。锯齿形牙容易离合，强度高，能传递很大的转矩；但是，只能单向工作，反转时由于有较大的轴向分力，会迫使离合器自动分离。各牙应精确等分，以使载荷均布。

若要求离合器传递转矩较大，则应选用较少的牙数；要求接合时间较短，则应选用较多

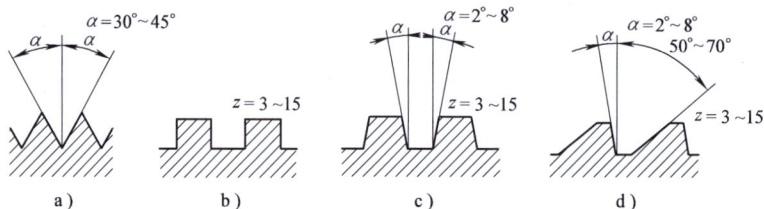

图 11-12 牙嵌离合器的牙型

的牙数。但牙数越多，载荷分布就越不均匀。为了减轻牙面磨损，对钢制离合器需经表面淬火处理，以提高牙面硬度。

牙嵌离合器只适用于速度较低和不需要在运转过程中接合的场合。

二、摩擦离合器

摩擦离合器是靠两接触表面之间的摩擦力来传递转矩的。它可在两轴运转中或转速不同时进行离合；不仅能控制离合器的接合过程，还能减小接合时的冲击和振动，实现平稳的接合；当过载时，离合器打滑，可避免损坏其他重要零件，起到安全装置的作用。对于经常起动、制动或频繁改变速度大小和方向的机械，如汽车、拖拉机等，摩擦离合器是一个重要的部件。

摩擦离合器的形式很多，其中以圆盘摩擦离合器应用最广。图 11-13 所示为单片圆盘摩擦离合器。主动摩擦盘 2 与主动轴 1 用平键连接，从动摩擦盘 3 与从动轴 4 通过导向平键连接。工作时，利用操纵装置对从动摩擦盘 3 上的滑环 5 施加一轴向压力 Q，使从动摩擦盘 3 向右移动与主动摩擦盘 2 接触并压紧，从而产生摩擦力将转矩和运动传给从动轴 4。单片摩擦离合器的结构简单，散热性能好，但传递的转矩较小。

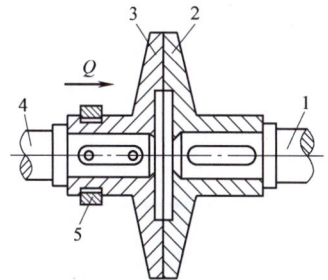

图 11-13 单片圆盘摩擦离合器

1—主动轴 2—主动摩擦盘
3—从动摩擦盘 4—从动轴 5—滑环

为了传递较大的转矩，可采用图 11-14 所示的多片圆盘摩擦离合器，主动轴 1 用键与外壳 2 相连接；从动轴 10 也用键与内套筒 9 相连。一组外摩擦片 4（图 11-14b）的外圆与

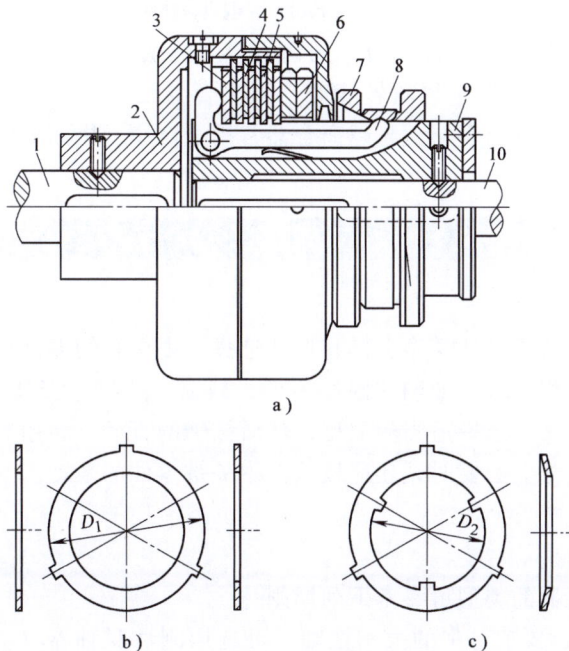

a)

b)   c)

图 11-14 多片圆盘摩擦离合器

1—主动轴 2—外壳 3—压板 4—外摩擦片 5—内摩擦片 6—调节螺母
7—滑环 8—压杆 9—内套筒 10—从动轴

外壳之间通过花键连接，而其内圆不与其他零件接触；另一组内摩擦片 5（图 11-14c）的内圆与内套筒之间也通过花键连接，其外圆不与其他零件接触。当滑环 7 沿轴向移动时，将拨动曲臂压杆 8，使压板 3 压紧或松开内、外两级摩擦片，从而使主、从动轴接合或分离。调节螺母 6 是用于调节内、外两组摩擦片之间的间隙大小的。

多片摩擦离合器可以通过增加摩擦片的数目，而不增加轴向力来传递较大的转矩，故其径向尺寸可较小。但摩擦片数目不能太多，否则将影响分离的灵活性。此外，中间摩擦片的冷却比较困难，因而一般摩擦片数目不多于 10~13 对，但对于在静止时压紧的安全离合器，其对数可多一些。为防止摩擦面磨损不均匀和摩擦片表面的温升不一致，造成圆盘摩擦片翘曲而影响其正常工作，通常可取摩擦片的内、外直径之比为 0.5~0.85。

三、超越离合器

图 11-15 所示为常见的滚柱式超越离合器。它由星轮 1、外壳 2、滚柱 3 和弹簧推杆 4 所组成。弹簧推杆 4 的作用是将滚柱 3 压向楔形槽，以保持滚柱、星轮和外壳之间的接触。星轮和外壳分别与主动轴和从动轴（或其他零件）相连，当星轮按顺时针方向转动时，滚柱借摩擦力作用被楔紧在槽内，并带动外壳一起转动，这时离合器即处于接合状态。反之，当星轮按逆时针方向转动时，滚柱被推到星轮的宽敞部分，使离合器处于分离状态，所以称为定向离合器。星轮和外壳均可作为主动件。

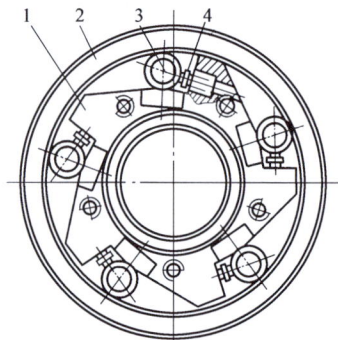

图 11-15　滚柱式超越离合器
1—星轮　2—外壳
3—滚柱　4—弹簧推杆

当星轮与外壳做顺时针方向的同向回转时，根据相对运动原理，若外壳转速小于星轮转速时，则离合器处于接合状态。反之，如外壳转速大于星轮转速时，则离合器处于分离状态，因此称为超越离合器。超越离合器常用于汽车、机床等的传动装置中。

第三节　联轴器和离合器的选择

联轴器和离合器的选择包括类型选择和尺寸选择。由于它们多已标准化和系列化，所以通常可先根据机械的工作要求，如轴的同心条件、载荷、速度、安装、维修、使用、外形、绝缘要求以及制造等因素，选择适当的类型，然后按轴的直径、转速和计算转矩从有关手册中查出适当的型号和尺寸。必要时，还应校核其中关键零件的强度。

一、类型选择

选择联轴器和离合器的类型可参考下列原则：

1）对低速、重载，要求对中的大刚性轴，可选用刚性联轴器（如凸缘联轴器等）。若两轴有随时分离要求，可选用牙嵌离合器。

2）对低速、刚性小，有偏斜的轴，可选用可移式刚性联轴器或弹性联轴器，如滑块联轴器、齿式联轴器或弹性套柱销联轴器。若两轴有随时分离要求，可选用摩擦离合器。

3）对高速、变载荷，起动频繁的轴，最好选用具有缓冲和减振能力的弹性联轴器。若两轴有随时分离要求，双向传动的可选用摩擦离合器，单向传动的可选用超越离合器。

二、型号和尺寸选择

当联轴器或离合器的类型确定之后，可根据被联接轴的直径、转速和计算转矩，从手册中选定具体型号和尺寸，并应注意：两轴直径应在所选型号规定的孔径范围之内；轴的最大转速应小于或等于所选型号的规定值。

由于机器运动时的惯性力和过载影响，轴所传递的最大转矩比正常工作时的转矩大得多，并且不易准确求出。因此常以计算转矩作为选择和计算的依据，其值为

$$T_c = KT$$

式中，T_c 为计算转矩（N·m）；T 为工作转矩（N·m）；K 为载荷系数，其值可根据原动机和工作机的性质以及所选用的联轴器和离合器的类型，由表 11-1 查出，或根据各种机械的使用经验确定。

表 11-1　载荷系数

机械名称	K
带式运输机、鼓风机、连续运转的金属切削机床	1.25~1.5
离心泵、螺旋运输机、链式和刮板式运输机	1.5~2.0
发电机	1.0~2.0
往复运动的金属切削机床	1.5~2.5
活塞式泵、活塞式压缩机	2.0~3.0
球磨机、破碎机、冲剪床	2.0~3.0
升降机、起重机、电梯	3.0~5.0

习　题

11-1　联轴器和离合器的主要功用是什么？它们的功用有何异同？

11-2　常用的联轴器有哪些主要类型？各具有什么特点？试从实际机器中举例说明其应用场合。

11-3　刚性凸缘式联轴器有哪几种对中方法？各种对中方法的特点是什么？

11-4　万向联轴器有何特点？双万向联轴器安装时应注意什么问题？

11-5　牙嵌离合器和摩擦式离合器各有什么特点？试从实际机器中举例说明。

11-6　为什么要按计算转矩来选择联轴器和离合器？

第十二章

Chapter

平衡和调速

在高速机械和精密机械中，平衡和调速是两个不可忽视的动力学问题。本章简要介绍了刚性回转件的平衡、平面机构的平衡以及机械速度波动调节的基本概念。

第一节　回转件的平衡

机械中转动的构件，由于结构、工艺和材料组织的不均匀性等原因，其质心可能不在转动轴线上，转动时会使回转件产生一定大小和方向的离心惯性力或惯性力偶矩。它们的方向随着构件转动而发生周期性的变化，因而对轴承产生附加动压力，使机械及其基础发生周期性振动，不仅易引起机械中零件的疲劳损坏，还影响机械的工作质量和寿命。如果振动的频率接近振动系统的自然频率而引起共振，会使附近工作的机械和厂房建筑发生振动，甚至可能使之遭到破坏。为了完全地或部分地消除惯性力的不良影响，就必须设法将构件的不平衡惯性力加以消除或减小，这就是回转件平衡的目的。

回转件的平衡原理是基于理论力学中的力系平衡理论。如果只要求其惯性力达到平衡，则称之为静平衡；如要不仅要求其惯性力达到平衡，而且要求惯性力引起的力矩也达到平衡，则称之为动平衡。

一、回转件的静平衡

1. 静平衡原理

对于轴向尺寸较小的盘形回转件，如齿轮、盘形凸轮、带轮、叶轮、螺旋桨等，它们的质量可以被近似认为分布在垂直于其回转轴线的同一平面内。在此情况下，若其质心不在回转轴线上，则当其转动时，其偏心质量就会产生惯性力。因这种不平衡现象在回转件静态时即可表现出来，故称其为静不平衡。对这类回转件进行静平衡，可利用在回转件上增加或除去一部分质量的方法，使其质心与回转轴心重合，即可使回转件的惯性力得以平衡。

如图 12-1a 所示，已知盘形回转件的偏心质量分别为 m_1、m_2、m_3、m_4，其回转半径分别为 r_1、r_2、r_3、r_4，则当回转件以角速度 ω 回转时，各个质量将产生惯性力

$$F_i = m_i r_i \omega^2 \qquad i = 1, \ 2, \ 3, \ 4 \quad (12\text{-}1)$$

式中，r_i 为由旋转轴线到各不平衡质量 m_i 质心所在位置的矢径。

所有质量产生的惯性力合成后的总惯性力为

$$F = \omega^2 \sum m_i r_i \qquad (12\text{-}2)$$

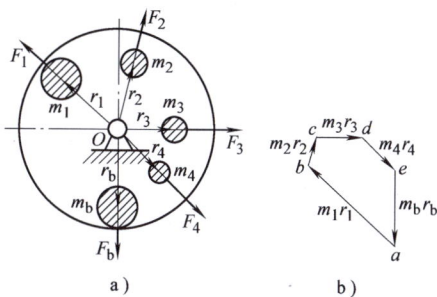

图 12-1 同一平面内静平衡

由平面汇交力系的平衡条件知，为平衡这个离心总惯性力，可以在此回转件上施加一个平衡质量 m_b，使它产生的惯性力 F_b 与不平衡的总惯性力 F 大小相等而方向相反，即可获得平衡。即

$$F + F_b = 0 \qquad (12\text{-}3)$$

而

$$F_b = m_b r_b \omega^2 \qquad (12\text{-}4)$$

式中，r_b 是由旋转轴线到施加的平衡质量 m_b 质心所在位置的矢径。

故

$$\sum m_i r_i + m_b r_b = 0 \qquad (12\text{-}5)$$

质量 m 与回转半径的矢径 r 的乘积称为质径积，取定比例尺后，作封闭矢量多边形如图 12-1b 所示，即可得平衡质量的质径积 $m_b r_b$，方向为 ea 方向。若选定半径 r_b，即可求得应加的平衡质量 m_b。r_b 通常应尽可能选得大些，以便减少平衡质量 m_b。若该回转件的结构允许时，也可在 r_b 的反方向按 $-m_b r_b$ 除去相应质量的材料，同样可以获得静平衡。

2. 静平衡试验

按上述计算方法加上平衡质量后的回转件，理论上总质心已与转动轴线相重合，但由于制造和装配的误差、材质不均匀等原因，实际上还多少会存在一些不平衡，对重要的回转件，仍需要用试验方法加以平衡。

如图 12-2 所示，将需要平衡的回转件用轴安放在两根水平的刀口形钢制导轨 A 上。如果该回转件不平衡，则由点 S 处的偏心质量所产生的重力 Q 将对轴心 O 产生静力矩从而使回转件在导轨上滚动。当滚动停止时，其质心必位于轴心的铅垂线下方。如图 12-2 中双点画线所示，此时可在质心的相反方向（连心线的上方）选定偏距处，试加一平衡质量（通常用橡皮

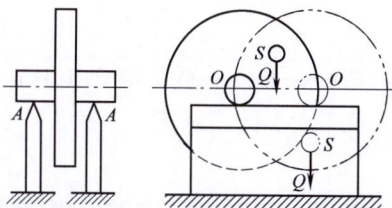

图 12-2 静平衡试验

泥）继续试验，不断调整这个质量或改变偏距值，直至该回转件达到任意位置都能静止不动为止，然后记下所添加的平衡质量及其质径积，并在同一方位上以相等质径积的金属焊至该回转件上，或在其相反方向去掉相等质径积的构件材料，即可使该回转件达到静平衡。

二、回转件的动平衡

1. 动平衡原理

对于轴向尺寸较大的转动构件，如内燃机曲轴、电机转子和机床主轴等，其质量就不能视为分布在同一平面内了。在这种情况下，即使回转件的质心在回转轴线上（图12-3），由于各偏心质量所产生的惯性力不在同一回转平面内，因而将形成惯性力偶矩，所以仍然是不平衡的。而且该力偶矩的作用是随回转件的回转而变化的，故不但会在支承中引起附加动压力，也会引起机械设备的振动。对这类回转件进行平衡，要求回转件在运转时其各偏心质量产生的惯性力和惯性力偶矩同时得以平衡，称为动平衡。其计算方程为

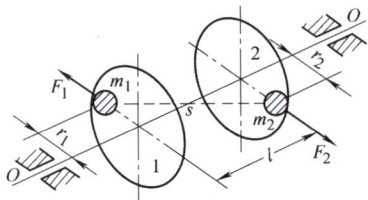

图 12-3　不在同一回转平面内的平衡

$$\sum F_i = 0 \qquad \sum M_i = 0 \qquad (12\text{-}6)$$

如图12-4所示，设不在同一平面的三个偏心质量分别为 m_1、m_2、m_3，分别分布于1、2、3三个回转平面内，它们的回转半径分别为 r_1、r_2、r_3，方向如图12-4所示。当回转件以角速度 ω 回转时，它们产生的惯性力 F_1、F_2、F_3，将形成一空间力系。为了平衡惯性力偶矩，须选取两个适当平面，如平面 I 和平面 II。具体计算方法如下：

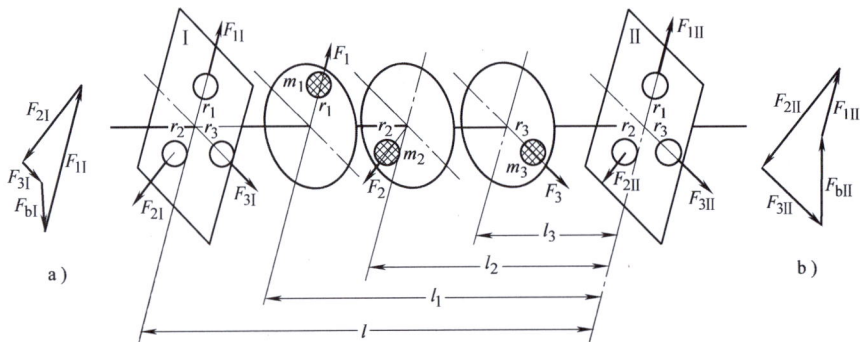

图 12-4　不在同一回转平面内的平衡分析

首先把不在同一平面的惯性力分别按理论力学方法分解到平衡平面 I 和平面 II 中，即

$$F_{iⅠ} = F_i l_i / l \qquad F_{iⅡ} = F_i (l - l_i) / l \qquad (12\text{-}7)$$

然后在平衡平面 I 和平面 II 中，分别按静平衡方法计算求得平衡时所需的质径积。例如，就平衡平面 I 而言，平衡条件是

$$F_{1Ⅰ} + F_{2Ⅰ} + F_{3Ⅰ} + F_{bⅠ} = 0 \qquad (12\text{-}8)$$

将式（12-7）代入上式并经整理得

$$m_1 r_1 l_1 / l + m_2 r_2 l_2 / l + m_3 r_3 l_3 / l + m_{bⅠ} r_{bⅠ} = 0 \qquad (12\text{-}9)$$

同理可求得平衡平面 II 内的平衡质径积 $m_{bⅡ} r_{bⅡ}$，如图12-4b所示。

由上述分析可知，由于动平衡同时满足了静平衡的条件，所以经过动平衡的回转件则一定满足静平衡；然而，静平衡的回转件则不一定满足动平衡。

240

2. 动平衡试验

回转件动平衡试验是在动平衡试验机上进行的。动平衡试验机有各种不同的形式，各种动平衡试验机的构造及工作原理也不尽相同，但其作用都是用来确定需加于两个平衡平面的平衡质量的大小和方位。目前普遍采用的是一种软支承式电测动平衡试验机。其工作原理是当不平衡回转件回转时，离心惯性力作用在支承上，使支承受迫振动。因此，可通过测量其支承振动参数转换成回转件的不平衡量的大小和方向。图 12-5 所示为电测动平衡试验机的工作原理。当回转件转动后引起左右支承按一定

图 12-5　电测动平衡试验机的工作原理
1、2—传感器　3—解算电路　4—选频器
5—鉴相器　6—基准信号发生器
7、8—指示表

方式振动，由传感器 1、2 拾得信号，然后将信号送入解算电路 3 内进行处理，以清除左、右两平衡面之间的相互影响，经选频器 4 将信号放大后，直接由指示表 7 显示出不平衡质径积大小。经选频放大的信号与基准信号发生器 6 产生的电信号一起输入鉴相器 5，经过鉴相器处理放大后，通过指示表 8 显示回转件平衡面内的不平衡质径积的方位。停机后，在平衡面内按指示表 8 所示方位的反方向上，按指示表 7 显示的结果添加平衡质量，以使转子达到一定精度的动平衡。

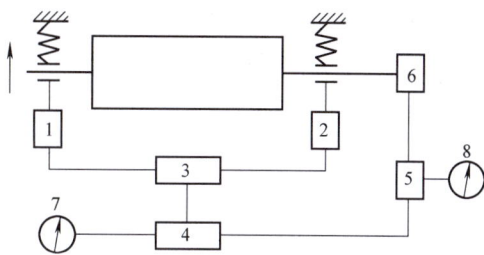

第二节　平面机构的平衡简介

如前所述，回转件在运动中所产生的惯性力可以在构件本身上加以平衡。而对于机构中做往复运动或平面复合运动的构件，其在运动中产生的惯性力则不可能在构件本身上予以平衡，必须就整个机构设法加以平衡。下面举例说明平面机构平衡的一些通用做法。

一、完全平衡法

1. 采用对称机构平衡法

图 12-6a、b 所示分别为对称曲柄滑块机构和对称曲柄摇杆机构。由于机构各构件尺寸和质量对称布置，在运动过程中机构的总质心位置保持不变。因此，机构的总惯性力为零。利用对称布置可得到很好的平衡效果，只是采用这种方法将使机构的体积大为增加。

2. 利用平衡质量平衡

如图 12-7 所示的铰链四杆机构中，S_1、S_2、S_3、S_4 为各杆质心位置。利用适当计算方法，将 AB、BC、CD 各杆质量假想分配到 A、B、C、D 四点上，并用该四点的假想集中质量代替原构件 AB、BC、CD 的真实质量，由于 A、D 固定不动，可知分配到 A、D 两点的假想质量惯性力为零，因此只需考虑 B、C 两点分配的假想质量惯性力的影响。若在 BA 方向延长线上加装一定质量 m'_B，在 CD 方向延长线上加装一定质量 m'_C，并使 B 点、B' 点两质量的质心位置位于 A，使 C 点、C' 点两质量的质心位置位于 D，则其两个质心落在固定点 A 和 D（即机架上），因此整个机器质心不会运动，也就不会产生惯性力，从而达到机构的平衡。

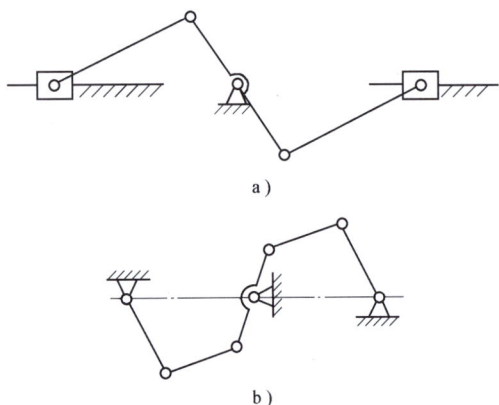

图 12-6 对称机构平衡法
a）对称曲柄滑块机构 b）对称曲柄摇杆机构

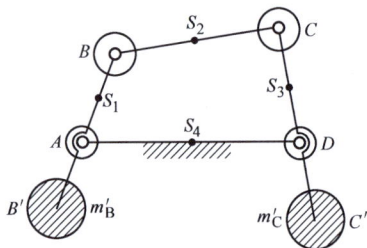

图 12-7 加装平衡质量平衡

二、部分平衡法

1. 利用非完全对称机构平衡

在图 12-8 所示机构中，当曲柄 AB 转动时，滑块 C 和 C' 的加速度方向相反，它们的惯性力方向也相反，故可以相互抵消。但由于运动规律不完全相同，所以只能部分平衡。

2. 利用平衡质量平衡

在图 12-9 所示的曲柄滑块机构 ABC 中，当 AB 以角速度 ω 转动时，滑块 C 产生惯性力 F_C。在 BA 方向延长线上加装一平衡质量 m'_B，产生一定量水平向左的惯性力分量 F_{ex}，以抵消滑块惯性力 F_C 的一部分，所以称为部分平衡法。由图可知，B' 处安装质量也产生铅垂方向惯性力 F_{ey}，解决方法是添装辅助机构及配重。详细方法，请参考机械原理平面机构平衡部分。

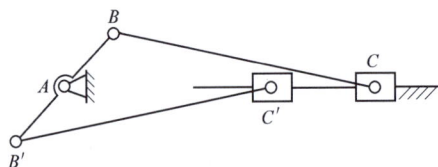

图 12-8 加装相似机构的部分平衡法

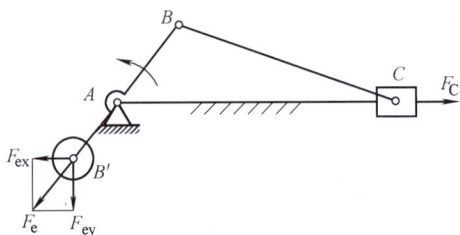

图 12-9 加装平衡质量的平衡法

第三节　机械速度波动的调节

一、机械速度波动调节的目的和方法

机械是在外力（驱动力和阻力）作用下运转的。根据功能原理，若驱动力所做的功在

任意时间间隔内都等于阻力所做的功，则机械的动能不变，机械才可能匀速运转。但在实际的工作中，由于驱动力所做的功和阻力所做的功不可能时时相等，若驱动力所做的功大于阻力所做的功，则出现盈功；反之，出现亏功。盈功或亏功将引起机械动能的增加或减少，从而引起机械运转速度的波动。

机械速度波动不但会导致在运动副中产生附加的动压力，降低机械效率，而且会使机械产生振动，从而降低机械的寿命和工作质量。因此，必须采取措施把速度波动限制在允许的范围内，以减小上述不良影响。这就是调节机械速度波动的目的。

1. 非周期性速度波动与调节

在机械的稳定运转时期内，如果驱动力或阻力发生突变，使驱动力所做的功总是大于或小于阻力所做的功，机器的速度将持续上升或持续下降，最终导致机器速度过高而毁坏，或者迫使机械停车。如汽轮发电机组在供汽量不变而用电量突然增减时，就会出现这类情况。这种受无规律因素的影响而引起的速度波动称为非周期性速度波动。这种速度波动可用调速器调节。

调速器是一种自动调节装置，有机械式、电子式等多种形式。图 12-10 所示为柴油机的离心式调速器的工作原理图。当工作机 1 负荷突然变小时，柴油机 2 的输出转速随之升高，通过齿轮 3、4 使调速器主轴的转速随之升高。这时重球 G 和 G′因离心力增大而向外张开，带动滑套 5 上移，通过套环 6 和连杆等将节流阀门 7 关小，以减少供油量，从而使外界对柴油机的输入功减少，驱动力减小，并最终与负荷相适应从而达到新的平衡，此时转速降低后达到稳定。反之相反，这样就避免了出现过大的速度波动。

2. 周期性速度波动与调节

对于大部分机械来说，在其稳定运转时期内，其主轴运动一般将按一定运动循环作周期性的反复变化，在整个运动周期中，驱动力所做的功虽然与阻力所做的功相等，但是，在周期中的某一时间内，驱动力所做的功与阻力所做的功一般说是不相等的，因而出现速度波动。这种有规律的、周期性的速度变化称为周期性速度波动。其调节方法通常是在机器主轴上安装一个具有很大转动惯量 J_F 的回转件，这种回转件通常称为飞轮。当飞轮以角速度 ω 回转时所具有的动能为 $E=\frac{1}{2}J_F\omega^2$，盈功时飞轮将这些能量储存

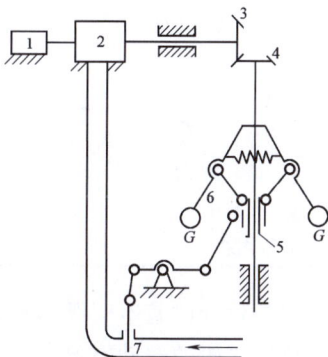

图 12-10 柴油机的离心式调速器的工作原理图
1—工作机 2—柴油机 3、4—齿轮 5—滑套 6—套环 7—节流阀门

起来，速度略增；反之，亏功时飞轮将能量释放出来，速度略减。从而达到减小机器主轴速度波动的目的，即实现调速要求。飞轮不但能减小机器的速度波动，而且有储存和释放能量的作用，使原动机的动力得到充分利用。因此，速度波动的机组加装飞轮后，可选用功率较小的原动机，节省动力。下面将重点介绍飞轮设计的近似方法。

二、飞轮设计的近似方法

图 12-11 所示为某机械在稳定运转阶段一个运动循环内其主轴角速度的变化曲线。由于 ω 的变化规律很复杂，工程计算中，其平均角速度 ω_m 可近似的用算术平均值来计算，即

$$\omega_m = \frac{\omega_{max} + \omega_{min}}{2} \qquad (12\text{-}10)$$

式中，ω_{max} 和 ω_{min} 分别为一个运动循环中出现的最大和最小的角速度（rad/s）。机械的平均角速度通常就是机械铭牌上标出的所谓名义转速，若机械的名义转速为 n（r/min），则

$$\omega_m = \frac{\pi n}{30} \qquad (12\text{-}11)$$

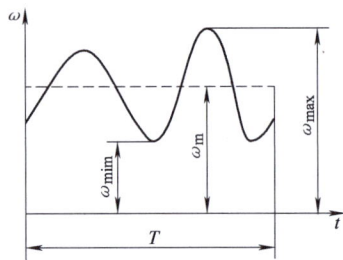

图 12-11　稳定运转阶段一个运动循环的角速度变化曲线

机械周期性速度波动的程度通常用机械运转速度不均匀系数 δ 来表示，其值为

$$\delta = \frac{\omega_{max} - \omega_{min}}{\omega_m} \qquad (12\text{-}12)$$

由此可见，当 ω_m 一定时，δ 越小，最大与最小角速度的差值也越小，主轴越接近于匀速运转。各种不同机械的不均匀系数 δ，应根据它们的工作性质来确定。表 12-1 给出几种常用机械的许用不均匀系数 $[\delta]$ 值，可供设计飞轮时参考。

表 12-1　几种常用机械的许用不均匀系数 $[\delta]$ 值

机 械 名 称	$[\delta]$
破碎机	1/5～1/20
剪床、曲柄式压力机	1/7～1/20
泵	1/5～1/30
轧钢机	1/10～1/25
农业机械	1/5～1/50
织布、印刷、制粉机	1/10～1/50
金属切削机床	1/20～1/50
汽车、拖拉机	1/20～1/60

飞轮设计的基本问题是根据机械实际所需的平均角速度 ω_m 和许用的不均匀系数 $[\delta]$ 值来确定飞轮的转动惯量 J_F。

由于飞轮的转动惯量很大，其动能通常占机械整个动能的主要部分。为简化计算，假定飞轮以外的其他构件的动能均忽略不计，由此得出在一个周期内机械动能的最大变化量为

$$W_{max} = E_{max} - E_{min} = \frac{1}{2}J_F(\omega_{max}^2 - \omega_{min}^2) = J_F\omega_m^2\delta \qquad (12\text{-}13)$$

将式（12-11）代入上式并以 $[\delta]$ 代替 δ，则可得飞轮的转动惯量为

$$J_F = \frac{900W_{max}}{\pi^2 n^2 [\delta]} \qquad (12\text{-}14)$$

式中，W_{max} 为最大盈亏功（N·m）；n 为飞轮转速（r/min）；$[\delta]$ 为许用不均匀系数。

由式（12-14）可知，J_F 与 $[\delta]$ 成反比。当 $[\delta]$ 取得过小时，将使 J_F 很大，从而可能导致飞轮尺寸庞大，机构十分笨重。因此，设计飞轮时在满足机械正常工作的条件下，对

$[\delta]$ 的选择不宜选得过小；J_F 与 n^2 成反比，这表明从减小飞轮转动惯量、缩小其体积、减轻其质量的角度而言，飞轮宜装在高速轴上。

飞轮转动惯量确定后，即可确定其主要尺寸。图 12-12 所示为最普通的飞轮形式。由于飞轮的大部分质量集中在轮缘上，且轮缘半径大，故近似计算时可略去轮辐和轮毂的质量，并假定全部质量 m 集中在平均直径 D_m 的圆周上，由转动惯量定义可得

$$J_F = m\left(\frac{D_m}{2}\right)^2 = m\frac{D_m^2}{4} \qquad (12\text{-}15)$$

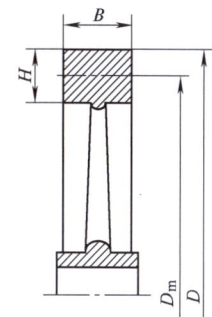
图 12-12　飞轮结构图

式中，mD_m^2 称为飞轮矩或飞轮特性（$kg \cdot m^2$）。对不同构造的飞轮，其飞轮矩可从机械设计手册中查到。根据结构条件选定飞轮平均直径 D_m 后，由上式求得飞轮质量 m，即

$$m = \frac{4J_F}{D_m^2} \qquad (12\text{-}16)$$

设飞轮材料密度为 ρ（kg/m^3），对图示矩形截面的轮缘有

$$m = \pi D_m H B \rho \qquad (12\text{-}17)$$

式中，B、H、D_m 的单位为 m；质量 m 的单位为 kg。选定比值 H/B 或 B/D_m 后（通常推荐 $H/B = 1.5 \sim 2$，$B/D_m \leqslant 0.2$），即可求出轮缘厚度 H 和宽度 B。

由于飞轮转速较高，为防止离心力引起的轮缘破裂，还应校核飞轮外圆的圆周速度，使其不超过许用值 $[v]$。通常，对于铸铁飞轮，可取 $[v] = 30 \sim 35 m/s$；对于铸钢飞轮，可取 $[v] = 40 \sim 60 m/s$。

例 12-1　设柴油发电机组，在一个稳定运动循环内，驱动力矩曲线 M_d 和阻力矩曲线 M_r 如图 12-13 所示。若两曲线相交间包围的面积各为：$S_1 = -50 N \cdot m$，$S_2 = +550 N \cdot m$，$S_3 = -100 N \cdot m$，$S_4 = +125 N \cdot m$，$S_5 = -500 N \cdot m$，$S_6 = +25 N \cdot m$，$S_7 = -50 N \cdot m$，柴油机曲轴上飞轮转速为 600r/min，要求许用不均匀系数 $[\delta] = 1/300$，试求曲轴上飞轮转动惯量 J_F。

解　柴油发电机组能量的最大与最小位置出现在 M_d 曲线与 M_r 曲线的交点上。能量指示图如图 12-13 所示，取能量比例尺 $\mu_E = 10 N \cdot m/mm$，即图上 1mm 代表 $10 N \cdot m$，以 a 为始点，依次作 S_1，S_2，S_3，…，S_7 面积所代表的功的向量，如图 12-13b 所示。由此图可知，

245

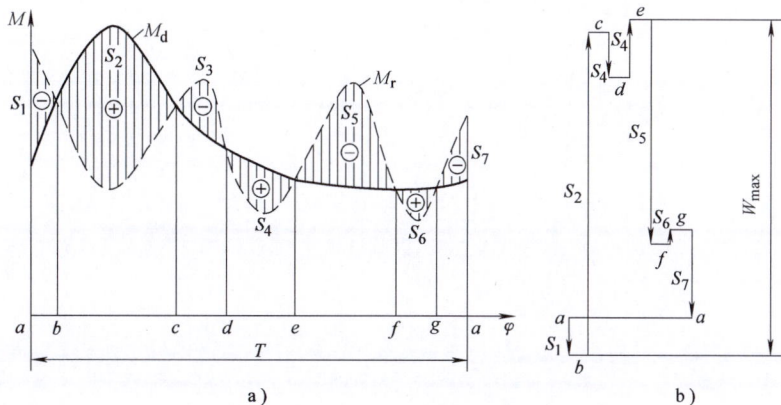

a)　　　　　　　　b)

图 12-13　能量指示图

b 点能量最低，e 点能量最高，e 点与 b 点之间的能量差值即为最大盈亏功 W_{max}，且 W_{max} 等于 S_2、S_3、S_4 所代表的功的代数和，即

$$W_{max} = (+ 550 - 100 + 125)\text{N} \cdot \text{m} = 575\text{N} \cdot \text{m}$$

所以

$$J_F = \frac{900 W_{max}}{\pi^2 n^2 [\delta]} = \frac{900 \times 575}{\pi^2 \times 600^2 \times \dfrac{1}{300}} \text{kg} \cdot \text{m}^2 = 43.7 \text{kg} \cdot \text{m}^2$$

习　题

12-1　什么是回转件的静平衡与动平衡？其平衡方法的原理是什么？分别适用于什么情况？

12-2　为什么要进行平衡试验？

12-3　为什么机械运转时，驱动力矩和阻力矩不是瞬时相等而存在速度波动？

12-4　如图 12-14 所示，转盘上有两个圆孔，其直径和位置为：$d_1 = 40\text{mm}$，$d_2 = 50\text{mm}$，$r_1 = 100\text{mm}$，$r_2 = 140\text{mm}$，$\alpha = 120°$，$D = 400\text{mm}$，$t = 20\text{mm}$。拟在转盘上再制一圆孔使之达到静平衡，要求该孔转动半径 $r = 150\text{mm}$。试求该孔的直径及方位角。

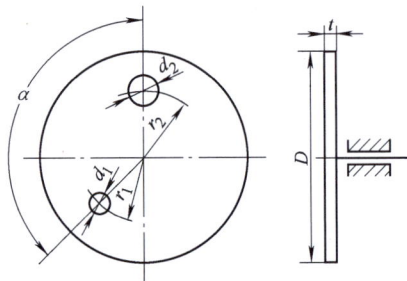

图 12-14　题 12-4 图

12-5　试说明安装飞轮的目的和作用。设计飞轮时，需要的原始数据是哪些？在什么情况下必须要用调速器调节机械的速度波动？

第十三章

Chapter

机械创新设计理论及方法

本章在介绍了基本创新原理、创新方法的基础上，通过举例详细阐述了设计过程中，从方案设计到结构设计各阶段的创新设计方法。

创新是技术和经济发展的第一动力，是国民经济发展的重要因素。当今世界各国在政治、经济、军事和科学技术方面的激烈竞争，实质上都是人才的竞争，而人才竞争的关键是人才创造力的竞争。在此情况下，我国同样提出实施创新驱动发展战略，而机械创新对于国家战略的实施和全面建设社会主义现代化国家具有重要的支撑和保障作用。

随着科学技术的发展和市场经济体制的建立，机械产品的商业寿命正在逐渐缩短，同时，需求则越来越多元化，这就使

风力发电　　　　彩云号

产品的生产要从传统的单一品种、大批量生产逐渐向多品种、小批量柔性生产过渡，这种情况下，要使所设计的产品在国际市场上具有竞争力，就需要制造出大量种类繁多、性能优良的新机械。要完成这一任务，就需要掌握相应的现代机械创新设计理论及方法。

第一节　基本创新原理

创新和创造是人类一种有目的的探索活动，创新原理是人们对长期的创造实践活动的理论归纳，同时它也指导着人们开展新的创新实践。对创新原理的学习，可为创新设计实践提供理论指导和基本途径。

一、综合创新原理

综合是个体到总体的思维过程，综合创新原理是综合法则的应用，其基本模式如图 13-1 所示。

机械设计过程中，综合创新原理的应用很多，主要包括：①先进技术成果综合；②多学科技术综合；③新技术与传统技术综合；④自然科学与社会科学综合。

二、分离创新原理

分离的思维过程与综合相反，它是把某个创新对象分解成有限个简单的局部，把问题分解，从而使主要矛盾和问题从复杂的现象中分离出来，进而解决问题。分离创新的模式如图 13-2 所示。

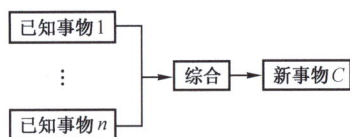

图 13-1　综合创新基本模式　　　　图 13-2　分离创新模式

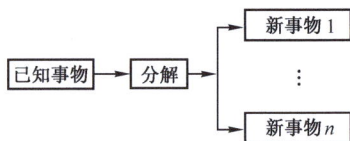

在机械设计过程中，往往要将一个复杂的问题分解为许多子系统或单元，然后对每个子系统或单元进行分析和设计，最后综合。组合机床、模块化机床、组合夹具都是分离创新原理在机械行业中的运用。

三、移植创新原理

移植是将一个研究对象的概念、原理和方法等运用到其他研究对象并取得成果的认识方法。移植创新方法在科学技术的发展中主要有以下四种类型：

1）把某一学科领域中的某一项新发现移植到另一学科领域中，使学科的研究工作取得新的突破。

2）把某一学科领域中的某一基本原理或概念移植到另一学科领域中，促使学科发展。

3）把某一学科领域的新技术移植到另一学科领域中，为另一学科的研究提供有力的技术手段，推动学科发展。

4）将一门或几门学科的理论和研究方法综合、系统地移植到其他学科，导致新的边缘学科的创立，推动学科技术发展。

四、逆向创新原理

逆向创新是指突破思维定势，以陌生的态度对待熟悉的事物，以新的观点、新的角度去看待问题，找出解决问题的新途径、新方法。模糊数学的创立，便是逆向创新的一个典型的实例。

逆向创新一般有三个主要途径：功能性反向探求、结构性反向探求和因果关系反向探求。

五、还原创新原理

还原创新是指任何发明和革新都有创造的起点和创造的原点，创造的原点是唯一的，创造的起点有无穷多。研究已有的事物的创造起点，并深入到它的创造原点，在创造原点另辟蹊径，用新的想法、新的技术重新创造该事物或从原点解决问题。其实质是抽象出已有事物的功能，在新的基础上重新集中研究实现其功能的手段和方法，以达到突破。

六、价值优化原理

在设计、研制产品时，产品的价值 V、成本 C 以及所具有的功能 F 之间的内在联系为

$$V = \frac{F}{C} \tag{13-1}$$

设计创造具有更高价值的产品是人们生产实践活动的重要目标。价值优化或提高价值的指导思想，就是创新活动应遵循的理念。

优化设计的途径有：

1）保持产品功能不变，通过降低成本，达到提高价值的目的。

2）不增加成本，提高产品的功能和质量，以实现价值的提高。

3）牺牲一部分成本，以使功能大幅提升，使价值提高。

4）牺牲部分次要但成本较高的功能，以提高价值。

5）使功能增加，同时使成本下降，从而使价值大幅度提高。

另外，优化设计没有绝对的最优，总是局部最优但整体相对最优。

以上介绍了创新设计的基本理论，学习中要注重创造性的运用，如果陷入了理论的条条框框，那么创新理论只会束缚创新的思想，因此无论何时，打破各种思维定势，以新的角度、新的态度对待事物，才能创新。

第二节　机械创新寻找课题的方法

工业产品的设计需要经历四个阶段：初期规划设计阶段、总体方案设计阶段、结构技术设计阶段、生产施工阶段。而产品的创新性在很大程度上体现在初期规划设计阶段、总体方案设计阶段和结构技术设计阶段。初期规划设计阶段的主要任务是提出设计任务，这是发明创造的关键，那么到何处去寻求创新题材？

一、寻找创新题材

1. 向生活索取

世界上不存在完美的事物，人们的衣、食、住、行、用等方面的物品总有一些不合理、不完善、不方便、不如意、不科学之处，许多发明的题材就存在于这里。

2. 到各自的工作领域中发掘

绝大多数人对自己的工作领域的了解都会比对其他领域的了解充分，也较为容易接触到本领域中的问题，只要保持一个善于观察的眼光，积极发现问题，就可以从中找到改善和创新目标。

例如，1978 年，当时最小型立体声录放机索尼 TC-D5 上市了，但仍厚重如教科书一般，那时，索尼的名誉会长井深大每次出差都会在飞机上用它听音乐。直到有一天，前往美国出

差的井深大打了个电话给当时的索尼副社长典雄："我又要出差了，但我觉得在长途旅行时，TC-D5 实在有些笨重，你们能否设计出更小、更便于随身携带的录放机？"之后，索尼经过一年多的努力，世界上第一台随身听——索尼 TPS-L2 正式上市。同时，还创造了"WALKMAN"的概念。1986 年，"WALKMAN"正式被收入牛津英语词典，成为随身听的代名词。

二、寻找创新题材常用方法

1. 缺点列举法

事物的缺点往往是人们进行创新的突破点，如果将自己熟悉的事物的缺点列举出来，从中选择自己感受最深、急需解决同时自己又具有解决能力的点，将其作为创新题目，这便是缺点列举法。

例如，自行车的创新，最早的自行车，车轮是全木制的，中间用一个横梁连接，上面安放一个小板凳，使用时，人骑在上面，两腿分开，用两脚蹬地，使其运动。这样的自行车有以下几个主要缺点：不方便控制方向；两脚蹬地的方式驱动自行车不方便；刚性的车轮骑坐不舒服等。这些问题都在后人的不断创新中得到了改变，1818 年，制造出了第一辆带有车把的自行车，1839 年发明了第一辆不需要以脚蹬地来驱动的自行车，1869 年，使用了辐条来拉紧轮圈、用钢管制成车架、安装有实心橡胶带的自行车，大大改善了舒适性，1874 年，自行车采用了链传动，同时改成后轮驱动，应用了较大的传动比，从而使自行车车轮减小、质量减轻、速度加快、改善了急刹车时自行车容易翻车的缺点等。

2. 希望点列举法

社会物质文明的进步，使人们的希望不断得到实现，生活水平不断提高，但同时也促使新的希望点不断地产生。这些希望点中隐藏着新的矛盾和问题，是创新的重要动力。如果将这些希望点列举出来，进行分析、概括，经过鉴别和评价，从中寻找具有实现可能的希望点，便可以获得很好的创新课题。此方法既可以用于对已有的事物改造，也可以用于前所未有的发明。

3. 属性列举法

任何事物都有若干个方面的属性，如材料、结构、功能、原理、颜色等，如果设计一个产品总是从各方面全面考虑，往往因难以抓住主要矛盾而无从下手。因此，可以采取化整为零的方法，将产品的属性列举出来，并根据特征进行分类、整理，然后对每个属性进行分析研究，找出不足，提出问题，从而确定创新目标。然后，用取代、简化、复杂、组合等方法加以改进，使产品产生质的提升。属性列举法一般用于对已有事物的改进中。

4. 信息列举法

信息列举法是以信息检索和列举为基础，通过分析研究所检索的信息，获得创新课题的方法。

信息是重要的资源，必须收集信息、利用信息。通过对收集的信息的了解、筛选和分析，可以掌握一个领域的发展状况、发展方向以及发展中急需解决的问题，从而得到创新素材。

信息列举法的主要途径有以下三种。

（1）综合信息进行创新　即通过分析相关的创造发明成果，综合它们的优点，然后提出创新构思。

（2）阅读专利文献　通过查阅专利文献，了解最新的发明成果，开拓思路。同时任何创新成果都受到现实条件的约束，存在不完善的部分，针对这些不完善，可以提炼出创新课题。另外，在发明中还存在一些超前的创造成果，但因条件制约，不能实施，以这些创新为基础，往往可以寻找到新的发明课题。

（3）集思广益　开小型的讨论会，与会人数一般在 5~10 人，与会人员遵守以下原则：畅所欲言；悉心听取他人发言；欢迎荒诞的离奇的发言；禁止批评别人的发言。会后对会上的各种设想进行整理评价，选择最优设想付诸实施。这个方法由美国创造工程学家奥斯本于1945 年提出，原文是"Brain storming"，即头脑风暴法。

通过以上介绍的方法，通常可以找到创新课题。题材选定后，还要通过艰苦的努力，才能将创造思想转化为创新成果。

第三节　总体方案设计阶段的创新方法

一、总体方案设计常用创新设计方法

设计任务确定后，需要对设计课题进行详细的功能分析，通过构思、优化、评价，构造和筛选出较理想的工作原理，此过程称为原理方案设计。原理方案设计过程是一个富有创造性的过程，机械产品设计的创新性很大一部分体现在这里。以下介绍一些常用的创新方法。

1. 类比法

类比法是将其他功能相近或运动类似的机器的工作原理移植到当前设计产品的方案中的方法，是移植创新原理在总体方案设计中的运用。常用的类比方法如下：

（1）直接类比　对功能相似的机械产品的工作原理进行研究，并与被设计的产品进行比较分析，从中得到启发，并加以应用。

（2）象征类比　将具体设计问题扩展为一个抽象的问题，这个问题处于所设计的问题的上方，然后从上往下看，以更开阔的眼光，寻找类似问题和方案，进而从中找到更理想的方案。

例如，设计一个开瓶器，可以将"开"字提炼出来，这样就可以突破所要解决的问题给人们思维上带来的限制，从更高的角度看问题，可以发现"开"的方法很多，有打开、砸开、拧开、拨开、揭开等，然后就可以考察相应"开"法的方案，进一步研究，便可以形成理想的方案。

类比法还有因果类比、幻想类比等，在应用中，虽然类比是在相似的事物中寻找方案，但更重要的是寻找类似事物之间的区别和差距，这样设计的方案才更具有创新性。

2. 形态综合法

创新并不意味着创造一个全新的东西，使用对已有的对象进行新的组合也是创新。根据这个原则，在确定方案时，首先对设计对象进行特性分析，然后找出实现各特性的现有手段，从中进行不同的组合会得到不同的方案，通过对各个方案进行评价，筛选出合理的新方案。形态分析的步骤如下：

（1）因素分析　确定对象的构成因素。

（2）形态分析　按照因素的功能属性，尽量多地列举出实现相应功能的手段。

（3）方案综合　将实现不同属性的手段进行组合，得到若干种系统方案，从中确定最优方案。

以下为挖掘机的方案设计实例。

1）挖掘机的因素分析。挖掘机具备的因素有动力、移动动力传动、移动、挖掘动力传递、挖掘五个因素。

2）形态分析见表13-1。

表 13-1　挖掘机形态分析

功能因素	形态（技术措施）
动力	电动机,汽油机,柴油机,汽轮机,液压缸,液压马达
移动动力传动	齿轮传动,蜗杆传动,带传动,链传动,液力耦合器
移动	轨道及车轮,轮胎,履带,气垫
挖掘动力传递	拉杆,绳传动,气缸传动,液压缸传动
挖掘	挖斗,抓斗,钳式斗

3）可以看到，根据排列组合知识，以上技术措施可组合出1440种方案。通过对各个功能因素的可实现技术措施进行评价，发现"电动机+液力耦合器+履带+液压缸传动+抓斗"和"液压马达+液力耦合器+轮胎+液压缸传动+抓斗"两方案最为可行，目前，以上两种方案是挖掘机最常采用的方案。

3. "黑箱"分析法

黑箱法是指将要设计的系统方案作为一个黑箱，其左侧为输入端，输入相关的已知条件，右侧为输出端，即要解决的问题或要得到的功能，黑箱上方为外部的约束条件，下方为系统对外部的影响，设计者从输入和输出端两个方面进行全面、随意的思考，设想各种方案，经过评价，最终将两端连接起来形成完整方案。图13-3所示为"黑箱"分析法原理图。

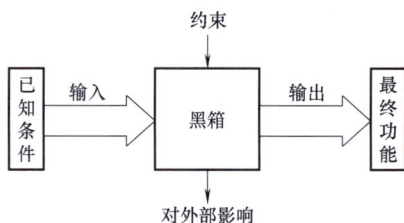

图 13-3　"黑箱"分析法原理图

下面以路灯开启装置的设计为例，说明黑箱分析法的应用（图13-4）。

首先将照明系统方案设置为黑箱，根据产品用途，确定输入端已知条件为"天黑了"，输出条件为"启动照明"，约束条件为"能够可靠实现开启功能以及易于大批量生产"。

黑箱建立好之后，开始从输入、输出端两个方向去构想黑箱中的内容。从输出端的功能可以很容易的想到接通电源，而要想利用"天黑了"这个条件来接通电源，必须考虑这个条件会引起什么现象，这样，就想到了"行人车辆减少""温度下降""噪声减弱""景象模糊""光线变弱"这些现象，这样第一层构想就完成了。

要将这些现象与"接通电源"联系，就需要使用相应的技术手段，这样就联想到用摄像装置来测试车辆和行人、用温度装置来测试温度等，然后通过评价来判断可行性，如检测车辆和行人的密集度，首先，行人的多少与天黑时间没有十分精确的对应关系，在城市中，通常人们总是在吃完晚饭出来散步、逛逛商场，夏天这个时间在天黑之前，而在冬天则是天

约束条件： 1. 可靠实现开启功能。
　　　　　 2. 易于大批量生产和制造。

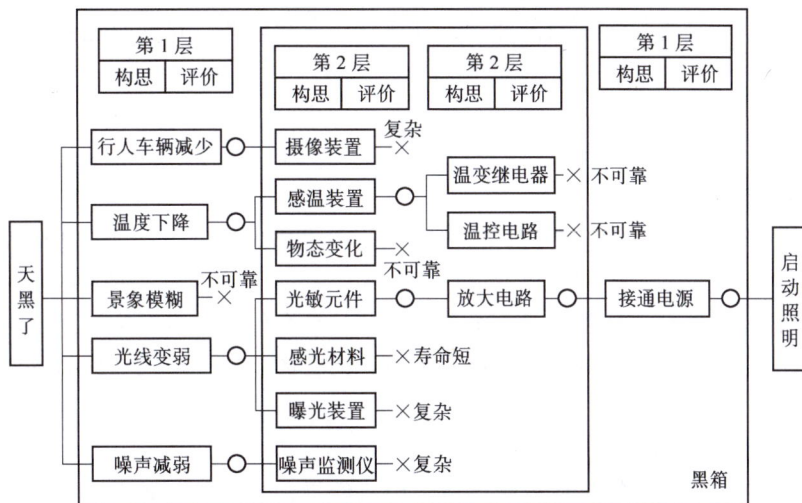

图 13-4　路灯开启装置设计的黑箱分析法

黑之后，这样就使得天黑之后的一段时间人流量和车流量不减少，因而加大了通过测试车流量和人流量来判断是否"天黑"的难度，用摄像装置进行测试本身就具有一定的技术难度，因此不可行。

　　按照以上分析方法，逐一对所构想的检测手段进行分析评价，发现"感温装置"和"光敏元件"的方案较简易，但由于温度受到季节、天气的影响，因此使得精确判断天黑时间不可靠，经过以上分析，最终确定用"光敏元件"方案可以对光线强弱进行精确判断，因此确定此方案为最优方案。但"光敏元件"只能起到检测光线，产生的信号较弱，没有能力开启电路，这样就想到在"光敏元件"与"接通电源"的中间通过"放大电路"来连接，这样就形成了完整的设计方案。

4. 设问法

　　问题往往是创新的开始，好的问题是创新的一半，只要能在局部找到问题、提出问题，就可以针对问题提出新的解决方案，进行创新，这就是设问法。通常可以从以下几个问题着手：

　　1）现有方案是否有新的适用场合或者稍加改动后能否用于其他场合？

　　2）是否有类似方案可以借用和模仿？

　　3）能否通过改变现有方案的某些属性升级或改变方案？

　　4）能否通过对现有方案减少、减小、简化、分割来改变方案？

　　5）能否通过对现有方案中的局部用新的工艺、元件、机构等进行取代，获得更好的方案？

　　6）能否颠倒方案，获得新的方案？

　　7）能否组合？

　　8）能否改变元件或型号？改变顺序或结构？

　　以上介绍的总体方案设计创新方法只是众多创新方法中的一小部分，总体方案创新设计涉及的知识领域十分广泛，好的方案设计必须依靠设计者的知识、经验、灵感和智慧。因此，设计者除了要不断培养自己的创新意识，掌握对创新方法的应用外，应主动积极地参与各种创新实践活动，经常保持创新的冲动，在实践中积累经验，培养自己捕捉新事物的敏锐洞察力。

二、机构创新设计常用方法

（一）机构组合法

机构组合创新是指将几个基本机构按一定的原则或规律组合成一个复杂的机构。这包括两种情况，一种是几种基本机构融合形成性能更加完善、运动形式更加多样化的新机构，被称为组合机构；另一种是几种基本机构组合在一起，组合体的基本机构还保持各自特性，但需要各个机构的运动或运作协调配合，以实现组合的目的，这种形式被称为机构的组合。

机构的组合方式有以下几种。

1. 通过串联组合机构

串联组合机构是指若干个机构依次连接，构成新机构的方法。通常串联组合机构的方式有两种，如图 13-5 所示。

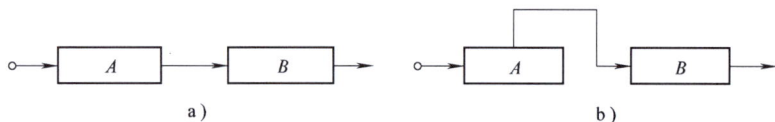

图 13-5　串联组合机构

a）Ⅰ型串联　b）Ⅱ型串联

在串联机构中，若前后机构的连接点在前置机构的连架杆上，称为Ⅰ型串联，如图 13-5a 所示；若连接点设在前置机构做平面运动的构件上，如连杆上，则称为Ⅱ型串联，如图 13-5b 所示。

Ⅰ型串联的功能主要是改变输出构件的运动和动力特性，或者用于运动或力的放大。

例如，本书第四章介绍的外槽轮机构，其速度波动较大，这主要是由于拨盘以匀速运动，而拨销拨动槽轮的点在轮槽中的位置始终变化，相对速度方向也不断变化造成的。为了使槽轮速度更加均匀，将一个双曲柄机构作为前置机构，由于一般的双曲柄机构，如图 13-6 所示，当主动曲柄匀速转动时，从动曲柄变速运动，只要设计适当，就可以让从动曲柄的速度变化来补偿槽轮的速度变化，从而改善槽轮机构的运动性能和动力性能，图 13-7 中显示出串联机构的运动特性得到了明显的改善。

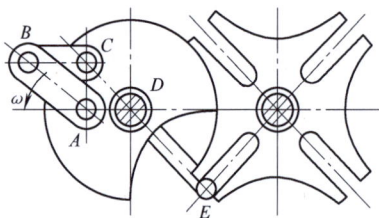

图 13-6　双曲柄机构与槽轮机构的串联组合

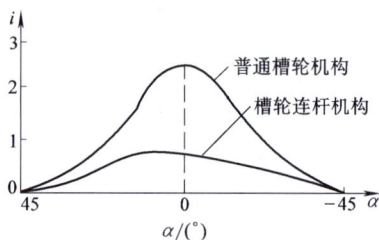

图 13-7　普通槽轮机构与槽轮连杆机构角速度对比

Ⅱ型串联通常是利用前置机构中做平面运动的构件上的特殊点的轨迹，使后置机构的输出实现所要求的运动规律。

图 13-8 所示为具有停歇的六杆机构，它利用前置曲柄摇杆机构连杆上 E 点的轨迹中存在一段近似直线的部分，实现以 G 为回转中心的输出构件在工作中的间歇。

图 13-9 所示的六杆机构，由于前置机构中 4 构件上 E 点的连杆曲线为 8 字形，利用这个轨迹，使滑块在同一个工作周期中实现两个不同的行程。

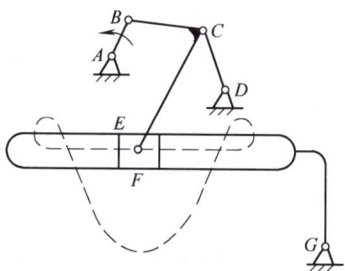

图 13-8　具有停歇的六杆机构

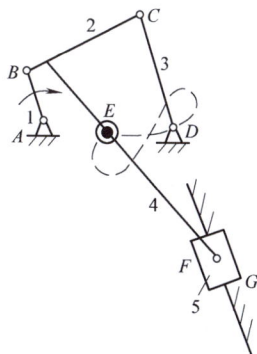

图 13-9　实现从动件两次行程的六杆机构

2. 通过并联组合机构

并联组合是指将若干机构并列布置，形成新机构的方法。并联方法有以下三种类型，如图 13-10 所示。

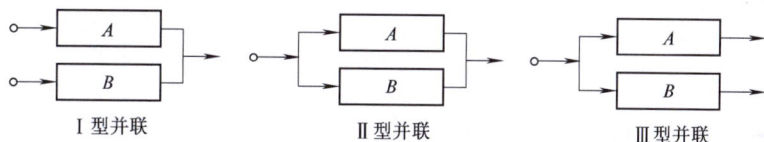

Ⅰ型并联　　　　Ⅱ型并联　　　　Ⅲ型并联

图 13-10　并联组合机构类型示意图

Ⅰ型并联方法，并联布置的机构有着各自的输入构件，共同作用，输出一个运动。这种组合方法相当于运动的合成，主要用于对输出运动类型的补充、强化和改善，设计的关键是被并联机构必须协调工作。

图 13-11 所示为四缸发动机机构运动简图，由 4 个曲柄滑块机构按Ⅰ型并联组合而成，这个结构使得发动机的四个冲程中总是有一个机构能够产生驱动力，提高了汽车行驶的平稳性和发动机的驱动能力。

Ⅱ型并联方法，将一个输入运动分解为两个运动，再将这两个运动合成一个运动输出。其功能是用于改善输出构件的运动状态和运动轨迹，同时还可以改善机构的受力状态，平衡惯性力。

图 13-12 所示为活塞发动机的齿轮连杆机构，这个机构将两个对称的曲柄滑块机构按照Ⅱ型并联组合，由共同的滑块输出运动，采用这样的并联方式，使得工作过程中，气缸壁不会受到因构件的惯性力而引起的动压力。

图 13-13 所示为矩形轨迹输送机构，它由两个凸轮机构按照Ⅱ型并联进行组合，通过两个凸轮实现对输出构件的水平和竖直方向的运动的控制，改善了凸轮机构从动件只能实现转动或移动的运动方式，实现了矩形轨迹的输出。

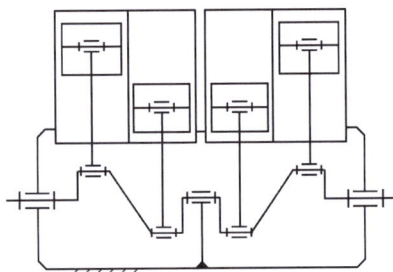

图 13-11　四缸发动机机构运动简图

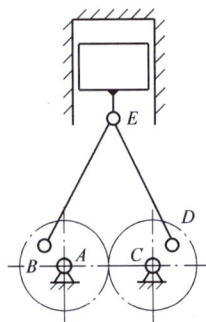

图 13-12　活塞发动机的齿轮连杆机构

Ⅲ型并联是指将一个运动分解为两个输出运动。运用Ⅲ型并联方法，可以方便地实现多路协调输出。

图 13-14 所示是一个双滑块驱动机构，凸轮机构与连杆机构通过Ⅲ型并联方式组合，共同的输入构件是做往复摆动的主动杆 1。一个从动件是滑块 2，杆 1 的滚子在滑块 2 的曲线形沟槽内运动，使滑块左右往复移动。另一个从动件是滑块 4，由摇杆 3 推动，使其沿导路往复移动。此机构用于工件输送装置中，两个滑块具有不同的运动规律，进行协调工作，工作过程中，首先滑块 2 在右端位置接受来自送料机的工件，然后向左移动，再由滑块 4 将工件推出，使工件进入下一工位。

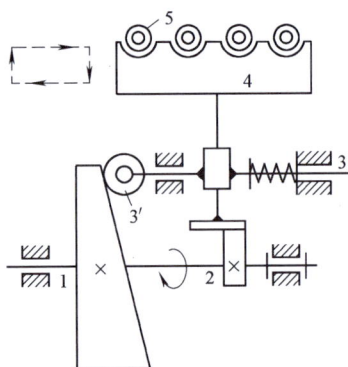

图 13-13　矩形轨迹输送机构

3. 复合式机构组合

复合式机构组合创新，通常以一个机构作为基础机构，其他机构作为附加机构进行组合，基础机构通常为双自由度机构，如五杆机构、差动轮系等，常用的附加机构有齿轮机构、凸轮机构、单自由度连杆机构等。复合形式通常有两种，如图 13-15 所示。

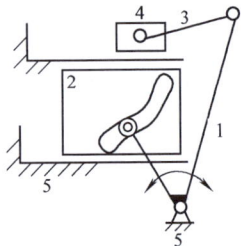

图 13-14　双滑块驱动机构

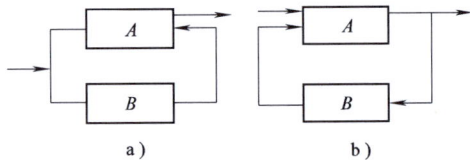

图 13-15　复合式机构组合

图 13-15a 所示为构件并接式复合，可以用来实现特殊的运动规律或轨迹。图 13-16 所示为凸轮—连杆组合机构，从外形和运动规律上看类似曲柄滑块机构和凸轮推杆机构，但是曲柄滑块机构中滑块的运动规律较为简单，而凸轮推杆机构中推杆的行程不能够变化过大，这里利用一个五杆机构作为基础机构，复合一个凸轮机构，形成类似曲柄能够变速转动同时能够进行长度变化的曲柄滑块机构，这个设计，既利用了凸轮机构在运动控制上的优势，又使得滑块的行程比单一的凸轮推杆机构增大了很多，而凸轮机构的压力角始终保持在许用范围内。

图 13-15b 所示为机构回接式复合，这种复合运用较多，复合通常是附加机构与基础机构在输出端相连，附加机构负责将基础机构的输出运动引回到基础机构的输入端，从而对基础机构进行调节和控制。图 13-17 所示为齿轮加工机床的误差补偿机构，具有两个自由度的蜗杆机构为基础机构，主动构件为蜗杆，凸轮机构为附加机构，主动构件蜗杆运动时，蜗轮及与蜗轮固接的凸轮转动，凸轮转动又控制蜗杆横向位置，从而使蜗轮的转速随蜗杆的移动而增加或减小。

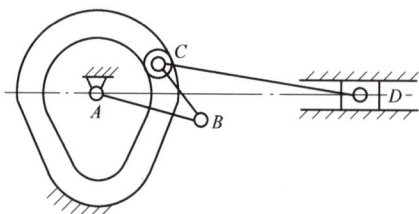

图 13-16　凸轮—连杆组合机构

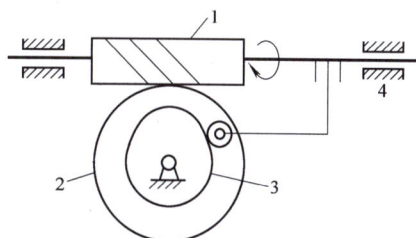

图 13-17　齿轮加工机床的误差补偿机构

4. 通过叠加组合机构

叠加组合是指将一个机构安装在另一个机构的某个运动构件上的组合创新形式，其输出是若干个机构输出运动的合成。叠加式组合主要用于实现特定的输出、完成复杂的工艺动作。其组合方法如图 13-18 所示。

叠加方法总体有两种，第一种是组成组合机构的各个基本机构的运动相互独立；第二种是组成组合机构的各个基本机构之间运动相互关联。第一种常见于各种机械手机构，如图 13-19 所示，机械手的各个部分有着自己的运动，而不受其他部分运动的影响，最后的手部输出运动为所有机构运动的合成，形成了非常灵巧的运动。

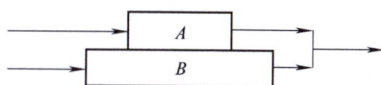

图 13-18　叠加组合机构方法

第二种叠加组合的典型实例是电风扇摇头传动机构。其机构简图如图 13-20 所示，机构由一个满足杆长条件的双摇杆机构与一个蜗轮蜗杆机构叠加组成，蜗杆机构与电风扇叶片连接在双摇杆机构的摇杆上，蜗轮则固接在连杆上，这个机构实现了在电动机带动叶片转动的同时，通过蜗轮蜗杆机构驱动双摇杆机构使风扇摆头。

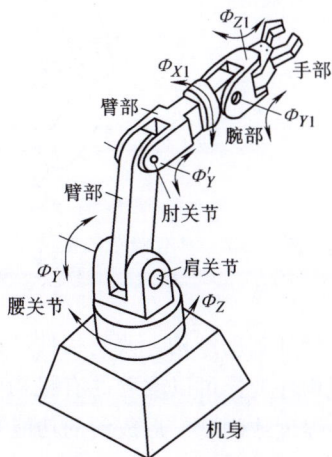

图 13-19　机械手机构

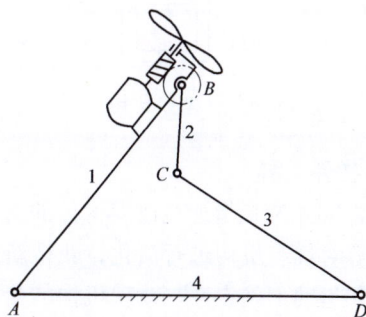

图 13-20　电风扇摇头传动机构简图

257

以上介绍了应用常用的组合法对机构进行创新设计，在使用中，还可以将以上几种方法进行交替使用，如两个机构串联再与其他机构并联、复合机构组合后再与另一个机构串联等。但要注意的是，参与组合的机构越多，机构的运动链就越复杂，设计的难度就越大，误差积累问题也就越严重。

（二）机构演绎法

机构演绎法是指机构通过变换机架、改变运动副的形式、改变构件尺寸、改变多副杆的连接关系等方法，从已有机构演绎出具有新运动特性和功能的机构。

常用创新方法有通过运动副变异创造新机构、通过构件变异创造新机构、机构的倒置等。

1. 机构的运动副演化

演化机构运动副的主要目的如下：

1）增强运动副元素的接触强度、提高运动副元素的耐磨性、提高承载能力。

2）改变机构的运动和动力效果。

3）开发机构的新功能。

4）寻求演化新机构的途径。

机构运动副演化的主要方法有改变运动副的尺寸、改变运动副元素的接触性质、改变运动副元素的形状。

图 13-21 所示为活塞泵机构，其原始机构为曲柄滑块机构，通过扩大转动副 B，使 1 构件成为偏心轮，2 构件环形端部与偏心轮形成的转动副使连杆贴着固定的内壁运动，形成两个容积不断变化的腔，从而使原机构具有了新的功能，通过容积的变化，将流体吸入和压出。

图 13-22 所示机构中的 1、2、3、4 构件构成一个摆动导杆机构，通过对 3 构件与 4 构件间运动副元素形状的改变，使构件 6 在工作中可以产生停留。

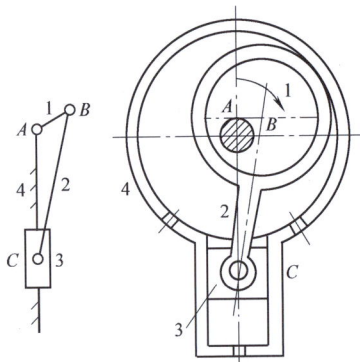

图 13-21   活塞泵机构

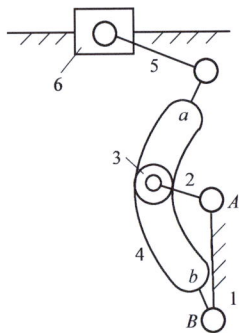

图 13-22   具有停歇的摆动导杆机构

2. 构件变异

构件变异法是指通过改变构件的结构形式、在构件上增加辅助结构、改变构件的结构形状和尺寸等对现有机构进行演化，获得新机构的方法。利用构件变异可以改善原有机构中的一些问题，如运动不确定性、改善机构的受力状态、提高构件强度或刚度、形成新的功能等。

图 13-23 所示为平行四边形机构通过改变构件的结构形式演化新机构的实例。平行四边

形机构工作中，两个曲柄可以以相同的运动方式运动，但当四个铰链共线时，就会出现运动不确定问题，通常采用两个平行四边形机构并联的方式消除运动不确定现象，如图 13-23b 所示。进一步设想，若将两个曲柄做成圆盘形，同时减小 O 点与 C 点的距离，多并联几个相同的平行四边形机构，则机构就变成了图 13-23c 所示的结构，该机构是一种平行四边形联轴器。该机构可以进一步演化，把连杆 2 全部做成滚轮的结构形式，把 1 盘上的 A 铰链位置全部做成以连杆 2 的长度为半径的圆孔，孔的内侧与曲柄上的滚轮滚动接触，这就构成了新的机构（图 13-23d），称为孔销式联轴器。该机构还常用于针轮摆线减速器的输入或输出装置中。

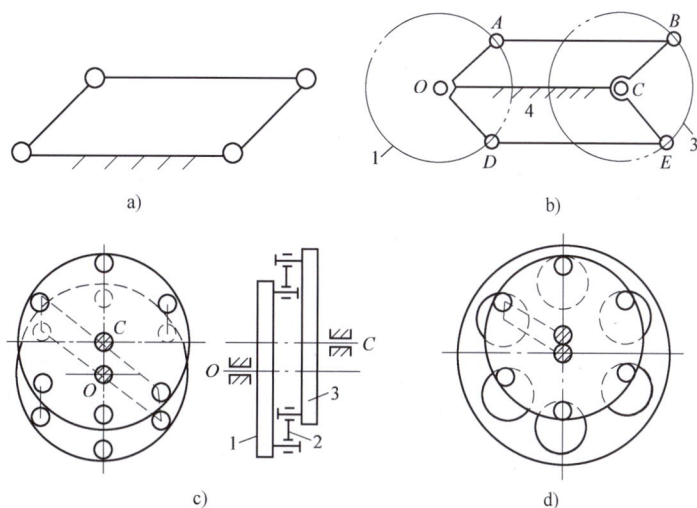

图 13-23 平行四边形机构的变异

通常凸轮的廓线是固定的，但是图 13-24 所示的两个凸轮，通过对凸轮结构进行变异，在凸轮上安装调整部件，使得凸轮廓线可调，达到改变从动件运动规律的目的。

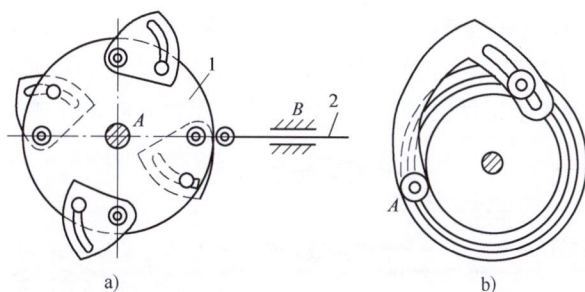

图 13-24 可调整凸轮廓线

3. 机构的倒置演化

在第三章中曾经提到了机构的倒置，机构的倒置不仅可以用于连杆机构的演化，同样也可以用于齿轮机构、凸轮机构、间歇运动机构等，这种演化方法虽然不能改变各个构件之间的相对运动关系，但可以获得更多的输出运动，从而扩展机构的应用范围。

图 13-25 所示为移动凸轮机构的倒置，构件 1 在原机构中为机架，在倒置机构中则绕 A 点转动，从动件 2 随着 1 构件摆动的同时，在 3 构件沟槽的作用下，沿着 1 构件上导槽移

259

动，从而实现复杂的平面运动。

图 13-26 所示为齿轮机构的倒置，图 13-26a 为普通的圆柱齿轮传动，图 13-26b 为改变机架后的机构，当改变机架后，原机架转换为系杆，而齿轮 1 则转换为行星轮，这样就构造出了周转轮系传动。

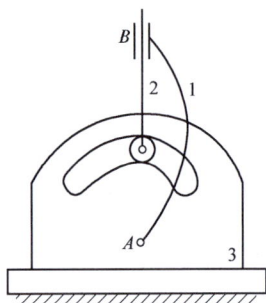

图 13-25　移动凸轮机构的倒置

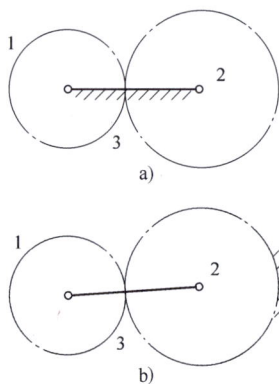

图 13-26　齿轮机构的倒置

（三）还原法

任何机械产品都有设计的初始原点，这就是功能，用还原法创新机构，首先要回到设计的原点，从最初的功能着手，综合运用机、光、电、磁、热、生、化等各种物理效应，寻求实现功能的原理，这样，就突破了现有实现方法和原理的束缚，有利于开拓思路，创造出新的机构。

例如，图 13-27 所示为常见二指夹持机构，其工作原理都是通过外界施加力来实现夹持机构的功能。

在设计夹持机构时，就可以通过回到夹持机构设计的原点，即夹持机构的功能，然后构思新的工作原理。例如，对微小工件的夹持，要实现夹持功能，就必须具有一定的运动，要实现运动通常需要各构件之间具有运动副，但是考虑到对微小工件的夹持所需要的运动非常微小，材料又都具有弹性变形，这个变形量是否能满足夹持功能的要求呢？从这点出发，就得到了图 13-28 所示的两种微小工件夹持机构，机构的弹性关节杆 2 用镀青铜板刻蚀后叠加而成，

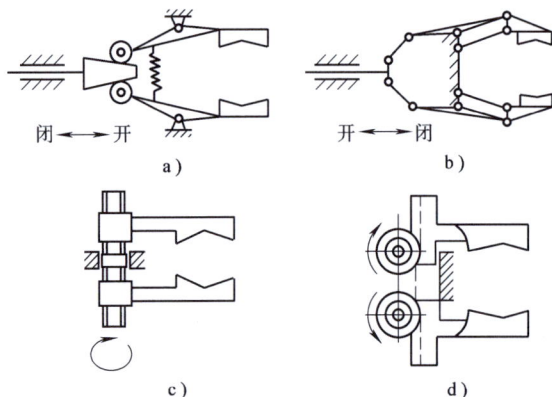

图 13-27　常见二指夹持机构

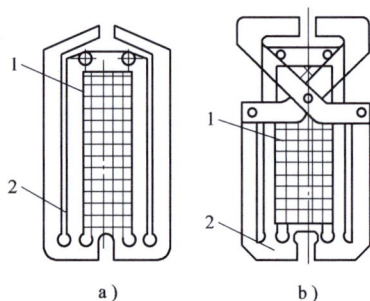

图 13-28　压电陶瓷夹持机构

1—压电陶瓷　2—弹性关节杆

动力由压电陶瓷 1 提供。当对压电陶瓷施加电压后，压电陶瓷体将伸长，推动弹性原动杆运动，再经过其他从动件将运动放大，使两执行杆合拢，在微型机械装配中实现夹持运动。

第四节　结构技术设计阶段的创新方法

结构技术设计阶段的最终目的是将产品的具体结构设计出来，即原理方案结构化。这里要解决材料的选择、形状及尺寸、加工方法、装配方法、维修、润滑及密封方法等问题，是机械产品设计中工作量最大的阶段。这个阶段具有实践性强、细节多、多解等特点，因此具有广阔的创新空间。

一、利用变异原理创新

变异也称为变性，是指通过改变产品的某些属性来进行创新的方法。机械产品结构设计阶段常用的变异创新方法见表 13-2。

表 13-2　机构产品结构设计阶段常用的变异创新方法

方法	说　明	实　例
数量变异	通过改变产品结构中线、面、零部件等基本元素的数量，形成多种创新方案	 通过改变螺钉旋具(旧称螺丝刀)与螺钉头之间作用面数目，形成不同的螺钉头方案，适用于不同场合
形状变异	改变零件的轮廓、表面或整体形状以及改变零件的类型和规格，以得到不同的创新方案	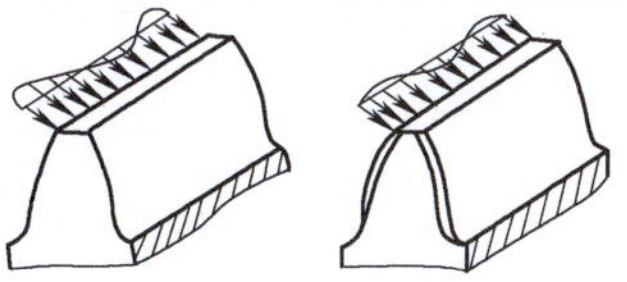 变异前　变异后　通过对轮齿的形状变异，改善沿齿宽方向载荷分布，使载荷分布更加均匀
位置变异	通过改变产品结构中元素布置方式，构造不同的结构方案	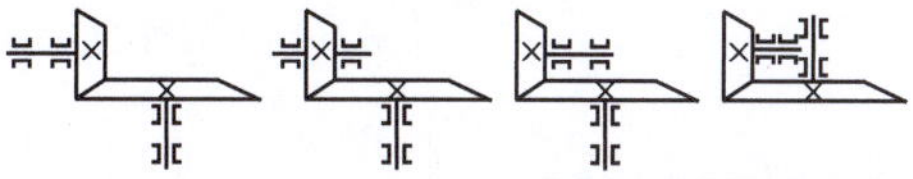 通过改变锥齿轮支承位置，形成多种锥齿轮减速器方案
连接变异	通过采用不同的连接方式或不同的连接结构，获得不同的结构方案	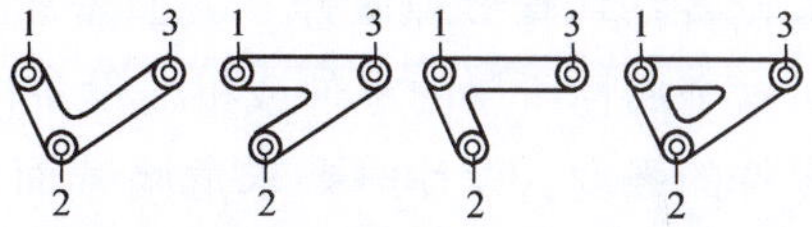 对同一种连接方式，采用不同结构
尺寸变异	通过改变结构尺寸，包括长度、距离、角度等，改变产品性能，形成新的结构方案	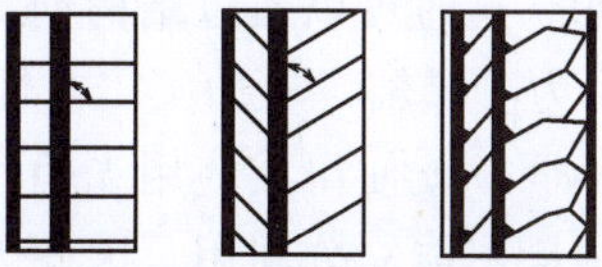 通过改变轮胎宽度、轮胎花纹密度以及样式，改变汽车驱动力

261

二、利用组合原理创新

组合的过程就是一个创新的过程，在结构设计中合理的利用组合创新原理可以改善零件的结构工艺性、工作中的受力状态以及获得新的功能。

图 13-29 所示螺纹连接与销、套筒、键组合，使得螺纹连接承受横向载荷的能力大大提高，进一步增加了螺纹连接的可靠性。

在轴承一章中所介绍的轴承组合结构设计也是一种组合创新，通过将不同的轴承进行组合，获得不同的支承特点和承载特性。

图 13-30a 所示的结构加大了金属切削量以及材料消耗量，如果改为图 13-30b 所示的组合结构，则结构工艺性会大大改善。

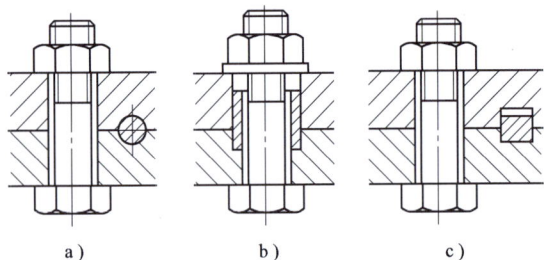

图 13-29 螺栓连接的抗剪结构组合设计

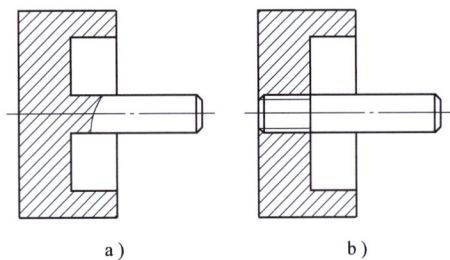

图 13-30 通过组合减少加工量

图 13-31 所示为通过组合创新获得自攻螺钉的过程，图 13-31a 所示为自攻螺钉由普通螺钉和丝锥组合而成，图 13-31b 所示为由普通螺钉和钻头组合设计出的自攻螺钉。

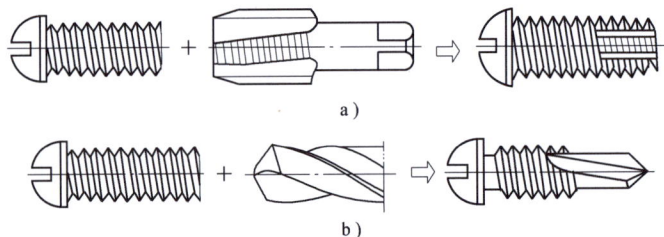

图 13-31 两种自攻螺钉的创新过程

三、利用完满原理创新

任何机器设备都具有多种属性，人们希望充分利用这些属性，若某些属性并未充分利用，就可以对这个属性所属的零件或机器设备进行创新，这就是完满原理在结构设计中的应用。例如，零件的强度，设计时要求危险截面上产生的应力必须小于或等于材料的许用应力，但设计时应该注意到，非危险部位由于载荷较小或者截面积较大而可能造成不能充分利用材料的力学性能，这时可以通过结构创新，来调整各部分结构尺寸，以充分利用材料的性能。图 13-32 所示为阶梯轴，从加工工艺性考虑，光轴最容易加工，但是轴在工作中各部分所受弯矩和转矩不同，就使得在使用光轴时，满足最危险截面工作应力小于许用应力的条件下，部分轴段的强度不能充分利用，因此人们考虑将轴制成阶梯形，从结构上基本满足了等强度要求，另外，轴上的零件也容易定位。

四、利用逆向创新原理创新

机械零件有很多属性，如果设计者可以逆向思维，将某些属性向其相反的方向改变，往往会获得创新成果。

如图 13-33 所示，推杆 2 与摆杆 1 的接触面中有一个球面，若将球面设计在摆杆上，则可以使推杆避免受横向推力，从而改善推杆的受力。

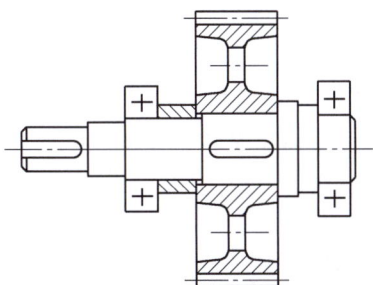

图 13-32　阶梯轴

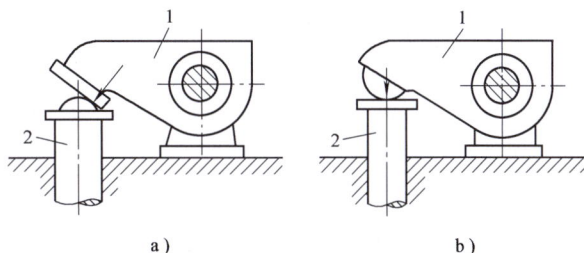

a)　　　　　　　　　b)

图 13-33　零件形面换位

又如很多机械厂的厂房中都有起重机（又称电葫芦），起重机被支承在横梁上，而横梁可以沿厂房两边固定的导轨做纵向移动，起重机则可以沿横梁做横向移动，这个横梁若做成水平的，在工作时必然会因为受力产生弯曲，这时打破通常的设计思路，将梁制成向上弯曲的，这样就很好地保证了起重机的工作。

五、利用人机工程学创新

传统的机器零件设计主要目标是实现功能，随着社会进步以及人们认识的提高，在设计产品中越来越多的考虑到人的因素，将人便于和适于操作作为了一个重要的目标。

图 13-34 所示为夹钳结构，图 13-34a 为传统夹钳形状，由于手柄和钳头都是直的，使人在把握过程中，即使不工作，手臂上的某些肌肉也处于紧张状态，因此不利于长久使用夹钳，改进后的夹钳手柄形状使操作者的手臂更趋于自然状态，减少了肌肉紧张。

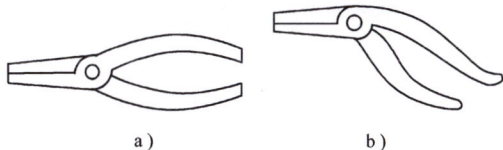

a)　　　　　　　　　b)

图 13-34　夹钳结构

a）改进前　b）改进后

此外，如图 13-35 所示，大家经常见到的人体工学计算机键盘也是基于同一思路设计的。

产品设计除了要考虑减少操作者疲劳之外，以下因素也是人机工程学设计机械产品时要考虑的因素。

a)　　　　　　　　　　　b)

图 13-35　键盘

a）普通键盘　b）人体工学键盘

263

（1）符合人体力学结构　产品设计时必须考虑操作者的姿势和操作方式，人处于不同姿势和采用不同方式进行操作时，所能付出的力量也不同，如拉力大于提力、大腿小腿成160°时蹬力最大等。

（2）避免操作错误　人对机器设备的操作过程中，往往很少用视觉或者不用视觉寻找操作手柄，如驾驶汽车过程中对手柄的操作，这样，在设计结构时，就必须考虑如何减少操作的失误，这可以从手柄外形、排列顺序、几何尺寸及添加顺序锁定、卡槽、定向、定位结构等方面加以考虑，另外，操纵机构中必须有适当的阻尼力，一方面可以减少振动、过载等造成的干扰，另一方面人们通过阻尼力的大小可以对操作状态进行判断。

（3）便于观察　人对机器设备工作情况的获得是通过对各种仪表的读取来实现的，因此在设计仪表位置和形式时，必须考虑减少观察者的视觉疲劳，这样就必须考虑人的最佳视角、最佳视距、刻度间的最小距离、人对不同刻度盘的识别正确率等若干问题，以尽量减少观察错误的几率。

（4）保护操作者　机器中难免会存在一些质量大或速度高的运动零件和一些锋利的零件，与这些零件意外接触的操作者很可能会被严重的伤害，因此在结构设计中必须考虑对操作者的保护，例如，带传动通常加防护罩。另外噪声也会对机器操作者产生严重的伤害，长期处于噪声环境下的人会产生听力下降、注意力不集中等问题，噪声高于85dB还会对人体的神经系统、心血管系统、消化系统、内分泌系统造成伤害。设计产品时通过采用吸收噪声的材料和结构，利用隔声板、隔声罩、消声器等阻隔噪声传播通道，在振动面上覆盖阻尼材料或安装减振元件来减少振动的产生都可以有效地减小噪声，从而减小对人体的危害。

附录

Chapter

常 用 标 准

附录 A　粗牙普通螺纹（摘自 GB/T 196—2003）　　　　　　（单位：mm）

公称直径 d	螺矩 t	大径 d	中径 d_2	小径 d_1
6	1	6	5.35	4.917
8	1.25	8	7.188	6.647
10	1.5	10	9.026	8.376
12	1.75	12	10.863	10.106
16	2	16	14.701	13.835
20	2.5	20	18.376	17.294
24	3	24	22.051	20.752
30	3.5	30	27.727	26.211
36	4	36	33.402	31.670
42	4.5	42	39.077	37.129

注：粗牙普通螺纹代号用"M"及"公称尺寸"表示。如大径 d=16mm 的粗牙普通螺纹的标记为 M16。

附录 B　平键连接中键和槽的剖面尺寸及键长　　　　　　（单位：mm）

普通平键的型式与尺寸
(GB/T 1096—2003)

A 型

键和键槽的剖面尺寸
(GB/T 1095—2003)

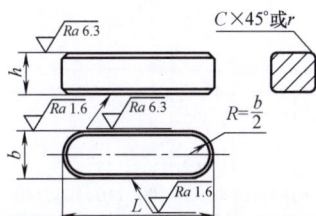

B 型　　　　C 型

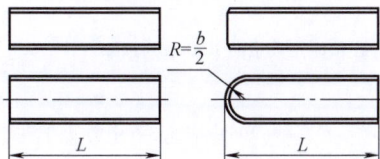

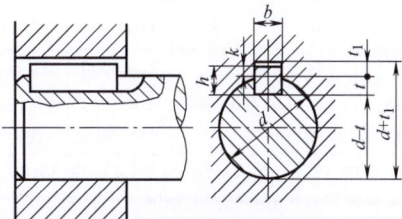

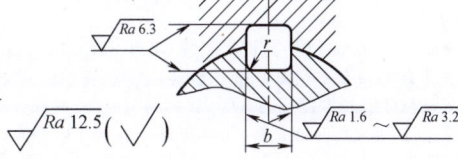

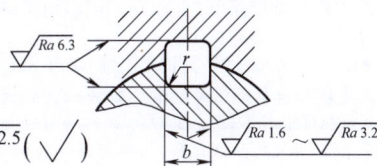

（续）

标记示例：圆头普通平键（A 型），$b=10$mm，$h=8$mm，$L=25$
GB/T 1096—2003 键 $10\times8\times25$
对于同一尺寸的平头普通平键（B 型）或单圆头普通平键（C 型），标记为
GB/T 1096—2003 键 B$10\times8\times25$
GB/T 1096—2003 键 C$10\times8\times25$

轴径 d	键的公称尺寸				每100mm 重量 /kg	键槽尺寸						
	b(h8)	(h8) h(h11)	c 或 r	L(h14)		轴槽深 t		毂槽深 t_1		b	圆角半径 r	
						基本尺寸	公差	基本尺寸	公差		min	max
自 6~8	2	2	0.16~0.25	6~20	0.003	1.2	+1.1 0	1	+0.1 0	公称尺寸同键宽 b，公差见 GB/T 1095—2003，参考文献[30]表 5.3-11	0.08	0.16
>8~10	3	3		6~36	0.007	1.8		1.4				
>10~12	4	4		8~45	0.013	2.5		1.8				
>12~17	5	5	0.25~0.4	10~56	0.02	3.0	+0.1 0	2.3	+0.1 0	公称尺寸同键，公差见表 5.3-9	0.16	0.25
>17~22	6	6		14~70	0.028	3.5		2.8				
>22~30	8	7		18~90	0.044	4.0		3.3				
>30~38	10	8	0.4~0.6	22~110	0.063	5.0	+0.2 0	3.3	+0.2 0		0.25	0.4
>38~44	12	8		28~140	0.075	5.0		3.3				
>44~50	14	9		36~160	0.099	5.5		3.8				
>50~58	16	10		45~180	0.126	6.0		4.3				
>58~65	18	11		50~200	0.155	7.0		4.4				
>65~75	20	12	0.6~0.8	56~220	0.188	7.5		4.9			0.4	0.6
>75~85	22	14		63~250	0.242	9.0		5.4				
>85~95	25	14		70~280	0.275	9.0		5.4				
>95~110	28	16		80~320	0.352	10.0		6.4				
>110~130	32	18		90~360	0.452	11		7.4				
>130~150	36	20	1~1.2	100~400	0.565	12		8.4			0.7	1.0
>150~170	40	22		100~400	0.691	13		9.4				
>170~200	45	25		110~450	0.883	15		10.4				
>200~230	50	28		125~500	1.1	17		11.4				
>230~260	56	32	1.6~2.0	140~500	1.407	20	+0.3 0	12.4	+0.3 0		1.2	1.6
>260~290	63	32		160~500	1.583	20		12.4				
>290~330	70	36		180~500	1.978	22		14.4				
>330~380	80	40	2.5~3.0	200~500	2.512	25		15.4			2	2.5
>380~440	90	45		220~500	3.179	28		17.4				
>440~500	100	50		250~500	3.925	31		19.5				

L 系列	6，8，10，12，14，16，18，20，22，25，28，32，36，40，45，50，56，63，70，80，90，100，110，125，140，160，180，200，220，250，280，320，360，400，450，500

注：1. 在工作图中，轴槽深用 $d-t$ 或 t 标注，毂槽深用 $d+t_1$ 标注。$(d-t)$ 和 $(d+t_1)$ 尺寸偏差按相应的 t 和 t_1 的偏差选取，但 $(d-t)$ 偏差取负号（−）。

2. 当键长大于 500mm 时，其长度应按 GB/T 321—1980 优先数和优先数系的 R20 系列选取。

3. 表中每 100mm 长的重量系指 B 型键。

4. 键高偏差对于 B 型应为 h9。

5. 当需要时，键允许带起键螺孔，起键螺孔的尺寸按键宽参考参考文献[30]中表 5.3-6 中的 d_0 选取。螺孔的位置距键端为 $b\sim2b$，较长的键可以采用两个对称的起键螺孔。

附录 C　向心轴承的径向额定动载荷 C_r 和径向额定静载荷 C_{0r}（摘自参考文献［31］）

（单位：kN）

轴承内径 /mm	深沟球轴承（类型代号：60000）								圆柱滚子轴承（类型代号：N0000）					
	特轻系列 6000		轻系列 6200		中系列 6300		重系列 6400		轻系列 N200E		中系列 N300E		重系列 N400	
	C_r	C_{0r}	C_r	C_{0r}	C_r	C_{0r}	C_r	C_{0r}	C_r	C_{0r}	C_r	C_{0r}	C_r	C_{0r}
10	4.58	1.98	5.10	2.38	7.65	3.48								
12	5.1	2.38	6.82	3.05	9.72	5.08								
15	5.58	2.85	7.65	3.72	11.5	5.42								
17	6.00	3.25	9.58	4.78	13.5	6.58	22.7	10.8						
20	9.38	5.02	12.8	6.65	15.8	7.88	31.0	15.2	27.0	24.0	30.5	25.5		
25	10.0	5.85	14.0	7.88	22.2	11.5	38.2	19.2	28.8	26.8	40.2	35.8		
30	13.2	8.30	19.5	11.5	27.0	15.2	47.5	24.5	37.8	35.5	51.5	48.2	60.0	53.0
35	16.2	10.5	25.5	15.2	33.2	19.2	56.8	29.5	48.8	48.0	62.0	63.2	70.8	68.2
40	17.0	11.8	29.5	18.0	40.8	24.0	65.5	37.5	51.5	53	76.8	78.8	90.5	89.8
45	21.0	14.8	31.5	20.5	52.8	31.8	77.5	45.5	58.5	63.8	93.0	98.8	102	100
50	22.0	16.2	35.0	23.2	61.8	38.0	92.2	55.2	61.2	69.2	105	112	120	120
55	30.2	21.8	43.2	29.2	71.5	44.8	100	62.5	84.0	95.5	135	138	135	132
60	31.5	24.2	47.8	32.8	81.8	51.8	109	70.0	94.0	102	148	155	162	162

附录 D　角接触球轴承的径向额定动载荷 C_r 和径向额定静载荷 C_{0r}（摘自参考文献 ［31］）

（单位：kN）

轴承内径/mm	70000C 型				70000AC 型			
	0		200		0		200	
	C_r	C_{0r}	C_r	C_{0r}	C_r	C_{0r}	C_r	C_{0r}
10	4.92	2.25	5.82	2.95	4.75	2.12	5.58	2.82
12	5.42	2.65	7.35	3.52	5.2	2.55	7.1	3.35
15	6.25	3.42	8.68	4.62	5.95	3.25	8.35	4.4
17	6.6	3.85	100.8	5.95	6.3	3.68	10.5	5.65
20	10.5	6.08	14.5	8.22	10.0	5.78	14.0	7.82
25	11.5	7.45	16.5	10.5	11.2	7.08	15.8	9.88
30	15.2	10.20	23.0	15.0	14.5	9.85	22.0	14.2
35	19.5	14.2	30.5	20.0	18.5	13.5	29.0	19.2
40	20.0	15.2	36.8	25.8	19.0	14.5	35.2	24.5
45	25.8	20.5	38.5	28.5	25.8	19.5	36.8	27.2
50	26.5	22.0	42.8	32.0	25.2	21.0	40.8	30.5
55	37.2	30.5	52.8	40.5	35.2	29.2	50.5	38.5
60	38.2	32.8	61.0	48.5	36.2	31.5	58.2	46.2
65	40.0	35.5	69.8	55.2	38.0	33.8	66.5	52.5

参 考 文 献

[1] 李柱国. 机械设计与理论 [M]. 北京：科学出版社，2003.

[2] 徐锦康. 机械原理 [M]. 北京：高等教育出版社，2001.

[3] 傅祥志. 机械原理 [M]. 武汉：华中科技大学出版社，2000.

[4] 郑文纬，吴克坚. 机械原理 [M]. 7版. 北京：高等教育出版社，1997.

[5] 孙桓，陈作模. 机械原理 [M]. 6版. 北京：高等教育出版社，2001.

[6] 邹慧君. 机械系统设计原理 [M]. 北京：科学出版社，2003.

[7] 温诗铸，黎明. 机械学科发展战略研究 [M]. 北京：清华大学出版社，2003.

[8] 赵卫军. 机械原理 [M]. 西安：西安交通大学出版社，2003.

[9] 申永胜. 机械原理辅导与习题 [M]. 北京：清华大学出版社，1999.

[10] 李方伟，孙怀安，李团结. 机械原理辅导 [M]. 西安：西安电子科技大学出版社，2001.

[11] 谢进，万朝燕，杜立杰. 机械原理 [M]. 北京：高等教育出版社，2004.

[12] 安子军. 机械原理 [M]. 北京：机械工业出版社，2003.

[13] 弗罗洛夫. 机械原理 [M]. 刘作毅，等译. 北京：高等教育出版社，1997.

[14] 尚久浩. 自动机械设计 [M]. 2版. 北京：中国轻工业出版社，2003.

[15] 孙靖民. 现代机械设计方法 [M]. 哈尔滨：哈尔滨工业大学出版社，2003.

[16] 彭文生，黄华梁，王均荣，等. 机械设计 [M]. 2版. 武汉：华中科技大学出版社，2000.

[17] 黄华梁，彭文生. 机械设计基础 [M]. 3版. 北京：高等教育出版社，2001.

[18] 濮良贵，纪名刚. 机械设计 [M]. 6版. 北京：高等教育出版社，1997.

[19] 王三民，诸文俊. 机械原理与设计 [M]. 北京：机械工业出版社，2004.

[20] 邓昭铭，张莹. 机械设计基础 [M]. 北京：高等教育出版社，2004.

[21] 尚久浩，郑甲红. 机械设计基础 [M]. 西安：西北大学出版社，2001.

[22] 杨可桢，程光蕴. 机械设计基础 [M]. 北京：高等教育出版社，1997.

[23] 张春林，曲继方，章美麟. 机械创新设计 [M]. 北京：机械工业出版社，1999.

[24] 吕仲文. 机械创新设计 [M]. 北京：机械工业出版社，2004.

[25] 刘莹，艾红. 创新设计思维与技法 [M]. 北京：机械工业出版社，2004.

[26] 李立斌. 机械创新设计基础 [M]. 长沙：国防科技大学出版社，2002.

[27] 邹慧君. 机械原理课程设计手册 [M]. 北京：高等教育出版社，1998.

[28] 廖林清，王化培，石晓辉，等. 机械设计方法学 [M]. 重庆：重庆大学出版社，1996.

[29] 申永胜. 机械原理教程 [M]. 北京：清华大学出版社，1999.

[30] 闻邦椿. 机械设计手册第2卷 [M]. 6版. 北京：机械工业出版社，2017.

[31] 闻邦椿. 机械设计手册第3卷 [M]. 6版. 北京：机械工业出版社，2017.

[32] 杜增辉，孙克军. 图解步进电机和伺服电机的应用与维修 [M]. 北京：化学工业出版社，2016.

[33] 坂本正文. 步进电机应用技术 [M]. 王自强，译. 北京：科学出版社，2010.

[34] 颜嘉男. 伺服电机应用技术 [M]. 北京：科学出版社，2010.

[35] 孙桓，葛文杰. 机械原理 [M]. 9版. 北京：高等教育出版社，2021.

[36] 张策. 机械原理与机械设计 [M]. 3版. 北京：机械工业出版社，2018.